Medard Kehl · Eschatologie

Medard Kehl

Eschatologie

echter

Meiner Mutter
zum achtzigsten Geburtstag

CIP-Kurztitelaufnahme der Deutschen Bibliothek

Kehl, Medard:
Eschatologie / Medard Kehl. –
Würzburg : Echter Verlag, 1986
ISBN 3-429-01020-9 Brosch.
ISBN 3-429-01033-0 Pp.

Imprimi potest.
Coloniae, 24 Februarii 1986
Rolf D. Pfahl S. J.
Praep. Prov. Germ. Sept.

© 1986 Echter Verlag Würzburg
Umschlag: Alfons Radaelli
Gesamtherstellung: Echter Würzburg
Fränkische Gesellschaftsdruckerei und Verlag GmbH
ISBN 3-429-01020-9 (Broschur)
ISBN 3-429-01033-0 (Pappband)

Inhaltsverzeichnis

1. Teil

*Die Wahrnehmung: Analyse exemplarischer Gegenwarts-
zeugnisse der christlichen Hoffnung und ihres Umfeldes*

2. Teil

Die Vergewisserung: Untersuchungen zum geschichtlichen
Grund christlicher Hoffnung

4. Teil

Die Bewährung: Christliche Hoffnung im Gespräch mit außerchristlichen Geschichtsentwürfen

Vorwort

»Ein großer Schmerz für uns ist es,
daß wir deine schöne Musik so freudlos spielen,
Herr, der du uns Tag um Tag bewegst.
Daß wir immer noch bei den Tonleitern sind,
bei der Zeit der anmutslosen Bemühungen.
Daß wir zwischen den Menschen hindurchgehen
wie schwerbeladene, ernste, überanstrengte Leute.
Daß wir es nicht fertigbringen,
über unserem Winkel der Welt,
während der Arbeit, der Hast, der Ermüdung
etwas auszubreiten wie
Anmut und Behagen der Ewigkeit.«

*(Madeleine Delbrêl,
Gebet in einem weltlichen Leben, Einsiedeln 1974, 119f)*

So ähnlich kann einem zumute sein, wenn man ein ganzes Buch
über das Reich Gottes, den Himmel und die Auferstehung der Toten geschrieben hat und am Ende sich doch eingestehen muß, daß
die dazu benutzte theologische Sprache viel zu wenig von der »Anmut« und dem »Behagen« jener Ewigkeit verbreitet, der die christliche Hoffnung, wo sie ungebrochen gelebt wird, ihre Anziehungs-
und Überzeugungskraft verdankt. Vielleicht ist es das unvermeidliche Schicksal eines theologischen Lehrbuchs, das Sich-Aufschwin-
gen der Hoffnung zu ihrem letzten Ziel hin nur im mühsamen,
schrittweisen Erklettern von »Tonleitern« nachspielen zu können.
Wenn dabei hin und wieder etwas von der Melodie der verheißenen
Vollendung zum Klingen kommt und der Mit-Übende so ermutigt
wird, den Verheißungen zu trauen und sowohl im gelebten Vollzug
seiner Hoffnung wie in der theoretischen Rechenschaft über sie un-
verdrossen weiterzugehen, dann hat ein solches »Tonleiter-Üben«
doch einen gewissen Sinn gehabt.
Der hier vorgelegte Entwurf der Eschatologie ist aus den Vorlesungen über »Theologie der Geschichte« und Eschatologie an der

Phil.-Theol. Hochschule St. Georgen in Frankfurt/Main hervorgegangen. Dementsprechend richtet er sich primär an Studenten der Theologie, darüberhinaus aber auch an solche, die durch ihre berufliche Tätigkeit, durch ihre ungeklärten Fragen an den Glauben oder einfach durch ihr freies Interesse an der Theologie zur Lektüre solcher systematischen Handbücher motiviert sind. Es dürfte im Sinn dieses angezielten Leserkreises sein, wenn ich hier bewußt auf so etwas wie eine wissenschaftliche »Materialschlacht« verzichte. D. h. weder der Wille, möglichst vollständig alle einschlägigen Veröffentlichungen zu berücksichtigen, noch die Absicht, möglichst ausgeglichen alle gewohnten Themen und Theorien der Eschatologie und ihrer Geschichte zur Sprache zu bringen, haben mich geleitet. Wichtiger für das Studium der systematischen Theologie scheint mir, *einen* Grundgedanken – in diesem Fall: die *Begründung unserer gegenwärtigen Hoffnung auf das Reich Gottes* – (einigermaßen) konsequent durchzuziehen und die bibeltheologischen, dogmengeschichtlichen, systematisch-theologischen und philosophischen Aspekte daraufhin auszuwählen und zu ordnen.

Für das Zustandekommen dieses Buches danke ich in erster Linie meinen Studenten in St. Georgen, die durch ihr interessiertes Zuhören, Fragen und Diskutieren mit an dem Gedankengang gearbeitet und mich so auch zu einer Veröffentlichung ermuntert haben. Einige meiner Mitbrüder und Freunde waren dankenswerterweise bereit, das Manuskript durchzulesen und »fachspezifische« Korrekturen anzubringen. Im einzelnen danke ich besonders P. Tobias Schürmann SJ für das Erstellen der Register und für die aufmerksame und kritische Durchsicht der Endfassung des Manuskriptes, Frau Erika Schwär für die gewissenhafte Sorge um das Manuskript und schließlich dem Echter Verlag für sein großzügiges Entgegenkommen bei der Gestaltung des Buches.

Frankfurt/Main, am Fest des hl. Petrus Canisius 1986

Medard Kehl SJ

Einleitung

I. Der Begriff »Eschatologie«

Eschatologie bedeutet (wörtlich übersetzt): die »Rede« (Logos) vom »Letzten« und »Endgültigen« (Eschaton).[1] Innerhalb der katholischen Theologie unseres Jahrhunderts hat der Begriff einen starken Bedeutungswandel durchgemacht: In der vorkonziliaren Neuscholastik verstand man darunter vor allem die traditionelle »Lehre von den Letzten Dingen« (De rebus novissimis). Thema dieses Traktates waren jene Realitäten und Ereignisse, die einerseits dem einzelnen Menschen nach seinem Tod begegnen (individuelles Gericht, Fegfeuer, Himmel oder Hölle) und die zum anderen die Weltgeschichte als ganze beenden (Wiederkunft Christi, Auferstehung der Toten und allgemeines Gericht). Nach der anthropologischen Wende, die sich in der katholischen Theologie um die Mitte unseres Jahrhunderts langsam vollzog und die viele Anregungen des Personalismus und der Existenzphilosophie aufgriff, galt Eschatologie bevorzugt als eine »Theologie des Todes«, die besonders über den Zusammenhang zwischen der im Leben vollzogenen Grundentscheidung menschlicher Freiheit und ihrem (zugleich gewirkten und geschenkten) Endgültigwerden im Tod nachdachte (z. B. K. Rahner, L. Boros, O. Semmelroth u. a.).

Seit dem Zweiten Vatikanischen Konzil, das in seiner großen Pastoralkonstitution »Gaudium et spes« (Die Kirche in der Welt von heute) eine betonte Hinwendung zur Geschichte und zur Welt vollzog, wird demgegenüber die geschichtliche und die kosmologische Dimension der erhofften Zukunft unserer Vollendung stärker miteinbezogen, ohne daß dabei die existentielle Seite vernachlässigt würde. Im Sinn dieser neuesten Akzentuierung möchten wir darum

---

[1] Vgl. zum Begriff und zur Geschichte der Eschatologie: Chr. Schütz, Allgemeine Grundlegung der Eschatologie, in: J. Feiner/M. Löhrer (Hrsg.), MySal Bd. 5, Einsiedeln 1976, 553 ff (dort auch zahlreiche Literaturhinweise); Art. »Eschatologie«, in: TRE Bd. X, Berlin 1982, 254–363; H. Verweyen, Eschatologie heute, in: ThRv 79 (1983), 1–12; P. Müller-Goldkuhle, Die Eschatologie in der Dogmatik des 19. Jahrhunderts, Essen 1966; W. R. Schmidt, Die Eschatologie in der neueren römisch-katholischen Theologie von der Schuldogmatik bis zur »politischen Theologie«, Wiesbaden 1974; E. Kunz, Protestantische Eschatologie – Von der Reformation bis zur Aufklärung, in: M. Schmaus u. a. (Hrsg.), Handbuch der Dogmengeschichte Bd. IV, Fasc. 7c, 1. Teil, Freiburg 1980; Ph. Schäfer, Eschatologie – Trient und Gegenreformation, in: M. Schmaus u. a. (Hrsg.), Handbuch der Dogmengeschichte Bd. IV, Fasc. 7c, 2. Teil, Freiburg 1984; B. E. Daley / H. E. Lona / J. Schreiner, Eschatologie – Schrift und Patristik, in: M. Schmaus u. a. (Hrsg.), Handbuch der Dogmengeschichte Bd. IV. Fasc. 7a, Freiburg 1986.

Eschatologie verstehen als die *methodisch begründete Auslegung der christlichen Hoffnung auf die ihr verheißene endgültige Zukunft unserer (persönlichen, kirchlichen und universalen) Geschichte und der ganzen Schöpfung im Reich Gottes.* Oder, in einer Kant nachgebildeten Formulierung: Eschatologie ist die methodisch begründete Antwort des christlichen Glaubens auf die Frage: »Was dürfen wir hoffen?«

Auf diese Definition wollen wir etwas näher eingehen.[2] I. Kant stellt gegen Ende seiner »Kritik der reinen Vernunft«[3] drei Fragen, in denen das gesamte »Vernunftinteresse« des Menschen zusammengefaßt ist.

1. »WAS KANN ICH WISSEN?«

Darin spricht sich das *theoretische* Vernunftinteresse aus, das von der Metaphysik bzw. der transzendentalen Erkenntnislehre beantwortet wird. Es ist die Frage nach den Möglichkeiten und Grenzen menschlicher Erkenntnis.

2. »WAS SOLL ICH TUN?«

Dies ist die Frage des *praktischen* Vernunftinteresses, die ihre Antwort in der Ethik findet. Sie behandelt die unbedingten Forderungen des sittlichen Bewußtseins des Menschen, die ihre Spitze im sog. Kategorischen Imperativ finden.

3. »WAS DARF ICH HOFFEN?«

Diese Frage enthält die *Einheit* von theoretischem und praktischem Vernunftinteresse; sie wird von der Religion beantwortet. Denn diese verheißt das, was der Mensch erlangt, wenn er vollkommen den sittlichen Forderungen Genüge leistet, nämlich die Glückseligkeit als Folge vollendeter Sittlichkeit; dies jedoch nicht als eine notwendige Folge (sonst fiele sie in den Bereich der Erkenntnis), son-

---

[2] Vgl. dazu R. Schaeffler, Was dürfen wir hoffen?, Darmstadt 1979, 13–22.
[3] Vgl. I. Kant, Kritik der reinen Vernunft, Riga 1781, 804 f; ebenfalls in: Vorlesungen über Logik, hrsg. von G. I. Jäsche, Königsberg 1800, 25. Hier fügt Kant noch eine vierte Frage hinzu: »Wer ist der Mensch?« Diese anthropologische Frage faßt die anderen drei Fragen noch einmal zusammen.

dern als eine erhoffte Folge: Was *darf* ich hoffen, wenn ich sittlich gut handle?

In der Antwort auf diese dritte Frage kommt das ganze theoretische und praktische »Vernunftinteresse« an sein Ziel. »Denn sie will (theoretisch wissen), was sich aus der sittlichen Praxis des Menschen ergeben wird«[4]: »Wenn ich nun tue, was ich soll, was darf ich alsdann hoffen?«[5] Erkennen und Handeln, Theorie und Praxis finden (für Kant) erst auf dieser Stufe zu ihrer letzten Einheit: in der endgültig erfüllten Hoffnung. In dem, was der Mensch als seine Vollendung erhoffen darf, kommt sein Wesen, seine Bestimmung *als* Mensch zum Ziel, erfüllt sich sein »Vernunftinteresse«. Denn »Vernunft« bedeutet für Kant genau das, was den Menschen zum Menschen macht; ihr grundlegendes Interesse richtet sich deswegen auf das, was den Menschen vor seiner Selbstzerstörung bewahrt und zu seiner vollen Selbstentfaltung hinführt.

Allein in der religiös zu beantwortenden Hoffnung des Menschen wird dieses Interesse endgültig und umfassend erfüllt. Insofern hat Hoffnung wesentlich mit dem Letzten und Endgültigen menschlicher Vernunft, ja menschlichen Daseins überhaupt zu tun: eben mit dem »Eschaton« des Menschen und seiner Geschichte. Die Frage »Was dürfen wir hoffen?« zielt also bereits von ihrer anthropologischen Struktur her auf das Endgültige als den »Endzweck« menschlichen Erkennens und Handelns; sie ist von sich her bereits Ausdruck für eine »eschatologische« Erwartung.

Die Entfaltung dieser Frage und der Antwort des christlichen Glaubens auf sie macht den Inhalt unseres Traktates aus, der eben »Eschatologie«, d. h. »christliche Rede vom Letzten und Endgültigen« des Menschen und seiner Welt, sein will. Dies aber – im Unterschied zur Predigt, zum Bekenntnis, zur Meditation – auf »methodisch begründete« Weise.

[4] R. Schaeffler, aaO. 13.
[5] I. Kant, Kritik der reinen Vernunft, 804.

II. Die Methode

Wir verstehen solche »methodisch begründete« Auslegung als eine theologische »*Phänomenologie*« der christlichen Hoffnung. Eine solche Methode geht in mehreren Schritten voran.

1. Die Wahrnehmung des Phänomens

Wie versuchen zunächst, die vielfältige Gestalt, also das »Phänomen« gegenwärtig gelebter christlicher Hoffnung wahrzunehmen. Dazu befragen wir einige ausgewählte Zeugnisse dieser Hoffnung in unserer Gegenwart. Den Ausgangspunkt unserer Überlegungen bilden also nicht die verschiedenen theologischen Reflexionen der Vergangenheit oder Gegenwart *über* die christliche Hoffnung, sondern zunächst einmal die tatsächlich gelebte Hoffnung selbst, wie sie sich in bestimmten schriftlichen Zeugnissen artikuliert. In dieser formulierten Vermittlung liegt das »Materialobjekt« unserer Untersuchung. Die notwendige Auswahl aus der unüberschaubaren Vielfalt solcher Hoffnungsweisen wird bestimmt durch ihre Relevanz für den christlichen Glauben in unserer gegenwärtigen, mitteleuropäisch geprägten Gesellschaft. Hier, an diesem Ort und zu diesem Zeitpunkt der Geschichte, sollen wir ja zuallererst einmal »Rechenschaft über unsere Hoffnung« geben (1 Petr 3, 15).[6] Aufgrund dieses Kriteriums haben wir sieben exemplarische Zeugnisse ausgesucht, die wir im ersten Teil darstellen werden.

2. Die Begründung der Wahrheit unserer Hoffnung

Über die Methode einer neutral und distanziert beschreibenden Religionsphänomenologie führt der zweite Schritt hinaus, der die Frage nach dem verstehbaren *Sinn* und nach der begründbaren *Wahrheit*, also nach dem »Logos« unserer Hoffnung stellt. Das bedeutet einmal: Wie läßt sich diese Hoffnung im Horizont überkom-

---

[6] Wir entwerfen hier also eine durchaus regional akzentuierte Eschatologie, die ein anderes Gesicht trägt als etwa eine in Lateinamerika oder in Afrika oder in Indien verfaßte Eschatologie. Dennoch glaube ich, daß sie offen ist für einen sich gegenseitig anregenden Dialog mit anderen Hoffnungstheologien; denn eine solche Offenheit (und nicht eine abstrakte Allgemeinheit!) macht die »virtuelle« Universalität einer Theologie aus.

mener und gegenwärtiger Wirklichkeitserfahrung verstehen, deuten, interpretieren? Aber darüber hinaus: Was unterscheidet diese Hoffnung von einer bloßen Illusion, einem reinen Wunschdenken? Hat sie einen tragfähigen Grund in der Wirklichkeit? Diese im eigentlichen Sinn theologische Frage nach der Wahrheit unserer Hoffnung impliziert wiederum verschiedene methodische Schritte, die zwar unterschieden, aber nicht voneinander getrennt werden können; sie müssen vielmehr in verschiedener Akzentsetzung (je nach Situation des Rechenschaftgebens über unsere Hoffnung) jeweils besonders hervorgehoben werden.

a) Geschichtliche Vergewisserung

Für die heute gelebte christliche Hoffnung nimmt die Rückfrage nach ihrem geschichtlichen Grund einen bedeutsamen Platz ein. Denn sie wird ja nicht einfach von jeder Generation völlig neu geschaffen oder aus den jeweiligen zeitgenössischen Bedürfnissen heraus destilliert, sondern gründet in dem geschichtlichen Ereignis Jesus von Nazareth und der von ihm eröffneten Hoffnungsgeschichte. Sie stützt sich dabei vor allem auf das in ihm angekommene und von ihm in seiner Vollendung verheißene Reich Gottes: eine Verheißung, die uns in der Person, in der Verkündigung und im Geschick Jesu ein für allemal zugesagt worden ist. Als Hoffende stehen wir in einem geschichtlichen und gesellschaftlichen Kontinuum der Hoffnung; die von Jesus ausgehende Hoffnung wird in der Erfahrungs- und Erzähltradition der Kirche weitergegeben und jeder Zeit neu zu der ihr entsprechenden Aneignung übergeben (»tra-ditio«). Zur theologischen Wahrheitsfindung gehört also wesentlich die Darlegung dieses geschichtlichen Traditionszusammenhangs: Inwieweit stehen die gegenwärtigen christlichen Hoffnungsweisen in einer geschichtlich aufweisbaren Kontinuität zu Jesus Christus und der ganzen kirchlichen Hoffnungsgeschichte? Die Frage nach der »Wahrheit« der christlichen Hoffnung bedeutet also in diesem methodischen Schritt die Frage nach der *geschichtlichen Entsprechung* zwischen *gegenwärtiger Hoffnung* und dem sie *begründenden Ursprung*. Der Aufweis solcher Entsprechung gehört vornehmlich in die Kompetenz einer exegetischen, bibeltheologischen und dogmengeschichtlichen Hermeneutik; wir wollen einige ausgewählte Themen daraus im zweiten Teil behandeln.

b) Systematisch-theologische Vergegenwärtigung

Mit diesem geschichtlich-hermeneutischen Schritt geht immer schon – in der Art eines unvermeidlichen »hermeneutischen Zirkels« – ein zweites methodisches Moment der Wahrheitsfindung zusammen: das kritisch-*systematische* Fragen nach dem inneren, sachlichen Zusammenhang unserer gegenwärtigen Hoffnung mit Jesus Christus und seinen Verheißungen. Die Geschichte dieses Jesus von Nazareth bildet für unsere Hoffnung ja nicht nur einen geschichtlichen Anfangspunkt, der alles einmal angestoßen und ins Rollen gebracht hat (vergleichbar einer großen historischen »Gründergestalt«). Viel entscheidender noch liegt in seiner Person und in seiner Geschichte der ständig präsente, gleichsam »ontologische« Wahrheitsgrund der ganzen kirchlichen Hoffnungsgeschichte. Denn diese gründet bleibend in seiner »Geistes-Gegenwart« und der von diesem Hl. Geist ständig neu gewirkten Hoffnung. Daraus folgt: Über die geschichtliche Kontinuität unserer Hoffnung hinaus muß die Theologie nach der »sachlichen« Wahrheit unserer Hoffnung fragen, und zwar auf doppelte Weise.

(1) Die Wahrheit der Hoffnung: Treue zum »Geist« der Verheißung

Die erste Frage dieses methodischen Schritts lautet: Entspricht unsere Hoffnung in ihrer *Lebenspraxis* und in ihren Ausdrucksformen dem grundlegenden Geschehen der Selbstmitteilung Gottes in Jesus Christus? Entspricht sie der davon ausgehenden Verheißung einer endgültigen Versöhnung, die gerade auch *unserer* Zeit, ihren Nöten, Verzweiflungen und Sehnsüchten zugesprochen wird? Steht sie in einem vom Hl. Geist getragenen und damit bleibend befreienden »Sinnzusammenhang« mit dem Christusgeschehen und seiner verheißenen Zukunft? Befinden wir uns nicht nur formal-äußerlich in der Hoffnungsgeschichte Jesu Christi, sondern auch sachlich-lebensmäßig in den zentralen Gehalten unserer Hoffnung? Ist unsere Hoffnung also heute noch die befreiende Antwort für unsere gegenwärtige geschichtliche Situation, oder beschränkt sie sich darauf, nur vergangene Hoffnungsformulierungen weiterzugeben? Hier hat die Theologie eine durchaus kritisch-aufdeckende Funktion für jede Gegenwart des Glaubens. »Wahrheit« bedeutet in diesem methodischen Schritt die *lebensmäßig praktizierte* und *theologisch artikulierte Entsprechung* von *gegenwärtiger Hoffnung* und der sie *tragenden Verheißung*. Der Nachweis dieser Wahrheit gegenwärtiger eschatologischer Hoffnungsaussagen soll vor allem im dritten Teil versucht werden.

(2) Die Wahrheit der verheißenen Zukunft:
Unbedingte Geltung der von ihr getragenen Lebenspraxis

In dem Maße, wie diese Entsprechung positiv aufgewiesen werden kann, läßt sich dann auch die (zweite) Frage, nämlich die nach der Wahrheit der *verheißenen Zukunft selbst* beantworten: Kann auch das Woraufhin, also der Inhalt unserer Hoffnung, als wahr erwiesen werden, d. h. als real erfüllbar, als unterschieden von Illusion, Traum und reinen Wunschbildern? Hier bedeutet also »Wahrheit« die Entsprechung von *subjektivem Vollzug und objektivem, in der Realität gegebenem Gehalt* der Hoffnung. Wie kann diese aber aufgezeigt werden?

Diese Form der eschatologischen Wahrheitsbegründung teilt den grundsätzlichen Charakter *jeder* theologischen Aussage. Das bedeutet: Die Wahrheit des Glaubens (also ob er wirklich »stimmt«) kann nicht angemessen mittels eines außerhalb des Glaubens liegenden Maßstabs begründet werden. Daß die sich in Jesus Christus uns selbst zusagende Liebe Gottes eine »Realität« und insofern »wahr« ist, kann nur im Glauben selbst erkannt und angenommen werden. Es gibt vorgängig zum Glauben keine allgemeine, den Glauben übersteigende und subsumierende Sinnes- oder Vernunfterkenntnis, an der die Wahrheit dieser Zusage noch einmal gemessen werden könnte. Das liegt einfach an der Natur des »Gegenstandes« unseres Glaubens: Gott und seine uns heilende, rettende Liebe lassen sich grundsätzlich nicht als allgemein sichtbare, den fünf Sinnen und der Vernunft des Menschen einfach offenstehende Sachverhalte vorzeigen, mit denen man die Glaubensaussagen vergleichen und dadurch als wahr bzw. falsch erweisen könnte. Als Zusage einer unendlich schöpferischen und befreienden Liebe ist diese Wirklichkeit das »id, quo maius cogitari nequit« (Anselm von Canterbury), das vom Menschen her unausdenkbar Höchste an Liebe und Sinnerfüllung. Der einzig ausschlaggebende, den Glauben *als solchen* tragende und seine Wahrheit begründende Grund bleibt der sich uns *im Tun* unseres Anvertrauens zeigende und verschenkende Gott selbst. Wer sich auf ihn und auf das Wort seiner »Frohen Botschaft« vorbehaltlos verläßt, nimmt ihn darin »wahr« als die durchtragende, in allem heilend und befreiend »dabeiseiende Liebe« (vgl. Ex 3, 14 f), in der unsere ganze Wirklichkeit ihren Grund und auch ihr Ziel, ihr vollendendes Heil im »Reich Gottes« findet.[7]

---

[7] Vgl. dazu P. Knauer, Der Glaube kommt vom Hören. Ökumenische Fundamentaltheologie, Graz 1978; M. Kehl, Hinführung zum christlichen Glauben, Mainz 1984, 17 ff, 40.

Was bedeutet das für die Wahrheit der *Verheißungen* des Glaubens? Diese können nicht dadurch als tatsächlich realisierbare Möglichkeiten begründet werden, daß sie an einem übergeordneten, vernunftgemäßen »Hoffnungsmaß« gemessen werden, dem sie mehr oder weniger entsprechen. Sie lassen sich nicht einfach dem einpassen, was als »menschenmöglich« erhofft werden kann. Vielmehr erweisen sie ihren Realitätsgehalt *im* Vollzug der Hoffnung selbst. Indem wir uns lebenspraktisch in das »Hoffnungskontinuum« der Kirche hineinstellen und darin die Hoffnung Jesu auf das verheißene Reich Gottes als befreiende Antwort für unsere geschichtliche Gegenwart nachvollziehen, machen wir eine ganz bestimmte Erfahrung mit der Geschichte: nämlich daß eine solche Lebenspraxis, die ihr ganzes Leben einsetzt und hingibt um des Reiches Gottes willen, nicht einfach gleich-gültig neben allen anderen möglichen Lebensformen steht, sondern daß sie eine *unbedingte Geltung* besitzt[8]; d.h. daß sie durch nichts, durch keinen individuellen Tod und durch keinen Zusammenbruch unserer geschichtlichen oder kosmischen Lebenswelt in ihrer Gültigkeit, in ihrem Wert aufgehoben werden kann; daß sie vielmehr mit Recht darauf hoffen kann, in eine endgültige Vollendungsgestalt »aufgehoben« zu werden. Die gelebte Teilhabe an der Lebenspraxis Jesu allein erschließt den Realitätsgehalt des »Versprechens«, welches in dem Geschehen Jesus Christus enthalten ist und auf dessen endgültige Einlösung unsere Hoffnung sich ausstreckt. Außerhalb dieser Teilhabe gibt es keinen Argumentationszusammenhang, in dem unsere Hoffnung und ihr Woraufhin mit allgemein einsichtigen Vernunftgründen als wahr (oder wenigstens »wahr-scheinlich«) begründet werden könnten. Deshalb bietet die christliche Hoffnung auch nicht die absolute Sicherheit eines Wissens um die Zukunft; wohl aber eine unbedingte Gewißheit des Vertrauens in die *End-gültigkeit* ihrer Lebenspraxis. Diese Gewißheit läßt sich natürlich ständig rational bezweifeln und existentiell anfechten (nicht nur von außen, sondern auch aus uns selbst heraus). Aber das gehört unausweichlich zur Eigenart einer Wahrheit, die auf eine geschichtliche Lebenspraxis und auf das Vertrauen in ihren Sinn gründet. Aufgabe der Theologie ist es, in der glaubenden Teilhabe an dieser Lebensform die darin erschlossene Hoffnung und ihr Ziel »auf den Begriff« zu bringen, d.h. sie in der Sprache und Vorstellungswelt einer bestimmten Zeit verständlich und für diese Situation heilend-befreiend auszulegen.

Formal unterscheidet sich in diesem methodischen Vorgehen die

---

[8] Vgl. dazu E. Schillebeeckx, Christus und die Christen, Freiburg 1977, 618–624; 772–787.

christliche Hoffnung und ihr Wahrheitsanspruch nicht von anderen möglichen Antworten auf die Frage nach dem »Sinn der Geschichte«. Denn diese Antworten sind immer schon von grundlegenden Interessen, Optionen und geschichtlichen Erfahrungen mitbestimmt. Die Frage, ob die (individuelle und allgemeine) Geschichte ihren Sinn, ihr letztes »Worumwillen« in sich selbst trägt, also in ihrer Vorläufigkeit, in ihrem ständigen Abbrechen und Neuanfangen, in einem endlosen Hin und Her der Konflikte und Versöhnungen; ob es also vornehmlich darauf ankommt, dieser Bewegung etwas Hoffnungspotential für eine menschlichere, vernünftigere Gestaltung des Lebens abzuringen – *oder* ob sie ihren Sinn in einer sie noch einmal übersteigenden und endgültig »aufhebenden« Versöhnung findet: diese geschichtsphilosophische und existentielle Grundfrage ist rein rational, d. h. in einer allgemein konsensfähigen Argumentation, nicht zu entscheiden. Die jeweiligen Gründe und Gegengründe gewinnen ihre Einsichtigkeit nur im Kontext einer ganz bestimmten Lebenspraxis. Dennoch wird dadurch die Annahme einer »endgültigen Versöhnung« keineswegs beliebig; sie läßt sich durchaus in gewissem Maß rational überprüfen, z.B. nach den Kriterien: Werden in ihr alle Erfahrungsdimensionen berücksichtigt? Liegen innere Widersprüche vor? Was folgt für das geschichtliche Handeln, wenn es nicht auf eine solche »Versöhnung« hofft? Wir werden die argumentative Auseinandersetzung mit verschiedenen geschichtsphilosophischen Grundoptionen im vierten Teil durchführen.

Exkurs: *Die erkenntnistheoretische Eigenart*
der christlichen Hoffnung: Erkenntnis aus dem »Versprechen«

Die dargelegte Weise der Erkenntnis und Wahrheitsbegründung eschatologischer Aussagen soll in diesem Exkurs noch etwas verdeutlicht werden. Zunächst einmal: Sie darf auf keinen Fall verstanden werden nach dem Modell einer vorwegnehmenden »Reportage« zukünftiger Ereignisse[9]; denn sie beruht nicht auf Wahrsagerei oder irgendwelchen Sonder-Offenbarungen, die grundsätzlich

---

[9] H. U. v. Balthasar, Eschatologie, in: J. Feiner/J. Trütsch/F. Böckle (Hrsg.), Fragen der Theologie heute, Einsiedeln 1958, 403–422; K. Rahner, Theologische Prinzipien zur Hermeneutik eschatologischer Aussagen, in: Schr. z. Th. IV, Einsiedeln 1960, 401–428; ders. Art. »Eschatologie«, in: SM I, Freiburg 1967, Sp. 1183–1192; D. Wiederkehr, Perspektiven der Eschatologie, Zürich 1974; H. Vorgrimler, Hoffnung auf Vollendung, Freiburg 1980, 83–100.

über das in Jesus Christus Geschehene hinausgingen. Ebensowenig läßt sich die von uns erhoffte Zukunft der Geschichte erkennen durch »Prognosen« bzw. »Extrapolationen«, bei denen man einfach bestimmte Tendenzen oder Trends der Vergangenheit und Gegenwart in die Zukunft hinein auszieht, wobei dann vor allem das Maß der Informationen das Maß der Wahrscheinlichkeit für das Eintreffen solcher Prognosen bestimmt.[10] Demgegenüber wollen christliche Hoffnungsaussagen positiv verstanden werden als Ausdruck des Vertrauens in eine Zukunft, die auf dem »Versprechen« beruht. Was ist damit gemeint?

Die Eigenart einer Erkenntnis aus dem Versprechen findet auch in der gegenwärtigen Philosophie ihre Erwähnung. Jürgen Habermas verweist in seiner Theorie der Sprechakte[11] darauf, daß sich ein in der »performativen« Form des Versprechens geäußerter Geltungsanspruch (also z. B. »ich verspreche dir, morgen zu kommen«) von allen anderen kommunikativen Äußerungen dadurch unterscheidet, daß er nicht diskursiv einlösbar ist, sondern nur durch konsistentes Verhalten. Um das Handeln einer Person als konsistentes Verhalten im Sinne der Einlösung eines Versprechens zu werten, bedarf es des Vertrauens in diese Person. Denn Aufrichtigkeit und Lauterkeit der Motive eines Handelnden können nicht empirisch an den einzelnen Handlungen selbst abgelesen, sondern nur geglaubt werden.

Das Versprechen, auf das der christliche Glaube sich gründet, heißt biblisch »Verheißung«. Aber bereits vorgängig zur ausdrücklichen Wortoffenbarung dieser Verheißung trägt die geschaffene Wirklichkeit objektiv den Charakter eines Versprechens.

(1) Der Versprechenscharakter der Wirklichkeit

Damit ist ein ganz bestimmtes »Gutsein« von Dingen, Ereignissen, Personen, Werken usw. gemeint, nämlich jenes, wodurch sie einer-

---

[10] Prognose ist der »Versuch, unter Verwertung aller verfügbaren Informationen festzustellen, welche künftigen Entwicklungen in einem genauer zu definierenden Feld unter bestimmten Voraussetzungen... nach zu berechnenden Wahrscheinlichkeitsgraden eintreten werden. ...Planung... ist... der ausgearbeitete Entwurf der rationalen Direktiven des Handelns. Die Planung geht über die Prognose hinaus, denn sie setzt voraus, daß aus dem Spielraum der prognostisch erkannten Möglichkeiten eine bestimmte... gewählt worden ist«. So G. Picht, zitiert nach Chr. Schütz, Die Vollendung der Heilsgeschichte, in: MySal Bd. 5, Zürich 1976, 630.

[11] Vgl. J. Habermas, Diskursethik – Notizen zu einem Begründungsprogramm, in: ders., Moralbewußtsein und kommunikatives Handeln, Frankfurt 1983, 53–125, bes. 68 f.

seits unser Verlangen nach Sinn und Heilsein partiell erfüllen können und anderseits doch zugleich über sich hinausweisen auf ein umfassendes Gutwerden, das von uns aus nie zu erreichen, aber in tätiger Hoffnung offen zu halten ist. Zwei *Beispiele* sollen diese Rede vom »Versprechen« etwas veranschaulichen.[12]

Eine gelingende *Freundschaft* oder Gemeinschaft entspricht wie nichts anderes der Hoffnung eines Menschen auf Glück, auf Sinn, auf gelungene Selbstverwirklichung; hier kann er mit sich, mit seiner Welt und seinem ganzen Geschick so glückend übereinstimmen, daß er mit Faust zu diesem »seligen Augenblick« sagen mag: »Verweile doch, du bist so schön!« Es gibt aber anderseits auch keine Erfahrung, die so scharf die Trauer der Endlichkeit im Menschen weckt wie diese. Erfährt er doch ständig, daß diese Übereinstimmung ihre Grenzen und Beschränktheiten hat: z. B. in der eigenen und des anderen Liebesfähigkeit, die von so vielen Bedingungen abhängt; oder im Schuldigwerden aneinander und in der Schwierigkeit zu vergeben; oder in der Unbeständigkeit der Zuneigung; oder im unvermeidbaren Getrenntwerden voneinander, was letztlich im Tod des geliebten Partners seine ganze Härte zeigt. Dieses Zusammenspiel von beglückender Gegenwart *und* der darin erfahrenen Endlichkeit kann den liebenden Menschen nun in Resignation oder Verzweiflung stürzen; es kann ihn davon abhalten, sich überhaupt noch intensiv in neue freundschaftliche Bindungen zu begeben. Es kann ihn aber auch – wenn er diese Erfahrungen mit all ihren Enttäuschungen, in einem unerschütterlichen Ja zur Wirklichkeit, so wie sie ist, annimmt – mit Hoffnung erfüllen, weil für ihn hier ein Versprechen vernehmbar wird, das ihn auf eine neue, schönere, ja vielleicht endgültig gelingende Gestalt der Freundschaft hinweist. Wie diese aussehen soll, läßt sich vielleicht noch in Bildern und Träumen ausmalen, aber inhaltlich kaum positiv beschreiben; eher in negativen Ausgrenzungen: ohne Schuld, ohne Mißtrauen, ohne Bedingungen, ohne Ende usw. Eine solche Erwartung wird in keiner Phase einer Freundschaft ganz oder endgültig erfüllt; aber da, wo einer so liebt, *als ob* es diese Erfüllung doch einmal gäbe, wo er sie einfach als möglich »unterstellt« und deswegen sich voller Vertrauen, ohne Angst und Vorbehalte in eine Beziehung hineinbindet, da erweist sich diese Freundschaft als »verheißungsvoll«, da öffnet das erfahrene »Schon« und das erhoffte »Noch-nicht« in jeder konkreten Begegnung einen Möglichkeitshorizont, der die Liebenden gleichsam ständig in Bewegung sein

---

[12] Es folgen hier einige Passagen aus M. Kehl, Einführung in den christlichen Glauben, Mainz 1984, 48 ff, 62 f.

läßt auf eine unabschließbare Zukunft ihrer Freundschaft hin. Gerade so »offenbart« diese Beziehung den Versprechenscharakter der Liebe, ja unserer Wirklichkeit überhaupt.[13]

Ein weiteres Beispiel kann auf das gleichsam »naturhafte« Versprechen hinweisen, das jedes *Kind* in sich trägt. Das einfache Dasein, das stets neue Geborenwerden und Aufwachsen von Kindern ist zweifellos eine der tiefsten »Hoffnungsressourcen« der Menschen. Entzündet sich doch gerade an ihnen – oft mitten im ausweglosen Elend – immer von neuem die Hoffnung, daß es mit dem menschlichen Zusammenleben einmal »aufwärts« gehen und es einer besseren, menschlicheren Zukunft entgegengehen könnte (vgl. die alten Sagen und Mythen der Völker, in denen das »neue Zeitalter« oft mit der Geburt eines Gotteskindes oder Königssohnes verbunden wird, bis hin zu den Weissagungen des Propheten Jesaja!). »Wenn man von einem Kind redet, spricht man niemals den Gegenstand, sondern immer nur seine Hoffnungen aus« (J. W. v. Goethe); eben jene Hoffnung, daß einmal eine Zeit anbrechen wird, in der weniger Schuld an den Händen der Menschen kleben wird, in der mehr Freundlichkeit, mehr spielerische Liebenswürdigkeit, mehr einfache Herzlichkeit das Zusammenleben bestimmen werden. Und trotz aller Enttäuschungen (die meisten Kinder werden halt doch mit der Zeit ihren Vorfahren immer ähnlicher ...) ist diese Hoffnung noch nicht versiegt. Denn auch hier antwortet sie auf ein Versprechen, das die Wirklichkeit unaustilgbar mit sich bringt: Im anfänglichen Gelingen wahren Menschseins beim Kind steckt die Verheißung des »noch nicht« Gelungenen, aber doch als möglich Erwarteten. Und jedes Aufziehen und Erziehen von Kindern nährt sich zutiefst aus der Kraft dieses Ausgreifens in eine ideale menschliche Zukunft, deren Realität das Kind bereits wie ein »Gleichnis« vorwegnimmt.

Ähnliche Beispiele ließen sich aus allen Bereichen unserer Wirklichkeit schildern. Immer ist es das gleiche Grundmuster: Wo Menschen die anfängliche Erfüllung (»schon«) ihrer Hoffnungen und zugleich die Endlichkeit (»noch nicht«) in aller Erfüllung so annehmen, daß sie dadurch zu immer neuer Hoffnung befreit werden und diese Hoffnung auch in immer neue Taten der »Sympathie« zur

---

[13] Ein anderes Beispiel für diesen »Versprechenscharakter der Wirklichkeit« liefert die Sprache; vgl. K. O. Apel, Sprechakttheorie und transzendentale Sprachpragmatik zur Frage ethischer Normen, in: K. O. Apel (Hrsg.), Sprachpragmatik und Philosophie, Frankfurt 1976, 10–173; J. Habermas, Was heißt Universalpragmatik? aaO. 174–272 (bes. 176ff); J. Kopperschmidt, Das Prinzip vernünftiger Rede. Sprache und Vernunft I, Stuttgart 1978, bes. 84–122; J. Heinrichs, Relfexionstheoretische Semiotik, 2. Teil: Sprachtheorie, Bonn 1981.

konkreten Wirklichkeit umsetzen; wo sie also (wie einst Abraham) voller Vertrauen ständig »unterwegs« sind zu den »noch nicht« ausgeschöpften, wirklich heilenden und befreienden Möglichkeiten unserer Wirklichkeit; wo sie diese Möglichkeiten dann nicht irgendwann einfach mit einem erreichten Zustand identifizieren und so den offenen Möglichkeitshorizont eigenmächtig abschließen: Da gibt sich ihnen in diesem Handeln die Wirklichkeit als ein großes, nie endendes Versprechen zu erkennen. Ein Versprechen, das von ihr selbst und unserem Handeln mit ihr zwar nie restlos erfüllt werden kann, das aber dennoch die ungebrochene Hoffnung einlädt zur Ausschau nach einer endgültigen Erfüllung, auf die hin sie sich ausstreckt und die ihr – wenn überhaupt – von »anderswoher« zuteil werden mag.

Diesen Charakter des Versprechens projiziert nun nicht einfach ein »hoffnungsgeladener« Selbsterhaltungstrieb einiger Menschen in unsere »an sich« harte und versprechenslose Wirklichkeit hinein. Die menschliche Hoffnung *und* das Versprechen von seiten unserer Wirklichkeit her bedingen sich vielmehr gegenseitig. Eine anfängliche »Sympathie«, also eine verstehende und des Mit-leidens fähige Haltung gegenüber allem Wirklichen, bewährt sich in der Begegnung mit ihm dadurch, daß sie darin Dimensionen aufdeckt, die mehr über diese Wirklichkeit aussagen, als ein distanziertes Feststellen von Fakten erkennen kann: nämlich den in eine offene, unabschließbare Zukunft verweisenden Möglichkeitshorizont aller Wirklichkeit, den wir ihr »Versprechen« nennen. Diese Wahrnehmung kann nun ihrerseits beim Menschen die Grundeinstellung einer Hoffnung wachsen lassen, die sich in immer neuer und tieferer Sympathie auf alle Wirklichkeit einläßt und so immer deutlicher ihr Versprechen sichtbar werden läßt. Darin gründet die Möglichkeit und auch ein entscheidendes Kriterium der Legitimität der verschiedensten Hoffnungsentwürfe, die in der Geschichte der Religionen und der Utopien entstanden sind (siehe Teil 4).

(2) Das einzigartige Versprechen: Jesus Christus

Der entscheidende Unterschied der *christlichen Hoffnung* gegenüber allen anderen möglichen Hoffnungsweisen, auch der des Volkes Israel, liegt in der Person Jesu Christi und ihrer Bedeutung für unsere Hoffnung. Denn aufgrund der Geschichte Jesu und der geistgeschenkten Teilhabe an seinem Auferstehungsleben hoffen wir auf das Heilwerden unserer ganzen Wirklichkeit mit einer einzigartigen *Zuversicht*. D. h. wir erfahren einerseits im glaubenden Tun der Nachfolge Jesu bereits in seiner Person und Geschichte die

Einlösung aller Versprechen unserer Wirklichkeit: »Er ist das Ja zu allem, was Gott verheißen hat« (2 Kor 1, 20); der erfüllte, gelungene Sinn des Geschöpfseins, des Menschseins, des Liebens und Lebens ist in ihm voll und ganz verwirklicht. Zugleich aber erfahren wir darin auch, daß diese Person und Geschichte Jesu selbst noch eine Zukunft hat, daß sie unserer Wirklichkeit von Gott her einen neuen Möglichkeitshorizont eröffnet: nämlich den der *universalen Teilhabe* aller Dinge an seinem geheilten und versöhnten Leben im Reich Gottes. Jesus trägt – von seiner Verkündigung des Reiches Gottes, von seinem Tod und seiner Auferstehung her – in sich das *untrügliche* Versprechen, daß einmal *unsere* ganze Wirklichkeit, soweit sie dazu bereit und fähig ist, in *sein* endgültiges Heilsein einbezogen wird. Dadurch wird das in ihm uns gegebene Geschenk der Liebe Gottes keineswegs überboten, wohl aber ausgefaltet in die Vielfalt geschöpflicher Aneignung. Darum kann auch das in ihm bereits angebrochene Reich Gottes nicht mehr untergehen; es ist seit Jesus auf dem Weg, sich zu einer universalen Versöhnung aller Schöpfung »auszuweiten«, aus der – von Gott her – niemand und nichts ausgeschlossen bleibt. Natürlich geschieht dies nicht »automatisch« und nicht in einer – gleichmäßigen oder dialektisch-sprunghaften – Evolution der Geschichte auf das Reich Gottes hin. Es bleibt eine offene Geschichte der menschlichen Freiheit und ihrer Entscheidung für Christus oder gegen ihn. Das eine ist jedoch durch Jesus Christus endgültig entschieden: Unsere Wirklichkeit mit all ihren Versprechen ist jetzt nicht mehr in dem Sinn unbegrenzt offen, daß alle ihre Möglichkeiten auch ins Endlos-Leere und Nichtige verlaufen könnten. Nicht einmal die »Macht der Sünde und des Todes« (auch nicht einer selbstverschuldeten Vernichtung unserer Erde und unserer menschlichen Lebenswelt) kann das endgültige »Kommen des Reiches Gottes« verhindern. Denn das fundamentale »Gutsein« unserer menschlichen Wirklichkeit (eben ihr Ja zu Gott und seiner ganzen Schöpfung) ist bereits »gerettet«, ist in dem auferstandenen Menschen Jesus von Nazareth endgültig bei Gott »aufgehoben«.

Wie und in welchem Maß allerdings das universale »Einschwenken« auf den Weg Jesu Christi – gegen alle mächtigen, aber nicht mehr übermächtigen Widerstände des Bösen – sich vollzieht, das macht die Offenheit der Geschichte nach Christus aus; sie bleibt deswegen eine Hoffnungs- und Verheißungsgeschichte. Die Kirche als Gemeinschaft derer, die bewußt den Weg Jesu gehen und aus der Kraft seines Todes und seiner Auferstehung leben, steht im Dienst dieser Hoffnung; sie ist – in ihren wirklich glaubenden, hoffenden und liebenden Menschen – das Zuversicht weckende Zeichen dafür, daß unsere Wirklichkeit auf dem Weg zum vollendeten Reich Gottes ist. Mehr noch: Gerade in ihren vielen (bekannten und unbekannten) Heiligen, von denen wir glauben, daß sie bei Gott endgültig aufgehoben sind und an der Gestalt des Auferstandenen teilhaben, nimmt das vollendete Reich Gottes bereits prägnante »Konturen« an.

Von daher können wir abschließend sagen: Alle eschatologischen Aussagen über die Zukunft unserer Geschichte (im individuellen, kirchlich-gesellschaftlichen und universalen Bereich) sind nichts anderes als Entfaltungen dieses einen Versprechens Gottes, das er uns in Jesus Christus gegeben und *in ihm* auch schon erfüllt hat. Sie betrachten dieses Versprechen im Modus seiner alles einbeziehenden Erfüllung und Vollendung – nicht weniger und nicht mehr. Das bedeutet: Im untrüglichen Versprechen Gottes, das Jesus Christus heißt, ist ihnen ein zuverlässiges Maß gegeben, an dem sich christliche Hoffnung stets neu bewähren muß. Was an Hoffnungsaussagen darunter bleibt, ist Zeugnis unserer dauernden Versuchung zum Kleinmut; was aber darüber hinausgehen will, ist Ausdruck einer zügellosen und unverantworteten Phantasie.[14]

c) Philosophische Bewährung

Die bisher dargestellte Art der Begründung christlicher Hoffnung spielt sich naturgemäß im Innenraum unseres Glaubens ab; denn in ihm findet sie ihren »Begründungszusammenhang« und darum auch ihre überzeugende Plausibilität. Aber der innerkirchliche Aufweis ihrer Wahrheit genügt unserer Hoffnung nicht; soll diese doch *allen* Menschen gegenüber Rechenschaft ablegen können, nicht nur gegenüber denen, die bereits in dieser Hoffnungsgeschichte stehen oder in sie hineinwachsen wollen. Wie kann das methodisch sauber geschehen?

An diesem Punkt setzt die *philosophische Argumentation* unserer Phänomenologie ein. Das bedeutet: Wir begegnen im Umfeld der christlichen Hoffnung anderen Hoffnungsweisen, vor allem aber auch der sich ausbreitenden Erfahrung einer – aufs Ganze gesehen – radikalen Hoffnungslosigkeit. Von beiden Seiten her wird die christliche Hoffnung bestritten; sie steht oft im klaren Widerspruch dazu. Wie läßt sie sich in dieser Situation rechtfertigen? Wer hat recht? Daß die Entscheidung darüber nicht von einem obersten, allumfassenden Vernunftkriterium gefällt werden kann, haben wir be-

---

[14] Vgl. dazu auch die in Anm. 9 genannten Schriften.

reits gesehen; das widerspräche zutiefst dem Selbstverständnis des Glaubens, der eben nicht am Maß menschlicher Möglichkeiten adäquat gemessen werden kann. Dennoch ist deswegen die Kommunikation mit anderen menschlichen Zukunftsentwürfen nicht unmöglich. Denn in einem bestimmten Sinn kann auch hier die Wahrheitsfrage gestellt und beantwortet werden. Und zwar in dem Sinn, daß unter »Wahrheit« die *Bewährung* einer Hoffnung im Streit um die Gestalt einer menschenwürdigen Zukunft für alle verstanden wird. Weder die Entsprechung zu dem begründenden und weiterhin tragenden Ursprung der Hoffnung noch die Entsprechung zu einer möglichen Realisierung ihres Entwurfs stehen hier zur Debatte; allein die *Entsprechung* einer *Hoffnung* und ihrer Lebenspraxis zu dem philosophisch erkennbaren Maß an *menschenwürdigem Zusammenleben aller* macht hier das Kriterium ihrer Wahrheit bzw. Bewährung aus.

Aber wie läßt sich dieses Maß der Menschenwürde so erkennen, daß es nicht einfach einer beliebigen subjektiven philosophischen Position entspricht, sondern einen verallgemeinerungsfähigen Maßstab darstellt? Diesen liefert m. E. am ehesten eine transzendentale Sprachpragmatik, so wie K. O. Apel diesen Ansatz (in seinen Grundzügen verwandt mit der kommunikativen Handlungstheorie von Jürgen Habermas) genannt und entwickelt hat.[15] Denn im Unterschied zur prinzipiellen Skepsis, die das empiristische Methodenideal gegenüber den allgemeingültigen Prinzipien von theoretischer und praktischer Vernunft hegt, bemüht sich Apel um eine Letztbegründung von Erkenntnistheorie und Ethik, ohne hinter den seit Kant erreichten Stand der philosophischen Diskussion zurückzufallen. Apels Ansatz besteht darin, die transzendentalphilosophische Frage Kants nach den Bedingungen der Möglichkeit wahrer Erkenntnis im einzelnen Subjekt auszuweiten auf die Frage nach solchen Bedingungen in der Sprache und vor allem in der Kommunikation, also auf die transzendentalen Bedingungen sinnvoller Kommunikation. Die von Kant herkommende Transzendentalphilosophie wird »transformiert« in Sprach- und Sozialphilosophie. Dabei kommt Apel zum Ergebnis, daß bei jedem ernst zu nehmenden kommunikativen Handeln, wo also das grundlegende Vernunftinteresse an Verständigung (d. h. am verständlichen, wahren,

---

[15] Vgl. K. O. Apel, Transformation der Philosophie, Bd. 2: Das Apriori der Kommunikationsgemeinschaft, Frankfurt 1973, bes. 157 ff, 358 ff; ders. (Hrsg.), Sprachpragmatik und Philosophie, Frankfurt 1976; ders., Ist die Ethik der idealen Kommunikationsgemeinschaft eine Utopie?, in: W. Voßkamp (Hrsg.), Utopieforschung Bd. 1, Stuttgart 1983, 325–355; H. Peukert, Wissenschaftstheorie – Handlungstheorie – Fundamentale Theologie, Düsseldorf 1976.

wahrhaftigen und den allgemein anerkannten Normen entsprechenden Reden) vorhanden ist, notwendig und unausweichlich (als »transzendentales Apriori«) ein Vorgriff auf eine »universale Kommunikationsgemeinschaft« vollzogen wird. In aller noch so unvollkommen gelingenden Kommunikation wird notwendig eine Verständigungssituation vorausgesetzt und anfänglich bereits vollzogen, in der grundsätzlich *alle* nur möglichen Teilnehmer als gleichermaßen verständigungswillig und -fähig und somit als *gleich*-berechtigt einbezogen sind. Dadurch allein kann eine transsubjektive Verständigung über die Interessen aller möglich werden. »Als Sprachwesen, das Sinn und Wahrheit mit seinesgleichen teilen muß, um in gültiger Form denken zu können, muß der Mensch jederzeit eine ideale Form der Kommunikation und insofern der sozialen Interaktion kontrafaktisch antizipieren.«[16] Insofern steckt in jedem sinnvollen, verständigungsorientierten Handeln notwendig eine utopische Intention, nämlich die partielle Vorwegnahme einer universalen Verständigungsgemeinschaft gleichberechtigter Personen.

In diesem anthropologisch notwendigen Ideal dürfte die transzendentale »Basisstruktur« einer menschenwürdigen Zukunft für alle liegen. Es könnte deswegen auch die Grundlage eines Gesprächs über die Bewährung verschiedener Hoffnungsweisen bieten. Und zwar kann der Nachweis über die Bewährung einer Hoffnung durch den *Vergleich* mit diesem transzendentalen Ideal erbracht werden: Wie weit entspricht eine Hoffnung diesem Maßstab?

Diesem Vergleich muß sich auch die christliche Hoffnung stellen. Dadurch wird sie keineswegs aus dem philosophisch erkannten Ideal menschenwürdigen Zusammenlebens deduziert oder ihm eingeordnet. Der Vergleich als Eröffnung von Kommunikation mit anderen Hoffnungsweisen erfordert nur, daß unsere Hoffnung diesem Maß nicht schlechthin *widersprechen* und es auch nicht *unterbieten* darf, weil sie sich sonst selbst aus dem Gespräch mit anderen Überzeugungen herausspielt und ihren missionarischen Anspruch, »Hoffnung für die anderen« zu sein, aufgibt. Hingegen wird bei dieser Methode nichts über das unableitbare Maß der *Überbietung* unserer christlich-kirchlichen Hoffnung über das erkannte Ideal hinaus gesagt.

Wir wollen diesen Vergleich im vierten Teil unseres Traktats versuchen, und zwar hauptsächlich im Gespräch mit bedeutenderen Zukunftsentwürfen der neuzeitlichen und gegenwärtigen Philosophiegeschichte.

---

[16] K. O. Apel, Utopie, aaO. 344.

III. Die erkenntnisleitenden Interessen dieses Entwurfs

Zum Schluß der Einleitung sollen drei erkenntnisleitende Interessen unseres Entwurfs ausdrücklich genannt werden; denn schließlich bestimmen sie die durchgehende Gedankenführung und die Schwerpunktsetzung bei der Auswahl der einschlägigen Themen.

1. »HOFFNUNG GEGEN ALLE HOFFNUNG«

Paulus schreibt über Abraham: »Nach dem Schriftwort: Ich habe dich zum Vater vieler Völker bestimmt, ist er unser aller Vater vor Gott, dem er geglaubt hat, dem Gott, der die Toten lebendig macht und das, was nicht ist, ins Dasein ruft. Gegen alle Hoffnung hat er voll Hoffnung geglaubt, daß er der Vater vieler Völker werde, nach dem Wort: So zahlreich werden deine Nachkommen sein. Ohne im Glauben schwach zu werden, war er, der fast Hundertjährige, sich bewußt, daß sein Leib und auch Saras Mutterschoß erstorben war. Er zweifelte nicht im Unglauben an der Verheißung Gottes, sondern wurde stark im Glauben, und er erwies Gott Ehre, fest davon überzeugt, daß Gott die Macht besitzt zu tun, was er verheißen hat« (Röm 4, 17–21).

Wir sind in unserer Eschatologie daran interessiert, die Hoffnung des christlichen Glaubens unverkürzt und unangepaßt gegenüber einer heute sehr realistisch begründeten Hoffnungslosigkeit bzw. Hoffnungsverkleinerung zu bezeugen. Dabei mögen wir die christlichen Hoffnungsweisen durchaus von manchen überholten Vorstellungen und Begriffen reinigen, um die Sache selbst zum Vorschein zu bringen; aber die *Sache* unserer Hoffnung dürfen wir nicht den Bedürfnissen oder der Bedürfnislosigkeit einer jeweiligen Zeit anpassen, um sie plausibel zu machen. Sie soll vielmehr in der ganzen Schärfe ihrer Herausforderung zu der Entscheidung des Ja oder Nein gegenüber dem Gott, der die Toten erwecken kann, sichtbar werden. Wo sie sich selbst treu bleibt, kann sie sich heute weder auf die Seite eines schleichenden innergeschichtlichen Fatalismus und einer lähmenden Apathie gegenüber den Überlebensproblemen der Menschen stellen noch auf die eines pragmatischen Realismus, die beide angesichts eines Berges von scheinbar naturwüchsigen Sachzwängen jede weiterreichende Hoffnung für unsere Erde in das unseriöse Reich der Träume verweisen wollen. Eine

»Hoffnung gegen alle Hoffnung« zu begründen, die dennoch ernstgenommen werden kann, weil sie für die apathischen wie für die
pragmatischen Zeitgenossen ein »Stachel im Fleisch« sein will, das
sollte ein besonderer Anspruch gegenwärtiger christlicher Eschatologie sein.

2. »HOFFNUNG, DIE DIE ERDE LIEBT«

Diese Formulierung, die einem Buchtitel von K. Rahner nachgebil-
det ist[17], soll besagen, daß wir die christliche Hoffnung unverkürzt
bezeugen wollen angesichts einer (innerchristlichen) Tendenz,
diese Hoffnung auf ein »Jenseits« des individuellen wie des kollekti-
ven Todes zu reduzieren. Selbstverständlich sind Tod und Auferstehung zentrale Gehalte der christlichen Hoffnung; wir dürfen in der
Theologie keineswegs die öffentliche Verdrängung und Tabuisie-
rung des Todes mitmachen. Aber wir brauchen deswegen die
Eschatologie auch nicht umgekehrt auf eine »Theologie des Todes«
und dessen, was danach kommt, zu begrenzen. Als Christen hoffen
wir ja nicht nur auf die letzte Vollendung der individuellen, sozialen und universalen Geschichte, sondern auch auf das immer stärkere Wirksamwerden des endgültigen Heils in der Geschichte.
»Sende aus deinen Geist und alles wird neu geschaffen, und du wirst
das *Angesicht der Erde* erneuern«, so beten wir Christen in Anleh-
nung an Pslm 104. Diesen Geist hat Gott im auferstandenen Jesus
Christus in die Welt hineingesandt; er ist mitten unter uns am Werk,
um diese Erde und auf ihr das gesellschaftliche und individuelle Leben immer menschenwürdiger, immer geistgemäßer zu gestalten.
Gegen alle spiritualisierenden und dualistischen Strömungen im
Christentum (Leib – Seele, Diesseits – Jenseits) möchten wir ein be-
rechtigtes »materialistisches« Interesse der christlichen Hoffnung
geltend machen: Die innerweltliche Zukunft unserer Erde und des
menschlichen Zusammenlebens auf ihr bleibt ein entscheidendes
Moment der christlichen Hoffnung auf die Vollendung der Geschichte.

3. »DEIN REICH KOMME«

In dieser zweiten Vaterunser-Bitte werden die Interessen unseres
Entwurfs wie in einer Kurzformel zusammengefaßt. Geht es uns

[17] K. Rahner, Glaube, der die Erde liebt, Herder TB 266, Freiburg 1966.

doch vor allem darum, die von den Propheten Israels herkommende Hoffnung Jesu lebendig zu halten, sie zu teilen und *darin* das spezifisch Christliche unserer Hoffnung zu bezeugen. Diese Hoffnung auf das Reich Gottes vergißt keineswegs das Schicksal dessen, der diese Hoffnung verkündet hat und dafür gekreuzigt worden ist. Aber sie weiß auch, daß durch Tod und Auferstehung Jesu die Verheißung des Reiches Gottes nicht auf-*gegeben,* sondern in eine neue Gestalt hinein auf-*gehoben* worden ist: in eine Gestalt, die die Geschichte *und* zugleich das sie übersteigende Ziel miteinander verbindet. Unter diesem Leitmotiv »Dein Reich komme« werden wir Geschichte und Gegenwart der christlichen Hoffnung darstellen.[18]

[18] Der Ansatz unserer Eschatologie bringt es mit sich, daß sie sich nur sehr begrenzt mit geschichtlichen und gegenwärtigen eschatologischen Theorien auseinandersetzt. Nicht die Theologiegeschichte der Eschatologie bildet ihr primäres »Materialobjekt«, sie will vielmehr die Gegenwart und die Geschichte der christlichen Hoffnung selbst, so wie sie sich in bestimmten Glaubenszeugnissen manifestiert, zur Sprache bringen und auf ihren Wahrheitsgehalt hin untersuchen. Für eine weiterführende Auseinandersetzung sei deswegen auf einige neuere Gesamt- oder Teilentwürfe der Eschatologie hingewiesen: R. Guardini, Die letzten Dinge, Würzburg 61956; K. Rahner, Zur Theologie des Todes, Freiburg 1958; A. Winklhofer, Das Kommen seines Reiches, Frankfurt 1959; J. Moltmann, Theologie der Hoffnung, München 1964; G. Greshake, Auferstehung der Toten, Essen 1969; W. Pannenberg, Theologie und Reich Gottes, Gütersloh 1971; D. Wiederkehr, Perspektiven der Eschatologie, Zürich 1974; G. Greshake/G. Lohfink, Naherwartung – Auferstehung – Unsterblichkeit, Freiburg 41982; G. Greshake, Stärker als der Tod, Mainz 1976; J. Finkenzeller, Was kommt nach dem Tod?, München 1976; J. Feiner/M. Löhrer (Hrsg.), MySal Bd. 5, Einsiedeln, 1976, 553–891: Die Vollendung der Heilsgeschichte (Chr. Schütz, H. Groß, K. H. Schelkle, W. Breuning); J. Ratzinger, Eschatologie – Tod und ewiges Leben, Regensburg 1977; G. Ebeling, Dogmatik des christlichen Glaubens, Bd. III: Der Glaube an Gott den Vollender der Welt, Tübingen 1979 (bes. Kap. 11 und 12); H. Vorgrimler, Hoffnung auf Vollendung, Freiburg 1980; G. Bachl, Über den Tod und das Leben danach, Graz 1980; Fr. J. Nocke, Eschatologie, Düsseldorf 1982; H. U. v. Balthasar, Theodramatik, Bd. IV: Das Endspiel, Einsiedeln 1982; H. Küng, Ewiges Leben?, München 1982; M. Schmaus, Der Glaube der Kirche, Bd. VI/2: Gott der Vollender, St. Ottilien 21982; L. Boff, Was kommt nachher?, Salzburg 1982; A. R. van de Walle, Bis zum Anbruch der Morgenröte, Düsseldorf 1983; F. Dexinger (Hrsg.), Tod – Hoffnung – Jenseits, Wien 1983; W. Bühlmann, Leben – Sterben – Leben, Graz 1985.

1. Teil

Die Wahrnehmung: Analyse exemplarischer Gegenwartszeugnisse der christlichen Hoffnung und ihres Umfeldes

1. Der Kontext: Hoffnung innerhalb einer »bürgerlichen Religion«[1]

In den vergangenen Jahren sind eine ganze Anzahl religionssoziologischer Umfragen erschienen, in denen auch nach den Hoffnungen der Menschen in unserer Gesellschaft gefragt wurde.[2] Natürlich ergeben solche Äußerungen des »homo religiosus statisticus« (H. D. Bastian) kein adäquates Bild gegenwärtiger christlicher Hoffnung; aber sie enthalten doch einige Indizien dafür, was *wirklich* in den Köpfen und Herzen vieler Christen vorgeht und dabei oft von traditionellen Glaubensformeln verdeckt wird. Darin liegt wohl auch der entscheidende Erkenntniswert für uns: In solchen Umfragen tritt die große Diskrepanz zwischen »offiziell« verkündeter christlicher Hoffnung und tatsächlich vollzogener Hoffnung mit ihren oft reichlich diffusen Vorstellungen zutage. Eine solche Information kann den Verkündiger des Glaubens etwas bescheidener und selbstkritischer machen. Im Anschluß an die Untersuchungen von G. Schmidtchen sollen hier einige Bemerkungen zu solchen Umfrageergebnissen gemacht werden.

Die Religionspsychologie stellt – trotz des ständig abnehmenden Glaubens an ein »Leben nach dem Tod« – bei vielen Menschen unserer Gesellschaft immer noch eine Art »inneren Zwang« fest, mit dem sie an der Vorstellung festhalten, die eigene Person oder zumindest ein »Kern« davon müsse doch über das irdische Dasein hinaus fortleben. Viele möchten einfach nicht sterben im Sinn eines radikalen Aufhörens ihres Ichs. Darin spricht sich so etwas wie ein anthropologischer Selbsterhaltungstrieb aus, mit dem Menschen auf die Erfahrung ihrer Endlichkeit und Sterblichkeit reagieren. Charakteristisch für diese Wunschvorstellung ist, daß sie sich weitgehend einer bestimmten christlichen Glaubensüberzeugung und Hoffnungspraxis gegenüber verselbständigt hat; diese wird darin nicht mehr integriert und geläutert, sondern eher mit Vorstellungen aus anderen Kulturkreisen verknüpft (z. B. der Wiedergeburt).

Solche und ähnliche Überzeugungen sind verständlicherweise stärker verbreitet bei Menschen über 60 Jahren, also bei solchen, denen die Problematik des Sterbens immer unausweichlicher vor Augen

---

[1] Vgl. dazu bes. G. Schmidtchen, Protestanten und Katholiken. Soziologische Analyse konfessioneller Struktur, München 1973, 171 ff, 256 ff.

[2] Z. B. die berühmte Emnid-Umfrage des »Spiegel«: Was glauben die Deutschen?, München 1968, bes. 81 ff; oder der Bericht über die neueste europäische Umfrage: J. Stoetzel, Les valeurs du temps présent: une enquête européenne, Paris 1983; dazu auch eine kurze Zusammenfassung ihrer wichtigsten Ergebnisse von J. Kerkhofs in der Zeitschrift »Choisir« (Genf), Januar 1984, 13–17.

tritt. Bei den mittleren Jahrgängen herrscht in dieser Frage die relativ größte Skepsis, was wohl auf einem oft distanzlosen Eingespanntsein in den Beruf und den sogenannten »Lebenskampf« beruht.

Die Erwartung eines »Fortlebens nach dem Tod« scheint um so ausgeprägter zu sein, je höher der schulische Bildungsgrad liegt; so findet sie sich bei Arbeitern am wenigsten, bei Intellektuellen am häufigsten. Mögliche Gründe dafür dürften sein: Die Lebensverhältnisse von Intellektuellen und Akademikern bieten größere Möglichkeiten, um den Wert der Einmaligkeit der Person und ihrer unbedingten Würde zu erfahren und zu reflektieren. Zudem neigen Intellektuelle mehr dazu, sich im Kontakt mit allen möglichen weltanschaulichen und religiösen Ideen ein eigenes synkretistisches Weltbild zurechtzubasteln, in dem dann auch so etwas wie »Unsterblichkeit der Seele« ihren Ort findet. In der Neuzeit gehört diese Überzeugung sowieso zur von J. J. Rousseau (1712–1778) so genannten »bürgerlichen Religion«, die nach ihm durch vier einfache, moral- und staatserhaltende »Grunddogmen« gekennzeichnet ist: nämlich vom Glauben (1) an die Existenz eines allmächtigen göttlichen Wesens, (2) an die Vorsehung, (3) an ein Leben nach dem Tod und schließlich (4) an eine Belohnung der Gerechten bzw. eine Bestrafung der Bösen.

Hinter solchen religiösen Vorstellungen steht oft ein spiritualisiertes Besitzdenken, das sich ewig »haben« und am (relativ zufriedenstellenden) Status quo festhalten will. Damit verbindet sich häufig (von der Aufklärung her) das moralische Ideal der zunehmenden sittlichen Vervollkommnung, die eben erst nach dem Tod (wenn nötig in mehreren Etappen) ganz erreicht werden kann (s. 1. Teil, 7 und 4. Teil, II/2). Daß die sozialen Unterschichten seit Beginn der Industrialisierung sehr stark von diesem Wertesystem des Bürgertums abgesondert worden sind (eben durch geringere Zugangsmöglichkeiten zu Bildung und Einkommen), hat sich gerade auch hinsichtlich des auf »Ewigkeit« hoffenden Selbstwertgefühls und des Ideals einer personalen Vollendung negativ ausgewirkt.

Wie sehr in einer solchen »bürgerlichen Religion« die christliche Auferstehungshoffnung pervertiert wird, läßt sich daraus ersehen, daß diese Hoffnung ursprünglich gerade für die hier Verlassenen und Verlorenen, die Gekreuzigten und Gedemütigten verkündigt worden ist, nicht aber für die zufriedenen Nutznießer der damaligen jüdischen Gesellschaft. Denn schließlich entstand die Auferstehungshoffnung in jüdisch-apokalyptischen Kreisen, also in Situationen extremer Bedrohung und Bedrängnis (s. 2. Teil, I/3 a). Sie war ein entscheidendes Motiv des Widerstandes und des Aufstandes gegen ungerechte Fremdherrschaft (besonders bei den Makkabäern). »Auferstehung« hat vom Ursprung dieser Hoffnung her immer auch etwas mit »Aufstehen« *gegen* Ungerechtigkeit und Unheil in der Geschichte zu tun und gerade nicht mit einem absoluten Festhaltenwollen am Erreichten, nicht mit einem Sich-selbst-besitzen-Wollen auch über den Tod hinaus. Demgegenüber wird heute bei uns diese Hoffnung vielfach in die der Religion zugewiesene gesellschaftliche Funktion der »Kontingenzbewältigung« eingeordnet. Denn Menschen, die an Gott glauben und auf ein Leben nach dem Tod hoffen, scheinen es irgendwie leichter mit dem Tod zu haben. Natürlich steckt auch darin ein Körnchen Wahrheit; aber dennoch ist die Gefahr der »sanften Einschläferung des Christentums« sehr groß. Christliche Hoffnung fordert dann nicht mehr heraus, sondern »macht den Status quo attraktiver«.[3] Diese kritischen, von der Religionssoziologie angeregten Einsichten sollten uns als »Hintergrundwissen« begleiten, wenn wir im ersten Teil unserer theologischen »Phänomenologie« der christlichen Hoffnung zunächst einige Texte analysieren, die aus dem engeren kirchlichen Lebens- und Sprachraum stammen.

2. Der Himmel als Heimat:
Das Kirchenlied »Wir sind nur Gast auf Erden« und Texte der kirchlichen Totenliturgie

Wir sind nur Gast auf Erden und wandern ohne Ruh
mit mancherlei Beschwerden der ewigen Heimat zu.

Die Wege sind verlassen, und oft sind wir allein.
In diesen grauen Gassen will niemand bei uns sein.

Nur einer gibt Geleite, das ist der Herre Christ;
er wandert treu zur Seite, wenn alles uns vergißt.

Gar manche Wege führen aus dieser Welt hinaus.
O daß wir nicht verlieren den Weg zum Vaterhaus.

Und sind wir einmal müde, dann stell ein Licht uns aus,
o Gott, in deiner Güte, dann finden wir nach Haus.

(*Georg Thurmair*)[4]

---

[3] P. Rottländer, Ein gewisser Klott oder Gott oder so ähnlich..., in: T. R. Peters (Hrsg.), Theologisch-politische Protokolle, München/Mainz 1981, 66.
[4] Aus: Gotteslob – Katholisches Gebet- und Gesangbuch, Stuttgart 1975, Nr. 656.

Dieses Lied gehört zweifellos zu den beliebtesten Kirchenliedern, die in unserem Jahrhundert entstanden sind; es wird mit großer Regelmäßigkeit bei Totengottesdiensten gesungen. Um seine Aussage richtig zu verstehen, muß man seine *Entstehungssituation* mitbedenken: Es wurde 1935, also während des sogenannten Dritten Reiches, im Rahmen der katholischen Jugendbewegung gedichtet und komponiert. Es zeugt indirekt von der Defensive, in die die katholische Jugend und die ganze Kirche zunehmend gerieten, aber auch von dem Versuch, sich gerade in den Liedern von der Nazi-Ideologie abzusetzen. Im Fall unseres Liedes heißt das: Gegen den Mythos vom »Dritten Reich« als der Erfüllung aller »Reich-Gottes-Verheißungen« wird in einer scharfen Antithese betont, daß hier nicht das Reich Gottes sich vollendet, daß wir nicht Bürger dieses »Dritten Reiches«, sondern vielmehr »Gast auf Erden« sind, eben auf der mühseligen Wanderschaft der »ewigen Heimat zu«, die bei Gott »im Himmel« zu finden ist.

Auch in diesem Lied zeigt sich, daß die christliche Hoffnung auf die Auferstehung immer wieder ein Zeichen des Widerstandes gegen totalitäre Regime bedeuten kann. Die sprechendsten Beispiele dafür sind das letzte Buch des Neuen Testamentes, die »Geheime Offenbarung« des Johannes und viele Zeugnisse der alten Märtyrerkirche. In unserem Kirchenlied wird dieser Widerstand in der Terminologie der damaligen Jugendbewegung und ihres Auszugs aus der Gesellschaft ausgedrückt. Dabei wird auf bestimmte biblische Texte zurückgegriffen, z. B. auf Phil 1, 21–24 (»Denn für mich ist Christus das Leben, und Sterben Gewinn. ... Ich sehne mich danach, aufzubrechen und bei Christus zu sein – um wieviel besser wäre das!«) und Phil 3, 20 (»Unsere Heimat aber ist im Himmel«).

Dieses Lied ist sicher auch deswegen so populär geworden, weil es eine bleibende menschliche Erfahrung wiedergibt: nämlich die der Vergeblichkeit des Lebens in dieser Welt und damit auch die Erfahrung der Anwesenheit des Todes mitten im Leben, gerade in seinen »Vorformen« Verlassenheit, Einsamkeit, Müdigkeit, Beschwerlichkeit. Den einzigen Trost darin bietet uns die treue, beständige Begleitung durch Jesus Christus, der diesen Weg vorangegangen ist und der den glückenden Ausweg aus dieser todverfallenen Welt gebahnt hat, eben ins »Vaterhaus«. Das ist unser eigentliches Zuhause, die Heimat des Christen. Die Hoffnung dieses Liedes richtet sich auf die Heimat jenseits des Todes; auf diese baut sie – dank der Gegenwart des begleitenden Christus – in gläubiger Zuversicht. Dabei ist jedoch der stark resignative Beigeschmack dieses Liedes nicht zu überhören, gerade was die irdische Welt diesseits des Todes angeht; verlassene Wege, graue Gassen, das Vergessenwerden

kennzeichnen das Leben auf dieser Erde, die nur Durchgangssta-
tion einer langen, mühseligen Wanderung hin zum Eigentlichen ist.
Alles kommt darauf an, auf dieser Wanderschaft durchzuhalten
und den richtigen Ausweg aus dieser Welt zu finden, den Weg
Christi ins Haus des Vaters, in die Wohnungen, die er uns dort bereitet hat (vgl. Joh 14, 1 ff).

Diese Sprache der Hoffnung entspricht durchaus dem Tenor der
offiziellen Totenliturgie.[5] Das läßt sich gut erkennen an den ver-
wendeten Psalmen, die im Rahmen einer solchen Feier eine ganz
neue, auf das Jenseits des individuellen Todes bezogene Interpretation bekommen. So z.B. der Psalm 103:

> Denn er weiß, was für Gebilde wir sind;
> er denkt daran: Wir sind nur Staub.
>
> Des Menschen Tage sind wie Gras,
> er blüht wie die Blume des Feldes.
>
> Fährt der Wind darüber, ist sie dahin,
> der Ort, wo sie stand, weiß von ihr nichts mehr.
>
> Doch die Huld des Herrn währt immer und ewig
> für alle, die ihn fürchten und ehren. (V. 5–8)

Oder auch der Psalm 130:

> Ich hoffe auf den Herrn, es hofft meine Seele,
> ich warte voll Vertrauen auf sein Wort.
>
> Meine Seele wartet auf den Herrn
> mehr als die Wächter auf den Morgen.
>
> Mehr als die Wächter auf den Morgen
> soll Israel harren auf den Herrn!
>
> Denn beim Herrn ist die Huld,
> bei ihm ist Erlösung in Fülle.
>
> Ja, er wird Israel erlösen
> von all seinen Sünden. (V. 5–9)

Dem entspricht auch die Theologie der Oration, die zu Beginn des
Begräbnisses gebetet wird:

---

[5] Vgl. »Die kirchliche Begräbnisfeier in den katholischen Bistümern des deutschen Sprachgebietes« (hrsg. im Auftrag der verschiedenen Bischofskonferenzen des deutschen Sprachgebietes), 1976, 71 ff; R. Kaczynski, Die Sterbe- und
Begräbnisliturgie, in: H. B. Meyer u. a. (Hrsg.), Gottesdienst der Kirche, Teil 8
– Sakramentliche Feiern II, Regensburg 1985, 195–232; L. Bertsch, Befähigung
zur Trauer, in: H. Becker/B. Einig/P. O. Ullrich (Hrsg.), Im Angesicht des
Todes (Pietas liturgica 3 + 4), St. Ottilien 1986.

Gott, unser Vater, wir empfehlen dir unseren Bruder (unsere Schwester) N. Für ihn (sie) ist die Zeit der Pilgerschaft zu Ende. Befreie ihn (sie) von allem Bösen, daß er (sie) heimkehre in deinen ewigen Frieden. Öffne ihm (ihr) das Paradies, wo es keine Trauer mehr gibt, keine Klage und keinen Schmerz, sondern Friede und Freude mit deinem Sohn und dem Heiligen Geist in Ewigkeit. Amen.

Oder die aus dem frühen Mittelalter stammende gallisch-römische Doppelantiphon, die auf dem Weg zum Grab gesungen wird:

Zum Paradies mögen Engel dich geleiten, die heiligen Märtyrer dich begrüßen und dich führen in die Heilige Stadt Jerusalem. Die Chöre der Engel mögen dich empfangen, und durch Christus, der für dich gestorben, soll ewiges Leben dich erfreuen.

Der Sinn dieser Texte ist eindeutig: Das Leben wird als Pilgerschaft, das Sterben als Heimkehr ins »Paradies« verstanden. Dieses Wort stammt aus dem Persischen und meint zunächst einen umzäunten Park, einen Lustgarten voller Bäume. In der Septuaginta wird damit der Garten Eden aus Gen 2 bezeichnet, also der heile Ursprung der Schöpfung. Die apokalyptische Literatur zur Zeit Jesu wendet diesen Begriff dann auch auf die vollendete Endzeit nach dem Weltuntergang und dem großen Gericht an: Die Endzeit wird erwartet als Rückkehr zur heilen Urzeit. Ansätze dazu finden sich bereits bei Ez 36,35 und bei Deuterojesaia 51,3.[6] Als Ort des Paradieses gilt in den verschiedensten apokalyptischen Schriften entweder die Erde, und da vor allem Jerusalem, oder der Himmel, eben das himmlische Jerusalem. Die entscheidenden Gaben des Paradieses sind »der Lebensbaum, das Mahl der Endzeit, die Gemeinschaft mit Gott, der dabei mit seinem Volk die Thora erörtern und den Reigen tanzen wird«.[7] Dieses Paradies existiert aber auch auf verborgene Weise bereits in der Gegenwart, und zwar entweder in unbekannten Grenzgebieten der Erde oder im Himmel, der als Gottes Wohnung über dem Himmelsgewölbe vorgestellt wird.

Im Zuge der Individualisierung und Differenzierung der Jenseitsvorstellung wird das Paradies dann neben der Scheol als Ort des »Zwischenaufenthaltes« (bis zur allgemeinen Vollendung) für einige besonders herausragende Tote, nämlich für die verstorbenen Erzväter, Gerechten und Auserwählten erhofft.

Diese Vorstellung ist von der frühen christlichen Kirche aufgegriffen worden, um das Problem des Zwischenzustandes der Verstorbenen bis zum Jüngsten Tag zu erklären (s. 3. Teil, II/2). Sie stützt sich dabei auf das Wort Jesu zum Schächer am Kreuz (Lk 23,43)

---

[6] Vgl. Art. »Paradies« im LThK, Bd. 8, Freiburg ²1963, Sp. 67–72.
[7] AaO. 71.

und bezieht es auf die Märtyrer und die Gerechten, die sofort nach ihrem Tod von Engeln dorthin geleitet werden. Allerdings verbindet sich diese weitgehend aus dem Judentum übernommene Hoffnungsgestalt in der christlichen Totenliturgie noch mit einer spezifisch christlichen Vorstellung vom Leben in diesem »Paradies«, wie es vor allem in der johanneischen Eschatologie ausgesprochen wird: »*Ich* bin die Auferstehung und das Leben. Wer an mich glaubt, wird leben, auch wenn er stirbt, und jeder, der lebt und an mich glaubt, wird in Ewigkeit nicht sterben« (Joh 11,25 f). Das »In-Christus-Sein«, welches identisch ist mit dem Glauben, schenkt bereits ewiges Leben, öffnet den Eingang ins »Paradies«, sowohl jetzt schon im irdischen Leben wie auch nach dem Tod. Gerade im Johannesevangelium wird deswegen keine wesentlich neue Umgestaltung nach dem Tod erwartet; sie geschieht viel entscheidender bereits jetzt, eben im Glauben an Jesus Christus. Die kirchliche Liturgie komponiert nun das jüdische Traditionsgut mit dieser johanneischen und zugleich mit der paulinischen Hoffnung zusammen, die noch stärker apokalyptisch geprägt ist und deswegen ausdrücklich auf eine endzeitliche Auferweckung der Toten durch Christus hofft (s. 2. Teil, II/2 c). So heißt es etwa in dem Text, der beim Hinunterlassen des Sarges in die Erde gesprochen wird: »Wir übergeben den Leib der Erde. Christus, der von den Toten auferstanden ist, wird auch unsere Schwester (unseren Bruder) zum Leben erwecken.« Bei aller Unausgeglichenheit der einzelnen eschatologischen Vorstellungen treffen sie sich doch in einem gemeinsamen sachlichen Gehalt: Die endgültige Gemeinschaft mit Gott im Tod wird erhofft als Teilhabe am Auferstehungsleben Christi, in dem auch die Verheißungen des »Paradieses« sich erfüllen.

3. Liturgische Feier der Hoffnung: Das dritte Hochgebet

Wir wollen auf einen liturgischen Text eingehen, der zum Alltagsleben der Kirche gehört und zugleich eine universale Geltung beansprucht. Im Zuge der Liturgiereform nach dem Zweiten Vatikanischen Konzil ist dieser Text 1966 von dem italienischen Benediktiner Vagaggini (Theologieprofessor in Mailand) verfaßt worden. Die römische Liturgiekommission überarbeitete die von ihm erstellte Vorlage, bis sie 1968 von Papst Paul VI. offiziell für den liturgischen Gebrauch herausgegeben wurde. Welche eschatologische Hoffnung spricht sich in diesem Hochgebet aus?[8]

[8] Der Text des 3. Hochgebetes wird entnommen dem »Messbuch für die Bistü-

a) Wiederkunft Jesu

> Geheimnis des Glaubens:
> Deinen Tod, o Herr, verkünden wir,
> und deine Auferstehung preisen wir,
> bis du kommst in Herrlichkeit.

> Darum, gütiger Vater, feiern wir das Gedächtnis deines Sohnes. Wir verkünden sein heilbringendes Leiden, seine glorreiche Auferstehung und Himmelfahrt und erwarten seine Wiederkunft. So bringen wir dir mit Lob und Dank dieses heilige und lebendige Opfer dar.

Sowohl in der Akklamation wie auch in der Anamnese ist von der Wiederkunft des Herrn die Rede, womit die endzeitliche Parusie des Weltenrichters Jesus Christus gemeint ist. Damit bezieht sich dieser Text auf das älteste Hoffnungszeugnis der Urkirche, wie es sich z. B. in dem liturgischen Ruf »Maranatha – Komm, Herr Jesus« ausspricht (1 Kor 16,22; Offb 22,20; Did 10,6). Ebenfalls steht hier das Wort aus 1 Kor 11,26 im Hintergrund: »Denn sooft ihr von diesem Brot eßt und aus dem Kelch trinkt, verkündet ihr den Tod des Herrn, bis er kommt.«

Wenn diese Hoffnung von Anfang an im Rahmen der Eucharistiefeier artikuliert worden ist, nimmt sie damit auch eine ganz bestimmte kultische Gestalt an: Die Parusie Jesu wird in der Eucharistie auf sakramental-symbolische Weise vorweggefeiert. Die Feier weckt jedoch zugleich die Hoffnung auf die unverborgene, »in Herrlichkeit« geschehende Wiederkunft des Herrn am Ende der Zeiten.

b) Endgültige Sammlung der Kirche

Diese Aussage findet sich vor allem am Anfang der Epiklese vor dem Einsetzungsbericht[9]:

> Ja, du bist heilig, großer Gott, und alle deine Werke verkünden dein Lob. Denn durch deinen Sohn, unseren Herrn Jesus Christus, und in der Kraft des Heiligen Geistes erfüllst du die ganze Schöpfung mit Leben und Gnade. Bis ans Ende der Zeiten versammelst du dir ein Volk, damit deinem Namen das reine Opfer dargebracht werde vom Aufgang der Sonne bis zum Untergang.

mer des deutschen Sprachgebietes« (hrsg. im Auftrag der verschiedenen Bischofskonferenzen des deutschen Sprachgebietes), 1978, 490 ff; zu seiner Entstehung und zu seinem Aufbau vgl. J. H. Emminghaus, Die Messe. Wesen – Gestalt – Vollzug, Klosterneuburg 1976, 255–263.

[9] Dazu: E. J. Lengeling, Von der Erwartung des Kommenden, in: J. G. Plöger (Hrsg.), Gott feiern, Freiburg 1980, 193–238, bes. 212 ff.

Hier wird die altjüdische Tradition der Danksagung nach dem Mahl aufgegriffen, in der um die Sammlung der verstreuten Kinder Israels zum erneuerten Sion gebetet wird; dies soll durch den endzeitlich erwarteten Messias geschehen, der sein ewiges Reich in Jerusalem aufrichten wird. Dieser Brauch ist schon früh für die christliche Eucharistiefeier übernommen worden, so z.B. in Didache 9,4: »Wie dieses gebrochene Brot auf dem Berge zerstreut war und zusammengebracht eines wurde, so werde deine Kirche von den Enden der Erde in deinem Reich zusammengebracht...«

Diese Hoffnung teilt unser Hochgebet: In Gegenwart und Zukunft (»bis ans Ende der Zeiten«) soll ein universales Volk Gottes (»vom Aufgang der Sonne bis zum Untergang«) zur Eucharistiefeier (»damit deinem Namen das reine Opfer dargebracht werde«) versammelt werden. Der neutestamentliche Grund dieser Hoffnung liegt in der Verheißung des kommenden Menschensohnes: »Er wird seine Engel unter lautem Posaunenschall aussenden, und sie werden die von ihm Auserwählten aus allen vier Himmelsrichtungen zusammenführen, von einem Ende des Himmels bis zum anderen« (Mt 24,31). Die liturgische Sprache des Gebetes spricht im Präsens: »Du versammelst dir ein Volk...« Das Ende ist also bereits eucharistische Gegenwart; die endgültige Sammlung des Volkes Gottes geschieht bereits in der Gegenwart und wird einmal zu ihrer Vollendung gelangen.

c) Gemeinschaft mit den Vollendeten

> Er mache uns auf immer zu einer Gabe, die dir wohlgefällt, damit wir das verheißene Erbe erlangen mit deinen Auserwählten, mit der seligen Jungfrau und Gottesmutter Maria, mit deinen Aposteln und Märtyrern und mit allen Heiligen, auf deren Fürsprache wir vertrauen.

Im dritten Gebet nach dem Einsetzungsbericht spricht sich besonders die Hoffnung auf das endzeitliche Hineingenommenwerden in die bereits vollendete »Gemeinschaft der Heiligen« im Himmel aus. Als biblische Grundlage dürfte hier vor allem Apg 20,32 und Eph 5,5 gedient haben. Die Vollendung des Lebens wird als ein verheißenes *Erbe* erhofft; wir sind jetzt schon Kinder Gottes, Söhne im Sohn (Röm 8,17), ganz erfüllt vom Geist des Sohnes. Dieser Geist schenkt uns die feste Zuversicht auf die Vollendung dieser Teilhabe am Leben Christi, die jedoch nicht als individuell-private Seligkeit erhofft wird, sondern nur in der Gemeinschaft aller Vollendeten.

d) Bitte für die Verstorbenen

> Erbarme dich (aller) unserer verstorbenen Brüder und Schwestern und
> aller, die in deiner Gnade aus dieser Welt geschieden sind. Nimm sie auf
> in deine Herrlichkeit. Und mit ihnen laß auch uns, wie du verheißen
> hast, zu Tische sitzen in deinem Reich.

Im Gebet für die Verstorbenen wird um Gottes Erbarmen für sie
und um ihre Aufnahme in die Herrlichkeit des Vaters gebetet. Auch
wenn nicht weiter ausgeführt wird, wann und wie das erwartet
wird, so legt sich doch die Vermutung nahe, daß dies nicht einfach
in irgendeiner fernen Zukunft geschehen soll, sondern jetzt. Diese
Hoffnung greift das alte biblische Bild des Mahles im vollendeten
Reich Gottes auf, an dem die jetzt Feiernden nach ihrem Tod endgültig Anteil haben möchten (vgl. Lk 22, 30). In der Bitte für die einzelnen Verstorbenen wird diese Vollendung näher ausgeführt: »Gib
ihm bzw. ihr Anteil an der Auferstehung, wenn Christus die Toten
auferweckt und unseren irdischen Leib seinem verklärten Leib ähnlich macht« (vgl. Phil 3, 20 f; 1 Kor 15, 42 ff). »Dann wirst du alle
Tränen trocknen (vgl. Offb 7, 17; 21, 4); wir werden dich, unseren
Gott, schauen, wie du bist, dir ähnlich sein auf ewig und dein Lob
singen ohne Ende« (vgl. 1 Joh 3, 2). In diesem Gebet sind einige biblische Vorstellungen der Vollendung zusammengestellt worden:
die Erwartung eines Jüngsten Tages am Ende der Geschichte mit
der Auferweckung der Toten durch den wiederkommenden Christus; dann die Verheißung eines endgültigen Reichs des Friedens
und der Versöhnung »ohne Tränen«, das die Apokalypse nach dem
Zusammenbruch der jetzigen Geschichte erwartet; und schließlich
die unverhüllte Begegnung mit Gott von Angesicht zu Angesicht,
wenn die Selbstoffenbarung Gottes zu ihrer Vollendung kommt.
Zusammenfassend läßt sich sagen: In diesem Hochgebet hofft die
Gemeinde auf eine unverhüllte Begegnung mit dem wiederkommenden Christus und dadurch mit der Herrlichkeit Gottes selbst in
seinem ewigen Reich. Dabei bleibt es offen, ob diese Begegnung
bereits im Tod oder am Ende der Geschichte geschehen soll; jedenfalls wird sie in einem transzendenten »Jenseits« der Geschichte angesiedelt, das im Tod für den glaubenden Menschen eine unverborgene Gestalt annimmt. Diese Hoffnung ist stark ekklesiologisch
geprägt; der Einzelne findet seine Seligkeit nur in der Vollendung
der »communio sanctorum«. Zugleich wird diese Verheißung eng
verbunden mit der sakramental-kultischen Vorwegnahme dieses
endzeitlichen Heils: Wir haben das Angeld der Verheißung bereits
im Hl. Geist erhalten, was in der Feier der Eucharistie sakramental
dargestellt wird. Dies gibt der Hoffnung des Christen zweifellos

eine erfüllungsgewisse Zuversicht und Gelassenheit; es kann ihr aber auch etwas von der drängenden Leidenschaft nach der noch ausstehenden Zukunft nehmen, was stets die Gefahr einer kultischen Antizipation des Heils bleibt, in der die Hoffnung leicht »domestiziert« wird zu einer kirchlich-liturgischen Floskel.

4. Messianische Utopie: »Entwurf für ein Osterlied«

Die Erde ist schön, und es lebt sich
leicht im Tal der Hoffnung.
Gebete werden erhört, Gott wohnt
nah hinterm Zaun.

Die Zeitung weiß keine Zeile vom
Turmbau. Das Messer
findet den Mörder nicht. Er
lacht mit Abel.

Das Gras ist unverwelklicher
grün als der Lorbeer. Im
Rohr der Rakete
nisten die Tauben.

Nicht irr surrt die Fliege an
tödlicher Scheibe. Alle
Wege sind offen. Im Atlas
fehlen die Grenzen.

Das Wort ist verstehbar. Wer
Ja sagt, meint Ja, und
Ich liebe bedeutet: jetzt und
für ewig.

Der Zorn brennt langsam. Die
Hand des Armen ist nie ohne
Brot. Geschosse werden im Flug
gestoppt.

Der Engel steht abends am Tor. Er
hat gebräuchliche Namen und
sagt, wenn ich sterbe:
Steh auf.[10]

Dieses Gedicht aktualisiert die alten prophetischen Verheißungen vom messianischen Friedensreich (z. B. Jes 9, 1–6; 11, 1–10 u. a.), was aus den vielen Anspielungen an biblische Bilder deutlich wird.

[10] R. O. Wiemer, Ernstfall, Stuttgart ²1973, 75.

Wir wollen hier die wichtigsten Hoffnungsaussagen dieses Liedes herausarbeiten.

Die erste Strophe singt von einer neuen Welt- und Gotteserfahrung. In Anspielung auf ein bekanntes neueres Kirchenlied (»Die Erde ist schön, es liebt sie der Herr...«) wird hier Ostern ausdrücklich für unsere *Erde* und nicht für ein fernes, transzendentes Jenseits verkündet. *Sie* wird verwandelt in eine »neue Erde«, nämlich aus dem »Jammertal« in ein »Tal der Hoffnung«. Der Grund dieser Verwandlung liegt darin, daß Gott seine Wohnung mitten unter den Menschen nimmt (vgl. Offb 21,22: »Der Herr, ihr Gott, der Herrscher über die ganze Schöpfung, ist ihr Tempel, er und das Lamm«). Es läßt sich auch spürbar erfahren, daß er nah ist; denn die Gebete werden erhört, sie erscheinen nicht mehr wie in eine dunkle, schweigende Ferne gesprochen.

Von hier ausgehend weckt die zweite Strophe die Hoffnung auf eine neue Menschheit: Babylon, als Symbol menschlichen Machtstrebens und der daraus folgenden Uneinigkeit und Sprachverwirrung unter den Völkern, ist vergessen. Kain und Abel, die Symbole der blutigen Entzweiung selbst unter Brüdern, lachen jetzt miteinander; sie erfahren sich wirklich als Brüder und Kinder desselben Vaters.

Die dritte Strophe träumt von einer neuen Wertschätzung der Natur: Das simple Gras ist wichtiger, weil unverwelklicher als der Lorbeer, das alte Symbol für Kampf- und Siegespreise. Er wird ersetzt vom Gras, dem Sinnbild für friedliches Spielen und Liegen und Weiden. Daß die Raketen Platz für Vogelnester bieten, löst ihre mörderische Funktion als Instrumente des Krieges ab.

Die vierte Strophe könnte ein Bild für die neue Beweglichkeit unter den Menschen malen: Auf dieser neuen Erde braucht nicht mehr das Auto als wichtigstes und oft so aggressives, brutal-tötendes Bewegungsmittel des Zueinanderfindens zu fungieren. Die Wege zueinander sind jetzt offen, ohne Sperren, ohne Hinterhalte, ohne Gefahren. Die Grenzen zwischen den Völkern werden aufgehoben, es gibt nur noch die eine Menschheit.

Von einer neuen Sprache spricht die fünfte Strophe: Es wird eine eindeutige, verständliche, verläßliche und beständige Sprache sein. Sie wird die Inflation der vielen leeren, flüchtig dahinfliegenden Wörter aufheben.

Aus all dem folgt in der sechsten Strophe eine ganz neue Ordnung des Zusammenlebens: In dieser neuen Welt, in der ein universales Osterfest angeboten ist, werden Zorn, Ungerechtigkeit, Armut, Hunger, Zerstörungs- und Vernichtungswut keinen Platz mehr haben.

Ja, sogar das Sterben wird neu werden, wie es die siebte und letzte Strophe andeutet: Den Menschen wird die Angst vor der Fremdheit des Todes und vor der eigenen Verlorenheit im Sterben genommen; denn ein vertrauter Bote Gottes steht am Tor und sagt: »Steh auf« – eben zur Auferstehung. Zur »neuen Erde« gehört dann auch ein »neuer Himmel«, in den wir hineinsterben. Wie auch die Hl. Schrift immer nur zusammen vom neuen Himmel und der neuen Erde spricht, so auch dieses Osterlied: Es singt von einer Hoffnung, die die Erde liebt, aber dabei keineswegs den Himmel vergißt.

In diesem Osterlied werden die alten, in allen Völkern bekannten Visionen und Träume einer »versöhnten Schöpfung« wieder wach. Es bringt das Zutrauen zu Gott zum Ausdruck, daß er die besten Möglichkeiten seiner Schöpfung wieder erwecken kann. Das eigentlich Christliche dieser Hoffnung liegt darin, daß sie sich bewußt in ein *Osterlied* kleidet; sie setzt also (implizit) die Auferweckung des gekreuzigten Jesus als Grund dieser neuen Schöpfung voraus: Durch seine Auferweckung werden die Lebensmöglichkeiten der ganzen Schöpfung mit auferweckt.

Diese Gestalt der Hoffnung auf eine neue, versöhnte Schöpfung spiegelt sich gegenwärtig in vielen neueren Gedichten und Liedern wieder, die vor allem bei Jugendlichen ein großes Echo finden; sie bieten geradezu eine Renaissance prophetischer und apokalyptischer Zukunftsvisionen (z.B. solche Lieder wie: »Wir haben einen Traum«; »Andere Lieder wollen wir singen«; »Alle Knospen springen auf«; »In deinen Toren werd ich stehen, du freie Stadt Jerusalem« usw.). Angesichts solcher überschwenglicher Hoffnungslieder läßt sich (bei aller Sympathie) die kritische Frage nicht unterdrücken, ob hier nicht nur romantische Träume oder Kompensationen des eigenen Unversöhntseins mit der harten Realität artikuliert werden. Mit Bert Brecht (»Der Zweifler«) müssen und dürfen wir das strenge Kriterium an diese Lieder anlegen: Wie handelt ihr, wie lebt ihr, die ihr solche Lieder singt? Wirkt das schöpferische Wort des totenerweckenden Gottes und der alles erneuernde Geist des auferweckten Christus tatsächlich verändernd in eurem/unserem Leben? *Wie* z.B. eine solche reale Umsetzung in unser gesellschaftliches Leben aussehen könnte, beweisen die »Aufzeichnungen eines Betriebsseelsorgers«, in denen Franz Segbers einen Betriebsrat berichten läßt: »Ich habe fünf Jahre als Betriebsrat gekämpft: die Duschen sollten nach der Arbeit länger laufen. Jetzt habe ich es durchgekriegt. Das ist fünf Zentimeter Auferstehung. Aber ich werde weiter kämpfen bis zur vollen Auferstehung des Menschen.«[11] Dieses Bild

---

[11] F. Segbers, Auferstehung zentimeterweise. Aufzeichnungen eines Betriebsseelsorgers, in: T. R. Peters (Hrsg.), Theologisch-politische Protokolle, aaO. 49.

von der »Auferstehung zentimeterweise« erinnert an das Gleichnis
Jesu vom Senfkorn (Mk 4, 30–32): In der menschlichen Geschichte
erscheint das Reich Gottes *immer* auch in der Gestalt eines Senf-
korns; und jedes »Wachstum« dieses Senfkorns auf den »großen
Baum« hin wirkt angesichts der riesigen Mächte des Todes und der
Zerstörung nur wie ein winziger, ohnmächtiger Schritt über das
Senfkorn-Dasein hinaus. Und doch sind solche Schritte unerläßlich
notwendig zur »vollen Auferstehung des Menschen«, die wir als
Vollendung unseres Tuns von Gott erhoffen.
Auf diese gesellschaftliche Vermittlung der christlichen Hoffnung
geht ausdrücklich ein weiterer Text ein, den wir im folgenden Ab-
schnitt vorstellen wollen und der inspirierend gewirkt hat auf viele
Christen in den sogenannten neuen »sozialen Bewegungen«, die
sich besonders in Fragen des Friedens, der Umwelt, der Frauen, der
Ausländer, der Dritten Welt engagieren.

5. Gesellschaftliche Perspektiven: »Unsere Hoffnung« –
   Ein Bekenntnis zum Glauben in dieser Zeit[12]

*a) Vorbemerkung zur gemeinsamen Synode der bundesdeutschen
Bistümer (1971–1975) und zu dem Text*

Von 1971 bis 1975 tagte in Würzburg in acht Sitzungsperioden die
vom Zweiten Vatikanischen Konzil angeregte Synode der west-
deutschen Bistümer, an der über 300 (gewählte, geborene und beru-
fene) Mitglieder aus allen Gruppierungen des deutschen Katholizis-
mus teilnahmen und die 18 Beschlußtexte verabschiedete. Ihre
Hauptaufgabe bestand darin, die Dokumente des Konzils in die Situation der deutschen Kirche zu übersetzen und damit zu konkreti-
sieren.[13] Diese Synode gehört sicher zu den bedeutendsten Ereignissen der jüngsten Kirchengeschichte Deutschlands, insofern hier
Kirche als »Gemeinschaft der Glaubenden«, als suchendes und pil-
gerndes Volk Gottes sich manifestierte. Die Aufbruchsstimmung
des Konzils war hier noch einmal sehr lebendig, auch wenn die Be-
schlüsse nachher leider oft nur Papier geblieben sind. Dennoch sind
sie als kirchenamtliche Dokumente gerade heute, da mancher Elan

---

12 In: Gemeinsame Synode der Bistümer in der Bundesrepublik Deutschland. Offizielle Gesamtausgabe I, Freiburg 1976, 84–111. Wörtliche Zitate aus diesem
   Synodenbeschluß kennzeichnen wir mit der entsprechenden Seitenzahl aus dieser Gesamtausgabe.
13 Vgl. dazu K. Lehmann, Allgemeine Einleitung, in: Gemeinsame Synode…,
   aaO. 21–67.

des Konzils wieder zu erlahmen droht, von außerordentlichem Wert.[14] Vor der Synode fand eine großangelegte Umfrage statt, die Aufschluß über die Einstellung der katholischen Christen in der Bundesrepublik Deutschland zu ihrem Glauben geben sollte.[15] Bei den Ergebnissen fiel besonders ins Auge, wie sehr die gegenwärtige Situation des Glaubens als Not erfahren wird, und zwar hinsichtlich seiner Beziehung zur konkreten gesellschaftlichen Wirklichkeit. Sehr viele Christen empfanden (und empfinden noch immer) in diesem Punkt eine riesige Kluft, die sie nicht mehr überbrücken können. Genau auf dieses Problem der Vermittlung von Glauben und gesellschaftlicher Realität sollte nun ein Grundlagendokument der Synode eingehen – gleichsam als deutsche Variante der großen pastoralen Konstitution des 2. Vatikanums: »Die Kirche in der Welt von heute«. Wie dort (»Gaudium et spes«) steht auch hier das Wort von der Hoffnung nicht nur am Anfang, sondern im Zentrum der Aussagen über die Beziehung von Glaube und gesellschaftlicher Wirklichkeit. Dieses Dokument will eine Art »Präambel« für alle anderen Synodendokumente sein; daher war in diesem Fall nicht primär an ein Kommissionspapier gedacht, sondern an einen profilierten und einheitlichen Entwurf. Die Synode gab den Auftrag für dieses Grundlagenpapier an J. B. Metz, dessen Gedanken und Sprache – trotz vieler Lesungen und Änderungen in Kommissionen und Vollversammlungen – doch deutlich erkennbar beibehalten wurden. Insofern gehört dieser Text zweifellos zu den besten und überzeugendsten Dokumenten der Synode. Er will den angefochtenen Glaubenden neuen Mut zum Glauben vermitteln, und zwar auf dem Weg einer mitten in unserer Gesellschaft gelebten und begründeten Hoffnung.

Das innere »Strukturgesetz«[16] dieses »Glaubensbekenntnisses« sieht so aus: Zunächst wird das jeweilige Thema des Glaubens (gleichsam der »articulus fidei«) meist in Worten des Neuen Testamentes dargelegt; dem wird eine bestimmte gesellschaftliche Gegenstimmung als Kontrasterfahrung gegenübergestellt. Darauf wird die Bedeutsamkeit des Glaubensbekenntnisses gerade angesichts dieser Situation hervorgehoben, wobei besonders seine kritische Funktion

---

[14] Vgl. dazu die Einleitung von Th. Schneider, Gemeinsame Synode..., aaO. 71–84.

[15] Die Ergebnisse dieser Umfrage sind zusammengefaßt in: G. Schmidtchen, Zwischen Kirche und Gesellschaft, Freiburg 1972; vgl. dazu auch K. Forster (Hrsg.), Befragte Katholiken – Zur Zukunft von Glaube und Kirche, Freiburg 1973.

[16] Siehe dazu die Einleitung von Th. Schneider, aaO. 76.

gegenüber diesen gesellschaftlichen Trends betont wird. Damit verbindet sich aber zugleich auch eine wache Selbstkritik und Selbstmahnung an die Christen, wobei an eigene falsche Wege in der Geschichte und in der Gegenwart erinnert wird. Am Schluß eines jeden Abschnitts wird dann das Glaubenszeugnis als eine wichtige Hilfe in dieser konkreten Lebenssituation genannt.

Welche Hoffnung zeigt sich nun in diesem Glaubensbekenntnis? Ich möchte hier die wichtigsten *inhaltlichen Akzente* kurz hervorheben:

b) Widerstand und Phantasie im Dienst der Menschlichkeit

Die christliche Hoffnung lebt im *Widerstand* gegen bestimmte Irrwege der modernen Gesellschaft und kann da, wo sie überzeugend gelebt wird, der *Grund* sein, der diese Irrwege vermeiden hilft und neue, menschlichere Wege suchen läßt. Dies wird in den Themen des Glaubensbekenntnisses näher entfaltet. So wird z.B. der Glaube an den »Gott der Hoffnung« als Widerstand gegen ein geheimnisleeres Bild vom Menschen, gegen die Reduktion des Menschen auf ein reines Bedürfniswesen dargestellt *und* zugleich als Grund dafür, daß Menschen am sinnlosen Leiden anderer mitleiden und nach Heil und Gerechtigkeit für alle dürsten können. Oder die Hoffnung aus der Erinnerung an das »Leben und Sterben Jesu Christi« wird als Widerstand gegen eine leidverdrängende, leidensunfähige Gesellschaft und zugleich als Grund jener Solidarität angesehen, welche die universale, anonyme Leidensgeschichte der Menschheit an sich herankommen läßt und sie – soweit es an uns liegt – aufzuheben versucht. Die Hoffnung auf die »Auferweckung der Toten« kann einerseits gelebt werden als Widerstand gegen das gesellschaftliche Vergessen der Toten und das Verdrängen des Todes wie auch anderseits als Grund der Hoffnung gerade für die Vergessenen, die vom Fortschritt Überrollten, die von einer reinen Sieger-Geschichte Verdrängten, als eine Hoffnung, die uns gerade mit ihnen solidarisch macht und gegen den absoluten Selbstbehauptungswillen, der in unserer Gesellschaft weithin herrscht, Stellung bezieht. Die Hoffnung auf das »Gericht« setzt den oberflächlichen Harmonisierungsträumen unserer Gesellschaft Widerstand entgegen und begründet zugleich einen konsequenten, radikal ernsten Einsatz für die Gerechtigkeit; geht es ihr doch um die Gleichheit aller Menschen in ihrer Lebensverantwortung vor Gott und darum um das endgültige Recht der hier ungerecht Behandelten. Auch die Hoffnung auf »Vergebung der Sünden« bietet dem heimlichen Un-

schuldswahn unserer Gesellschaft und ihrem Entschuldigungs-
mechanismus einen klaren Widerstand; zugleich kann in ihr der
Grund liegen für die neue Entdeckung der Freiheit und Verant-
wortlichkeit des Menschen, aber auch für die Möglichkeit, sich
trotz seiner Grenzen und Fehler anzunehmen und sich immer wieder neu auf den Weg zu machen. Die Hoffnung auf das »Reich
Gottes« widersteht einem naiven Entwicklungsoptimismus der Gesellschaft, der Utopie vom technologisch geplanten »neuen Menschen« und von einer »überraschungsfreien Computergesellschaft«
(S. 96). Zugleich gründet in ihr der leidenschaftliche und gelassen-
vertrauende Einsatz für die Zukunft unserer Welt; erwarten wir
doch ihre Vollendung von der »verwandelnden Macht Gottes, als
endzeitliches Ereignis, dessen Zukunft für uns in Jesus Christus bereits unwiderruflich begonnen hat« (S. 97). Die Hoffnung für die
»Schöpfung« als dem »neuen Himmel und der neuen Erde« kann
sich als Widerstand gegen die totale Negation der bestehenden
Wirklichkeit erweisen, die zu einer »überanstrengten Welt« führt;
zugleich legt sie den Grund für solche humanen Werte wie Dankbarkeit, Freundlichkeit, Fest und Spiel, Freude an Gott und seiner
Welt. Die Hoffnung auf die »Gemeinschaft der Kirche« als der zei-
chenhaften Gegenwart der neuen Schöpfung bewährt sich im Widerstand gegen einen Hoffnungsindividualismus und -egoismus
und zugleich als Grund für den Aufbau einer letztlich universalen
»Hoffnungsgemeinschaft«, in der die Hoffnung »unversehens die
Gestalt und die Bewegung der Liebe und der Communio annimmt«
(S. 99).

c) Hoffnung auf ein Leben vor und nach dem Tod

Die christliche Hoffnung bezieht sich auf *diese* irdische Welt – allerdings auf die »maßlosen« Möglichkeiten Gottes mit ihr. Denn das
erhoffte Reich Gottes ist einerseits keineswegs identisch mit dem Inhalt jener Utopien, die eine geglückte Vollendung der Menschheit,
einen neuen Himmel und eine neue Erde als *Resultat* gesellschaft-
lich-geschichtlicher Kämpfe und Prozesse erwarten. Diese Vollendung wird vielmehr als endzeitliches Ereignis der verwandelnden
Macht Gottes erwartet (S. 97). Jede Idee der Selbstvollendung der
Menschheit wird abgewiesen; nur Gott kann eine endgültige und
umfassende Vollendung schenken.
Andererseits kann diese Vollendung aber auch nicht an unserer Geschichte vorbei sich ereignen; es soll doch gerade *diese* Erde verwandelt werden. Grundsätzlich ist sie ja bereits schon in Jesus Chri-

stus verwandelt, an dessen neuem Leben wir Anteil haben in der Taufe, in der Eucharistie, in den anderen Sakramenten und besonders im Zeugnis unseres Tuns, wodurch wir reale Zeichen des Reiches Gottes bereits in unserer Gegenwart setzen: »Als Friedensstifter und Barmherzige, als Menschen der Lauterkeit und Armut des Herzens, als Trauernde und Streitende in unbesieglichem Hunger und Durst nach Gerechtigkeit« (S. 97). Die Verheißung des Reiches Gottes, die nur in Bildern ausgesagt werden kann, weil sie Antwort auf unsere tiefsten Hoffnungen und Sehnsüchte gibt, weckt in uns die Verantwortung für eine Gestaltung dieser Welt gemäß den Bildern unserer Hoffnung: »Das Reich Gottes ist nicht indifferent gegenüber den Welthandelspreisen!« (S. 97).

Damit wird jedoch keineswegs eine rein diesseitige Vollendung unserer Welt behauptet, sondern eine solche, die auch den *Tod* und die *Auferweckung der Toten* miteinschließt. Unsere Hoffnung gilt nicht nur den jetzt Lebenden oder den künftigen Generationen, sondern gerade auch den Vergangenen und Gestorbenen, den von der Geschichte Übergangenen und Vergessenen: »Schließlich macht auch kein Glück der Enkel das Leid der Väter wieder gut und kein sozialer Fortschritt versöhnt die Ungerechtigkeit, die den Toten widerfahren ist« (S. 91). Wo der Tod nicht in die Hoffnung miteinbezogen ist, bleiben alle Zukunftsversprechungen banal und trivial; da wird den großen Worten Freiheit, Gerechtigkeit, Wahrheit usw. ihr tiefster Sinn entzogen; da wird Geschichte nur als ewig weiterlaufende Evolutionsbewegung verstanden, die alles vergleichgültigt und alles überrollt. Die Hoffnung auf die Auferstehung der Toten und ihr geglücktes Leben bei Gott wehrt sich gegen eine solche »Halbierung der Hoffnung«, bei der nur die »glücklichen Endsieger und Nutznießer unserer Geschichte« berücksichtigt werden (S. 91 f).

Mit dieser starken Betonung der Auferstehung richtet sich der Blick unserer Hoffnung jedoch nicht nur auf die zukünftige Vollendung der Geschichte, sondern auch auf ihre in der *Vergangenheit* grundgelegte und als solche gegenwärtig bleibende Gestalt. Denn schließlich ist ja das Leben, die Verkündigung, der Tod und die Auferstehung *Jesu* das grundlegende Vollendungsgeschehen unserer Welt: Hier ist bereits Reich Gottes anwesend, hier ist Auferweckung der Toten geschehen, hier liegt der Legitimationsgrund unserer Hoffnung für die ganze Geschichte. Deswegen kann christliche Hoffnung (im Unterschied zur jüdischen Apokalyptik und ihrer säkularisierten Form in einem geschichtsphilosophischen Marxismus) nicht rein zukunftsorientiert sein, als ob *alles* nur von der Zukunft erwartet werden könnte, weil Geschichte und Gegenwart einfachhin als schlecht und überholbar angesehen werden. Das christliche »Prinzip Hoffnung« hat seinen Grund, sein »principium« im vergangenen Geschehen der Selbstmitteilung Gottes in Jesus Christus: »*Jetzt* ist der Tag des Heils« (2 Kor 6, 2); »in *ihm* ist die Fülle der Zeit erschienen« (Gal 4, 4), also die mit unzerstörbarem Sinn gefüllte Zeit.

In der Gemeinschaft der Glaubenden bleibt dieses Geschehen geisterfüllte *Gegenwart* in der Geschichte. Denn die »Hoffnungsgemeinschaft« der Kirche versteht sich nicht als ein »zukunftsorientierter Interessenverband« (S. 99), sondern als Volk Gottes, das die Erinnerung an das Christusgeschehen lebendig hält und sich so im Gedächtnis an dieses Geschehen konstituiert. Die Eucharistiefeier ist das Zentrum dieser Erinnerung und damit auch der Hoffnung auf die Vollendung unseres Heils. In den oft so schwachen Zeichen der »Communio« und ihrem Dasein »für die anderen« ereignet sich die Gegenwart unserer erhofften Zukunft. Insofern stellt Kirche die anfanghaft verwirklichte »Neue Schöpfung« (Gal 6, 15) dar. Unsere Hoffnung schließt den Glauben an diese Welt als gute Schöpfung Gottes mit ein: Der »neue Himmel« und die »neue Erde« sind nicht Vernichtung des Alten und Schaffung von etwas völlig anderem, sondern Vollendung *dieser* Schöpfung: »Deshalb gehört zu unserer Hoffnung die Bereitschaft, diese unsere tödliche, in sich verfeindete und leidvoll zerrissene Welt ohne Zynismus und ohne schlechte Naivität als letztlich zustimmungsfähig anzuerkennen, als verborgenen Anlaß zur Dankbarkeit und zur Freude: als Schöpfung Gottes« (S. 97). Dies bedeutet nicht eine globale Bejahung alles Bestehenden, sondern vielmehr eine Absage an ein Auseinanderreißen unserer Welt in »diese schlechte Welt« und in die »kommende gute Welt«, wie wir es von der jüdischen Apokalyptik, von dem urchristlichen Häretiker Marcion und heute wieder von Ernst Bloch her kennen. Unsere Hoffnung hält an der Einheit unserer Wirklichkeit fest, weil sie an die Einheit von Schöpfer und Vollender glaubt; es ist der gleiche Gott, der sie schafft und vollendet. Deswegen lebt unsere Hoffnung auf dem Grund der Dankbarkeit; und ihr oft notwendiges Nein gegen die Wirklichkeit ist noch einmal umfangen von einem größeren Ja zu ihr.

d) Das spirituelle Profil der Hoffnung:
   »Leiden am Wirklichen« und »Leidenschaft für das Mögliche«

Im Anschluß an diese Textanalyse soll die geistlich-praktische Dimension der darin vorgestellten Hoffnungsweise zusammengefaßt werden (in einer S. Kierkegaard und J. Moltmann entlehnten Formulierung): Christliche Hoffnung ist »das Leiden am Wirklichen und die Leidenschaft für das Mögliche«.[17] Die Gefahr einer spezifisch katholischen Hoffnungstheologie dürfte darin liegen, daß sie leicht das kritische Moment der Hoffnung, eben ihr »*Leiden am Wirklichen*« übergeht oder vergißt. Das Ja zur guten Schöpfung besänftigt oft das Nein zur verkehrten Wirklichkeit. Dann ist der Weg nicht mehr weit bis zu den Beschwichtigungsparolen jener Politiker, die gegen die störenden »Madigmacher« zu Felde ziehen und aus einem ungetrübten Zweckoptimismus heraus beteuern, daß es im Grunde »doch so schlimm gar nicht sei«. Mit solchen Sprüchen hat die christliche Hoffnung, die bei den ausgesprochen kritischen Propheten Israels und bei dem für die Opfer der Gesellschaft Partei ergreifenden Jesus in die Schule gegangen ist, absolut nichts gemeinsam.[18]

Der Christ, der für diese irdische Wirklichkeit das Heil erwartet, erfährt dabei das Böse und Ungerechte, das Sinnlose und Tödliche in unserer Wirklichkeit als einen brutalen Widerspruch gegen die ihm gegebene Verheißung des Lebens, des Friedens, der Versöhnung. Wenn seine Hoffnung auf diese Verheißung wirklich echt ist, dann wird er von der tiefgreifenden Störung und der starken Verzerrung, die das Negative in all seinen Formen in unsere gute Schöpfungswirklichkeit hineinbringt, selbst zutiefst betroffen und verwundet; er leidet an der gestörten »Harmonie« der Schöpfung. Dieses »Leiden am Wirklichen« meint nicht unser normales, meist sehr ichbezogenes Leiden, das aus unserer verletzten Selbstliebe, aus unserer Empfindlichkeit oder Wehleidigkeit, aus unserem Unglück oder unserer Krankheit, aus unseren Mißerfolgen oder Mißstimmungen entspringt. »Leiden am Wirklichen« besagt im Gegenteil das unsentimentale, helfende »Mitleiden am Leiden anderer«, und zwar gerade jener wirklich Leidenden, die unter dem Bösen in unserer Welt schmerzlich und spürbar leiden. In der tätigen Teilnahme am Leiden der anderen wird in der Regel auch jedes ichbezogene Leid relativiert oder überwunden. Dieses Mit-leiden ist im Grunde die Gesinnung Jesu Christi, der sich gerade mit den »Geringsten seiner Brüder«, mit den Hungrigen und Durstigen, mit den Kranken und Gefangenen identifiziert hat (Mt 25, 31 ff). Christliche Hoffnung ist also grundlegend »Hoffnung für die anderen«, vor allem für jene »anderen«, die – menschlich betrachtet – noch am »weitesten« vom Ziel der Hoffnung, vom »Heil«, entfernt zu sein scheinen.

[17] Vgl. dazu besonders: J. Moltmann, Theologie der Hoffnung, München [11]1980, 11–30.
[18] Vgl. N. Lohfink, Der Geschmack der Hoffnung, Freiburg 1983, 88–111.

Wie können wir als Christen dieses erste Moment unserer Hoffnung überzeugender leben? Ich möchte nur auf zwei Konsequenzen hinweisen:

(1) Was gerade junge Menschen oft am meisten bei den Christen stört, ist ihre scheinbar unerschütterliche *Selbstsicherheit* und Unberührbarkeit. Ihre Hoffnung scheint sie zuweilen mit einem solchen Panzer der Gewißheit zu umgeben, daß sie von der Not der anderen überhaupt nicht mehr betroffen oder aufgewühlt werden. Ihre helfenden Worte und Taten erscheinen dann eher wie routinierte Phrasen und geschäftige Hilfsaktionen und nicht wie ein wirklich engagiertes Mitleiden. Die Menschen erwarten von uns eine feinfühlige und selbstlose Sensibilität für ihr Suchen, Fragen und Zweifeln, für ihre Ängste und Hoffnungslosigkeiten. Sie suchen bei uns eine *solche* Gewißheit des Glaubens und der Hoffnung, die uns nicht abschirmt von der Glaubens- und Hoffnungslosigkeit der anderen, sondern uns fähig macht, wirklich mit-leidend auf sie einzugehen und sie so zu heilen.

(2) Befremdlich an uns Christen wirkt häufig auch die »*Engstirnigkeit*«, der kleine Horizont unseres Mit-leidens. Denn dieses kann sich nicht nur auf den eigenen Familien- bzw. Freundeskreis oder auf den kirchlichen Raum beschränken; es muß die grundsätzliche Offenheit für jeden Menschen, auch den Fernsten und Feindlichsten, auch den Schuldigsten und scheinbar Unwürdigsten bezeugen. »Liebet eure Feinde, tut Gutes denen, die euch hassen« (Lk 6, 27). Ob also ein Mensch (oder ein Volk) nah oder weit weg von uns lebt, ob einer sympathisch oder unsympathisch ist, ob er im sittlich-rechtlichen Bereich ein guter Mensch oder ein Bösewicht ist, ob er an seiner Not unschuldig ist oder nicht, das muß für den Christen – in der Nachfolge Jesu – eine zweitrangige Frage bleiben. Entscheidend bleibt vielmehr, daß wir in *jedem* auch noch so »geringsten« Menschen den Bruder bzw. die Schwester Jesu Christi sehen und von daher offen sind, uns von seiner Not herausfordern zu lassen.

Wo dieser erste Schritt der Hoffnung ehrlich gelebt wird, führt das »Leiden am Wirklichen« nicht in die Resignation, sondern zum drängenden Widerspruch gegen all das, was dem Ziel der Hoffnung widerspricht. Hoffnung ist der positive Widerspruch gegen den Widerspruch des Negativen, und als solche trägt sie in sich die Kraft positiver Veränderung: Sie kann eine schlechte Gegenwart auf eine bessere Zukunft hin verändern. Denn sie geht unnachgiebig gegen all das an, was ihr ungerecht, unwahrhaftig, boshaft, friedlos, gemein und lieblos erscheint; sie ist so etwas wie der »Stachel im Fleisch«, der den Christen nicht zur Ruhe kommen läßt, der seinen tätigen Widerspruch gegen alles, was der Hoffnung unbegründet und sinnlos entgegensteht, weckt und wach hält. So kann sich die Hoffnung durchaus als »*Leidenschaft für das Mögliche*« darstellen, eben als jene verändernde Kraft, in der der Mensch leidenschaftlich (nicht fanatisch!) für die guten, vielfach unausgeschöpften und verhinderten Möglichkeiten unseres Daseins kämpft.

Auch dieses zweite Moment unserer Hoffnung fordert von uns eine ständige Bekehrung, und zwar in zweifacher Hinsicht:

(1) Häufig wird uns der *Kleinmut* unserer Hoffnung vorgeworfen. Dieser Vorwurf richtet sich gegen eine verkürzte Sicht dessen, was der Hoffnung »möglich« ist. Denn sie muß einerseits ganz realistisch die Grenzen des hier und jetzt Möglichen erkennen, sich mit dem Scheitern und dem vergeblichen Kämpfen vertraut machen und jede Neigung zum ungeduldigen Fanatismus vermeiden. Sie darf aber anderseits sich nicht einfachhin auf das Machbare beschränken, auch wenn es meistens der erfolgversprechendste Weg sein mag. Denn eine zu realistische, pragmatische Selbstbeschränkung wird in der Regel erkauft mit einem Verzicht auf das Typische der Hoffnung: auf das »Leidenschaftliche« in ihr. Sie verliert dabei sehr häufig ihre Intensität, ihre vorwärtsdrängende Jugendlichkeit, ihre Fähigkeit, auch über die harten Realitäten hinweg zu »träumen« von ungeahnten Möglichkeiten und die Realität unverzagt nach diesen »Träumen« umzugestalten. Notwendiger Realismus darf nicht zum Sterben der Hoffnung und ihrer schöpferischen Phantasie führen.

Die christliche Hoffnung könnte statt dessen noch viel stärker ihre eigene, von dem auferstandenen Christus und seiner Vision des Reiches Gottes herkommende Dynamik entfalten, in der sie sich nach den äußersten Möglichkeiten für unsere Welt ausstreckt; nach Möglichkeiten, die ganz unrealistisch erscheinen und die sie doch mit der ganzen Kraft ihrer Sehnsucht erwartet und – soweit möglich – auch schon herbeiführen will. Als Christen dürfen wir eben – bei allem notwendigen Realismus – mit den maßlosen Möglichkeiten *Gottes* rechnen, jenes Gottes, der nicht nur die Toten auferwecken kann, sondern der auch den Tod in all seinen vielen Vorformen »mitten in unserem Leben« besiegen kann. Hoffnung als »Leidenschaft für das Mögliche« meint gerade dieses grenzenlose Vertrauen auf die Möglichkeiten Gottes mit uns – ein Vertrauen, das zugleich ein unbegrenztes Sich-zur-Verfügung-Stellen für die Verwirklichung dieser Möglichkeiten Gottes in unserer Welt einschließt.

(2) Unsere Hoffnung wirkt für viele heute deswegen oft wenig anziehend, weil sie nicht genügend *Freude* und *Freiheit* ausstrahlt. Wir

westlichen Christen teilen in unserem ganzen Lebensstil weithin die Leistungs-, Wachstums- und Prestige-Ideologie unserer Gesellschaft. Wie wenig lassen wir von dem Lebensstil Jesu durchscheinen, der unbeirrt und deswegen so anziehend nach dem Wort lebte: »Suchet zuerst das Reich Gottes, und alles andere wird euch dazu gegeben!« (Lk 12, 31) – »Schaut die Vögel des Himmels..., schaut die Lilien des Feldes... – ihr Kleingläubigen« (Mt 6, 26 ff). Diese Worte geben den für uns so fremd gewordenen Grundton des Lebens Jesu wieder: Es ist die Freiheit der »Vögel«, die Freiheit der »Blumen«, die Freiheit des »Kindes«, die sich ganz der Sorge des Vaters anheimgibt und sich von ihm beschenken läßt. Welche Souveränität den Sorgen der Menschen gegenüber! Gerade diese unbegreifliche »Sorglosigkeit« gegenüber allen zweitrangigen Werten entsprang der fundamentalen »Sorge« um das Reich Gottes.

Aber diese Sorge gleicht nicht einfachhin unseren normalen Sorgen, die von Druck, Enge, Hetze, Verbissenheit geprägt sind. Die Sorge um das Reich Gottes erscheint demgegenüber vor allem als eine tiefe »*Gelassenheit*«, die alles Menschliche auch »lassen« und relativieren kann, eben weil sie alles im letzten von Gott erwartet und nicht von sich selbst. Natürlich muß sich diese Gelassenheit zugleich mit dem tätigen »Leiden am Wirklichen« und der selbstlosen »Leidenschaft für das Mögliche« verbinden; sie muß auch den harten Knechtdienst leisten, den Jesus getan hat und zu dem er uns in seine Nachfolge ruft. Der Lebensstil Jesu läßt sich keineswegs verharmlosen zum Stil der Hippies und mancher naiv-fröhlichen, ewig lächelnden Gitarrenmissionare. Leidenschaft *und* Gelassenheit zugleich, Kampf *und* Kontemplation (Taizé) – erst das Ringen um diese Einheit kennzeichnet den Lebensstil der christlichen Hoffnung. Je mehr es uns gelingt, uns »leidenschaftlich« für die Möglichkeiten Gottes in unserer Welt einzusetzen und dabei zugleich auch »gelassen« über all unsere Bemühungen lachen zu können, um so anziehender und überzeugender wirkt unsere Hoffnung auf das Reich Gottes, gerade für junge Menschen. Denn dann spiegelt unser Leben etwas von dem »Charme« der »Charis« Gottes wider, von der Armut jenes Menschen, der sein Leben ganz aus der »Huld« Gottes (= Charis) heraus spielen kann. Nur die Gnade vermag eine Hoffnung zu wecken, die niemals und durch nichts zuschanden wird.

Wenn wir die bisher vorgelegten vier Hoffnungszeugnisse miteinander vergleichen, dann kann man sagen, daß sie *zwei* ernstzunehmende und theologisch legitime Grundströmungen gegenwärtig gelebter Hoffnung von Christen widerspiegeln. Sie sind keineswegs theologisch unvereinbar; es gibt fließende Übergänge zwischen beiden Weisen der Hoffnung, ja beide können in derselben Person friedlich miteinander vereint sein. Dennoch sind auch die Unterschiede sehr deutlich.[19]

1. Die »Hoffnungsweise A« (wie sie sich besonders im genannten Kirchenlied, in den Texten der Totenliturgie und im dritten Hochgebet darstellt) richtet sich stärker auf das endgültige Zum-Heil-Kommen der *einzelnen* Glaubenden und der *kirchlichen* Glaubensgemeinschaft. Die »Hoffnungsweise B« (also die des »Osterliedes« und des Synodenbeschlusses) bezieht demgegenüber stärker die profanen *gesellschaftlichen Verhältnisse* in ihre Hoffnung auf Vollendung mit ein.

2. Die »Hoffnungsweise A« betont stärker die endgültige Vollendung des Menschen *jenseits der Todesgrenze,* die für alle, die glauben (auch auf nicht ausdrücklich christliche Weise), erhofft wird. Diese Vollendung ist unserer jetzigen Erfahrung grundsätzlich nicht zugänglich, höchstens in einzelnen (vor allem sakramental-kultischen) Vorzeichen, die nur der Glaube deuten kann. Die daraus folgende Grundeinstellung zu unserer Welt ist die *Bewährung* in Geduld und Treue zum Herrn. Die »Hoffnungsweise B« dagegen sieht stärker auf das endgültige Heil des Menschen *im Vorläufigen* dieser Erde (ohne die jenseitige Vollendung auszuschließen!). Sie rechnet zugleich mit der möglichen Erfahrung solchen Heils, gerade auch für die, die nicht glauben (z. B. Erfahrung der Befreiung aus Ungerechtigkeit). Ihre Grundeinstellung zur gegenwärtigen Wirklichkeit ist der Wille zur *Veränderung,* besonders jener Verhältnisse, die ein menschenwürdiges Leben verhindern oder erschweren.

Eines steht fest: Die bisher untersuchten Hoffnungsaussagen entstammen der Mitte gegenwärtig gelebter christlicher Hoffnung. Im Anschluß an sie wollen wir jetzt noch drei Phänomene untersuchen, die eher an ihren Rändern bzw. in ihrem Umfeld angesiedelt, aber doch nicht ohne Bedeutung für die in sich sehr differenzierte »Hoffnungsgemeinschaft« Kirche sind.

---

[19] Vgl. M. Kehl, Die Hoffnung des Gelassenen, in: GuL 56 (1983), 50–61.

G. Bachl hat in seine ausgesprochen lesenswerte Eschtalogie »Über den Tod und das Leben danach«[20] einen interessanten Exkurs über den »Geist der Rache« eingefügt (182–194). Darin führt er Zeugnisse einer langen Tradition von Beginn der christlichen Glaubensgeschichte bis in unsere Gegenwart hinein auf, die nichts vom Geist der endgültigen Versöhnung atmen, sondern unverhüllt die Vorfreude an der *Rache* und an der *Vergeltung* Gottes gegenüber den Bösen, den Feinden des Glaubens spiegeln. Diese eschatologische »Hoffnungsgestalt« ist weithin ungebrochen aus der jüdischen Apokalyptik (s. u.) übernommen worden (z. B. aus dem sogenannten äthiop. Henochbuch, aus den Schriften der Qumran-Sekte, aus dem 4. Makkabäer-Buch zur Zeit um Jesu Geburt). Während die kirchlich anerkannte Apokalyptik des Neuen Testamentes (z. B. die Offenbarung des Johannes, aber auch die apokalyptischen Reden Jesu bei den Synoptikern) diese Tradition relativ zurückhaltend aufgegriffen hat, malt das apokryphe Petrusevangelium aus dem 2. Jahrhundert nach Christus, das eine große Rolle bei der Entwicklung der christlichen Volksfrömmigkeit spielte, diese Vorstellungen bereits sehr breit aus.

Viele Kirchenväter, Theologen und Literaten der christlichen Glaubensgeschichte haben diese apokalyptische Tradition weitergeführt (z. B. Tertullian, Laktanz, Cyprian, Thomas von Aquin, Bonaventura, Dante usw.). Heute wird sie vor allem von solchen kirchlichen Kreisen lebendig gehalten, die sich nicht damit abfinden können, daß solche Endzeitvisionen aus der offiziellen kirchlichen Frömmigkeit und Theologie verbannt worden sind. Sie tauchen deswegen besonders gern in Texten der sogenannten »Marienapokalyptik« auf, die seit dem 19. Jahrhundert eine gewisse Rolle in der katholischen Kirche spielt. In bestimmten Erscheinungen kündet Maria ein schreckliches Strafgericht Gottes für die Sünder und Ungläubigen an. Das dahinterstehende Gottesbild macht solche Apokalyptik verständlich: Gott trägt vor allem die Züge eines fernen, strengen, richtenden und strafenden Vaters bzw. Herrn; dagegen übernimmt Maria die Züge seiner Mütterlichkeit und Barmherzigkeit und rückt damit zugleich auf den vordersten Platz in der persönlichen Frömmigkeit.

---

[20] G. Bachl, Über den Tod und das Leben danach, Graz 1980.

a) Textbeispiele aus Geschichte und Gegenwart

Wir wollen hier einige Beispiele solcher »Vergeltungshoffnung« anführen, zunächst einen Text des altkirchlichen Theologen Tertullian (gestorben um 220 nach Chr.) aus seiner Schrift »Über die Schauspiele«, dann ein paar kurze Texte aus der neueren Zeit.

»Welches Schauspiel für uns ist demnächst die Wiederkunft des Herrn, an den man dann glauben wird, der dann erhöht ist und triumphiert! Wie werden da die Engel frohlocken, wie groß wird die Glorie der auferstehenden Heiligen sein! Wie werden von da an die Gerechten herrschen, wie wird die neue Stadt Jerusalem beschaffen sein! Aber es kommen noch ganz andere Schauspiele: der Tag des letzten und endgültigen Gerichts, den die Heiden nicht erwarten, über den sie spotten, der Tag, wo die alt gewordene Welt und alle ihre Hervorbringungen im gemeinsamen Brand verzehrt werden. Was für ein umfassendes Schauspiel wird es da geben? Was wird da der Gegenstand meines Staunens, meines Lachens sein? Wo der Ort meiner Freude, meines Frohlockens? Wenn ich so viele und so mächtige Könige, von welchen es hieß, sie seien in den Himmel aufgenommen, in Gesellschaft des Jupiter und ihrer Zeugen selbst in der äußersten Finsternis seufzen sehe; wenn so viele Statthalter, die Verfolger des Namens des Herrn, in schrecklicheren Flammen als die, womit sie höhnend gegen die Christen wüteten, zergehen. Wenn außerdem jene weisen Philosophen mit ihren Schülern, welchen sie einredeten, Gott kümmere sich um nichts, welchen sie lehrten, man habe keine Seele oder sie werde gar nicht oder doch nicht in die früheren Körper zurückkehren – wenn sie mitsamt ihren Schülern und von ihnen beschämt im Feuer brennen und die Poeten nicht vor dem Richterstuhl des Rhadamantus oder Minos, sondern wider Erwarten vor dem Richterstuhl Christi stehen und zittern: Dann verdienen die Tragöden aufmerksames Gehör, da sie nämlich ärger schreien werden in ihrem eigenen Mißgeschick. Dann muß man sich die Schauspieler anschauen, wie sie noch weichlicher und lockerer durch das Feuer geworden sind. Dann muß man sich den Wagenlenker ansehen, wie er auf flammendem Rade glüht; dann die Athleten betrachten, wenn sie nicht wie in der Ringschule mit Sand, sondern mit Feuer beworfen werden. Nur möchte ich dann weniger die Genannten sehen als vorziehen, meinen unersättlichen Blick auf jene zu richten, die gegen die Person des Herrn selbst gefrevelt haben ... Solches schauen und darüber frohlocken, das kann mir kein Prätor, kein Konsul, kein Quästor oder Götzenpriester mit all seiner Freigebigkeit gewähren.«[21]

Aus den Weissagungen von La Salette (1846):

»Die Gerechten werden sehr leiden; ihre Gebete, ihre Buße, ihre Tränen werden zum Himmel aufsteigen. Das ganze Volk Gottes wird nur um

---

[21] Tertullian, Über die Schauspiele, c. 30, Bilbiothek der Kirchenväter 7, 135 f (zitiert nach G. Bachl, aaO. 187 f).

Verzeihung und Erbarmen flehen und mich (Maria) um Hilfe und Für-
bitte anrufen. Dann wird Christus durch einen Akt seiner Gerechtigkeit
und seiner Barmherzigkeit für die Gerechten seinen Engeln befehlen,
alle seine Feinde zu töten. Sofort und plötzlich werden die Verfolger
Christi untergehen, und die Erde wird wie eine Wüste sein.« – »Wehe
den Priestern und gottgeweihten Personen, die durch ihr schlechtes Leben meinen Sohn aufs neue kreuzigen! ... Die Rache lauert schon vor
ihrer Türe. Gott ist vorbereitet, hineinzuschlagen auf eine Art, die ihresgleichen nicht hat. Wehe den Kirchenfürsten, die nur nach Anhäufung
von Reichtümern und nach Erhaltung und Befestigung ihrer Autorität
trachten und mit Stolz regieren!«[22]

Aus Äußerungen (nach dem Konzil!) der Mamma Rosa in San
Damiano di Piacenza:

»...die Wolke rückt von allen Teilen der Welt vor, und die Seelen, die
kein Licht haben, werden zugrunde gehen, und es wird der Schrecken
der Völker sein, die in einem tiefen ›Schlaf‹ leben. Die Sichel wird kommen, und auf der Welt wird ein unerbittliches Gemetzel sein. Ich habe
alle meine treuen Kinder diesem schmerzhaften Herzen geweiht. Wenn
ihr die Wolke der göttlichen Rache seht, betet und ruft meinen Namen
an, der Gewalt hat über die Seelen guten Willens. Tragt jederzeit meinen
(Marias) Namen in euren Herzen, und er wird euch verteidigen gegen
den höllischen Sturm, der euer wartet: so steht es im Himmel geschrieben ... Die Auflösung der Völker wird herzzerreißend sein, unbegreiflich
für menschliche Augen. Der Vatikan wird mit Schimpf und Schande bedeckt werden. Aber ihr wißt schon, liebe Kinder, was faul ist, wird fallen,
und ein neues Zeitalter wird anbrechen. Mein großer Mantel wird alle
meine Kinder bedecken, die so viel gelitten haben ... Der Feind flieht
vom Kreuz und ruht sich bei seinen Untertanen aus, wo er Tod säen
wird; aber ihr, o Kinder des Kreuzes, werdet die Morgenröte des neuen
Zeitalters genießen.«[23]

Was steht hinter solchen eschatologischen Vorstellungen? Vordergründig betrachtet dienten sie häufig als Mittel zur Furchteinflö-
ßung vor dem Jüngsten Gericht; die Drohung mit furchtbaren
Sanktionen sollte die Sünder von der Sünde abschrecken, vor allem
die hartnäckigen, die mit Güte nicht zu gewinnen waren. Die ewigen Sanktionen, über die man ganz genau Bescheid zu wissen vor-
gab, konnten durchaus auch in Form kirchlicher Strafen vorweggenommen werden, um innerhalb der Kirche wirksame Mittel zur
Stabilisierung des Systems zur Verfügung zu haben.

[22] Aus W. Widler, Buch der Weissagungen, Gröbenzell bei München ⁹1961, 131
u. 129 (zitiert nach G. Bachl, aaO. 192 f).
[23] A. Voldben, Die großen Weissagungen über die Zukunft der Menschheit, München 1975, 244 f (zitiert nach G. Bachl, aaO. 193).

b) Gerechtigkeit und Barmherzigkeit Gottes

Theologisch gesehen vermitteln solche Zukunftsweissagungen ein Gottesbild, das fast ausschließlich im Bann bestimmter Texte der alttestamentlichen Prophetie und der frühjüdischen Apokalyptik steht. Gott ist danach derjenige, der am Ende der Zeiten gerecht und unparteiisch vergilt – den Guten mit Gutem, den Bösen mit Bösem. Barmherzigkeit und Gerechtigkeit bilden eine geheimnisvolle »Spannungseinheit« in Gott, wobei im Letzten Gericht über die Sünder und Ungläubigen die strenge Gerechtigkeit das letzte Wort behält und die Barmherzigkeit höchstens mildernd miteinfließt. Eine solche Theologie »zwängt alles, was Gnade, überfließende Macht der Versöhnung Gottes, was Liebe heißt, die größer ist als das sündige menschliche Herz in die strengen Koordinaten einer Straftheologie, wie Paul Ricoeur mit Recht diese Form genannt hat«.[24] Diese Vorstellung betrachtet ganz unreflektiert die menschliche Strafjustiz als bestmögliche Ordnung der Welt und überträgt diese dann sehr einlinig auf das ewige Gericht Gottes. Gott tritt dann von außen auf den Gerechten bzw. Sünder zu und belohnt bzw. bestraft ihn je nach Verdienst. Darin kommt wiederum eines der vier Grunddogmen zur Geltung, die J. J. Rousseau in seinem »Contrat social« der »bürgerlichen Religion« (im Unterschied zur christlichen Religion) zuschreibt und die er unbedingt notwendig für die Staatsräson, d. h. für ein einheitliches Nationalgefühl und ein stabilisierendes Moralbewußtsein der Bürger hält.

Diese Erwartung einer gerechten Vergeltung nach den Werken hat deswegen auch in unserer heutigen Gesellschaft, sowohl bei Christen wie auch bei Nichtchristen, eine hohe Plausibilität, was sich z. B. darin äußert, daß gerade auch Christen vehement protestieren, wenn man in Vorträgen oder Predigten gewisse theologische und existentielle Schwierigkeiten mit der Hölle äußert. Dem unerschütterlichen anthropologischen Selbsterhaltungstrieb auch über den Tod hinaus entspricht hier der tiefe Wunsch nach einer gerechten, ewigen Bestrafung der Bösen.

Natürlich ist der Gegenpol zu einer solchen Vergeltungstheologie nicht die Vorstellung eines unendlich gutmütigen, »fünf immer wieder gerade« sein lassenden Gottes, der im Grunde den Menschen und sein Tun nicht ernst nimmt. Das Gericht Gottes gehört zum Grundbestand unseres Glaubens, aber es ist eine Hoffnungsaussage innerhalb des Evangeliums, der Frohen Botschaft vom Heil, das Gott in überfließender Fülle den Menschen bereiten will. Der rich-

---

[24] G. Bachl, aaO. 173.

tende Gott ist nicht ein anderer als der liebende Gott; seine Gerechtigkeit ist eine Dimension seiner Liebe, und sein Gericht ist Ausdruck seiner *richtenden Liebe,* mit der er den sündigen Menschen in die Krise führt, ihn schmerzlich läutert und ihn in die Seligkeit seiner Vergebung hineinnimmt (s. 3. Teil, II/3 a).

Als Beispiel einer solchen »richtenden Liebe« kann die tiefe Verletzung eines Freundes angeführt werden, deren ich mich vor vielen Jahren schuldig gemacht habe und die mir erst im nachhinein zum Bewußtsein gekommen ist. Bei der nächsten Begegnung nach diesem Vorfall strafte er mich keineswegs mit Vorwürfen, Anklagen oder »Liebesentzug«; dennoch war der Schmerz der verwundeten Liebe deutlich spürbar. Und genau dies war auch meine »Strafe«: die Scham, der Schmerz, die Selbstvorwürfe, das gestörte Vertrauen, was ich als innere Konsequenz meines bösen Tuns, aber nicht als von außen auferlegte Strafe erfahren habe.

Solche und ähnliche Erfahrungen geben ein angemesseneres Bild, eine zutreffendere Analogie zum Gericht Gottes ab als das Modell menschlicher Strafjustiz. Denn Gott richtet nicht »von außen«; er legt keine Strafe zusätzlich zur Sünde auf, sondern die unverhüllte Begegnung mit der von uns verletzten und ausgeschlagenen Liebe Gottes, gerade auch mit ihrem Schmerz darüber, richtet uns auf sehr schmerzliche Weise. Wir selbst, in einem solchen gestörten Verhältnis zu Gott stehend, sind uns dann Strafe genug – als auszuleidende Konsequenz unserer Sünde.

Die Gerichts- und Höllenaussagen der Bibel sollten deswegen in diesem Horizont der richtenden und rettenden Liebe Gottes gelesen werden. Auch die Aussagen Jesu darüber bekommen ihren endgültigen Sinn erst durch das Geschick Jesu selbst, durch seinen Tod für die Sünder, durch seinen »Höllenabstieg«, d. h. durch seine unendliche Solidarität auch mit den von sich her endgültig Toten, mit den von sich her restlos »Gottverlassenen«. Der richtende Gott trägt seitdem nicht mehr das Antlitz einer »omnipotenten« Weltjustiz, sondern das Antlitz des Menschensohnes, also des menschenfreundlichen, gerade den Verlorenen nachgehenden, sie suchenden, heimholenden und zum Gastmahl ladenden Jesus Christus. Nur wo dies als Fundamentalaussage unserer Hoffnung bedacht wird, kann die (behutsame!) Rede vom Gericht, ja auch von der Hölle, also von der endgültigen Selbstverschlossenheit gegenüber Gottes Liebe einen Sinn innerhalb des *Evangeliums* behalten (und nicht innerhalb einer bürgerlichen Vergeltungsmoral).[25]

[25] Vgl. G. Bachl, aaO. 170–182; G. Greshake, Heil *und* Unheil?, in: ders., Gottes Heil – Glück des Menschen, Freiburg 1984, 245–276.

7. Nur einmal auf Erden? Neue Aktualität der Lehre von der »Seelenwanderung« (Re-Inkarnation)

a) *Ausgangspunkt: zwei Texte*

Als *Ausgangspunkt* unserer Auseinandersetzung mit der in jüngster Zeit wieder sehr aktuell gewordenen Lehre von der Seelenwanderung dienen uns zwei Texte; der eine stammt aus unserer Gegenwart (von H. Torwesten), der andere gilt als ein klassisches Zeugnis der deutschen Aufklärung zu dieser Frage (von G. E. Lessing). Zunächst der Text von H. Torwesten:

> »Der Grundgedanke dieser Lehre ist einfach: Ist im Menschen etwas potentiell Göttliches angelegt, so muß er sich auf der relativen Ebene, in Zeit und Raum, so lange entwickeln, bis er seine wahre Natur verwirklicht hat, bis das in ihm Schlummernde voll manifestiert ist. Da ein einziges Menschenleben in den meisten Fällen zu kurz ist (was nicht so sehr aus logischen Überlegungen, sondern eben aus unseren Erfahrungen abzuleiten ist) und da der Tod dem Menschen nicht automatisch die Erleuchtung bringt, bedarf es dazu einer Reihe von Leben. In gewisser Weise ergänzt die Lehre von der Seelenwanderung so die Evolutionslehre, sie fügt dieser eine geistige Dimension hinzu: Der Geist umkleidet sich mit immer neuen Hüllen, geht durch immer neue Erfahrungen hindurch, sucht nach immer besseren Ausdrucksmöglichkeiten, bis er schließlich aus allen Hüllen herausgewachsen ist und seine Unendlichkeit erkennt.
>
> Als wir gerade den Grundgedanken der Reinkarnationslehre skizzierten, haben wir absichtlich das positiv-aktive Element betont – das Vorwärtsschreiten zur höchsten Verwirklichung – und nicht so sehr das negativ-passive Moment, auf das in vielen Abhandlungen über die Reinkarnation leider zu oft das Hauptgewicht gelegt wird: nämlich daß die Wanderung der Seele fast nur eine Serie von Strafen sei, die wir für frühere Vergehen – oder gar eine vorzeitliche ›Ursünde‹ – erlitten. Zwar kommen wir am Gesetz des *Karma* – dem Gesetz von Ursache und Wirkung – gewiß nicht vorbei, doch es sei schon hier gesagt, daß das ›Gesetz‹ nicht alles ist, daß die Lehre von der Reinkarnation nicht nur zurückschaut und unser jetziges, meist nicht besonders zufriedenstellendes Leben durch das Gestern zu erklären versucht, sondern auch und gerade nach vorn blickt – auf den Punkt, wo wir alle Fesseln sprengen und eins mit der göttlichen Wirklichkeit werden.«[26]

Nun der Text aus Lessings »Erziehung des Menschengeschlechts«:

> »Du hast auf deinem ewigen Wege soviel mitzunehmen, soviel Seitenschritte zu tun! – Und wie? Wenn es nun gar so gut wie ausgemacht wäre, daß das große langsame Rad, welches das Geschlecht seiner Voll-

---

[26] H. Torwesten, Sind wir nur einmal auf Erden?, Freiburg 1983, 21 f.

kommenheit näher bringt, nur durch kleinere schnellere Räder in Bewegung gesetzt würde, deren jedes sein Einzelnes eben dahin liefert? – Nicht anders! Eben die Bahn, auf welcher das Geschlecht zu seiner Vollkommenheit gelangt, muß jeder einzelne Mensch (der früher, der später) erst durchlaufen haben. – In einem und ebendemselben Leben durchlaufen haben? Kann er in ebendemselben Leben ein sinnlicher Jude und ein geistiger Christ gewesen sein? Kann er in ebendemselben Leben beide überholt haben? – Das wohl nicht! – Aber warum könnte jeder einzelne Mensch auch nicht mehr als einmal auf dieser Welt vorhanden gewesen sein? Ist diese Hypothese darum so lächerlich, weil sie die älteste ist? Weil der menschliche Verstand, ehe ihn die Sophisterei der Schule zerstreut und geschwächt hatte, sogleich darauf verfiel? – Warum könnte auch *ich* nicht hier bereits einmal alle die Schritte zu meiner Vervollkommnung getan haben, welche bloß zeitliche Strafen und Belohnungen den Menschen bringen können? Und warum nicht ein andermal alle die, welche zu tun uns die Aussichten in ewige Belohnungen so mächtig helfen? Warum sollte ich nicht so oft wiederkommen, als ich neue Erkenntnisse, neue Fertigkeiten zu erlangen geschickt bin? Bringe ich auf *einmal* so viel weg, daß es der Mühe wiederzukommen etwa nicht lohnet? Darum nicht? – Oder weil ich es vergesse, daß ich schon dagewesen? Wohl mir, daß ich das vergesse! Die Erinnerung meiner vorigen Zustände würde mir nur einen schlechten Gebrauch des gegenwärtigen zu machen erlauben. Und was ich auf itzt vergessen *muß*, habe ich denn das auf ewig vergessen? – Oder weil so zu viel Zeit für mich verloren gehen würde? – Verloren? – Und was habe ich denn zu versäumen? Ist nicht die ganze Ewigkeit mein?«[27]

b) Zur Geschichte dieser Lehre[28]

Die Lehre von der Seelenwanderung findet sich ursprünglich in vielen *archaischen Religionen,* wobei man entweder glaubt, die Seele eines Gestorbenen werde in einem Mitglied der gleichen Sippe neu geboren (Großvater – Enkel), oder auch eine radikale Metamorphose der Seele in eine tierische, pflanzliche oder anorganische Gestalt hinein annimmt. Die dahinterstehende Wirklichkeitserfahrung sieht das Leben als eine unaufhörlich kreisende Macht, die dem individuellen und sozialen Leben eine gewisse Beständigkeit und Verläßlichkeit angesichts der Vielfalt aller Veränderungen gewährt. Der Tod ist nur eine Unterbrechung dieses Kreislaufs, aber nicht seine endgültige Beendigung.
In *Griechenland* wird der Glaube an die Wiedergeburt zuerst in den orphischen Mythen ausgebildet, ehe sie dann – über Pindar, Pytha-

---

[27] Zitiert nach H. Torwesten, aaO. 30 f.
[28] Dazu vor allem G. Bachl, aaO. 242 ff.

goras und Empedokles – bei *Platon* in den verschiedensten Dialogen die Form einer philosophischen Lehre erhält. Die Seele als ein göttliches, vom Demiurgen stammendes Prinzip, hat ein vorirdisches Dasein, von dem aus sie in eine leibliche Existenz hineingerät, die zugleich für sie Entfremdung von ihrer eigentlichen Seinsweise wie auch »Bewährung am Stoff der Erde« darstellt.[29] 10 000 Jahre lang bleibt die Seele dem Wechsel verschiedener Bewährungsphasen im Irdischen unterworfen, ehe sie nach gelungener Vervollkommnung zur ewigen Anschauung des göttlichen Seins gelangt (oder umgekehrt zur ewigen Ferne von ihm). Bei Platon steht die Idee der Seelenwanderung sowohl unter dem Gedanken der Bewährung und gerechten Vergeltung (Lohn und Strafe für das jeweilige Maß der Bewährung) wie auch unter dem Leitbild einer sich im Irdischen mehr und mehr vervollkommnenden Seele.

Sehr ähnlich klingt die Wiedergeburtslehre, wie sie in den *Upanishaden* des Hinduismus (8. Jh. v. Chr.) entwickelt wird. Alles weltliche und göttliche Leben steht unter dem Gesetz des »Karma«; d. h. das Gesetz von Ursache und Wirkung gilt streng auch für das sittliche Leben, das deswegen von der gerechten Vergeltung von Gut und Böse bestimmt wird. Diese Vergeltung vollzieht sich in einer Vielzahl von Wandlungen und Wiedergeburten (»Samsara«), in denen der Mensch sich allmählich zu seinem wahren Selbst emporarbeitet (wozu *ein* Menschenleben eben normalerweise nicht genügt). Diese wahre Selbstverwirklichung besteht endlich darin, daß der Mensch dem ewigen Wandel enthoben wird und ganz eins wird mit dem absoluten und ewigen Sein, dem »Brahman«, das in ihm angelegt ist und das durch alle vergängliche Wirklichkeit hindurch sich als das allein Unvergängliche und deswegen Heilende durchsetzt. Mit dieser Lehre soll zugleich auch die Frage nach dem Ursprung und Sinn des Bösen bzw. des Übels in der Welt und damit auch der ungerechten Ungleichheit der Menschen beantwortet werden: Beides ist eine Auswirkung guter bzw. böser Taten in früheren Daseinsweisen. Die gegenwärtige Freiheit zum Guten und Bösen wird dadurch nicht aufgehoben, wohl aber einem umgreifenderen Kausalitätsgesetz eingeordnet.

Während diese Weltanschauung unter den Gebildeten der europäischen Aufklärung eine Rolle spielte (also z. B. bei Kant, Lessing, Lichtenberg, Herder, Goethe, Schopenhauer), ist sie erst durch die Anthroposophie von Rudolf Steiner (1861–1925) einer größeren Öffentlichkeit zugänglich geworden. In unserer Gegenwart hat sie eine neue, auch unter Christen sehr verbreitete Aktualität erreicht,

[29] G. Bachl, aaO. 244.

vor allem durch den Einfluß östlicher Meditationsmethoden und Erlösungslehren; das dürfte mitbedingt sein durch die in den 70er Jahren um sich greifende Enttäuschung angesichts der gesellschaftlichen Zustände, denen gegenüber sich die einzelnen immer ohnmächtiger vorkommen und so verstärkt auf das eigene Ich zurückgeworfen werden. Zugleich dürfte für dieses neuerwachte Interesse auch die zunehmende Erfahrung des Vorläufigen, des Zerbrechlichen unseres Lebens eine Rolle spielen, das eingetaucht erscheint in einem immer schneller voranfließenden und alles Gewordene immer stärker nivellierenden und relativierenden Zeitstrom. Dadurch wird für viele die Fähigkeit unserer Freiheit, sich in diesem Leben endgültig zu binden, zu verpflichten und damit unserem Tun und Leben auch einen endgültigen Wert über den Tod hinaus zu verleihen, immer unplausibler.[30] So steht in den westlichen Konzeptionen der Lehre von der Seelenwanderung nicht so sehr der negative Gedanke der Vergeltung und des Gefangenseins im Strom der Verwandlungen im Vordergrund, sondern eher die positive Idee des Fortschritts durch viele endliche Daseinsformen auf eine unendliche Vollendung hin.

c) Unvereinbare Gegensätze zur christlichen Hoffnung[31]

Es geht uns in dieser kurzen Stellungnahme nicht um eine grundsätzliche Auseinandersetzung mit dem Hinduismus; wir beschränken uns auf die Frage nach der Vereinbarkeit von christlicher Hoffnung und den in unserer Gegenwart aktuell gewordenen westlichen Varianten der Seelenwanderungslehre. Vor aller gegenseitigen Abgrenzung sollte man jedoch nicht die oft sehr berechtigten und gemeinsamen Grundanliegen vergessen, die zuweilen hinter dieser Lehre stehen: z. B. der Wunsch nach universaler Gerechtigkeit, die Frage nach dem Woher und Wohin unseres individuellen und gemeinsamen Daseins, die Suche nach einer plausiblen Erklärung bestimmter psychologischer Phänomene (wie rätselhafte Erinnerungen oder Bekanntheitsgefühle bei Erstbegegnungen mit Personen oder Dingen usw.). Gerade für den verstehenden Dialog ist es wich-

---

[30] Darauf weist besonders G. Greshake hin in seinem Beitrag: Seelenwanderung oder Auferstehung?, in: ders., Gottes Heil – Glück des Menschen, Freiburg 1984, 226–244.

[31] Wir folgen hier weitgehend der Argumentation von G. Greshake, aaO. 230 ff, die sich im wesentlichen mit der von G. Bachl, N. Klaes (im Nachwort zum Buch von H. Torwesten, aaO. 241–257) und H. Küng, Ewiges Leben?, München 1982, 83–90, deckt.

tig, diese Grundanliegen sehr sensibel und behutsam herauszuspüren und nicht alles auf Konfrontation abzustellen.[32]

Aber dennoch: Im Bereich der konkreten Ausformulierung solcher grundlegenden Anliegen und Lebensansichten gibt es unvereinbare Widersprüche die nicht einfach unter dem Mantel der Toleranz vereinigt werden können. Sonst enden wir (wie viele antike Religionen) in einem nichtssagenden Synkretismus, der weder Konturen noch Anziehungskraft besitzt. So sind sich auch fast alle christlichen Autoren (selbst ein so weitherziger Theologe wie H. Küng) darin einig, daß bestimmte Grundoptionen dieser Lehren, so wie sie hier bei uns im Westen rezipiert werden, mit wesentlichen Gehalten der biblisch-christlichen Hoffnung nicht zu vereinbaren sind.

(1) Die (individuelle und allgemeine) *Geschichte* ist für den biblischen Glauben – gerade im Gegensatz zum Rhythmus der Natur und ihrer Jahreszeiten – nicht die »ewige Wiederkehr des Gleichen«, auch nicht die immer neue Darstellung ewig-gleicher kosmischer Archetypen (nach dem Vorstellungsmodell des Kreises oder der sich aufwärtsbewegenden Spirale), sondern in jedem ihrer Augenblicke etwas unableitbar Einmaliges und Neues, das in seiner umgreifenden Einheit zielgerichtet auf ein sie vollendendes Ende hinläuft (also nach dem Modell des Pfeils). Dieses Ende der Geschichte tritt für den Einzelnen im Tod ein, für das Menschengeschlecht im ganzen im vollendeten Reich Gottes. Dadurch erhalten die personale Freiheit des Menschen und ihre Entscheidungen innerhalb dieses Lebens – bei aller Bedingtheit und Relativität – doch zugleich einen Wert, der auf End-gültigkeit hinzielt (was besonders deutlich im wechselseitigen Versprechen von Liebe und Treue hervortritt). Die konkret erlebte Geschichte mit ihrem ganzen Geflecht von Beziehungen, Ereignissen und Handlungen wird eben nicht als das bloße *Material* betrachtet, an dem sich der menschliche Geist bewährt und vervollkommnet, sondern als die »*Materie* des Reiches Gottes«, welche da, wo sie im Geist Jesu Christi gestaltet wird, mit dem Menschen aufbewahrt und endgültig vollendet wird.

Der eigentliche Grund für diese Wertschätzung der Geschichte und der Freiheit liegt in der jüdisch-christlichen Gotteserfahrung: Gott begegnet uns vor allem in ganz bestimmten geschichtlichen Ereignissen (z. B. im befreienden Exodus aus Ägypten, in Person und Geschichte Jesu Christi); darin erscheint und handelt der ewige Gott selbst (und nicht bloß jenseits davon), so daß wir nur im liebenden

---

[32] Vgl. dazu R. Friedli, Mission oder Demission, Freiburg (Schweiz) 1982, 135–145.

Eintauchen in diese Geschichte mit Gott, mit »Ewigkeit« zu tun bekommen. Das Zusammenspiel von Gottes befreiender und der Menschen befreiter Freiheit macht das konkrete geschichtliche Geschehen unendlich kostbar, macht es zum »Kairos«, zum »gefüllten Augenblick«, in dem *alles* Heil angeboten und angenommen, aber auch abgelehnt werden kann. Deswegen ist auch jeder Augenblick dieses Zusammenspiels etwas Einmaliges, Unwiederbringliches und zugleich auch etwas ein für allemal Gültiges. Wegen dieser endgültigen Bedeutung braucht die Geschichte eines Lebens auch nicht in immer neuer Gestalt sich zu erneuern; die einmalige Spanne bis zum Tod genügt, um zum ewigen Heil zu finden; und der Tod ist wirklich das Ende unserer Geschichte und nicht bloß Grenzstation zwischen verschiedenen geschichtlichen Existenzformen. Denn auch eine noch so große Vielzahl von »Lebensgeschichten« mit noch so vielen Toden könnten nicht den Übergang vom endlichen, vergänglichen Menschenleben zum ewigen, unvergänglichen Leben Gottes schaffen. Nur insofern Gott selbst sich in diese vergängliche Geschichte hineinbegibt und sie in ihrer Vergänglichkeit zum ewig bewahrenswerten »Sakrament« seines Lebens macht, kann diese Geschichte Ort der Erfahrung von Heil, von Ganz-Sein werden. Erst das macht sie unendlich kostbar und läßt zugleich ihre ständige Wiederholbarkeit überflüssig werden.

(2) Ein anderer gewichtiger Unterschied zwischen christlicher Hoffnung und Wiedergeburtslehre liegt im Verständnis der *Leib-Seele-Einheit.* Auch wenn in der christlichen Tradition lange Zeit, ja bis in die Gegenwart hinein ein neuplatonischer Dualismus zwischen Leib und Seele das Bewußtsein weithin prägte, so wurde der konkrete, geschichtliche Leib dieses Menschen doch nie ganz als wesentliches Moment der menschlichen Identität ausgeschlossen. Das zeigt sich z.B. im Glauben an die endzeitliche Auferstehung des Leibes, auch wenn die Seele bereits nach dem Tod eine »leibfreie Seligkeit« erlangt. Aber erst in der Neuzeit setzt sich die Einsicht des Thomas von Aquin auch in der Eschatologie durch, daß die Seele »forma corporis« ist, daß sie sich den Leib als ihre Ausdrucksgestalt formt und erwirkt und daß deswegen der Leib die konkrete Wirklichkeit, das »Realsymbol« der Seele ist, in dem sie selbst ist und sich darstellt. Als personales, geist-seelisches Wesen findet jeder Mensch seine Identität nur *in* diesem ganz bestimmten Leib, der gleichsam kongenial zur Seele dieser Person als deren ganz persönlicher Selbstausdruck fungiert. Von daher wird auch die Vorstellung einer »leibfreien Seligkeit« der Seele, also eines zeitlichen »Zwischenzustandes« zwischen Tod und endgültiger Auferstehung frag-würdig (vgl. dazu den 3. Teil). Aber auch die Vorstel-

lung der Wiedergeburtslehre, daß das geist-seelische Moment dieser Person den konkreten Leib wie eine »Hülle« einfach abstreifen und sich immer wieder in eine neue begeben könnte, wird dadurch schwer nachvollziehbar. Denn diese Abwertung des konkreten Leibes ist mit der jüdisch-christlichen Hoffnung auf die Auferstehung des Leibes kaum zu vereinbaren.

Dazu kommt noch folgende Überlegung: Wenn nicht die *Einheit* von Leib und Seele die Identität des Menschen ausmacht, sondern nur seine Seele (als ein Moment des allgemeinen »göttlichen« Lebens), die sich mit immer neuen Körpern »identifiziert« und sich erst darin selbst mehr und mehr verwirklicht, dann müßte diese Seele zumindest auch ein *durchhaltendes Bewußtsein* ihrer selbst in all den wechselnden Gestalten haben. Gerade als »Kern« eines sittlichen und freien Wesens, dem es (nach dieser Lehre) ja um die *eigene* Vollkommenheit in den verschiedenen geschichtlichen Daseinsweisen gehen soll, dürfte diese Seele doch nicht ohne ausdrückliches Bewußtsein ihrer früheren Lebensweisen mit ihren Tugenden und Sünden existieren. Wie sollte sie denn sonst ihre Vergangenheit sittlich »aufarbeiten« bzw. weiterführen können? Worin besteht denn eigentlich die sittlich-verantwortliche Identität dieser Seele, wenn das Bewußtsein davon nicht gegeben ist? Ein solches Bewußtsein früherer Lebensweisen aber, das ja auch kein Phänomen unserer Erfahrung ist, wird in der Wiedergeburtslehre nicht generell für alle Menschen vorausgesetzt.[33] Jedoch allein auf dem Unbewußten,

[33] Die parapsychologischen Phänomene von Wiedererinnerungen an vergangene Daseinsweisen sind z. T. zweifelhaft, auf jeden Fall aber mehr-deutig, d. h. verschiedenen Deutungen zugänglich. G. Adler nennt in seinem Buch »Wiedergeboren nach dem Tode?« (Frankfurt 1977) solche Deutungsmodelle, wobei das Vorziehen des einen vor dem anderen nicht allein von den empirischen Phänomenen her begründet werden kann, sondern auch von weltanschaulichen Grundoptionen her: »Jeder einzelne Fall wird zunächst daraufhin untersucht, ob etwa eine betrügerische Absicht damit verbunden sein könnte; ob es sich um einen Fall von Kryptomnesie handeln könnte (das heißt also um das Auftauchen vergessener Bewußtseinsinhalte, wie zum Beispiel früher erlernte oder gehörte fremde Sprachen); ob hier die Kategorie eines genetisch vererbten Gedächtnisses angebracht sei; ob außersinnliche Wahrnehmung in Frage kommt; ob man eine Personifizierung unterstellen darf (das kann bedeuten, daß sich derjenige, der Erinnerungen an frühere Daseinsweisen zu haben glaubt, sich ganz intensiv in die Gestalt und die Schicksalsgeschichte einer anderen Person einlebt und möglicherweise subjektiv ehrlich zur Darstellung bringt). Natürlich sind auch Mischformen denkbar, zum Beispiel von außersinnlicher Wahrnehmung und Personifizierung. Bei Heranziehung dieser bislang genannten Hypothesen zur Deutung eines Falles wäre also noch keine Notwendigkeit gegeben, ein Fortleben nach dem Tode vorauszusetzen. Letzteres ist denkbar in der Form der Wiedergeburt des identischen Personskerns in einem neuen Leib oder aber als Wirken eines Verstorbenen auf einen Lebenden, was man als Besessenheit be-

welches höchstens gelegentlich im Bewußtsein auftaucht, die sittliche Verantwortung des Menschen für sein vergangenes, jetziges und künftiges Leben und damit auch sein »ewiges Heil« zu gründen, scheint eine unangemessene Grundlage des sittlich-freien Handelns zu sein.

(3) Der alles entscheidende Unterschied zwischen den beiden Hoffnungsweisen dürfte darin liegen, daß im christlichen Glauben die Vollendung des Menschen nicht durch seine eigene Leistung geschieht, sondern durch die freie Annahme eines *Geschenkes,* nämlich der heilenden und vollendenden Liebe Gottes. Vermutlich gewinnt der Glaube an die Seelenwanderung bei uns heute auch deswegen an Plausibilität, weil er eine religiöse Verinnerlichung des gesellschaftlich durchgängig bestimmenden Leistungsprinzips darstellt. Der Mensch ist nur das, was er selbst leistet; das allein macht seine Identität aus. Verbindet sich dieses so internalisierte Leistungsdenken nun noch mit der Idee des allgemeinen menschlichen Fortschritts und seiner ungebrochenen Dynamik auf ein ständiges Mehr an menschlicher Erfüllung hin, dann ist es verständlich, daß die christliche Verheißung einer »ewigen Ruhe«, eines »ewigen Friedens« nur Befremden hervorrufen kann. Dies geschieht allerdings auch mit vollem Recht, wenn mit solchen Vorstellungen ein quietistisch-zufriedenes Bürgeridyll religiös untermauert werden soll (was im Christentum durchaus oft der Fall ist). Wo die Vollendung jedoch als ein Erlöstwerden von unseren eigenen Leistungsanstrengungen durch ein immer tieferes, ja unendliches Hineinwachsen, besser: Hineingezogenwerden in das absolut unerschöpfliche Geschehen der dreifaltigen Liebe Gottes erhofft wird; wo sie also von der Dynamik einer uns immer tiefer durchformenden und beseligenden Liebe Gottes geprägt ist, da steht sie quer zu jedem Versuch, unser gegenwärtiges Leistungs- und Fortschrittsbewußtsein auch noch religiös zu legitimieren. Denn dann bringt sie unüberhörbar und wirklich störend das Wort von der *Gnade* ins Spiel. Keine noch so große moralische Anstrengung, kein noch so edles Streben nach menschlicher Reife und Selbstvollendung, keine noch so häufig wiederholte Bewährung in verschiedenen Daseins-

zeichnen kann. Nach dem gegenwärtigen Forschungsstand ist es eine Ermessensfrage, ob man die vorliegenden Fälle mit jenen Interpretationen abdecken zu können glaubt, die das Fortleben nach dem Tode nicht voraussetzen. Es sieht nicht danach aus, als lasse sich die Frage des persönlichen Überlebens jemals so zweifelsfrei klären, daß ein sinnvoller Widerspruch nicht mehr möglich wäre; der Empirie sind offenbar Grenzen gesetzt. Da man also – will man das Problem nicht einfach offenlassen – um Deutungen und ›Indizienbeweise‹ nicht herumkommt, ist es eigentlich selbstverständlich, daß weltanschauliche Vorentscheidungen eine Rolle spielen und die Ergebnisse mitbestimmen« (106 f).

formen auf dieser Erde kann dem endlichen Menschen unendliches Heil, nach dem er sich sehnt, erwerben. Wenn überhaupt, dann kann dieses ihm nur als geschenkte Teilhabe an einer unendlichen Liebe zuteil werden. Darauf hoffen die Christen, und zwar oft genug gegen jede Art von Selbsterlösungswunsch im eigenen Herzen und unter ihren Zeitgenossen.

8. Beweise für Unsterblichkeit? Parapsychologische Untersuchungen über ein »Leben nach dem Tod«

Die Literatur über medizinische, psychologische und parapsychologische Untersuchungen zum Tod und zu dem, was »danach« kommt, hat in den letzten Jahren den Büchermarkt geradezu überschwemmt.[34] Sie scheint einem tiefsitzenden Bedürfnis vieler Menschen unserer Gesellschaft entgegenzukommen, endlich einmal etwas Genaueres, auch wissenschaftlich Untersuchtes über diese Fragen zu erfahren. Neben diesem – zwischen Neugier und existentieller Suche pendelnden – Interesse dürfte vielleicht gerade in christlichen Kreisen auch die übergroße Enthaltsamkeit und die abstrakte Bildlosigkeit der neuesten kirchlichen Verkündigung zu diesen Themen mit dazu beigetragen haben, daß sich viele Menschen nun bei anderen Stellen Auskunft über den Tod und das »ewige Leben« holen. Wie dem auch sei, jedenfalls müssen Theologie und Verkündigung dieses Phänomen ernst nehmen, zumal es sich um Fragen handelt, die traditionsgemäß in die Kompetenz der Religionen fallen und die heute am besten im offenen Gespräch mit anderen Wissensgebieten behandelt werden.

Nun sind vor allem die Berichte sogenannter »klinisch Toter«, die von den Ärzten wieder ins Leben zurückgerufen wurden, über ihre Erfahrungen in der »Zwischenzeit« populär geworden. Ich gebe hier ein zusammenfassendes Schema solcher Berichte wieder, in dem der Mediziner R. A. Moody aufgrund zahlreicher Befragungen die häufig wiederkehrenden Elemente solcher Erzählungen gleichsam in einem »ideal-typischen« Modell zusammengestellt hat:

»Ein Mensch liegt im Sterben. Während seine körperliche Bedrängnis sich ihrem Höhepunkt nähert, hört er, wie der Arzt ihn für tot erklärt. Mit einem Mal nimmt er ein unangenehmes Geräusch wahr, ein durch-

---

[34] Stellvertretend für die vielen Buchtitel seien hier nur die beiden schon fast »klassisch« zu nennenden Werke von R. A. Moody aufgeführt: Leben nach dem Tod, Reinbek bei Hamburg 1977, und: Nachgedanken über das Leben nach dem Tod, ebd. 1978.

dringendes Läuten oder Brummen und zugleich hat er das Gefühl, daß er sich sehr rasch durch einen langen, dunklen Tunnel bewegt. Danach befindet er sich plötzlich außerhalb seines Körpers, jedoch in derselben Umgebung wie zuvor. Als ob er ein Beobachter wäre, blickt er nun aus einiger Entfernung auf seinen eigenen Körper. In seinen Gefühlen zutiefst aufgewühlt, wohnt er von diesem seltsamen Beobachtungsposten aus den Wiederbelebungsversuchen bei.

Nach einiger Zeit fängt er sich und beginnt, sich immer mehr an seinen merkwürdigen Zustand zu gewöhnen. Wie er entdeckt, besitzt er noch immer einen ›Körper‹, der sich jedoch sowohl seiner Beschaffenheit als auch seinen Fähigkeiten nach wesentlich von dem physischen Körper, den er zurückgelassen hat, unterscheidet. Bald kommt es zu neuen Ereignissen. Andere Wesen nähern sich dem Sterbenden, um ihn zu begrüßen und ihm zu helfen. Er erblickt die Geistwesen bereits verstorbener Verwandter und Freunde, und ein Liebe und Wärme ausstrahlendes Wesen, wie er es noch nie gesehen hat, ein Lichtwesen, erscheint vor ihm. Dieses Wesen richtet – ohne Worte zu gebrauchen – eine Frage an ihn, die ihn dazu bewegen soll, sein Leben als Ganzes zu bewerten. Es hilft ihm dabei, indem es das Panorama der wichtigsten Stationen seines Lebens in einer blitzschnellen Rückschau an ihm vorüberziehen läßt. Einmal scheint es dem Sterbenden, als ob er sich einer Art Schranke oder Grenze näherte, die offenbar die Scheidelinie zwischen dem irdischen und dem folgenden Leben darstellt. Doch wird ihm klar, daß er zur Erde zurückkehren muß, da der Zeitpunkt seines Todes noch nicht gekommen ist. Er sträubt sich dagegen, denn seine Erfahrungen mit dem jenseitigen Leben haben ihn so sehr gefangengenommen, daß er nun nicht mehr umkehren möchte. Er ist von überwältigenden Gefühlen der Freude, der Liebe und des Friedens erfüllt. Trotz seines inneren Widerstandes – und ohne zu wissen, wie – vereinigt er sich dennoch wieder mit seinem physischen Körper und lebt weiter.

Bei seinen späteren Versuchen, anderen Menschen von seinem Erlebnis zu berichten, trifft er auf große Schwierigkeiten. Zunächst einmal vermag er keine menschlichen Worte zu finden, mit denen sich überirdische Geschehnisse dieser Art angemessen ausdrücken ließen. Da er zudem entdeckt, daß man ihm mit Spott begegnet, gibt er es ganz auf, anderen davon zu erzählen. Dennoch hinterläßt das Erlebnis tiefe Spuren in seinem Leben; es beeinflußt namentlich die Art, wie der jeweilige Mensch dem Tod gegenübersteht und dessen Beziehung zum Leben auffaßt.«[35]

Was können wir von der christlichen Hoffnung her zu solchen Erfahrungen sagen?

a) Zunächst muß durchaus die persönliche *Glaubwürdigkeit* vieler derartiger Aussagen anerkannt werden; sie können nicht einfach in den Bereich der reinen Phantasie, der Halluzinationen oder des Betrugs abgeschoben werden. Dazu ist die Konvergenz sehr vieler

[35] Aus R. A. Moody, Leben nach dem Tod, aaO. 27–29.

Zeugnisse von ganz verschiedenen (auch nicht religiös vorgeprägten) Untersuchungspersonen zu groß. Ein Teil der Aussagen (z. B. über das, was von den Vorgängen bei der Operation wahrgenommen wurde) konnte durch die Ärzte sogar bestätigt werden. Natürlich sind solche Berichte im ganzen nicht nachprüfbar; sie sind zu vereinzelt, als daß sie durch allgemein zugängliche Erfahrungen oder durch experimentelle Wiederholung genau untersucht werden könnten.

b) In manchen Punkten weisen diese Berichte *Ähnlichkeiten* auf mit Erlebnissen, die Menschen unter dem Einfluß von Drogen gemacht haben (z. B. Licht, Frieden, Farben, Glück usw.). Aber auch gewisse Erfahrungen von Mystikern lassen sich damit vergleichen, so z. B. der wahrgenommene Austritt des bewußten Ich aus dem eigenen Körper bei Katharina von Siena[36] oder die ekstatische Begegnung mit einem Lichtwesen bei Hildegard von Bingen.[37] All diese Phänomene sind noch längst nicht hinreichend geklärt; generell gesagt (von ihrer formalen Erkenntnisstruktur her) fallen sie in den Bereich der wissenschaftlichen Parapsychologie.[38] Darunter wird die Lehre von den seelischen Vorgängen verstanden, die außerhalb der »normalen«, durch unsere fünf Sinne vermittelten Erfahrungswelt stehen und die sich entweder als außersinnliche Wahrnehmungen (Visionen, Telepathie, Hellsehen, Präkognition usw.) oder als psychokinetisches Geschehen (hervorgerufen durch das Einwirken seelischer Kräfte auf den materiellen Bereich) äußern.

Wir sind schnell geneigt, in unserem westlich-neuzeitlichen Rationalismus alle diese Phänomene undifferenziert als »Hokuspokus« abzutun, nur weil sie uns nicht zugänglich sind. Wir versperren uns aber damit den Weg zu sehr vielen Erfahrungen, die in der Religionsgeschichte und in der Völkerkunde in reichem Maß bezeugt und auch als unleugbares Phänomen ernstgenommen werden. Man muß hier zur »Unterscheidung der Geister« die üblichen Kriterien der Glaubwürdigkeit, der Konvergenz, der (wenigstens teilweisen) Überprüfbarkeit anwenden, um zu einem sachlichen Urteil zu gelangen. Dies scheint im Fall der Berichte von »klinisch Toten« häu-

---

[36] Katharina v. Siena, Der stumme Jubel, Bonn 1926, 260 ff (zitiert nach: Chr. Ehringer [Hrsg.], Die schönsten Gebete der Welt, München 1964, 331).

[37] Hildegard v. Bingen, Wisse die Wege, bearbeitet von M. Böckeler, Salzburg 1954, 89.

[38] H. Bender, Unser sechster Sinn – Telepathie, Hellsehen, Spuk, Stuttgart 1971; E. Bauer / W. v. Lucadou, Spektrum der Parapsychologie. Hans Bender zum 75. Geburtstag, Freiburg 1983; E. Benz, Parapsychologie und Religion – Erfahrungen mit übersinnlichen Kräften, Freiburg 1983; H. C. Berendt, Telepathie und Hellsehen. Was wissen wir darüber?, Freiburg 1983; W. F. Bonin (Hrsg.), Lexikon der Parapsychologie, Herrsching 1984.

fig durchaus möglich zu sein, so daß ein übertriebenes Mißtrauen ihnen gegenüber nicht berechtigt ist.

c) Für eine theologische Beurteilung solcher Phänomene ist vor allem wichtig, deutlich auf den Unterschied zwischen »*außergewöhnlich*« und »*übernatürlich*« hinzuweisen. Oft werden im volkstümlichen Sprachgebrauch solche Erlebnisse einfachhin als »übernatürlich« bezeichnet, d. h. als direkte Bekundungen Gottes und der in der transzendenten Welt Gottes Lebenden (z. B. der Heiligen oder der »armen Seelen«). Eine solche Redeweise ist theologisch sehr fragwürdig; denn es gibt im Rahmen unserer raum-zeitlich strukturierten Erkenntnisweise keine *unmittelbare* und *direkte* Erfahrung des diese raum-zeitliche Welt transzendierenden Gottes und seiner »Lebenswelt«. Sie bleibt (auch in der Mystik) immer vermittelt durch diese Welt, durch unsere Sinne, durch unsere seelischen Kräfte, durch unsere geistige und sinnliche Vorstellungswelt usw. Parapsychologische Erfahrungen sind zwar »außergewöhnlich«, aber sie stehen deswegen in keiner Weise der Wirklichkeit Gottes näher als unsere normalen sinnlichen oder seelischen Erfahrungen; die Struktur der innerweltlichen Vermittlung und damit auch der subjektiven Brechung und Deutung ist beiden gleichermaßen eigen.

d) Wie steht es nun inhaltlich mit solchen Berichten über das »Leben nach dem Tod«? Hier tritt vor allem das Problem des »*klinischen Todes*« auf. Normalerweise wird der Tod anhand folgender zusammentreffender Zeichen festgestellt: Herzstillstand, Aussetzen der Atmung, Abfallen des Blutdrucks, Weitung der Pupillen, Absinken der Körpertemperatur. Eine präzisere Feststellung des Zeitpunktes, an dem der Tod eintritt, kann mit Hilfe eines Elektroenzephalogramms getroffen werden; der Ausfall der Hirnstromwellen ist dann das ausschlaggebende Kriterium. Die umgangssprachlich gebräuchlichste und auch in der Theologie verwendete Rede vom Tod bezieht sich auf den endgültigen Verlust aller vitalen Funktionen. Gerade dieser Tod hat sich aber bei jenen Personen noch nicht ereignet, die in solchen Berichten zu Wort kommen, die also mit medizinischen Methoden zurückgerufen, re-animiert worden sind. Die Erfahrungen, die sie erzählen, sind also nicht solche, die jenseits der Todesschwelle gemacht worden wären, sondern eher als Erfahrungen der *äußersten Todesnähe* zu bestimmen. Es ist bekannt, daß gerade in menschlichen Extremsituationen häufig die tiefsten Schichten unseres Bewußtseins und Unterbewußtseins geweckt und an die Oberfläche unserer Erfahrung gebracht werden (z. B. bei epileptischen Anfällen). Der Tod als äußerste Möglichkeit des menschlichen Lebens und seiner Freiheit, wo also das Ganze des personalen Daseins auf dem Spiel steht, kann deswegen durchaus solche

Tiefenschichten unserer Sehnsucht und unserer Hoffnung, unserer Vorstellungen und Erfahrungen aktivieren.

e) Aber kommt solchen Erlebnissen der äußersten Todesnähe auch ein objektiver *Realitätsgehalt* zu? Erfahren solche klinisch Tote wirklich etwas von der »jenseitigen Welt«, wenigstens einen »Vorschein«, der über die Grenzen zu uns herüberleuchtet? Ein beweisbares Wissen über die Realität jenseits des Todes ist darin sicher nicht gegeben, einfach deswegen, weil der Tod noch nicht *als solcher* erlitten ist. Zweifellos fällt die Ähnlichkeit dieser Erzählungen mit den christlichen Hoffnungsaussagen ins Auge. Aber dennoch bieten sie keinerlei empirisch-wissenschaftliche Absicherung unserer Hoffnung; so etwas kann es im Bereich des Glaubens, d. h. des vorbehaltlosen Sich-Gott-Anvertrauens nicht geben.[39] Dennoch sind solche Erfahrungen für den Glauben nicht wertlos. Sie können ihm als *Zeichen* dienen, als menschliche Ausdrucksmittel der Gegenwart Gottes im Leben und im *Sterben*. Als solche Zeichen stehen sie (trotz ihres außergewöhnlichen Charakters) grundsätzlich auf der gleichen erkenntnistheoretischen Ebene wie die anderen Zeichen, die in unserer Welt auf Gott verweisen, also z. B. die zwischenmenschliche Liebe. Dennoch können sie gerade wegen ihres »staunenerregenden«, aus dem gewöhnlichen Lebenstrott aufschreckenden Charakters (was dem biblischen Wunderbegriff nahe kommt) gute Hinwege zum Glauben eröffnen; je nach dem existentiellen Stellenwert im Leben eines Menschen können sie die dem Vertrauen auf Gott zueigene Gewißheit (nicht Sicherheit!) bestärken. Festzuhalten ist jedoch, daß sie nur im Glauben selbst eindeutig als Bekundung der Gegenwart Gottes und seiner Liebe verstanden werden können. Außerhalb des Glaubens bleiben sie mehrdeutig wie alle anderen Phänomene unserer Wirklichkeit. »Im Glauben«, das bedeutet: Wo solche Erfahrungen der äußersten Todesnähe zu einem tieferen Vertrauen auf Gott (gerade hinsichtlich des Sterbens), zu einer gelasseneren Hoffnung auf sein Reich und zu einer selbstloseren Liebe Gott und dem Nächsten gegenüber verhelfen, da können sie in der Tat als legitime Zeichen der mich bergenden und auf-hebenden Liebe Gottes angenommen werden; wo sie hingegen mehr der Befriedigung unserer Neugier und Sensations-

---

[39] Dem, der solche Erfahrungen dennoch als »Beweis« für eine unsterbliche Seele nehmen möchte, läßt sich bereits auf der außertheologischen Ebene entgegenhalten, daß er durch derartige Phänomene nicht die geringste Sicherheit darüber gewinnt, ob die »seelische Energie«, die eine Zeitlang nach dem (klinischen) Tod noch »zusammenbleiben« und eine bewußte Einheit bilden mag, sich nicht doch nach einer gewissen Zeit so auflöst, daß dann keinerlei personal-individuelles Bewußtsein (und damit so etwas wie »Unsterblichkeit der Seele«) mehr damit verbunden ist.

lust zugute kommen, wo sie mehr dem reinen Bescheid-Wissen (und damit »Haben-Wollen«) dienen, verlieren sie diesen Zeichencharakter und sind für den Glauben belanglos.

Exkurs: *Eschatologische Hoffnung im Koran*

Zum Abschluß unserer phänomenologischen Analysen soll noch ein ausdrücklich religiöser Hoffnungsentwurf zur Sprache kommen, der dem christlichen z. T. recht verwandt ist, sich aber doch in entscheidenden Grundzügen von ihm unterscheidet: nämlich die eschatologische Hoffnung des Islam, so wie sie sich im Koran darstellt. Die Kenntnis dieser islamischen Eschatologie hat zweifellos eine aktuelle Bedeutung, und zwar nicht nur wegen des neuerwachten islamischen Selbstbewußtseins und der damit verbundenen Re-Islamisierung des Rechtes, der Sitten und des Brauchtums in manchen arabischen Staaten. Der Islam berührt uns noch viel hautnäher; denn in der Bundesrepublik leben gegenwärtig etwa 1,6 Millionen Türken. Die besonderen Schwierigkeiten mit der Integration dieser Bevölkerungsgruppe rühren sicher auch von der Fremdartigkeit ihrer Kultur und ihrer religiösen Überlieferung her. Ein besseres Verständnis dieser Faktoren kann dazu beitragen, das Zusammenleben menschlicher und freundschaftlicher zu gestalten. Die Verkündiger des christlichen Glaubens haben eine große Verantwortung gegenüber dieser Situation eines interreligiösen Zusammenlebens in der unmittelbar erfahrbaren Lebenswelt der Gläubigen.

Zunächst einige *Vorbemerkungen zur Rolle des Koran im Islam:* Mohammed verstand sich aufgrund seiner Berufungsvisionen und seiner mystisch-ekstatischen Erlebnisse als Prophet, besser: als Gesandter (Apostel) Gottes, der zu seinen Landsleuten gesandt wurde, um ihnen die Offenbarung Gottes in *arabischer Sprache* mitzuteilen und sie zum Glauben an den einen und einzigen Gott zu bewegen. Der Koran ist demnach von seinem Selbstverständnis her göttlichen Ursprungs[40]; er enthält die durch Inspiration (des Engels Gabriel oder anderer himmlischer Boten) geoffenbarte Abschrift eines im Himmel aufbewahrten Urbuchs, welches als Original aller heiligen Schriften der Religionen angesehen wird. Deswegen soll der Koran auch von seinem Anspruch her (worauf Mohammed immer großen

---

[40] Ich stütze mich hier besonders auf A. Th. Khoury, Einführung in die Grundlagen des Islam, Graz ²1981; vgl. auch A. Th. Khoury/P. Hünermann (Hrsg.), Weiterleben nach dem Tode? Die Antwort der Weltreligionen, Freiburg 1985.

Wert gelegt hat) in seinem Grundgehalt mit der heiligen Schrift der Juden und der Christen übereinstimmen (was faktisch jedoch nicht so einfachhin der Fall ist, da Mohammed das Alte und Neue Testament nicht sehr gut kannte). Nur von dem, was den strengen Monotheismus Mohammeds einzuschränken schien, mußten diese alten hl. Schriften gereinigt werden (also das Neue Testament vor allem vom Trinitätsglauben und vom Glauben an die Gottessohnschaft Jesu), so daß der Koran jetzt die endgültige, reine Gestalt der einen Offenbarung des einen Gottes darstellt.

Entscheidend ist für den Islam, daß diese Offenbarung in arabischer Sprache geschah, was für die Identität einer eigenen arabischen Religion im Unterschied zu Juden und Christen bedeutsam wurde. Der Koran gilt als »die arabische Ausgabe aus dem himmlischen Urbuch«.[41] Da er auf göttlicher Verbalinspiration beruht, steht hinter jedem Wort die absolute Autorität Gottes, so daß nur die möglichst wörtlich-buchstäbliche Auslegung dem gemeinten Sinn gerecht wird. Dabei versucht man in der Theologie weithin, den Weg eines »vernünftigen Traditionalismus« zu gehen, der zwar ganz auf dem Text des Koran und der ihn auslegenden Überlieferung aufbaut, diese Überlieferung aber der Kontrolle der Vernunft unterzieht, um damit echte, dem Koran entsprechende von falschen, willkürlichen Auslegungen zu unterscheiden.

Die Bedeutung des Koran im Leben der Gläubigen faßt A. Th. Khoury so zusammen:

> »Der Koran ist eine Ermahnung für die Menschen. Er begleitet sie in ihrem Leben, im Alltag und in den besonderen Anlässen, mit seiner Rechtleitung, mit seiner Belehrung, seiner Urteilshilfe und seinen praktischen Anweisungen. In jeder Situation findet der Gläubige passende Stellen des Korans, die ihn ermuntern, im Gehorsam gegen Gott auszuharren. Andere Stellen spenden ihm Trost, wenn er trauert. Wieder andere teilen ihm die Weisheit umsichtiger Überlegung und tiefer menschlicher Erfahrung mit und verhelfen ihm zu einer Einsicht, die sein Leben fördert und ihm innere Zufriedenheit verleiht.
>
> Dies gilt aber nicht nur theoretisch. Die Moslems haben für jede Situation eine Koranstelle parat: so helfen sie sich selber, ihr Leben in den Gehorsam gegen den Willen Gottes einzubinden. Der Koran ist auch die

---

[41] A. Th. Khoury, aaO. 121f; diese starke Betonung der arabischen Sprache erklärt auch die Zurückhaltung des Islam, eine als authentisch akzeptierte Übersetzung des Koran zuzulassen; die erste ist erst 1920 in Lahore/Pakistan herausgekommen. Angst vor verfälschender Umdeutung und Sorge um die Einheit der islamischen Welt drücken sich darin vor allem aus. Wir zitieren hier aus: Der Koran. Übersetzt v. M. Henning, Wiesbaden o. J. Empfehlend hingewiesen sei noch auf die Übersetzung, den Kommentar und die Konkordanz von R. Paret, Stuttgart 1966 bzw. 1971.

vorzügliche Quelle verschiedener Gebete. Die Koranrezitation, ob in einfacher oder feierlicher Form, gehört zum Wesen des Gebets im Islam. So ist der Koran der Wegweiser des Gläubigen zu Gott, er lehrt ihn, zu Gott zu reden, ihn anzurufen und sich in der besten Weise unter seinen Willen zu unterwerfen, sich seinem Dienst hinzugeben, d.h. im eigentlichen Sinne Moslem zu sein.

Der Koran ist überdies die Hauptquelle der Glaubenslehre und der gesetzlichen Bestimmungen. Auf seinem Text gründen die Grundartikel des islamischen Glaubens, auf seinen Inhalt beruft sich der Theologe, um die Einzelheiten der islamischen Religion auseinanderzusetzen. Seine Autorität garantiert die Wahrheit des Glaubens und die Richtigkeit des Handelns sowohl der einzelnen Gläubigen als auch der Gemeinschaft.«[42]

Was sind nun die zentralen Hoffnungsaussagen des Koran?[43]

(1) Der Tod

Der Tod wird als endgültiges Ende des geschichtlich-irdischen Daseins aller Menschen verstanden. Bestimmte Todesengel führen (nach einer den Koran authentisch auslegenden Tradition) die Seele zum Himmel, wo die Gerechten bereits die Verheißung ihres Einzugs ins Paradies, die Verdammten jedoch die sichere Androhung der Hölle erfahren (vgl. Sure 62, 8). Präzisiert wird diese Tradition durch die Vorstellung eines »kleinen Gerichts«, das im Grab bereits durch Engel an jedem einzelnen Verstorbenen vorgenommen wird. Die (im Sinn des Islam) richtige Antwort auf die vier Fragen der Engel: Wer ist dein Gott? Wer ist dein Prophet? Welches ist deine Religion? Welches ist deine Gebetsrichtung? entscheidet darüber, ob er die Verheißung des Paradieses oder die Androhung der Hölle (mit vorweggenommenen Peinigungen) zugesprochen bekommt. Auf jeden Fall bleibt die Seele im Grab und »wartet« auf das jüngste, allumfassende Gericht. Diese Wartezeit wird als Zustand des unbewußten Schlafens vorgestellt, in der das Zeitbewußtsein ausfällt. Denn am Tag des Gerichts wird es den Verstorbenen so vorkommen, »als ob sie nur eine Stunde (im Grab) verweilt hätten« (vgl. S 10, 45).

---

[42] A. Th. Khoury, aaO. 124f.
[43] Dazu besonders: A. Th. Khoury, aaO. 181–191; W. M. Watt/A. T. Welch, Der Islam, in: Die Religionen der Menschheit, Bd. 25/1, Stuttgart 1980, 217–221; Cl. Schedel, Muhammed und Jesus. Die christologisch relevanten Texte des Koran, Wien 1978; T. Nagel, Der Koran, München 1983, 172–199; P. Antes/B. Uhde, Das Jenseits der anderen, Stuttgart 1972, 98 ff.

(2) Der Jüngste Tag

Die Ereignisse der Endzeit bilden ein durchgehendes Thema in sehr vielen Suren des Koran. Sie werden dabei als eine große endzeitliche Katastrophe vorgestellt, die den ganzen Kosmos erschüttert. Die Ähnlichkeit mit der jüdischen und christlichen Apokalyptik ist unübersehbar. Entscheidend für diesen »Tag des Gerichts«, der auch als »die Stunde« bezeichnet wird, ist die *Auferstehung der Toten*. Gerade weil (in der Entstehungszeit des Islam) die arabischen Polytheisten gegenüber dieser Verheißung Mohammeds besonders skeptisch waren, wird sie von ihm sehr stark hervorgehoben und mit der Schöpferkraft Gottes begründet: »Sag: der wird sie lebendig machen, der sie erstmals hat entstehen lassen und der über alles, was mit Schöpfung zu tun hat, Bescheid weiß... Hat denn nicht der, der Himmel und Erde geschaffen, auch die Macht, ihresgleichen zu schaffen?« (S 36, 79, 81–83). Das ständig neu erwachende Leben in der Natur und das dauernde Neuentstehen von Menschen durch die menschliche Zeugung sind zugleich Zeichen für die Allmacht des totenerweckenden Gottes. Über das Wie und das Wann dieser allgemeinen Auferweckung durch Gott macht der Koran keine näheren Angaben.

Mit der Auferstehung geht das *allgemeine Gericht* einher. Gott allein ist der gerechte Richter (nicht der Prophet oder Jesus), und er richtet gerecht nach dem, was jeder Einzelne verdient hat: »Jedem wird voll heimgezahlt, was er begangen hat. Und ihnen wird kein Unrecht getan« (S 2, 281). Propheten treten als Zeugen für oder gegen ihre Glaubensanhänger auf (Mohammed für die Muslim, Jesus für Juden und Christen), wobei Gott ihnen und den Engeln auch ein Fürsprecherecht einräumen kann (so besonders dem Mohammed für die sündigen Muslim, um sie in großen Scharen ins Paradies zu führen). Ausschlaggebend für die Gerichtsentscheidung Gottes ist der wahre (= islamische) Glaube bzw. der Unglaube (= jede andere religiöse Überzeugung, wobei die Juden und Christen als »Volk des Buches«, d. i. der Bibel noch einmal eine besondere Stellung einnehmen).

Erst an zweiter Stelle werden auch die guten bzw. bösen Werke genannt. Ob ein Ungläubiger allein durch seine guten Werke ins Paradies eingehen kann (gleichsam als »anonymer Muslim«) bzw. ein Gläubiger allein durch seine bösen Werke in die Hölle kommen kann, ist nach dem Koran sehr fraglich. Khoury schreibt zum Schicksal der »schlechten« Muslim: »Trotz der wiederholten Verbindung von Glauben und guten Werken... bleibt, nach der islamischen *Tradition,* der Glaube das Hauptkriterium zur Begründung

des endgültigen Urteils über die Menschen. Denn ein Gläubiger, der böse ist, wird zwar zur Hölle verdammt, wegen seines Glaubens aber wird er die Qual der Hölle nur für eine bestimmte Zeit erleiden. Der Prophet Mohammed legt für ihn Fürsprache ein, und er wird im Endeffekt doch noch ins Paradies eingelassen.«[44]
Was dagegen die Andersgläubigen angeht, die z. B. in S 68, 34–43 als »Frevler«, in S 42, 13–16 als »Abspalter« (von der einen wahren Religion) und als »Beigeseller« bezeichnet werden (weil sie die absolute Einheit Gottes durch die Verehrung mehrerer Götter oder durch den Glauben an die Gottessohnschaft Jesu verletzen), so wird an vielen Stellen die Chancenlosigkeit ihrer Lage im letzten Gericht angesprochen; sie haben eben zu Lebzeiten die angebotene Entscheidung für Mohammeds Botschaft ausgeschlagen.[45] So heißt es z. B. in S 83, 33–36: »An jenem Tag werden die, welche glauben, über die Ketzer laut lachen und auf ihren Thronen herunterschauen. Soll nicht den Ketzern vergolten werden, was sie getan?«[46]
Da viele der Vergeltungs- und Höllenaussagen des Koran in der harten geschichtlichen Auseinandersetzung Mohammeds mit seinen Gegnern (Polytheisten, Juden und Christen) entstanden sind, dienten sie ihm offensichtlich als drastisches Mittel, um den drängenden Ernst der heilsnotwendigen Bekehrung zum Islam anschaulich zu unterstreichen (was seine Parallele durchaus in manchen Prophetentexten des Alten bzw. in den Gerichtsreden des Neuen Testamentes findet).

(3) Hölle und Paradies

Das Gericht Gottes scheidet die Menschen in die zur Linken bzw. zur Rechten Gottes. Die zur Linken kommen in die Hölle (an-nār = Feuer, bzw. ğahannam = Gehenna, bzw. al-hutama = Zermalmer, Vielfraß), die (jedenfalls für die Ungläubigen) ewig dauert und deren Qualen mit Feuer, Fesseln und Ketten, heißem Wasser, Speise von dem Qualenbaum Zaqqum usw. beschrieben werden. Die zur Rechten werden in das Paradies gelangen (al ğanna = der Garten, bzw. ğannāt an-naʿim = Gärten der Wonne, bzw. ğannāt ʿadn = Gärten von Eden). Dessen Freuden werden im Koran viel ausführlicher und farbiger ausgemalt als die Qualen der Hölle. Die Verheißung der Paradiesesfreuden als Lohn für den Glauben und die guten Werke durchzieht die meisten Suren des Koran. Zu den

---

[44] A. Th. Khoury, aaO. 190.
[45] Vgl. dazu Cl. Schedel, aaO. 69–72, 276f, 296ff u. a. m.
[46] Übersetzung nach Cl. Schedel, aaO. 131; der Verf. vergleicht diese Verse mit Ps 52,8 und Ps 54,9.

größten Freuden gehören das Liegen unter schattigen (bzw. blühenden) Bäumen auf edelsteingeschmückten Liegebetten, der Genuß von Wein und köstlichen Speisen, die Liebesbeziehung zu reinen Paradies-Jungfrauen (den großäugigen »Huris«), die nach jedem Verkehr von Gott wieder neu als unberührte Jungfrauen geschaffen werden: eine vornehmlich aus Männerträumen erwachsene Vision ewigen Glücks, in dem die tiefsten Sehnsüchte des Menschen (bzw. des Mannes) erfüllt werden.[47] In vielen Variationen findet man immer wieder solche Verheißungen im Koran:

> »Und die Vordersten (auf Erden), die Vordersten (auch im Paradiese). Sie sind die (Allah) Nahegebrachten, in Gärten der Wonne. Eine Schar der Früheren und wenige der Späteren auf durchwobenen Polstern, sich lehnend auf ihnen einander gegenüber. Die Runde machen bei ihnen unsterbliche Knaben mit Humpen und Krügen und einem Becher von einem Born. Nicht sollen sie Kopfweh von ihm haben und nicht in Trunkenheit geraten. Und Früchte, wie sie sich erlesen, und Fleisch von Geflügel, wie sie's begehren, und großäugige Huris gleich verborgenen Perlen als Lohn für ihr Tun. Sie hören kein Geschwätz darinnen und keine Anklage der Sünde; nur das Wort: Frieden! Frieden!
> Und die Gefährten der Rechten – was sind die Gefährten der Rechten? (selig!). Unter dornenlosem Lotos und Bananen mit Blütenschichten und weitem Schatten und bei strömendem Wasser und Früchten in Menge, unaufhörlich und unverwehrten, und auf erhöhten Polstern. Siehe, wir erschufen sie in (besonderer) Schöpfung und machten sie zu Jungfrauen, zu liebevollen Altersgenossinnen für die Gefährten der Rechten, eine Schar der Früheren und eine Schar der Späteren« (S 56, 10–39).

Nur gelegentlich spielt auch die »Anschauung Gottes« eine beseligende Rolle (S 75, 22 f).

Ob diese Paradiesschilderungen symbolisch verstanden werden sollen, nämlich als Ausdruck für die »Erfüllung der geheimsten Wünsche des Menschen nach geistiger Vertiefung und innigen menschlichen Beziehungen«,[48] scheint angesichts der Betonung der Verbalinspiration und der orthodoxen Skepsis gegenüber einer symbolisch-theologischen Auslegung des Koran nicht so sicher. In

---

[47] Natürlich werden auch die gläubigen Frauen ins Paradies kommen, insofern ganze Familien gerettet werden und so mit den Männern auch »diejenigen von ihren Vätern, ihren Gattinnen und ihrer Nachkommenschaft, die fromm waren«, ins Paradies kommen können (S 13, 23). Daß hier die Eschatologie eine starke stabilisierende Funktion für eine patriarchalische Gesellschaftsordnung ausübt, ist eindeutig.

[48] So W. M. Watt/A. T. Welch, aaO. 220. Cl. Schedel spricht bezüglich der Jungfrauen von einem Archetyp: »Die unberührte Jungfrau ist gerade in ihrer Unberührtheit Bild und Gleichnis jenes unberührt Neuen, das das Paradies zum Paradies macht« (aaO. 153). Diese Deutung dürfte sicher in fortschrittlichen theologischen Kreisen des Islam geläufig sein.

der Verkündigung und in ihrer Rezeption bei den gläubigen Muslim scheint jedenfalls eher ein buchstäbliches Verständnis dieser Hoffnung vorzuherrschen, was wohl auch ihre Anziehungskraft ausmacht. Besonders deutlich wird dies in solchen Situationen, wo Muslim ihr Leben vorbehaltlos im heiligen Krieg für die Sache Allahs einsetzen, um in den Genuß des solchen Märtyrern »tod-sicher« verheißenen Paradieses zu gelangen:

> »Siehe, Allah hat von den Gläubigen ihr Leben und ihr Gut für das Paradies erkauft. Sie sollen kämpfen in Allahs Weg und töten und getötet werden. Eine Verheißung hierfür ist gewährleistet in der Tora, im Evangelium und im Koran; und wer hält seine Verheißung getreuer als Allah? Freut euch daher des Geschäfts, das ihr abgeschlossen habt; und das ist die große Glückseligkeit« (S 9,112).

> »O ihr, die ihr glaubt, soll ich euch zu einer Ware leiten, die euch von einer schmerzlichen Strafe errettet? Glaubet an Allah und an seinen Gesandten und eifert in Allahs Weg mit Gut und Blut. Solches ist gut für euch, so ihr es wisset. Er wird euch eure Sünden verzeihen und euch in Gärten führen, durcheilt von Bächen, und in gute Wohnungen in Edens Gärten. Das ist die große Glückseligkeit. Und andere Dinge (wird er euch geben), die euch lieb sind – Hilfe von Allah und nahen Sieg! Und verkünde Freude den Gläubigen« (S 61,10–13).

(4) Kurzer Vergleich

Die Herkunft dieser islamischen Eschatologie aus der jüdischen und christlichen Glaubenstradition ist offensichtlich; doch lassen sich auch einige gravierende Unterschiede benennen.

Die massive *Sinnlichkeit* der Jenseitsvorstellung, gerade in Verbindung mit ihrer typisch männlichen Ausprägung, ist für uns nur schwer nachzuvollziehen. Auch wenn es in der christlichen Tradition oft genug ähnliche Tendenzen gegeben hat, so fanden sie gerade durch die Botschaft des Neuen Testaments immer auch ihre mäßigende, im guten Sinn spiritualisierende und symbolisierende Korrektur. So wird z. B. das eschatologische »Hochzeitsmahl« eindeutig als das Fest der endgültigen Versöhnung zwischen Gott und seiner »Braut«, der erlösten Menschheit verstanden. Deswegen steht auch die unangefochtene Erfahrung der Liebe Gottes (»Anschauung Gottes«) und die Teilhabe an ihrem unerschöpflich reichen und beseligenden Leben im Zentrum der christlichen Hoffnung auf den »Himmel«, während sie im Koran eigentlich nur am Rande erwähnt wird. Auch die Idee der »communio sanctorum«, also der Integration des individuellen Heils in die Gemeinschaft der Vollendeten spielt im Islam kaum eine Rolle; ihm geht es eher um das erfüllte Glück des einzelnen Glaubenden.

Das *Gericht* wird im christlichen Glauben nicht von einem gerecht »vergeltenden« Gott vollzogen, sondern von dem »Menschensohn« Jesus Christus, d. h. von der menschlichen Gestalt der Gnade und Barmherzigkeit Gottes. Nicht die Aufzeichnungen unserer Taten in Büchern (S 82, 10 ff u. a. m.) oder das Abwägen unseres Lebens auf Himmelswaagen (S 101, 6–9) entscheidet über unser ewiges Los, sondern allein das Maß der von uns angenommenen und dabei uns verwandelnden Liebe Gottes.

Daß die Heilsverheißung Gottes gerade den *Armen,* den hier Vergessenen und an den Rand Gedrängten gegeben wird, daß die Solidarität mit ihnen ein vornehmlicher Grund ist, um am ewigen Leben im Reich Gottes teilzunehmen (vgl. Mt 25, 31 ff), ist eine Besonderheit der christlichen Hoffnung, die die (vermeintliche) Heilssicherheit der »wahren Gläubigen« relativiert und eine universale Heilshoffnung ermöglicht. Für solche relativierenden und universalisierenden Momente, die den geschlossenen Kreis der gläubigen »Heilsanwärter« aufsprengen und allen Menschen zukünftiges Heil von Gott her verheißen können, lassen die Hoffnungsaussagen des Koran wenig Raum.

2. Teil

Die Vergewisserung: Untersuchungen zum geschichtlichen Grund christlicher Hoffnung

In unserer »Phänomenologie der christlichen Hoffnung« haben wir verschiedene Weisen gegenwärtig gelebter christlicher Hoffnung zunächst ausdrücklich vorgestellt (2 – 5) und anschließend (6 – 8) – mehr implizit – als Maßstab unserer jeweiligen Stellungnahme zur Geltung gebracht. Die Fragen, die jetzt im zweiten Teil angegangen werden müssen, zielen auf das tiefere Verstehen und auf die Begründung der Wahrheit dieser christlichen Hoffnung hin, also auf den »Logos« des Phänomens. Und zwar wollen wir diese Fragen zunächst dadurch beantworten, daß wir unsere Hoffnung aus ihrem geschichtlichen Ursprung und der ganzen kirchlichen Hoffnungstradition heraus als deren aktuelle Vergegenwärtigung zu *verstehen* suchen; und zugleich werden wir den realen *geschichtlichen Grund* unserer Hoffnung aufzeigen: daß sie nicht in unseren Wunschprojektionen gründet, sondern in einem geschichtlichen Geschehen »extra nos« und dem davon ausgehenden Versprechen einer universal versöhnten Zukunft unserer Geschichte, »Reich Gottes« genannt.

I. Die Vorgeschichte christlicher Hoffnung

1. Zum Verhältnis von Altem und Neuem Testament: »aufgehobene« Hoffnung

Für uns Christen liegt der reale Wahrheitsgrund unserer Hoffnung vor allem in der Person und in der Geschichte des Jesus von Nazareth. Aber diese Gestalt ist kein einsamer Meteor, der irgendwann völlig beziehungslos vom Himmel gefallen ist. Vielmehr erscheint in ihm der Höhepunkt und der Neuanfang einer Hoffnungsgeschichte, die in Israel ihren Anfang genommen hat. Die Hoffnungen Israels gehören jedoch nicht nur im rein historischen Sinn zur »Vor-Geschichte« der christlichen Hoffnung, sondern mehr noch im theologischen Sinn: d. h. sie werden von uns als gültige Hoffnung aufgegriffen und *»aufgehoben«.*

Wir greifen hier auf die berühmte »Denkfigur« der Hegelschen Philosophie zurück, da sie ein Beziehungsgefüge gut verständlich machen kann, in dem eine bestimmte Entwicklung von *einem* geschichtlichen Zustand zum *anderen, neuen* stattgefunden hat. Im

Hegelschen Verständnis enthält dieses »Aufheben« drei wesentliche Momente, die gerade in ihrer Gegensätzlichkeit notwendig zusammengehören und so die Einheit und Unterschiedenheit zwischen alt- und neutestamentlicher Hoffnung manifestieren.[1]

Aufheben bedeutet (1) »*bewahren*«: Die mit dem Christusgeschehen zu vereinbarenden Hoffnungs-*Inhalte* Israels werden in unserer Hoffnung bewahrt. So wurde z. B. die Hoffnung auf das verheißene Reich Gottes und die endzeitliche Auferstehung der Toten von Jesus selbst übernommen; er hat sich damit in eine bestimmte Hoffnungtradition Israels hineingestellt und sie bewußt als seine Hoffnung angenommen. Dadurch bildet diese Hoffnung Israels einen integralen Teil auch unserer Hoffnung.

Aber auch die *formale* Grundstruktur der Hoffnung Israels wird von uns in einem gewissen Sinn bewahrt, nämlich ihr Gründen auf dem Zusammenspiel von Verheißung und Erfüllung: Bestimmte geschichtliche Erfahrungen (wie z. B. die Befreiung aus Ägypten, der Bundesschluß am Sinai, die Landnahme, das Königtum, schließlich auch das Exil usw.), die vom prophetischen Wort gedeutet werden, wecken eine Verheißung auf unbedingtes, von Gott gewirktes Heil- und Ganzwerden des Volkes. Die Erfüllung solcher Verheißungen wird in bestimmten veränderten geschichtlichen Situationen gesehen, wobei darin aber zugleich wieder eine neue Verheißung und eine neue Hoffnung freigesetzt werden: Jede erfahrene Erfüllung ist doch nur partielle »Vorwegnahme« der endgültigen Erfüllung; sie birgt in sich den Überschuß der in keiner geschichtlichen Erfüllung ausschöpfbaren Verheißung des »Deus semper maior«. Dieser Charakter der geschichtlich unausschöpflichen Hoffnung, die auf dem Versprechen eines geschichtlichen Geschehens beruht, eignet auch der christlichen Hoffnung.

Wenn wir einen solch engen Zusammenhang zwischen der Hoffnung Israels und der Kirche sehen, dann kommt darin zum Ausdruck, daß für uns die Geschichte Israels im eigentlichen Sinn als »Selbstoffenbarung« und »Wort« Gottes verstanden werden muß. Denn an der erfahrenen und im Glauben der Propheten gedeuteten Geschichte Israels ist diese Selbstoffenbarung Gottes »ablesbar«, auch wenn sie erst von Christus her im vollen Sinn »verstehbar« ist, eben als Selbstmitteilung des dreifaltigen Gottes. Daraus folgt keineswegs, daß Gott sich »stückchenweise« offenbart. Vielmehr geht

---

[1] Zum grundsätzlichen Verhältnis von AT und NT vgl. K. Rahner, Art. Altes Testament, in: SM I, Freiburg 1967, 101–108; ders., Über die Schriftinspiration, Freiburg ⁴1965. Wir folgen hier also nicht der Verhältnisbestimmung, die Peter Knauer vorschlägt; vgl. Der Glaube kommt vom Hören, Graz 1978, 176–186.

es darum, daß unsere natürliche und geschichtliche Wirklichkeit in verschiedenem Maße transparent ist für die sie tragende und begründende Liebe des in allem »dabeiseienden« Gottes (vgl. Ex 3, 14 f). Diese Liebe Gottes schenkt sich immer schon als dreifaltige Liebe; aber die Durchsichtigkeit der menschlichen Geschichte für sie ändert sich, entwickelt sich, hat eine konkrete (keineswegs geradlinige) Geschichte, die in Jesus Christus ihren unüberbietbaren, alle anderen Phasen der Geschichte, zumal des Volkes Israel, »aufhebenden« und »einsammelnden« Höhepunkt erreicht.

Diese Geschichte unserer auf Gott hin transparenten Wirklichkeit ist nun nicht etwas zweitrangiges, sondern vielmehr ein inneres Moment der Selbstoffenbarung Gottes. Denn als ein in sich bewegtes, unerschöpfliches Geschehen von Liebe (zwischen Vater, Sohn und Geist), das in aller Wirklichkeit gründend, vereinend und heilend anwesend ist, nimmt Gott die geschaffene Wirklichkeit, vor allem die Geschichte menschlicher Freiheit in verschiedenem Maß in die Bewegung seiner dreifaltigen Liebe hinein, und zwar je nach dem Maß ihrer Offenheit und Transparenz. Das macht das trinitarische »Geschehen« der Liebe Gottes zur »Geschichte« ihrer Selbstmitteilung. Dadurch werden Welt und Geschichte nicht zum verendlichenden Maß der Liebe Gottes; sie bleibt maß-los unendlich. Jedoch geben Welt und Geschichte das Maß für das je verschiedene Ankommen und Angenommenwerden dieser Liebe in unserer Wirklichkeit ab.

Die Geschichte Israels nun stellt für uns genau jenes Maß dar, das *vor* Jesus Christus und *für* Jesus Christus die (bis dahin) höchste Transparenz der sich mitteilenden Liebe Gottes bedeutete. In sie hat Jesus sich hineingestellt, hat an ihr partizipiert und sie zugleich in einmaliger, absolut ungehinderter Offenheit erfüllt.

Über das »Bewahren« der Hoffnung Israels in der Hoffnung Jesu Christi und der Kirche hinaus bedeutet »aufheben« aber auch (2) *»wegnehmen«*, »außerkraftsetzen«. Denn alles das, was mit dem im Christusgeschehen enthaltenen Versprechen nicht mehr vereinbar ist, verliert für uns seine Gültigkeit; also z. B. die Hoffnung auf ein Reich Gottes, das nicht durch den alle menschlichen Erwartungen durchkreuzenden Tod am Kreuz hindurch uns geschenkt wird; oder die Hoffnung, daß das Volk Israel (im nationalen Sinn) das primäre Subjekt des kommenden Reiches sei (statt der universalen, alle Völker einbeschließenden Gemeinschaft der Glaubenden); oder die Hoffnung, daß das Reich Gottes durch fromme Gesetzeserfüllung oder durch revolutionäre Aktionen beschleunigt herbeigeführt werden könne (und nicht allein durch die Gnade des rechtfertigenden Gottes komme) usw.

»Aufheben« besagt schließlich und entscheidend (3) *auf eine höhere Ebene emporheben«*, in eine neue, end-gültige Gestalt hineinnehmen. Sowohl die integrierbaren Hoffnungsinhalte Israels wie auch ihre formale Hoffnungsstruktur werden jetzt endgültig von Gott her »erfüllt«. Das bedeutet: Einmal werden die Hoffnungen Israels in ihrem wahren, auf Christus und den in ihm sich mitteilenden dreifaltigen Gott hin zielenden Sinn verstehbar; der wahre, bleibend-gültige Gehalt von Verheißungen und Hoffnungen tritt offen hervor und wird zugleich eingelöst.

Damit geht zusammen, daß sich der strukturelle Charakter der Hoffnung jetzt entscheidend ändert. Während nämlich in Israel der Gang von Verheißung zu Erfüllung und wieder zu neuer Verheißung grundsätzlich unabschließbar ist (weil durch immer neue geschichtliche Erfahrungen »vermehrbar« bzw. durch die Sünde des Volkes auch zerstörbar), geschieht in Jesus Christus etwas qualitativ Neues und Einmaliges in diesem Hoffnungsprozeß. In ihm ist das Heil von Gott her in der untrennbaren und unvermischbaren Einheit von Gottes *Zusage* und menschlicher *Zustimmung* gegeben. Dadurch tritt gleichsam ein ganz anderer, einmaliger Modus von geschichtlichem Versprechen und ihm gemäßer Hoffnung in unserer Geschichte auf: Weil Gott selbst in diesem Menschen mitten in unserer Geschichte gegenwärtig ist, weil in ihn, den vorbehaltlos auf Gott Vertrauenden, die ganze Liebe des »dabeiseienden« Grundes aller Dinge gleichsam wie in ein unbegrenzt offenes Gefäß »hineinströmen« und sich an uns weiterverschenken kann, darum ist diese Gestalt nicht mehr nur wie alle sonstige erfahrbare Wirklichkeit ein Versprechen, das auf Anderes, Größeres hinweist, sondern bereits die endgültig geglückte und unüberbietbare Erfüllung aller Versprechen. Hier wird eine individuelle menschliche Wirklichkeit selbst zum geschichtlich greifbaren Ort jener unendlichen »Güte«, der alle Wirklichkeit ihr »Gutsein« verdankt. In seiner vollendeten Einheit von menschlicher Offenheit und göttlicher Liebe finden die Versprechen der Geschichte ihr »Ja und Amen«: »Er ist das Ja zu allem, was Gott verheißen hat. Darum rufen wir durch ihn zu Gottes Lobpreis auch das Amen« (2 Kor 1, 20). Daß Jesus damit nun nicht den offenen Versprechenscharakter unserer Wirklichkeit und Geschichte schlechthin beendet, sahen wir bereits oben (vgl. Einleitung, II/2 b, Exkurs). Denn auch er selbst ist noch einmal ein Versprechen, das der Einlösung harrt. Allerdings auf völlig andere Weise als alles sonst (s. o.); dies rechtfertigt es, daß wir die Hoffnungsgeschichte Israels als *»altes Testament«* dem *»neuen Testament«* unserer Hoffnung voran- und gegenüberstellen können. Diese allgemeinen Erörterungen wollen wir in den nächsten Abschnitten inhaltlich füllen, indem wir zunächst einmal die alttestamentliche Vorgeschichte unserer Hoffnung betrachten.

2. Zeit und Geschichte im Verständnis Israels

a) Der Unterschied zur abendländischen Zeitvorstellung: »gefüllte Zeit«[2]

In der von der griechisch-römischen Antike herkommenden und in der europäischen Kultur sich durchsetzenden Denk- und Vorstellungsweise wird die Zeit unreflex als Bewegung im Raum vorgestellt; sie wird mit einem Strom oder einer Linie verglichen, die sich aus der Vergangenheit über die Gegenwart in die Zukunft bewegt. Alle Ereignisse haben ihren bestimmten Ort auf dieser Linie; sie werden darauf vom Blickwinkel des Betrachters aus, der gleichsam die Mitte dieser Linie bildet, eingetragen: die einen Ereignisse nach rückwärts als »Vergangenheit«, die anderen im engeren Umfeld des Betrachters als »Gegenwart«, wieder andere nach vorwärts als »Zukunft«. Die Zeit gleicht also einer leeren, mehr formalen Zeitlinie, die durch bestimmte Geschehnisse erst inhaltlich gefüllt wird.

In Übereinstimmung mit dem allgemeinen altorientalischen Zeiterleben wird dagegen im alten Israel Zeit als ein sinnerfülltes Geschehen, als »gefüllte Zeit« erfahren. Zeit ist also immer schon mit einem bestimmten Inhalt identisch; der Inhalt des Geschehens macht die Zeit aus, und ohne ein bestimmtes Geschehen gibt es überhaupt kein Zeiterlebnis. Dabei hat alles nur inhaltlich Mögliche »seine Zeit«, eben seinen rechten Augenblick, seinen »Kairos«. Sprachlich zeigt sich das z. B. daran, daß das Hebräische kein eigenes Wort für »Zeit« hat; »'ēt« bedeutet den »Zeitpunkt«, den »Zeitabschnitt« für ein bestimmtes Tun oder Ereignis, z. B. die Zeit des Gebärens (Mi 5,2) oder die Zeit des Vieheintreibens (Gen 29,7) usw. Von daher wird auch der Plural z. B. in Psalm 31,16 verständlich: »Meine Zeiten stehen in deinen Händen.«

---

[2] Vgl. dazu G. v. Rad, Theologie des Alten Testaments Bd. 2, München ⁷1980, 112 ff; M. Eliade, Der Mythos der ewigen Wiederkehr, Düsseldorf 1953; Th. Boman, Das hebräische Denken im Vergleich mit dem griechischen, Göttingen ⁴1965; N. Lohfink, Das Siegeslied am Schilfmeer, Frankfurt 1965; G. Greshake, Auferstehung der Toten, Essen 1969, 189 ff; W. Jaeschke, Die Suche nach den eschatologischen Wurzeln der Geschichtsphilosophie, München 1976, 99–153; K. Koch, Art. »Geschichte/Geschichtsschreibung/Geschichtsphilosophie« II (Altes Testament), in: TRE XII, Berlin 1984, 569–586 (mit reichen Literaturangaben).

Ein besonders schöner Text für dieses Zeitverständnis dürfte Koh 3, 1–8 sein:

> »Alles hat seine Stunde. Für jedes Geschehen unter dem Himmel gibt es eine bestimmte Zeit:
> eine Zeit zum Gebären
> und eine Zeit zum Sterben,
> eine Zeit zum Pflanzen
> und eine Zeit zum Abernten der Pflanzen,
> eine Zeit zum Töten
> und eine Zeit zum Heilen,
> eine Zeit zum Niederreißen
> und eine Zeit zum Bauen,
> eine Zeit zum Weinen
> und eine Zeit zum Lachen,
> eine Zeit für die Klage
> und eine Zeit für den Tanz;
> eine Zeit zum Steinewerfen
> und eine Zeit zum Steinesammeln,
> eine Zeit zum Umarmen
> und eine Zeit, die Umarmung zu lösen,
> eine Zeit zum Suchen
> und eine Zeit zum Verlieren,
> eine Zeit zum Behalten
> und eine Zeit zum Wegwerfen,
> eine Zeit zum Zerrreißen
> und eine Zeit zum Zusammennähen,
> eine Zeit zum Schweigen
> und eine Zeit zum Reden,
> eine Zeit zum Lieben
> und eine Zeit zum Hassen,
> eine Zeit für den Krieg
> und eine Zeit für den Frieden.«

(Einen leichten Anklang an diese Zeitvorstellung enthält die bei uns übliche Redensart: »Ich habe keine Zeit«, nämlich für etwas inhaltlich Bestimmtes.)

»Gefüllte Zeit« im vollen Sinn waren nun vor allem die *Feste* des Volkes. Sie galten – in einem völlig integrierten sakralen Wirklichkeitsverständnis – als Zeiten von »absoluter Heiligkeit«[3], weil sie von den Göttern bzw. von Jahwe eingesetzt waren. Sie gewährten den Mitfeiernden eine reale Partizipation am göttlichen Leben und Heil: »Das ist der Tag, den der Herr gemacht hat« (Ps 118,24). Diese Feste – und nicht die Zeit als solche – wurden als das absolut und unbedingt Vorgegebene erfahren; allein im Rhythmus dieser

---

[3] G. v. Rad, aaO. 116.

Feste wurde die Zeit erlebt, sowohl als individuelle wie auch als so-
zial-geschichtliche Zeit, sei es nun im Sinn einer festlich gefüllten
Zeit oder einer festlos-alltäglichen Zeit.

b) Der Unterschied zum allgemeinen orientalischen Zeitverständnis: Mythos und Geschichte

Zunächst gaben auch in Israel, wie bei den anderen vorderorientali-
schen Völkern, die verschiedenen Jahreszeiten in ihrem geordneten, immer wiederkehrenden Rhythmus das Modell einer inhaltlich
gefüllten und geheiligten Zeit ab. Blühen und Geborenwerden,
Sterbenmüssen und Vergehen hat »seine Zeit«. Israel lebte ja ursprünglich innerhalb der kanaanäischen Landbevölkerung und
teilte deren Kalender, der von einer typisch bäuerlichen Kultur geprägt war, in der Säen und Ernten als unmittelbar sakrale Geschehnisse angesehen wurden.[4] Deswegen vermittelten auch in Israels
Ursprungszeit die jahreszeitlichen Feste die grundlegende Erfahrung von »gefüllter Zeit«, d. h. göttlich geordneten und mit Heil erfüllten Geschehnissen.
Aber zu der Zeit, als die Tradition der Mosegruppe, vor allem ihr
vom Auszug aus Ägypten her mitgebrachter Jahweglaube, immer
stärker die Identität der verschiedenen Stämme Israels prägte (also
möglicherweise im 13./12. Jh. v. Chr.)[5], setzte eine »Historisierung«
dieser Feste und damit auch des Zeiterlebnisses ein: Das Osterfest
im Frühling, das zum Beginn der Gerstenernte und beim Überwech-
seln von den Winter- zu den Sommerweiden gefeiert wurde, erhielt
nun den Sinn einer Gedächtnisfeier an den Auszug aus Ägypten;
auch das Herbst- und Weinlesefest wurde nun zu einer Gedächtnisfeier des Weilens in der Wüste und des Wohnens in Laubhütten
während des Exodus. Nicht mehr der Naturrhythmus, sondern
ganz bestimmte geschichtliche Ereignisse, auf denen das Volk seine
unterscheidende Identität gegenüber den kanaanäischen Stadtstaaten und anderen Völkern dieses Lebensraums gründete, galten
jetzt als von Gott gesetzte, mit seinem Heil gefüllte Zeit.
Die Feste, an denen diese Ereignisse begangen wurden, waren von
Anfang an keine bloßen geschichtlichen Erinnerungen an Vergangenes, sondern hatten den Charakter von Vergegenwärtigungen,
die den jetzt Lebenden realen Anteil an diesem Heilsgeschehen

---

[4] Ebd. 117.
[5] Vgl. dazu die Aufsätze von H. Engel, N. Lohfink und W. Jüngling über die
»Anfänge Israels« in: BiKi 38 (1983), 2. Quartal; H. Engel, Die Vorfahren Israels in Ägypten, Frankfurt 1979.

(etwa des Auszugs oder des Bundesschlusses) gewährten. »Jahwes gemeinde-gründende Geschichtstaten waren aber absolut. Sie hatten nicht teil an dem Schicksal des sonstigen Geschehens, das unweigerlich in die Vergangenheit zurückglitt; sie waren jeder späteren Generation gegenwärtig, aber nicht nur im Sinne einer lebhaften geistigen Vergegenwärtigung des Vergangenen, nein, die Festgemeinde verwirklichte in Mimus und Ritus erst das Israel im vollen Sinn des Wortes; sie trat selbst in der Tat und in der Wahrheit ein in die geschichtliche Situation, wie sie von dem jeweiligen Fest bestimmt wurde. Wenn Israel das Passa aß, in Reisekleidung, den Stab in Händen, Schuhe an den Füßen und in der Hast des Aufbruchs (Ex 12, 11), so ist klar, daß es sich des Auszugs nicht nur erinnerte, sondern daß es in das Heilsgeschehen des Auszugs selbst eintrat und sich dieses Geschehen ganz aktuell widerfahren ließ. Dasselbe gilt von dem Wohnen in Laubhütten oder von dem Bundesfest in Sichem, wo Israel die Offenbarung der Gebote und den Bundesschluß festlich beging.«[6]

Allmählich wurden immer mehr geschichtliche Ereignisse in bestimmten Festen begangen, sei es solche aus der Väterzeit vor dem Exodus oder solche bei der Einwanderung nach dem Exodus. Während sie zunächst auch kultisch unabhängig voneinander begangen wurden (z. B. in Bethel die Ereignisse aus der Jakobs-Tradition; in Sichem die Sinai-Tradition mit dem Bundesfest; in Gilgal das Landnahmefest usw.), wurden diese Ereignisse dann zu einer Abfolge von Geschehnissen und Fresken zusammengefaßt. Ein solches so-

---

[6] G. v. Rad, aaO. 117 f. In der Anmerkung 10 auf S. 118 ebd. erklärt v. Rad diese Erfahrung der Vergegenwärtigung so: »Dieses für uns Heutige so schwer begreifliche Kulterlebnis wird etwas verständlicher, wenn man bedenkt, daß sich der antike Kultteilnehmer viel weniger als ein Individuum verstand. Er wußte sich völlig als ein Glied am Leibe der Kollektivität, und an religiösen Inhalten konnte ihn nur das bewegen und ausfüllen, was der Kultgemeinde als ganzer widerfuhr. Eine gute Anschauung davon, wie diese Vergegenwärtigung heilsgeschichtlicher Ereignisse im Kultus aussah, gibt uns der 114. Psalm: Das Exodus-Ereignis und die Wahl des Zion schieben sich zeitlich nahezu ineinander (V. 1 f). Der Durchzug durch das Schilfmeer (Ex 14 f) und der Durchzug durch den Jordan (Jos 3 f) – nach pentateuchischer Rechnung 40 Jahre voneinander getrennt – werden in einem Atemzug genannt (V 3), als handele es sich um ein Geschehnis und nicht um zwei. Und all dies hat nun für den (doch um Jahrhunderte jüngeren) Psalm eine solche Gleichzeitigkeit, daß er in die Dramatik dieser Heilsereignisse hineinreden und -fragen kann (V 5)! Aber diese Gleichzeitigkeit ist nun wiederum doch nicht so exklusiv, daß in diesem Zusammenhang nicht auch ein Ereignis der Wüstenwanderung, nämlich das Wasserwunder (Num 20, 11), apostrophiert werden könnte, das doch zeitlich nach dem Durchzug durch das Schilfmeer und vor dem durch den Jordan lag. Derlei kann man nicht im Sinne einer dichterischen Freiheit, sondern nur aus der Vorstellungswelt des Kultus heraus erklären.«

genanntes »heilsgeschichtliches Summarium« findet sich z. B. in Dtn 26, 5–10: »Mein Vater war ein heimatloser Aramäer. Er zog nach Ägypten, lebte dort als Fremder mit wenigen Leuten und wurde dort zu einem großen, mächtigen und zahlreichen Volk. Die Ägypter behandelten uns schlecht, machten uns rechtlos und legten uns harte Fronarbeit auf. Wir schrien zum Herrn, dem Gott unserer Väter, und der Herr hörte unser Schreien und sah unsere Rechtlosigkeit, unsere Arbeitslast und unsere Bedrängnis. Er führte uns mit starker Hand und hocherhobenem Arm, unter großem Schrecken, unter Zeichen und Wundern aus Ägypten, er brachte uns an diese Stätte und gab uns dieses Land, ein Land, wo Milch und Honig strömen. Und siehe, nun bringe ich hier die ersten Erträge von den Früchten des Landes, das du mir gegeben hast, Jahwe« (vgl. auch Jos 24, 2–14). So entstand eine zusammenhängende Reihe von »gefüllten Zeiten«, also auch eine lineare Zeitstrecke; aber diese wurde nicht verstanden als nachträgliche Füllung einer zunächst leeren, formalen »Zeitlinie«, sondern als Zusammenfügung heilsbedeutsamer Geschehnisse zu einer einheitlichen Heilsgeschichte. Die zugrundeliegende Geschichtserfahrung war eben die der Kontinuität der Treue Gottes, die sich in immer neuen gefüllten Geschehnissen und Zeiten manifestiert. Die »Geschichte« wird begriffen als Einheit von »gefüllten Zeiten«, in denen Gott handelt.

Der Umfang dieser Einheit wird dann von den Geschichtsschreibern immer weiter »ausgedehnt«: Im elohistischen Werk reicht sie von der Väterzeit bis zur Landnahme (dies gilt als das »kanonische Geschichtsbild« Israels), im jahwistischen Werk und in der Priesterschrift von der Schöpfung bis zur Landnahme, im deuteronomistischen Geschichtswerk von Mose bis zur Wegführung ins babylonische Exil, im chronistischen Geschichtswerk vom ersten Menschen bis in die nachexilische Zeit.[7]

Damit hat sich Israel immer deutlicher von dem Zeit- und Geschichtsverständnis seiner Umwelt gelöst. Denn für diese galt als »gefüllte Zeit« vor allem die im Kult vergegenwärtigte innergöttlich-mythische *Urzeit* oder Vorzeit, in der alle Ordnungen für ewige Zeiten bleibend gültig festgelegt wurden. Diese »Urtypen« des Geschehens wiederholen sich immer wieder im Rhythmus der Natur und der menschlichen Geschichte; im Kult werden sie fest-

---

[7] Die allmählich zunehmende Differenz zwischen dem chronologischen Bewußtsein der linearen Zeitfolge und der kultischen Vergegenwärtigung vergangener Geschehen verlangte immer mehr rationale Erklärungen und Systematisierungen; eine solche liegt z. B. deutlich im deuteronomistischen Geschichtswerk vor mit seinem Bemühen, den geschichtlichen Abstand zwischen damals und heute zu überwinden (vgl. Dtn 5, 2 f).

lich begangen. Geborenwerden und Sterben, Heiraten und Zeugen – alles wurde auf eine vorzeitlich-mythische Göttergeschichte zurückgeführt, die sich real-abbildlich im Natur- und Geschichtsverlauf wiederholt und im Kult ausdrücklich dargestellt und vergegenwärtigt wird. Dadurch konnte dem allzu vergänglichen und zufälligen Geschehen des individuellen Daseins ein fester göttlicher Sinn, eine ewige göttliche Ordnung zugrundegelegt werden, was ihm den Charakter einer vergegenwärtigten göttlich gefüllten Zeit verlieh. Von diesem mythischen Weltbild, das von den uralten Kulten Mesopotamiens ausging und den ganzen Orient erfüllte, sagte sich Israel allmählich los; für es bedeutete »gefüllte Zeit« allein die real erfahrene *Geschichte* der Heilstaten Gottes an seinem Volk, zumal in dessen Ursprungszeit: »An die Stelle von Mythen, welche innergöttliche Geschehnisse rühmen, tritt in Israel als Urzeit ein Ausschnitt menschlicher Geschichte, in dem nicht Herrscher, sondern Viehzüchter und Bauern handeln und leiden und zum Gegenstand göttlichen Waltens werden.«[7a]

c) Ein Beispiel mythischen Geschichtsverständnisses: der ägyptische Osiris-Mythos

Als konkretes Beispiel eines solchen mythischen Geschichtsverständnisses aus der Umwelt Israels sei hier der ägyptische Osiris-Kult kurz vorgestellt. Der Inhalt dieses Mythos, der aus den verschiedenen Überlieferungen rekonstruiert wurde, läßt sich folgendermaßen zusammenfassen:

> »Es wird berichtet, daß Osiris als Herrscher auf Erden die Kultur verfeinert und alle guten Sitten, den Ackerbau, den Gebrauch der Vernunft und alle Künste, gebracht habe. Er zeigte sich damit deutlich als eine

---

[7a] K. Koch, Art. »Geschichte/Geschichtsschreibung/Geschichtsphilosophie«, aaO. 572. Daß auch bei anderen altorientalischen Völkern ein allmählicher Übergang vom Mythos zum geschichtlichen Denken einsetzt, hält K. Koch in dem erwähnten Artikel fest: »Von der bei Naturvölkern verbreiteten Urzeitauffassung des Mythos heben sich Dokumente wie die sumerischen und die ägyptischen Königslisten dadurch ab, daß sie die mythische Anfangsepoche chronologisch mit der Gegenwart verbinden; dadurch entsteht ›Historiogenesis‹, welche ›die Ereignisse unerbittlich auf die Linie der unumkehrbaren Zeit‹ setzt. Mythologie wird historisiert; zugleich Geschichte mythologisiert, da sie jederzeit Interventionen von Göttern oder Wirkungsgrößen ... zu gewärtigen hat... Als Träger der geschichtlichen Bewegung gilt das sakrale Königtum« (aaO. 570). Für Israel liegt demgegenüber der Volk und Geschichte stiftende, die Erfahrung von »gefüllter Zeit« ermöglichende Ursprung ausschließlich in der Geschichte selbst, eben im Handeln Jahwes an den (keineswegs königlichen) Vorvätern.

Ausfaltung des Re, als ein göttlicher König auf Erden. Seth, sein dunkler Bruder, war neidisch auf Osiris. Da er ihm nicht anders beikommen konnte, überlegte er sich eine List: er ließ eine Totenlade anfertigen (einen für jeden Ägypter begehrenswerten Gegenstand!), die genau die Körpermaße des Osiris trug. Bei einem Fest der Götter sagte er im Scherz: derjenige sollte die Lade geschenkt bekommen, der genau hineinpasse. Als Osiris an der Reihe war, sprangen die Helfer des Seth herbei, verschlossen den Sarg und warfen ihn in den Nil. Er schwamm fort und wäre ins Meer getrieben, wenn er sich nicht im Delta in den Wurzeln eines Ereike-Strauches verfangen hätte. Dort fand ihn Isis. Seth fand ihn aber bald darauf auch und zerriß den Leichnam in vierzehn Stücke. Isis suchte Osiris erneut und fand die Teile mit Hilfe des hundeköpfigen Anubis, eines Sohnes ihrer Schwester Nephthys und des Seth. Isis setzte alle Teile des brüderlichen Leichnams wieder zusammen, nur der Phallus fehlte. Ihn hatte ein Fisch verschluckt. Isis half, indem sie einen neuen Phallus aus Gold und Lapislazuli verfertigte, den königlichen Materialien. Das neue Zeugungsorgan heiligte sie und setzte es Osiris ein. Viele Bilder zeigen uns den Vorgang der Zeugung neuen Lebens aus dem Tod. Isis schwebt als Sperber-Weibchen über dem toten Osiris, oder der Vogel hockt auf dem Glied des Gottes. So empfängt sie den Horus-Knaben, genannt Horus das Kind, der später im Kampf gegen Seth seinen Vater rächen und dessen Herrschaft übernehmen wird. Osiris aber herrscht seither über die Toten.«[8]

Dieser Mythos wird nun im Osiris-Kult vergegenwärtigt. Dabei übernimmt die Gestalt des Osiris verschiedene Funktionen[9]: Zum einen symbolisiert er (wohl bereits seit 2750 v. Chr.) die Quelle der Fruchtbarkeit und des Wachstums aller Vegetation. »Ob ich lebe oder sterbe, ich bin Osiris. Ich durchdringe dich und durch dich erscheine ich wieder; ich vergehe in dir und wachse in dir... Die Götter leben in mir, weil ich in dem Getreide, das sie ernährt, lebe und wachse. Ich bedecke die Erde; ob ich lebe oder sterbe, ich bin die Gerste, mich zerstört man nicht. Ich habe die Ordnung durchdrungen... Ich bin zum Herrn der Ordnung geworden, ich tauche aus der Ordnung auf...«[10] Die erfahrene Fruchtbarkeit der Erde wird also mythisch personifiziert; der urzeitliche Tod des Osiris und sein neues Leben sind der ermöglichende Grund der sich alljährlich in

[8] I. Clarus, Du stirbst, damit du lebst. Die Mythologie der alten Ägypter in tiefenpsychologischer Sicht, Fellbach 1979, 46 (zitiert nach G. Altner, Tod, Ewigkeit und Überleben, Heidelberg 1981, 31).
[9] Vgl. dazu M. Eliade, Geschichte der religiösen Ideen I, Freiburg 1978, 87–112; S. Morenz, Ägyptische Religion, in: Die Religionen der Menschheit Bd. 8, Stuttgart 1960, 192–223; H. Strelocke, Ägypten, Köln ⁵1980, 98 f; 154–164; G. Altner, Tod, Ewigkeit und Überleben, aaO. 31–37.
[10] Ein alter »Sargtext« aus dem Mittleren Reich (zwischen 2050–1670), zitiert nach M. Eliade, aaO. 99.

Sterben und Auferstehen der Vegetation ereignenden Welterneu-erung. In der sterbenden und neuwerdenden Natur erscheint dieses mythische Göttergeschehen als stets gegenwärtig und wirksam. Diese bleibende Gegenwart der allumfassenden göttlich-fruchtba-ren Kraft wird im Osiris-Kult als Fest der »gefüllten Zeit« gefeiert; an dieser lebendigen Fruchtbarkeit bekommt der Mitfeiernde An-teil, vor allem aber der Pharao zugunsten seines ganzen Landes. Denn während seiner Regierung repräsentiert der Pharao den Ho-rus, den Sohn des Osiris; nach seinem Tod wird er selbst Osiris, geht in dessen quellendes Leben ein und gewährt seinerseits dem nun regierenden Pharao Wohlergehen für sein Land.

Damit klingt bereits die andere Funktion des Osiris an: Als Herr-scher der Unterwelt symbolisiert er auch zugleich die persönliche Unsterblichkeit des Einzelnen, und zwar zunächst nur des Pharao. Im Zuge einer sogenannten »Demokratisierung« des Osiris im mitt-leren Reich gilt dieses Symbol dann aber auch für den Adel und schließlich für jeden Ägypter. Im Sterben jedes Einzelnen wieder-holt sich das urzeitlich-mythische Geschehen des sterbenden Osiris; aber genauso bekommt der Tote auch an dessen neuem Leben in der Unterwelt Anteil, ja er wird selbst zum Osiris.[11] Der Tod wird damit als eine »gefüllte Zeit« erlebt, als Übergang zu einem neuen, göttlichen Leben: »Du schläfst, damit du aufwachst. Du stirbst, da-mit du lebst.«[12] Insofern sich an dem Toten und dem wieder zum Leben Erweckten das ewige Schicksal des Osiris wiederholt, hat er auch Anteil an dessen ewigem Ringen zwischen Tod und Leben, wie es in der Natur und im menschlichen Dasein sich ständig ereig-net. »Ewig ist nicht das Leben und nicht der Tod, wohl aber die durch ihr Ringen bedingte Verjüngung der Schöpfung.«[13] Dieser ewige Wechsel zwischen Leben und Tod im Dienst eines frucht-baren Landes und des darin wohnenden Menschengeschlechtes ist das eigentlich Beständige und Göttliche in allem Vergänglichen; dafür steht der Name Osiris als Symbol der Hoffnung. Sein Kult vergegenwärtigt dieses ewige Prinzip des Daseins und gewährt den Feiernden, insofern sie den Ritus treu mitvollziehen, rettenden An-teil daran.

Wie wir sahen, hat sich Israel von diesem mythischen Geschichts-verständnis zunehmend distanziert. Durch seine konkreten urge-schichtlichen Erfahrungen (vor allem des Exodus) bekommt es eine

---

[11] Auf die Verbindung dieses Mythos mit dem Mythos des aufgehenden und un-tergehenden Sonnengottes Re können wir hier nicht weiter eingehen; vgl. dazu G. Altner, aaO. 32 f; M. Eliade, aaO. 98 f.

[12] Aus einem Pyramidentext des Alten Reiches; zitiert nach G. Altner, aaO. 33.

[13] G. Altner, aaO. 35.

ganz neue Sicht der Wirklichkeit vermittelt: »Wirklich« ist *nicht* die vor- (und damit außer-)zeitliche Göttergeschichte, an der alles innerzeitliche Geschehen partizipiert und nur deswegen auch (auf abgeleitete Weise) »wirklich« genannt werden kann. »Wirklich« im vollen Sinn ist vielmehr das einmalige, leibhaft erfahrene politisch-geschichtliche Geschick des eigenen Volkes. *Darin* handelt Gott, jedoch nicht in Form eines immer wiederkehrenden und sich stets wiederholenden »Prinzips«, sondern als unableitbare Freiheit, die hier und jetzt als »dabeiseiende«, befreiende Liebe (vgl. Ex 3, 14 f) gegenwärtig ist und die einen ganz bestimmten Augenblick der Geschichte zu einem einmaligen und doch ein für allemal gültigen Heilsergebnis, eben zum »Kairos« ihres Erscheinens macht. Im Kult wird dieses geschichtliche Geschehen der Befreiung nicht feiernd »wiederholt«, sondern feiernd »er-innert«, d.h. die feiernde Gemeinde begibt sich *in* dieses – keineswegs in die Vergangenheit versunkene, sondern in der Treue Gottes gegenwärtige – Geschehen *hinein*, sie bekommt Anteil daran und vergegenwärtigt es.

Allerdings wandelt sich die anfänglich naiv-ungebrochene Gleichzeitigkeit des Kultes mit der Geschichte in den verschiedenen alttestamentlichen Geschichtswerken immer mehr zu einer reflektierten Vergegenwärtigung der Vergangenheit. Kultische Gleichzeitigkeit ist dann nur noch insofern gegeben, als das mitfeiernde Volk in seinem *jetzigen* geschichtlichen Augenblick die hier und jetzt gegebene Zusage der befreienden Liebe Gottes vernimmt und sich davon in Anspruch nehmen läßt. So holt gerade das Deuteronomium ausdrücklich in seiner Geschichtskonstruktion den bereits mehrere Jahrhunderte zurückliegenden Bundesschluß in das »Heute« des Volkes hinein: »Der Herr, unser Gott, hat am Horeb einen Bund mit uns geschlossen. Nicht mit unseren Vätern hat der Herr diesen Bund geschlossen, sondern mit uns, die wir heute hier stehen, mit uns allen, mit den Lebenden« (Dtn 5, 2 f). Gott bleibt sich selbst treu; aber gerade in dieser Treue handelt er in jeder Gegenwart neu und anders, eben heilend und befreiend für *diese* konkrete Situation. Deshalb kann sich die kultische Erinnerung an die Vergangenheit in Israels Gottesdienst niemals in einem formal richtigen Begehen des Ritus erschöpfen; sie ist vielmehr darauf ausgerichtet, der Gemeinde gerade das gegenwärtige und zukünftig-neue Handeln Gottes zu erschließen.

3. Eschatologische Hoffnung auf Gottes Königsherrschaft und Reich im Alten Testament

Die Überschrift deutet es bereits an: Wir greifen in diesem Abschnitt nicht jede Hoffnungsaussage des Alten Testamentes auf, sondern nur solche, die formal einen spezifisch *eschatologischen* Charakter besitzen und (inhaltlich) im Zusammenhang mit der für Jesus zentralen Vorstellung von Gottes Königtum stehen. Zur Bestimmung dessen, was im Alten Testament als »eschatologisch« bezeichnet werden kann, greifen wir den Vorschlag von N. Lohfink auf[14]: Als Kriterium nennt er den neutestamentlichen Begriff des »Eschatologischen«, weil sich das Neue Testament als endgültige Erfüllung alttestamentlicher Hoffnungen und Verheißungen versteht. Demnach kann man von »Eschatologie« im Alten Testament überall dort sprechen, wo *letztes* und *endgültiges* Heil von Gott her erwartet wird, und zwar sowohl mitten in der Geschichte wie auch als mögliche Vollendung der Geschichte.

Von diesem Maßstab her lassen sich verschiedene Weisen eschatologischer Reich-Gottes-Hoffnung im Alten Testament benennen, zwischen denen jedoch keineswegs immer der Zusammenhang einer einheitlichen Entwicklung oder eines integralen dogmatischen Systems besteht; es handelt sich vielmehr um einige wichtige Hoffnungsentwürfe Israels, die z. T. ineinander verschlungen sind oder nebeneinander herlaufen oder auch aufeinander folgen.[15]

a) Die heilsgeschichtlich-universale Erwartung der frühen Königszeit

Diese Gestalt der Hoffnung zeigt sich vor allem im Geschichtsentwurf des Jahwisten (um 1000 v. Chr.), in den Psalmen des Jerusalemer Tempelkultes aus der Königszeit, bei den Propheten Jesaja und

---

[14] Wir stützen uns im folgenden Abschnitt vor allem auf N. Lohfink, Eschatologie im Alten Testament, in: H. D. Preuss (Hrsg.), Eschatologie im Alten Testament, Darmstadt 1978, 240–258; aus demselben Sammelband sei noch der Artikel erwähnt von K.-D. Schunck, Die Eschatologie der Propheten des Alten Testaments und ihre Wandlung in exilisch-nachexilischer Zeit, 461 ff; weitere Literatur zur Eschatologie des AT: W. Zimmerli, Grundriß der alttestamentlichen Theologie, Stuttgart 1972, 150–207; G. v. Rad, Theologie des AT II, aaO. 125–137; W. H. Schmidt/J. Becker, Zukunft und Hoffnung, Stuttgart 1982, 11–91; N. Füglister, Die Entwicklung der universalen und individuellen biblischen Eschatologie in religionshistorischer Sicht, in: F. Dexinger (Hrsg.), Tod – Hoffnung – Jenseits, Wien 1983, 17–35; A. R. van de Walle, Bis zum Anbruch der Morgenröte, aaO. 49–120.

[15] Vgl. N. Lohfink, 243.

Micha aus der 2. Hälfte des 8. Jahrhunderts. Ihre charakteristischen Merkmale sind:

(1) Die Geschichte Israels wird in den umfassenden Horizont der gesamten Völkerwelt gestellt: Die Urgeschichte der ganzen Menschheit steht noch vor der Patriarchengeschichte des eigenen Volkes, und auch die Zukunft der Geschichte gehört wiederum der ganzen Menschheit. Das Leitmotiv dieses Geschichtsverständnisses dürfte Gen 12,3 enthalten: »In dir können Segen gewinnen *alle* Geschlechter der Erde.«

(2) Die Geschichte der Menschheit wird zunächst als Geschichte des wachsenden Fluches dargestellt. Aber die Erwählung Abrahams durch Gott wird zum »Samen des Segens« in der Geschichte (N. Lohfink). Durch Abraham und seine Nachkommen, eben durch das Volk Israel, wird die Geschichte zur universalen Segensgeschichte der Menschheit. Israel versteht sich darin als das vermittelnde Zeichen dieses Segens, so daß am Ende der Geschichte der Sünde und des Fluches ausschließlich der Segen Gottes für alle stehen wird.

(3) Diese Hoffnung wird bei Jesaja und Micha modifiziert (vgl. Jes 2,2–4; Jes 8,23–9,6; Jes 11,1–16; Mi 4,1–8; Mi 7,11–13): Jerusalem und die Davidsdynastie nehmen jetzt die Funktion der Mitte, d. h. der vermittelnden Kraft des künftigen universalen Heils von Gott her ein. Gott schenkt am Ende der Sündengeschichte – vermittelt durch Israel, das von einem Davidssohn in Jerusalem geführt wird – seinen Segen allen Völkern und der ganzen Schöpfung. Dieser Segen wird als eine innergeschichtliche Verheißung vorgestellt, zumal überhaupt keine anderen Kategorien für Zukunft und Vollendung zur Verfügung standen. Heil von Gott her war eben nur erfahrbar und denkbar *in* der Geschichte; dies gilt auch vom *endgültigen* Heil, das dann eintrat, wenn Sünde und Fluch an ihr *Ende* gelangt sind und die ganze Welt zum Raum der unangefochtenen Herrschaft Jahwes geworden ist.

Innerhalb dieser universalen Hoffnung Israels bekommt die Rede von Gottes *Königsherrschaft* und Gottes *Reich* einen (ersten) eschatologischen Sinn. Was einmal im Zentrum der Heilsansage Jesu stehen wird, hat eine tausendjährige Vorgeschichte, die ganz eng mit den gesellschaftlichen Herrschaftsstrukturen Israels und seiner Umwelt verknüpft ist.[16] In der Zeit vor David war Israel auf nicht-staatliche Weise organisiert; d. h. es fehlte eine übergeordnete Zentral-

---

[16] Vgl. dazu N. Lohfink, Der Begriff des Gottesreichs vom Alten Testament her gesehen, in: J. Schreiner (Hrsg.), Unterwegs zur Kirche, Freiburg 1986 (wir zitieren aus dem Manuskript); ders., Die davidische Versuchung, in: Kirchenträume, Freiburg 1982, 91–111.

instanz mit einem ihr unterstellten Verwaltungs- und Erzwingungs-
apparat. Statt dessen existierte ein Zusammenschluß egalitärer, auf
Gleichheit und Freiheit bedachter Stämme mit gemeinsamer Jahwe-
Verehrung, wobei ein Stamm ungefähr 50 lokale Schutzbündnisse
von Großfamilien (mit etwa 50–100 Personen) umschloß.[17] Damit
standen diese Stämme der kanaanäischen Landbevölkerung im bewußten Gegensatz zu den kanaanäischen Stadtstaaten. Jahwe war
für sie zweifellos der »König«, so wie andere Völker ihre Götter als
König verehrten (z. B. El oder Baal, mit denen Jahwe zu dieser Zeit
wahrscheinlich bereits identifiziert wurde). Denn schließlich zeich-
nete sich Jahwe besonders dadurch aus, daß er erfolgreich Kriege
führte und sich darin den anderen Göttern überlegen erwies
(»Jahwe der Heerscharen, thronend auf Keruben«).
Das Erstaunliche ist nun, daß Jahwe zu dieser Zeit dennoch nicht
ausdrücklich als König bezeichnet wird. N. Lohfink sieht den Grund
darin, daß aus diesem Gottestitel keine Legitimationsfunktion für
einen irdischen König abgeleitet werden sollte. Das Ideal der
Gleichheit der Stämme widerstand einem irdischen Königtum mit
seinen feudalen und hierarchischen Strukturen, das sich (wie sonst
in der Umwelt Israels üblich) theologisch als irdische Entsprechung
eines himmlischen Königreiches legitimierte und so auch sakrali-
sierte. Statt dessen hielt Israel daran fest, daß Jahwe allein und unmittelbar über es regiert; er führt selbst unmittelbar die Kriege Israels, und seine Heerscharen sind die Naturkräfte und die Helden
Israels, nicht aber himmlisch-subalterne Götter. So konnte und
brauchte er keinen menschlichen König, der ihn repräsentierte, zu
legitimieren (vgl. die Königskritik in 1 Sam 8!). »Jahwe war einziger Herr in Israel. Sonst gab es nur Egalität und freies Charisma –
wenn die Männer versagten, dann bei Frauen. Jahwe stand an der
Spitze. Aber er war kein König. Hätte man ihn ›König‹ genannt,
dann wäre die Gefahr zu groß gewesen, daß auch ein Stamm, eine
Sippe oder ein einzelner die Egalität verließ und menschliche Herrschaft einführte.«[18]
Dies ändert sich dann allerdings zu der Zeit, als Israel unter David
und Salomo selbst ein Königreich und Jahwe zum Gott des zentralen Heiligtums in Jerusalem wird. Jetzt gilt der irdische König als
»Sohn« Jahwes, dem dieser das Königtum verleiht; er ist der »Ge-
salbte« Jahwes, der ihm auf Erden die Völker unterwirft, die ihm als
dem Schöpfergott schon immer rechtmäßig gehören (vgl. die Kö-

---

[17] Vgl. dazu W. Jüngling, Die egalitäre Gesellschaft der Stämme Jahwes, in: BiKi
38 (1983), 59–64.
[18] N. Lohfink, Der Begriff des Gottesreichs, aaO. 14.

nigspsalmen 2, 45, 72, 110, 144 u. a. m.). Das irdische Königtum in Israel legitimiert sich jetzt also von Jahwes Königtum her; es »entspricht« ihm. Konsequenterweise wird auch Jahwe selbst nun als König seines Volkes benannt und verehrt, wobei ihm zugleich auch das Königtum über die Völker und die ganze Erde ausdrücklich zuerkannt wird (vgl. Ps 47, 96, 97 u. ö.). Gegenüber den außerisraelitischen Gott-Königs-Kulten tritt in Israel – wohl als Nachklang an die Vorkönigszeit – zwar noch stärker die Gerechtigkeit und der Friedenswille des Königs Jahwe und seines irdischen Repräsentanten in den Vordergrund. Dennoch bleibt ein mehr »untergründiger« Widerstand gegen die neue Staatsform lebendig (vgl. die Jotamfabel Ri 9, 8–15; der Gideonspruch Ri 8, 23; aus der Saulserzählung 1 Sam 8, 7 und 12, 12). Zwar beruft sich dieser Widerstand, der sich bei den Propheten gegen ungerechte Könige in Israel richtet, terminologisch auch auf Jahwe als König, aber gerade auf ihn als den wahren und einzigen König, der diese konkrete irdische Königsherrschaft nicht legitimiert, sondern vielmehr scharf kritisiert und relativiert (vgl. bes. die sogenannte »Denkschrift« des Propheten Jesaja: Jes 6, 1–9, 6). »Daß Jahwe König ist, steht jetzt fest und ist Ausgangspunkt des ganzen. Genau mit dieser Aussage kann der Versuch einer staatlichen Jahwegesellschaft im Namen der älteren Jahwegesellschaft in den Abgrund gestoßen werden. Aber die gleiche Aussage zwingt offenbar dann, wenn von der richtigen Jahwegesellschaft der Zukunft geredet werden soll, ein Königskind, Thronbesteigung, Herrschaftsvokabeln zur Explikation heranzuziehen.«[19]
Die prophetische Kritik am realen Königtum dürfte zwar nicht der einzige, aber doch ein gewichtiger Grund für das Aufkommen der *messianischen Heilsverheißungen* eines Königs der Endzeit sein[20], der wirklich dem Königtum Jahwes voll und ganz entspricht und aus seiner Kraft heraus ein nie endendes Reich des Friedens und der Gerechtigkeit regiert (vgl. Jes 9, 1–6): Er ist reiner Friedensherrscher, weil Jahwe selbst gleichsam in einer letzten und endgültigen

---

[19] N. Lohfink, aaO. 21.

[20] »Tatsächlich ist die Frage nach Alter und Entstehung, Anlaß und Herkunft der Messiaserwartung letztlich unbeantwortet. Wie aus der Institution des Königtums die Hoffnung auf einen neuen König hervorging, bleibt eigentlich unbekannt. Die Annahme immer wiederkehrender Enttäuschungserlebnisse – der jeweilig regierende König erfüllt nicht die Vorstellungen und Erwartungen, die man von einem rechten Herrscher hegte – reicht zur Erklärung der Hoffnung gewiß nicht aus.« So W. H. Schmidt/J. Becker, Zukunft und Hoffnung, aaO. 46; vgl. zu diesem Themenkreis auch W. Werner, Eschatologische Texte in Jes 1–39. Messias, Heiliger Rest, Völker, Würzburg 1982; R. Kilian, Jes 1–39, Darmstadt 1983.

Befreiungsaktion den Krieg überhaupt abgeschafft hat (vgl. Jes 9, 3 f). Das ist die eschatologisch entscheidende Tat der Königsherrschaft Jahwes. Wenn das geschehen ist, wird Jahwe allgemein anerkannt als König aller Völker; sein Friedens- und Gerechtigkeitswille setzen sich dann so durch, daß auf allen Ebenen des menschlichen und gesellschaftlichen, ja selbst des naturhaften Zusammenlebens allein Gott und sein Wille herrschen (vgl. Jes 2, 1–5; Jes 10, 33–11, 10). Der menschliche Messias-König aus dem Geschlecht Davids übernimmt die Rolle des getreuen Statthalters dieses Königs Jahwe. Auf ihm ruht in voller Fülle der Geist Gottes (Jes 11, 2), der ihn mit allen idealen Herrschertugenden ausstattet. Dieser Messias-König übt sein Amt primär über Israel aus; aber die übrigen Völker werden ihn gerade wegen seiner Friedensherrschaft als Zeichen und »Signal« (Jes 11, 10) anerkennen und sich an der von ihm im Geist Jahwes geführten Gesellschaftsordnung Israels orientieren und sie für sich übernehmen (vgl. das Bild von der Völkerwallfahrt zum Sion Jes 2, 1–5).[21] So wird Jahwes universales Königtum, das seit der Schöpfung verborgen in Geltung steht, nun auch überall – von Israel ausgehend – eine gesellschaftlich erfahrbare Wirklichkeit werden; dies geschieht jedoch nicht mehr durch kriegerisch-königliche Unterwerfung, sondern durch das anziehende Zeugnis der »Stadt auf dem Berge«.

Dabei nimmt die Gestalt des verheißenen Messias-Königs als der personalen Konkretion dieser neuen Gesellschaft im Alten Testament zunehmend »demütigere«, schlichtere Züge an, nämlich die des Hirten und des Knechtes, der das Volk Jahwes weiden soll (Mi 5, 1–5; Ez 34, 23 f); ja, schließlich wird er sogar als ein »Armer« dargestellt, der auf einem Esel reitet (Sach 9, 9 f): »Während es sonst als Pflicht des Königs gilt, den Armen beizustehen (Ps 72, 12 f; Jes 11, 4), ist der Messias hier selbst zum Armen geworden, dem geholfen werden muß.«[22]

Zusammenfassend läßt sich die messianische Heilshoffnung der Propheten auf das endzeitliche Königtum Jahwes und seines »Gesalbten« vielleicht so beschreiben:

> »Das auffälligste Phänomen in der Abfolge der Weissagungen ist zweifellos die Abnahme der messianischen Macht. Sie beschränkt sich zunächst selbst auf ein nur friedliches Wirken. Der Messias hat zwar Gottes Macht (›Gottheld‹, ›Geist der Stärke‹), nutzt sie aber nicht aus. Doch wird auch noch diese Herrschergewalt immer mehr – zu einem bloßen ›Weiden‹ – eingegrenzt, bis sie ihm schließlich so entzogen ist, daß der

---

[21] Vgl. dazu N. Lohfink, Die messianische Alternative, Freiburg 1981, 12–26.
[22] W. H. Schmidt/J. Becker, Zukunft und Hoffnung, aaO. 60.

Messias »arm« und »hilfsbedürftig« dasteht. Sieht es nicht so aus, als ob das AT seine Messiashoffnung zunehmend von dem Königsbild, wie es in Ps 2 entworfen ist, abheben wollte? Dazu gehört auch die Verlegung der Macht in das Wort (Jes 11, 4; Sach 9, 10). Der Messias verliert die Aufgaben eines Herrschers, die Gewalt voraussetzen, und gewinnt dafür die Aufgaben des Propheten. Das *munus regium* tritt zugunsten des *munus propheticum* zurück. Die Unterscheidung zwischen Tat Gottes und des Messias prägt sich immer stärker aus, indem die königlich-messianische Herrschaftsgewalt auf Gott übertragen wird. So verbindet sich das Bekenntnis zu Gottes Macht mit dem Bekenntnis zur Ohnmacht seines Repräsentanten auf Erden. Wie aber der Gott des Volkes als Gott der Welt proklamiert wird, so gewinnt auch der Zukunftskönig universale Bedeutung. Damit führt die Geschichte der messianischen Weissagungen zu dem Paradox: der Herrschaftsbereich des Messias nimmt zu, während seine Herrschaftsgewalt abnimmt.«[23]

In dieses messianische Heil ist auch der universale Friede für die *ganze Schöpfung* miteingeschlossen.[24] Die alten mythischen Paradiesesbilder vom Frieden zwischen Mensch und Tier und unter den Tieren selbst werden wieder lebendig (Jes 11, 6ff; Ez 34, 25ff). Wenn Gottes Friedenswille einmal wirklich die ganze Erde bestimmen soll, dann wird eben jede Art von Gewalt und Blutvergießen beendet sein; dann wird das Leiden an der bitter erfahrenen Kluft zwischen ursprünglicher, von demselben Gott als »sehr gut« bezeichneter (Gen 1, 31) und in die Gewalt hinein degenerierter, »verderbter« (Gen 6, 12 f) Schöpfung aufgehoben werden. Diese Hoffnung auf die Wiederherstellung des reinen Ursprungs ist wirklich kosmisch-universal; sie zielt auf die geglückte Übereinstimmung zwischen Mensch und Natur, ja, zwischen allen Geschöpfen überhaupt. Die Voraussetzung für diese radikale Umwandlung unserer Wirklichkeit liegt allein darin, daß – von Israel ausgehend – Gottes Friedenswille zutiefst den Sinn aller Menschen, ihres gesellschaftlichen Zusammenlebens und ihres Umgangs mit der natürlichen Lebenswelt bestimmt.

b) Prophetische Periodisierung von Gericht und Heil

Israels Hoffnung findet eine andere, sehr ausgeprägte Gestalt vor allem bei den Propheten kurz vor dem Zusammenbruch des Südreiches und zu Beginn des Exils (also in der zweiten Hälfte des 7. Jh.s und in der ersten Hälfte des 6. Jh.s): bei Zefanja, Nahum, Habakuk, Jeremia, Ezechiel. Sie greifen dabei z. T. auf Traditionen der älte-

[23] AaO. 61 f.
[24] AaO. 65–70.

sten Schriftpropheten (Amos und Hosea), aber auch auf Jesaja zurück. Die herausragenden Merkmale dieser Hoffnung lassen sich so zusammenfassen:

(1) Zunächst einmal wird das kommende *Gericht* angesagt (vgl. Zef 1, 14–16; 3, 9–20). Der »Tag Jahwes«, der früher immer als Tag des Heils und Segens erwartet wurde, wird seit Amos zum Gerichtstag Jahwes über sein treuloses Volk. Da es eindeutig feststeht, daß Israel sich verhärtet hat und untreu geworden ist, steht auch sein Gericht und seine Verurteilung (in Form der Zerstörung durch fremde Völker oder der Deportation) fest: Der Fluch der Sünde wirkt sich unaufhaltsam an Israel aus.

(2) Aber dennoch: Der *Segen Jahwes* umgreift noch einmal seine Strafe; denn nach dem Gericht kommt neues Heil für den »Rest Israels«, der umkehrt und die Treue wahrt. Die Zukunft wird also »periodisiert«; sie wird nicht einfach vorgestellt als offene Alternative zwischen Fluch und Segen je nach dem Verhalten des Volkes, sondern als ein unbezweifelbar feststehendes Nacheinander von Fluch und Segen (vgl. dazu Dtn 4, 25–31).

(3) Im Rahmen dieser periodischen Aufteilung der Verheißungen werden nun alle Heilserwartungen in die *Zukunft* verlagert. In der bisherigen Geschichtsschreibung Israels lag das Heil ja vor allem in den vergangenen Geschichtstaten Jahwes begründet, an denen jede Generation neu durch kultisch gefeierte und gesellschaftlich gelebte Vergegenwärtigung Anteil erhielt und damit das Heil Gottes empfing. Durch die Sünde des Volkes und das darauf folgende Gericht wird diese tragende Heilswirklichkeit zerbrochen; die Vergangenheit bietet keinen unbedingten Grund, keine absolute Garantie mehr für neues Heil von Gott her. Deshalb richtet sich das Interesse immer stärker auf die Zukunft, eben auf ein neues, wirklich endgültiges und unzerstörbares Heilshandeln Gottes.

Diese Sicht der Geschichte führt nun eine deutliche Diskontinuität zwischen vergangener und gegenwärtiger bzw. zukünftiger Geschichte ein: Eine *neue Geschichte* Gottes mit seinem Volk bzw. mit dem »Rest« wird angekündigt. Sie wird weithin vorgestellt in Analogie zu den alten Heilstaten Jahwes, nämlich als neuer Exodus (Hosea, Jeremia, Ezechiel, Deuterojesaja), als ein neues Land Israel (Ezechiel), als ein neuer Bund (Jeremia), als ein neuer David (Jesaja). Während bei Jesaja noch stärker das Neue am Alten anknüpft, verheißen die vor- und exilischen Propheten das neue Heilshandeln Gottes als eine (wenn auch analoge) *Neu-Setzung* durch Jahwe: Alles muß ganz von neuem getan werden. Dieses Neue übertrifft das Alte unvorstellbar, denn es ist endgültig und nicht mehr auflösbar.

c) Die spät- und nachexilische Naherwartung

Diese Form der Hoffnung hat ihren Ort vor allem bei den Propheten Deutero- und Tritojesaja, bei Haggai und Sacharja (also in der 2. Hälfte des 6. Jh.s und im 5. Jh.). Sie ist bestimmt durch das Bewußtsein der *Nähe* des befreienden Gottes. Das Gericht geht dem Ende zu, die neue Heilszeit steht unmittelbar bevor: Die Befreiung, der neue Exodus aus der Verbannung beginnt jetzt (vgl. Jes 43, 16–20). Diese Propheten sind wahre Freudenboten, wirkliche »Evangelisten«. Hier wird die neutestamentliche Eschatologie mit ihrem Erfüllungspathos: »Jetzt ist die Zeit des Heils« (2 Kor 6, 2) – »Heute hat sich dieses Schriftwort erfüllt« (Lk 4, 21) am deutlichsten vorweggenommen.

In dieser Hoffnungsgestalt spricht sich die Erfahrung einer andrängenden Nähe Gottes und seines Heilswillens aus, wodurch sie auch so leidenschaftlich und erwartungsvoll wird. Zu diesem nahen Heil gehört wesentlich die Proklamation Jahwes als *König* über Israel (vgl. Jes 52, 7–10): Jahwe, der ewige König, wird jetzt, in unmittelbar bevorstehender Zukunft, seine Königsherrschaft über Israel auf neue, endgültig wirksame Weise antreten. Dies wird der tragende Grund sein für die erhoffte Neugestaltung des Lebens der Heimgekehrten in Jerusalem. Sie werden keinen menschlichen König mehr brauchen, denn Jahwe wird (wie in vorstaatlicher Zeit) unmittelbar über sie als König herrschen. Die Großreiche, denen Israel faktisch unterworfen bleibt, sind nur »Werkzeuge« Gottes auf Zeit; auch sie werden auf die Dauer erkennen müssen, daß Israel, der so zerschlagene »Knecht Gottes«, doch zugleich von seinem Gott neu »erhoben« und zum Licht der Völker gemacht wird (Jes 52, 13), daß also in dieser Königsherrschaft Gottes über Israel das Heil für alle liegt (Jes 52, 13–53, 12). Wieso? »Während es in der übrigen Welt weiterhin Völker mit Königen an der Spitze – also Staaten – geben wird, wird Israel keinen König haben – also kein Staat sein. Es wird unmittelbar unter dem König Jahwe stehen. Da es aber neben Jahwe keine anderen Götter mehr gibt, auch keine ihm untergeordneten Völkergötter, fehlt den Staaten der Welt der sie legitimierende göttliche Glanz. Diesen können sie aber finden, indem sie erkennen, daß Jahwe seinen von den Völkern selbst getöteten Knecht Israel aus dem Tod gerettet hat und der Zion nun der Ort seiner Herrlichkeit geworden ist. Das königlose, aber allein noch einen Gott besitzende Israel kann durch seinen Glanz den mit Königen, aber nicht mit eigener göttlicher Legitimation versehenen Völkern den ihnen fehlenden Glanz vermitteln.«[25]

[25] N. Lohfink, Der Begriff des Gottesreichs, aaO. 23.

Exkurs: *Theologische Erwägungen zum Problem der »Naherwartung«*

Bei dieser Form der Hoffnung drängt sich ein grundsätzliches theologisches Problem auf: Was hat es mit solcher *»Nah*erwartung« eigentlich auf sich? Ist diese Form der Hoffnung in der Geschichte Israels, ja auch später bei Jesus selbst und in seiner Kirche nicht immer wieder enttäuscht worden? Folgt z. B. nicht auf die hochgespannte spätexilische Naherwartung die Realität einer Jerusalemer Tempel- und Kultgemeinde mit einer zunehmenden Vormachtstellung der Priesterschaft und einer strenggläubigen Gesetzesauslegung? War die »substaatliche Theokratie« (N. Lohfink), in der Jahwe durch seine Thora herrschte und dies sich im Kult manifestierte, wirklich das verheißene Königreich Gottes? Glich sie sich nicht immer mehr den staatlichen Formen der hellenistischen Umwelt (mit ihren sozialen Ungerechtigkeiten) an, so daß die Rede von Jahwes Königtum zur Ideologie einer religiösen Gesellschaft verkam?[26] Oder was uns Christen noch schärfer bedrängt: Ist die Reich-Gottes-Erwartung Jesu wirklich voll in dem, was wir die »Urkirche« nennen, erfüllt worden? Mußte zudem die Hoffnung der ersten Christen auf die baldige Wiederkunft des Herrn nicht ständig mit dem Problem der »Parusieverzögerung« fertig werden? Was ist also theologisch zur »Naherwartung« zu sagen?

Zunächst einmal darf sie nicht einfachhin mit bestimmten konkreten und zeitgeschichtlich bedingten *Vorstellungen* von dem nahen Heil Gottes identifiziert werden. Solche Vorstellungen (ob es sich um das Weltgericht oder um das Reich Gottes oder um die Wiederkunft Jesu handelt) unterstreichen zwar den drängenden Charakter der Hoffnung, aber sie machen nicht notwendig ihren eigentlichen Aussagegehalt aus. Dieser liegt vielmehr in dem glaubenden Bewußtsein, daß Gott *jetzt* auf umfassend befreiende Weise am Werk ist, daß *jetzt* die geschichtliche Realität »durchsichtig« und »transparent« wird für seine alles tragende, richtende und heilende Liebe. Deswegen ist *jetzt* unsere größte Wachsamkeit und Bereitschaft zum mit-handelnden Eingehen auf das Handeln Gottes herausgefordert. In der »Naherwartung« wird die Gegenwart von dem auf uns zukommenden Gott her als unbedingt ernstzunehmende Entscheidungs- und Umkehrzeit gedeutet. Eine solche Hoffnungsweise wird immer wieder in bestimmten geschichtlichen Situationen, sei es der Erschlaffung oder der Gewöhnung, wach, aber auch dann, wenn das Unheil im Bewußtsein der Gläubigen seine letzte Tiefe und Abgründigkeit erreicht hat, so daß die Hoffnung

---

[26] N. Lohfink, aaO. 27.

sich nur noch auf einen radikalen Umschwung durch Gott erstrekken kann.

Zudem beruht eine solche gläubige Naherwartung nicht auf einer »Trendprognose« der jeweiligen geschichtlichen Strömungen, deren Extrapolation quasi automatisch zu einer bestimmten »Erfüllung« führen müßte. Sie lebt von der *Verheißung,* die ein glaubend gedeutetes Geschehen in sich trägt und die den Menschen eine neue Zukunft von Gott her eröffnet. Dies schließt aber wesentlich einen Appell an unsere *Freiheit* mit ein, den Augenblick nicht zu verpassen, sondern umzukehren und sich auf Gottes Handeln einzulassen. Wo diese Umkehr nicht geschieht, wo das Angebot des befreienden Gottes nicht angenommen wird und Menschen sich nicht als seine aktiven »Mitspieler« zur Verfügung stellen, kann auch das erhoffte Heil nicht die erfahrbare Gestalt gewinnen, die gerade durch diese Umkehr hindurch zustandekommen soll.

Aber auch dies ist festzuhalten: Das Heil bleibt – bei aller menschlichen Mitwirkung – der Initiative des *»Deus semper maior«* (Augustinus) vorbehalten. Das bedeutet: Es kann von uns und unserer Hoffnung her nicht einfach auf eine bestimmte Form der Erfüllung festgelegt werden (also z. B. auf das, was wir uns zu einem bestimmten Zeitpunkt der Geschichte gerade als »Reich Gottes« vorstellen mögen). Gottes Heil ist größer als alle menschlichen Vorstellungen; in *jeder* nur möglichen geschichtlichen Vorwegnahme dieses Heils bleibt deswegen der unausschöpfbare Überschuß des »Noch-Nicht« erhalten. So kann die Hoffnung da, wo sie diesem Gott traut (und nicht bloß den eigenen Vorstellungen von Gott) zwar grundsätzlich nicht ent-täuscht, wohl aber radikal verwandelt werden (vgl. die »Erfüllung« der Reich-Gottes-Erwartung Jesu in der Gestalt des auferstandenen Gekreuzigten!). Diese Verwandlung ist keineswegs beliebig nach allen möglichen Richtungen offen; in allen Veränderungen bewahrt sich die Hoffnung ihre Identität dadurch, daß sie auf den sich durchsetzenden Gerechtigkeits- und Friedenswillen Jahwes baut, gleich in welcher geschichtlichen Konkretion auch immer.

Damit ist zugleich die Gefahr der »Immunisierung« der Hoffnung einigermaßen gebannt. Denn eine solche Hoffnung schließt sich nicht ab gegenüber neuen geschichtlichen Erfahrungen, sondern versucht, diese in ihren weiten Horizont zu integrieren, ohne sie beliebig zu manipulieren. Nur eine starre, gesprächs- und geschichtsunfähige Hoffnung, die auf ihre bestimmten Zukunftsvorstellungen fixiert ist, macht sich immun gegen neue Erfahrungen. Dagegen öffnet sich gerade eine Hoffnung, die sich *in* der stets wechselnden Geschichte treu bleiben will, genau diesem Wandel der Geschichte

und sucht *darin* (und nicht daneben und darüber) die Gegenwart der befreienden Liebe Gottes.
Eine ausgesprochene »Hochkonjunktur« erreichte die Naherwartung Israels noch einmal seit der Makkabäerzeit (also im 2. und 1. Jh. vor und nach Chr.), die wiederum eine andere Gestalt alttestamentlich-eschatologischer Hoffnung hervorbrachte, nämlich die *Apokalyptik*.[27] Sicher tauchen viele einzelne apokalyptische Motive bereits in den prophetischen Visionen z. B. des Jesaja, des Ezechiel und anderer auf; aber als einheitliches theologisches System der Zukunftshoffnung (sowohl in seiner literarischen Form wie auch in seinen inhaltlichen Grundgedanken) ist die Apokalyptik erst ein Kind der beiden letzten Jahrhunderte vor bzw. des 1. Jh.s nach Christus. Im Alten Testament wird sie vor allem im Buch Daniel greifbar; andere bedeutende apokalyptische Schriften des Judentums (z. B. äthiopischer Henoch, Jubiläenbuch, Testamente der 12 Patriarchen, Himmelfahrt des Mose, Psalmen Salomons, 4. Esra-Buch, syrische und griechische Baruch-Apokalypse) sind jedoch nicht in den biblischen Kanon aufgenommen worden. Da diese Hoffnungsweise zur Zeit Jesu (und damit auch für das ganze Neue Testament) eine entscheidende Rolle spielte, werden wir sie etwas ausführlicher darstellen.

d) Alttestamentliche und frühjüdische Apokalyptik[28]

(1) Einleitungsfragen: Bewertung und Herkunft der Apokalyptik

In der Theologie wurde die Apokalyptik oft als »spätjüdisches« Produkt abgewertet; im Vergleich zu den großen, vorexilischen Schriftpropheten sei sie ein »Abfall«, da in sie zu viel Phantasie, Allegorien und geschichtspessimistische Aussagen eingedrungen

---

[27] Vgl. zur heutigen Aktualität der Apokalyptik G. Anders, Die atomare Drohung, München ³1981: »Zu denken uns aufgegeben ist heute der Begriff der nackten Apokalypse, d. h.: die Apokalypse, die im bloßen Untergang besteht, die also nicht den Auftakt zu einem neuen, und zwar positiven Zustand (zu dem des ›Reiches‹) darstellt« (207).

[28] Literatur zum Thema Apokalyptik: Art. »Apokalyptik/Apokalypsen«, in: TRE III, 1978, 189–289; darin besonders der Abschnitt von K. Müller, Jüdische Apokalyptik, 202–251; K. Koch, Ratlos vor der Apokalyptik, Gütersloh 1970; R. Schaeffler, Was dürfen wir hoffen?, Darmstadt 1979, 262 ff; G. Bachl, Über den Tod und das Leben danach, Graz 1980, 283 ff; K. Koch/J. M. Schmidt (Hrsg.), Apokalyptik, Darmstadt 1982; E. Brandenburger, Markus 13 und die Apokalyptik, Göttingen 1984; W. Kellner, Der Traum vom Menschensohn, München 1985.

seien. Eine solche Wertung ist an sich sinnlos, wird sie doch von einem bestimmten Vorurteil her gefällt, was »hohe Eschatologie« sein soll. Nach diesem Vorurteil stellt die nachexilische Religiosität einen ständigen Verfall der »großen« Religiosität vor dem Exil dar. Das Endprodukt dieser abfallenden Linie ist dann das sogenannte »Spätjudentum«. Hier spricht sich ein typischer »Archaismus« aus, nach dem das Ältere grundsätzlich das Bessere, weil Ursprünglichere ist.

In der neueren Forschung versucht man, der Apokalyptik besser gerecht zu werden. Man bemüht sich, sie primär von ihrer geschichtlichen Situation her zu beurteilen, indem man fragt: Welche Antwort gibt *diese* Gestalt der Hoffnung auf eine ganz veränderte geschichtlich-politische Situation?[29] Wird sie ihr aus dem Glauben an Jahwes Treue heraus gerecht oder nicht? Dies scheint ein angemessenerer Beurteilungsmaßstab zu sein als der frühere. Deswegen bezeichnet man auch heute die Epoche unmittelbar vor Jesus Christus als die Zeit des »Früh-*Judentums*«, worin der Unterschied zur alttestamentlich-kanonischen Geschichte *Israels* ausgedrückt werden soll.

Was läßt sich zur *Herkunft* der Apokalyptik sagen? Einzelne Elemente tauchen bereits bei den *Propheten* auf, z.B. die Visionen eines Sehers, die Rätsel, die von einem »Weisen« vorgelegt werden, das Pseudonym, bei dem der Verfasser unter dem Namen eines Frommen der Vergangenheit auftritt, die Darstellung vergangener und gegenwärtiger Geschichte in futurischer Form, die endgültige Heilsankündigung nach vorangegangener Katastrophe usw. Zugleich greift die Apokalyptik auch *weisheitliche* Gedanken auf, z.B. das Problem der Gottverlassenheit gerade des Gerechten.

Bei der systematischen Ausgestaltung der Apokalyptik dürfte durchaus auch ein gewisser *persischer* Einfluß mitgespielt haben.[30] Denn gegen Ende des babylonischen Exils kamen die Juden in Berührung mit der altpersischen Reformreligion des Zarathustra und ihrer Theorie der zwei Weltalter. Darin wird der Dualismus von »dieser« und der »kommenden« Welt entfaltet; »diese« Welt wird 3000 Jahre nach Zarathustra in einem riesigen Weltbrand zugrundegehen. Dieses Weltgericht wird herbeigeführt durch die Erscheinung eines transzendenten endzeitlichen Retters. Dann werden auch die Toten auferweckt; die Gerechten durchschreiten ohne Qual einen Feuersee, in dem die Gottlosen entweder gereinigt oder verbrannt werden. Die Gerechten und Geläuterten dagegen werden nach dem Weltbrand auf einer neuen, gereinigten Erde wohnen, die

---

[29] Vgl. K. Müller, aaO. 203 ff.
[30] Vgl. dazu R. Schaeffler, aaO. 271 ff.

ewig dauert; deren Zustand wird als »Verklärung« gekennzeichnet. Diesem Dualismus der »zwei Welten« entspringt zugleich der Dualismus von Leib und Seele und der von Natur und Kultur: Mit dem Leib gehört der Mensch zu »dieser« Welt, mit der Seele zur »kommenden«; die »Natur«[31] ist die Gestalt »dieser« Welt, die vergehen wird; die »Kulturarbeit« dagegen[32] gilt als Überwindung der Natur und damit »dieser« Welt; zugleich wird sie als Vorbote der »kommenden« Welt gewertet.

Von dieser Gedankenwelt wurde im ausgehenden Exil, als der Perserkönig Kyros als befreiendes Werkzeug, ja als Messias Gottes begrüßt wurde (Jes 45, 4), von den jüdischen Exulanten einiges übernommen, zumal in gewissem Sinn eine wechselseitige Sympathie zwischen Persern und Juden entstand. Beide waren politisch feindlich gegenüber Babylon eingestellt, beide lehnten im religiösen Bereich die traditionellen Toten- und Fruchtbarkeitskulte ab. Berührungspunkte mit der Religion des Zarathustra werden z. B. bei Deutero- und Tritojesaja sichtbar: »Gedenket nicht mehr der früheren Dinge und achtet nicht mehr auf das Vorige. Denn siehe, ich schaffe Neues« (Jes 43, 18); oder: »Siehe, ich schaffe einen neuen Himmel und eine neue Erde, daß man des Vorigen nicht mehr gedenken soll« (Jes 65, 17).

Allerdings wird gerade in solchen prophetischen Texten auch der spezifische Unterschied der jüdischen Hoffnung gegenüber dem Parsismus sichtbar[33]: 1. Gegen den persischen Arbeits- und Leistungsstolz wird hier das Vertrauen auf Gottes ungeschuldete Gnade hervorgehoben (vgl. Jes 43, 22. 25). 2. Gegen den persischen Dualismus von Licht- und Finsternismächten wird bei den Propheten das Bekenntnis zur Alleinursächlichkeit Gottes abgelegt (vgl. Jes 45, 6 f). 3. Gegen den persischen Dualismus der zwei Welten wird von den Propheten der Glaube an den einen und identischen Gott festgehalten, der Ursprung und Ziel, Alpha und Omega, Schöpfer und Erlöser der Welt ist und daher auch die Einheit der Welt garantiert (vgl. Jes 43, 10; 44, 6).

Wenn auch die verschiedenen alttestamentlichen und außerisraeliti-

---

[31] Das deutsche Wort »Natur« stammt vom lateinischen »nasci« = »geboren werden« ab; die »Natur« ist also der »Kreislauf der Geburten, in welchem die Gattungen des Lebendigen sich im Wechsel der Generationen reproduzieren« (R. Schaeffler, aaO. 269).

[32] Zur Kulturarbeit zählte Zarathustra vor allem: »Steppen berieseln, Sümpfe entwässern, Fruchtgärten pflanzen im bisher Unfruchtbaren, auch Straßenbau im bisher unwegsamen Gelände, wo Berg und Hügel abgetragen werden müssen, damit das Krumme gerade und das Unwegsame zum Wege werde...« (R. Schaeffler, ebd.).

[33] Vgl. R. Schaeffler, aaO. 273.

schen Einflüsse auf die Apokalyptik nicht zu leugnen sind, so läßt sich aus ihnen allein jedoch nicht das Entstehen der Apokalyptik als einer speziellen literarischen Gattung und eines einheitlichen theologischen »Hoffnungsentwurfs« erklären. Sie stellt vielmehr einen eigenständigen Neuansatz in der ganz bestimmten zeitgeschichtlichen Situation des 3. und 2. Jh.s v. Chr. dar. Der älteste literarisch greifbare Text dieser frühjüdischen Apokalyptik ist uns im sogenannten »Nachtgesicht« bei Dan 2, 28–45 erhalten; dieser Text stammt wohl aus dem Ende des 3. Jh.s, während das gesamte Danielbuch wohl erst um 165 v. Chr. seine Schlußredaktion erhielt. Ab dieser Zeit entstanden auch andere bekannte jüdische Schriften der Apokalyptik, von denen hier besonders die sogenannte »Zehnwochenapokalypse« aus dem äthiopischen Henoch erwähnt sei. Um die Besonderheiten dieser Hoffnungsweise besser erkennen zu können, sollen hier die beiden genannten Texte (mit *kursiv* gesetzten Hervorhebungen dieser Besonderheiten) angeführt werden:

»Das *Traumgesicht*« (Dan 2, 28–45)

Aber es gibt im Himmel einen Gott, der *Geheimnisse offenbart;* er ließ den König Nebukadnezzar wissen, was *am Ende der Tage* geschehen wird. Der Traum, den dein Geist auf deinem Lager hatte, war so: Auf deinem Lager kamen dir, König, Gedanken darüber, was dereinst geschehen werde; da ließ er, der die *Geheimnisse enthüllt,* dich wissen, was geschehen wird. Dieses Geheimnis wurde mir enthüllt, nicht durch eine Weisheit, die ich vor allen anderen Lebenden voraus hätte, sondern nur, damit du, König, die Deutung erfährst und die Gedanken deines Herzens verstehst. Du, König, hattest eine Vision: Du sahst ein gewaltiges Standbild. Es war groß und von außergewöhnlichem Glanz; es stand vor dir und war furchtbar anzusehen. An diesem Standbild war das Haupt aus reinem *Gold;* Brust und Arme waren aus *Silber,* der Körper und die Hüften aus *Erz.* Die Beine waren aus *Eisen,* die Füße aber zum Teil aus *Eisen,* zum Teil aus *Ton.* Du sahst, wie *ohne Zutun von Menschenhand* sich ein Stein von einem Berg löste, gegen die eisernen und tönernen Füße des Standbildes schlug und sie zermalmte. Da wurden Eisen und Ton, Erz, Silber und Gold mit einem Mal zu *Staub.* Sie wurden wie Spreu auf dem Dreschplatz im Sommer. Der Wind trug sie fort, und *keine Spur war mehr von ihnen zu finden.* Der Stein aber, der das Standbild getroffen hatte, wurde zu einem großen Berg und *erfüllte die ganze Erde.*
Das war der Traum. Nun wollen wir dem König sagen, was er bedeutet. Du, König, bist der König der Könige; dir hat der Gott des Himmels Herrschaft und Macht, Stärke und Ruhm verliehen. Und in der ganzen bewohnten Welt hat er die Menschen, die Tiere auf dem Feld und die Vögel am Himmel in deine Gewalt gegeben; dich hat er zum Herrscher über sie alle gemacht: Du bist das goldene Haupt. Nach dir kommt ein anderes Reich, geringer als deines; dann ein drittes Reich, von Erz, das

die ganze Erde beherrschen wird. Ein viertes endlich wird hart wie Eisen sein; Eisen *zerschlägt und zermalmt ja alles;* und wie Eisen alles zerschmettert, so wird dieses Reich alle anderen zerschlagen und zerschmettern. Die Füße und Zehen waren, wie du gesehen hast, teils aus Töpferton, teils aus Eisen; das bedeutet: Das Reich wird *geteilt* sein; es wird aber etwas von der Härte des Eisens haben, darum hast du das Eisen mit Ton vermischt gesehen. Daß aber die Zehen teils aus Eisen, teils aus Ton waren, bedeutet: Zum Teil wird das Reich hart sein, zum Teil brüchig. Wenn du das Eisen mit Ton vermischt gesehen hast, so heißt das: Sie werden sich zwar durch Heiraten miteinander verbinden; doch das eine wird nicht am andern haften, wie sich Eisen nicht mit Ton verbindet. Zur Zeit jener Könige wird aber der *Gott des Himmels ein Reich errichten,* das *in Ewigkeit nicht untergeht;* dieses Reich wird er *keinem anderen Volk* überlassen. Es wird alle jene Reiche zermalmen und endgültig vernichten; es selbst aber wird in alle Ewigkeit bestehen. Du hast ja gesehen, daß *ohne Zutun von Menschenhand* ein Stein vom Berg losbrach und Eisen, Erz und Ton, Silber und Gold zermalmte. Der große Gott hat den König wissen lassen, was dereinst geschehen wird. Der Traum ist sicher, und die Deutung zuverlässig.

»Die *Zehnwochenapokalypse«* (äth. Henoch 93, 3–10; 91, 12–17)

So begann *Henoch*
aus den Büchern zu erzählen und sprach:
Ich bin als der Siebte in der ersten Woche geboren worden, während sich das *gerechte Gericht* noch verzog (= Sintflut).
Nach mir kommt in der zweiten Woche *große Bosheit* auf, und Betrug sproßt auf;
in ihr wird das *erste Ende* sein,
und *ein Mann* wird darin gerettet werden (= Noach).
Ist aber das Ende vorüber, dann nimmt die *Ungerechtigkeit zu,* und ein *Gesetz* wird für die Sünder gemacht werden (= Noach-Bund).
Danach wird am Ende der dritten Woche ein *Mann* als *Pflanze des gerechten Gerichtes* erwähnt werden und seine Nachkommenschaft wird die ewige Pflanze der Gerechtigkeit werden (= Abraham).
Danach werden am Ende der vierten Woche die Gesichte der Heiligen und Gerechten gesehen werden, und ein *Gesetz* wird für alle kommenden Geschlechter und ein Hof für sie hergestellt werden (= Sinaigesetz und Bundeszelt).
Danach wird am Ende der fünften Woche das *Haus der Herrlichkeit* und Herrschaft für immer gebaut (= salomonischer Tempel).
Daraufhin werden in der sechsten Woche alle in ihr Lebenden erblinden (= Zeit der Reichstrennung), und aller Herzen werden gottlos die Weisheit verlassen; ein Mann wird darin *auffahren* (= Elias). An ihrem Ende wird das Haus der Herrschaft *verbrannt* und das ganze Geschlecht der auserwählten Wurzel *zerstreut* (= Zerstörung Jerusalems, babylonisches Exil).
Danach erhebt sich in der siebten Woche ein *abtrünniges Geschlecht;*

zahlreich werden seine Taten sein; alle seine Taten aber sind *Abfall* (= nachexilische Zeit). An ihrem Ende werden ausgesucht die *auserwählten Gerechten* der ewigen Gerechtigkeitspflanze, um siebenfache Belehrung über seine ganze Schöpfung zu erhalten (= Hasidäer). Danach hebt eine andere Woche an, die achte, die der *Gerechtigkeit,* und ein Schwert wird ihr verliehen, damit ein gerechtes Gericht *an den Bedrückten* vollzogen werde, und die Sünder werden den Händen der Gerechten überliefert (= 1. Akt des Endgerichts). An ihrem Schluß erwerben sie Häuser durch ihre Gerechtigkeit, und *ein Haus* wird für den großen König in Herrlichkeit *für immer* erbaut werden (= ewiger Tempel). Danach wird in der neunten Woche das gerechte Gericht der *ganzen Welt* geoffenbart werden, und alle Werke der Gottlosen schwinden von der ganzen Erde; die Welt wird für den *Untergang* aufgeschrieben, und alle Menschen schauen nach dem *Weg der Rechtschaffenheit* (= Ausbreitung des wahren Glaubens). Danach findet in der zehnten Woche, im siebten Teil, das *große ewige Gericht* statt, wobei Er die Strafe an den Engeln vollzieht. Der erste Himmel wird verschwinden und vergehen; dann erscheint ein *neuer Himmel,* und alle Kräfte des Himmels leuchten dann siebenfach immerdar. Danach wird es viele zahllose Wochen bis in Ewigkeit in Güte und Gerechtigkeit geben, und die *Sünde* wird von da an *bis in Ewigkeit nicht mehr erwähnt werden.*[33a]

(2) Theologische Besonderheiten der Apokalyptik

aa) Die zeitgeschichtliche *Entstehungssituation*

Die hellenistische Herrschaft unter den Seleukiden gestaltete sich mit der Zeit extrem imperialistisch; sie war geprägt vom Willen zur völligen Hellenisierung der unterworfenen Völker.[34] Dazu trug entscheidend der Versuch zur gewaltsamen Auflösung der religiösen, sozialen und volkstümlichen Traditionen der Völker bei. Dies führte in Ägypten und Persien zu ähnlichen apokalyptischen Widerstandsreaktionen wie in Palästina, wozu dort auch noch die Erfahrung des Massenabfalls vom Glauben und der Thora unter Antiochius IV. (175–164) hinzutrat.

[33a] Übersetzung nach P. Rießler, Altjüdisches Schrifttum außerhalb der Bibel, Augsburg 1928, 434 f.

[34] Unter den »Seleukiden« versteht man die Diadochen Alexanders des Großen (gest. 323), die unter Seleukos I. zuerst Babylon beherrschten, dann aber im Jahre 198 auch Syrien und Palästina eroberten. Zunächst lag eine gewisse »Hellenisierung« durchaus im Interesse der Unterworfenen selbst. Die »Zwangshellenisierung« setzte erst ein, als die religiösen Traditionen der unterworfenen Völker zu Symbolen der Selbständigkeit und Selbstbehauptung im seleukidischen Großreich wurden. Von da an bedeutete »Hellenisierung« nicht mehr eine erstrebenswerte Aufstiegs- und Bildungschance, sondern Loyalität mit den Eroberern und damit freiwillige Unterwerfung.

In Israel profilierten sich vor allem zwei Gruppen als Träger der apokalyptischen Hoffnungsvorstellungen: einmal die *Hasidäer* (= Chassidim), die sich als die »Frommen« bewußt vom modernen Lebensstil und der Religion des Hellenismus absetzten und die alten Traditionen Israels zu bewahren suchten. Es waren also konservative Theologen mit einem starken Anhang in der Jerusalemer Tempelpriesterschaft; aus ihnen gingen um die Mitte des 2. Jh.s die »Pharisäer« und auch die Gemeinde von Qumran hervor. Während die letztere ein am Tempelkult orientiertes rituelles Reinheits-Ideal vertrat, führten die Pharisäer stärker apokalyptisches Gedankengut weiter, z. B. die Hoffnung auf die Auferstehung der Toten, besonders der Märtyrer; ebenfalls nahmen sie auch die davidische Messiastradition in ihre Hoffnung auf.

Die andere Trägergruppe des apokalyptischen Widerstandes bildete die von den *Makabäern* (Judas Makkabäus, Jonatan, Simon) angeführte Gruppe, die sich in einer gewaltsamen Revolution gegen die unterdrückerische Hellenisierung wandte. Zunächst teilte sie mit den Hasidäern die gemeinsamen apokalyptischen Grundüberzeugungen; aber allmählich entwickelten sie sich auseinander, was schließlich bis zum Widerstand der frommen Hasidäer gegen die realpolitisch agierenden und seit 141 voll etablierten (vgl. 1 Makk 13, 41–49) Makkabäer führte. Aus diesem Widerstand heraus ist auch das kritische Wiederaufgreifen der alten Messiasverheißung durch die Pharisäer zu verstehen.

bb) Der theologische *Grundgedanke*

Für die Apokalyptik gibt es Heil von Gott her nicht mehr in dieser Geschichte und in dieser Welt, wie es die jahwistische und prophetische Hoffnung Israels noch erwartet hatte. Zwischen dieser Geschichte und dem Heil Gottes gibt es einfach keine Beziehung mehr; durch die Sünde ist ein endgültiger Bruch eingetreten. Damit wird das alte israelische Geschichtsverständnis weitgehend aufgelöst, welches das Heil gerade in dieser (wenn auch von Gott erneuerten) Geschichte erhoffte. Statt dessen erwartet die Apokalyptik das Heil nur noch durch das von Gott sehr bald gesetzte Ende dieses »Äons«, an den sich eine völlig neue Weltzeit ohne jede Analogie zur vorherigen anschließen wird. Kein geschichtsimmanentes Handeln Gottes und der Menschen kann mehr die Befreiung bringen, auch nicht nach einem großen Gericht. Gott allein, an dessen absoluter Geschichtssouveränität festgehalten wird, beendet »diese« Welt und schafft eine ganz neue Welt.

So werden auch die verschiedenen Grundhaltungen der beiden Trägergruppen der apokalyptischen Hoffnung verständlich, die sich ja am *Ende* dieses alten Äons wissen und von dorther ihre Perspektive beziehen. Die frommen Hasidäer erwarteten alles von Gott allein und zogen sich deswegen aus diesem Äon in die fromme Innerlichkeit zurück, weil es an dieser Welt eben nichts mehr zu retten gibt. Allerdings bezogen sie gerade aus diesem totalen »eschatologischen Vorbehalt« eine große Kraft zum passiven Widerstand gegen die Besatzungsmacht. Die revolutionären Makkabäer dagegen versuchten, aktiv die bestehende Ordnung zu zerschlagen, weil nichts an ihr als bewahrungs- oder erneuerungswürdig galt. Politische Resignation und Revolution drücken beide auf ihre Weise die völlige Negation der erfahrenen Geschichte aus; nur ein Ausbrechen aus ihr kann noch Heil bringen.

cc) Einzelne besondere *Akzente*
Das Verhältnis zur bisherigen *Heilsgeschichte* Israels wird fast ausschließlich unter negativem Vorzeichen gesehen. Sie erscheint als eine reine Katastrophe, weil der Mensch sich ununterbrochen gegen Gott auflehnt und in seinem Ungehorsam immer weiter von ihm abfällt. Diese allgemeine, von Anfang an herrschende Sünde schafft die Einheit der Geschichte als Unheilsgeschichte. Eine »Universalgeschichte« der Menschheit gibt es für die Apokalyptik nicht etwa wegen der Schöpfung oder wegen der Kontinuität der Treue Gottes, sondern allein wegen der kontinuierlich und allgemein sich durchhaltenden Sünde der Menschen. Dadurch degeneriert die Geschichte zur Katastrophengeschichte, in die ohne Unterschied Israel und die anderen Völker verstrickt sind. Für den apokalyptischen Beobachter ist diese Geschichte, in die immer wieder Gottes Strafgerichte einbrechen, gerade in der Gegenwart am Tiefpunkt der Heillosigkeit und Perversion angelangt. Von ihr ist nichts mehr zu erwarten, nur noch von ihrem katastrophalen Zusammenbruch nach dem Endgericht (vgl. die oben zitierte »Zehnwochenapokalypse«!).
Dennoch herrscht in dieser Geschichtsbetrachtung kein *totaler* Dualismus zwischen Geschichte und Jenseits, zwischen »dieser« und der »kommenden« Welt wie bei Zarathustra. Denn trotz radikaler Andersheit der neuen Welt kennt die jüdische Apokalyptik eine Beziehung zwischen den beiden Welten diesseits und jenseits der Gerichtskatastrophe: Das *Gesetz* Gottes gilt in beiden Welten, und der frei verantwortliche Gehorsam gegenüber dem Gesetz in *dieser* Welt ist ausschlaggebend für das Hinübergerettetwerden in die kommende Welt. Dies erhoffen sich die frommen Hasidäer allein für sich, also für den »heiligen Rest«, nicht jedoch für Gesamtisrael. Somit hat diese Unheilsgeschichte doch noch einen Sinn, näm-

lich Ort der Bewährung des Gehorsams zu sein, welcher ausschlaggebend ist für die Teilhabe an dem neuen Äon.

Der Grund für dieses Gegengewicht zur ansonsten ganz negativen Geschichtssicht der Apokalyptik dürfte das Festhalten an der absoluten *Theozentrik* Israels sein. Der Schöpfergott behält sein Recht über sein Geschöpf – auch in allen Perversionen und Katastrophen; das Recht Gottes, sein Gesetz gilt unveränderlich für diese und die kommende Welt. Diese Theozentrik wird allerdings in der Apokalyptik zu einem »*Theomonismus*« verwandelt; d. h. der Gesetzesgehorsam der Menschen trägt nicht das geringste bei zur Heilung dieser Welt; ein menschlich-relevantes Tun hinsichtlich des Heils für diese Welt gibt es nicht. Gott schafft ganz allein sein Heil, jedoch nicht in dieser Welt. Diese bleibt sich selbst und der allein geschichtsmächtigen Sünde der Menschen überlassen. Von hier her läßt sich die zunehmend kritischere Position der Hasidäer gegenüber den Makkabäern und ihrem geschichtsgestaltenden Tun verstehen. Für die Hasidäer wird Gottes Heilshandeln erst am Ende dieser sündigen Weltzeit manifest, wenn also die Welt mit ihrem Latein völlig am Ende ist und der Schöpfer wieder neu auf den Plan tritt.

Der Glaube an Gottes *Königsherrschaft* und *Reich* nimmt im Rahmen der Apokalyptik wiederum eine neue Gestalt an (vgl. dazu das »Nachtgesicht« in Dan 2, 28–45). Jahwe wird jetzt sowohl als König über die »himmlische« Welt mit ihren vielen hierarchischen Engelmächten und Gewalten wie auch – in voller Entsprechung – als König über die »irdische« Welt mit ihren Mächten und Gewalten, sprich: mit den verschiedenen, in der Geschichte sich abwechselnden Königreichen verehrt. Nicht mehr sein Königtum über das genau wie die anderen Völker völlig verdorbene Israel steht im Vordergrund des religiösen Interesses, sondern seine universale Herrschaft über die irdischen Königreiche, denen er seine Herrschaft übergeben hat. In ihnen wird allerdings die Gottesherrschaft pervertiert zu wahrhaft bestialischen Herrschaftsformen.

Das ist der Sinn der Symbolik der Tiergestalten in Dan 7, 1–8, die aus dem Meer, dem Ort des Chaos, emporsteigen. Sie stellen das babylonische Reich, das Mederreich, das Perserreich und das Reich Alexanders des Großen dar (im Nachtgesicht des Daniel entsprechen diesen Völkern die einzelnen Körperteile des riesigen Standbildes). Doch wird Gott ihnen ein schreckliches Ende setzen; er wird sie im Feuer vernichten bzw. durch einen großen Stein zermalmen, und zwar ganz allein, »ohne Zutun von Menschenhand« (Dan 2, 34. 45). Zugleich wird er auch »von den Wolken des Himmels her« (was die absolute und unvermittelte Transzendenz seines Handelns darstellt) seine neue Herrschaft aufrichten, und zwar in

Gestalt eines »Menschensohnes«, d.h. in Form einer wirklich menschlichen Herrschafts- und Gesellschaftsordnung.[35] »Angesichts der weltpolitischen Bedeutungslosigkeit der Jerusalemer Tempelgemeinde und ihrer fast vollständigen Einpassung in die Systeme der restlichen Welt nimmt das Danielbuch zunächst einmal die universale Weltgesellschaft zum Bezugspunkt seiner Rede von Gottes Königsherrschaft. Man sieht hier, wie sehr dieser analoge Begriff weiterhin an der konkreten geschichtlichen Gestalt der Ausgangserfahrung hängt: dem jeweiligen menschlichen Königtum, dem jeweiligen Staat. Hat dieser Weltdimension angenommen, dann folgt ihm der Begriff des Königtums Gottes. Es entsteht die Konzeption einer weltweiten, aber absolut verfinsterten Gottesherrschaft. Um mit ihr zurechtzukommen, wird jetzt – die Zukunftsdimension hinzunehmend – so etwas wie der Gedanke einer doppelten Gottesherrschaft gewagt. Gegen die ins Böse abgeglittene Gottesherrschaft wird als Antithese eine wirkliche Gottesherrschaft gestellt, die in Kürze nach einem großen Feuergericht von Gott her in die Schöpfung kommen wird.«[36] Diese neue Gottesherrschaft wird zwar radikal anders sein als alle bisherige Weltgeschichte; sie entspringt allein dem unableitbaren Wunder der Schöpfermacht Gottes. Aber dennoch geht sie nicht einfach in einem unsichtbaren, himmlischen »Jenseits« auf, auch nicht in einem »rein religiösen« Gebilde, sondern wird als eine völlige Neuschöpfung dieser sichtbaren Erde mit einer ganz neuen, von Gott endgültig zur Menschlichkeit befreiten Geschichte und Gesellschaft erwartet. Seine universale Herrschaft überträgt Gott dann nicht mehr einzelnen Königen, sondern (kollektiv) den »Heiligen des Höchsten«, also jenem Volk Gottes, das ihm die Treue wahrt. Dieses übernimmt dann gegenüber den Völkern die alte Rolle der von Gott eingesetzten Könige, d.h. es repräsentiert *als Volk* die Herrschaft Gottes über die ganze Erde (vgl. Dan 7, 18. 22. 27).
Die Vernichtung der alten Welt und die Schöpfung der neuen Welt implizieren nicht nur das Gericht Gottes, sondern auch das *neue Leben aus dem Tod.* In der Scheidung zwischen Guten und Bösen, Gerechten und Ungerechten wird Gottes Recht und Gerechtigkeit endgültig und universal offenbar. Das bedeutet: Die Gerechten, besonders die Märtyrer, die um des Glaubens und der Treue zum Gesetz willen hingerichtet wurden, stehen zu neuem Leben in dieser neuen (leiblich-irdischen) Welt auf, die Bösen jedoch, also vor allem die vom Glauben Abgefallenen, zur ewigen Bestrafung. Hier

---

[35] Vgl. dazu N. Lohfink, Die messianische Alternative, aaO. 13 ff.
[36] N. Lohfink, Der Begriff des Gottesreichs, aaO. 28.

wird zum ersten Mal ausdrücklich auch die Auferstehung der Toten mit in die eschatologische Hoffnung des Alten Testamentes einbezogen (vgl. Dan 12, 2 f. 13; 2 Makk 7, 9. 14. 23. 29).

e) Die Hoffnung auf die »Auferstehung der Toten«[37]

(1) Leben und Tod im Alten Testament

Im Glauben Israels gilt das Leben als *die* entscheidende Gabe Gottes an den Menschen; allerdings ein Leben im vollen Sinn, das Gesundheit, Nachkommenschaft, Wohlstand, Friede, glückende Gemeinschaft mit anderen Menschen einschließt. Dies zu erleben, bis man »alt und lebenssatt« (Gen 25, 8) wird, macht die individuelle Hoffnung des Israeliten und seiner ganzen orientalischen Umwelt aus. In dem Maße, wie er dieses Leben von Gott erhält, steht er in Gemeinschaft mit dem Geber dieser Gabe, eben mit Gott. Deswegen wird »Leben« im theologischen Sinn als Gemeinschaft mit Gott verstanden, was den Menschen zum Dank und Lobpreis motiviert. Diese Gemeinschaft mit Gott erstreckt sich auf den Zeitraum zwischen Geburt und Tod; und wem Jahwe eine enge, herzliche Gemeinschaft zuteil werden läßt, den läßt er lange leben (z. B. Mose und die Patriarchen, vgl. Ex 20, 12; Jes 65, 19 f). Der Tod wird dann als das ganz natürliche und unwiderrufliche Ende eines solchen gelungenen Lebens angesehen.

Allerdings bringt der Tod keine völlige Vernichtung oder Auslöschung des Daseins mit sich; der Mensch steigt nach dem Sterben in die Unterwelt, die »scheol« hinab, in das alles nivellierende und lebensreduzierende Land des Staubes und der Schatten. Er führt dort, gleichgültig ob er hier auf Erden gut oder böse, reich oder arm, alt oder jung starb, eine schattenhaft-nichtige Existenz, ohne Leben, ohne Gemeinschaft mit Gott und den Menschen: »Tote können den Herrn nicht mehr loben, keiner der ins Schweigen hin-

---

[37] Literatur zum Thema Auferstehung im AT: G. Greshake, Tod und Auferstehung, in: F. Böckle/F.-X. Kaufmann/K. Rahner/B. Welte (Hrsg.), Christlicher Glaube in moderner Gesellschaft, Bd. 5, Freiburg 1981, 64–123; ders., Auferstehung der Toten, Essen 1969, 217–238; J. Ratzinger, Eschatologie – Tod und Ewiges Leben, Regensburg 1977, 74–83; O. Kaiser/E. Lohse, Tod und Leben, Stuttgart 1977; P. Hoffmann, Die Toten in Christus, Münster ³1978; G. Stemberger, Art. »Auferstehung der Toten« I/2, in: TRE IV, 1979, 443–450; U. Kellermann, Auferstanden in den Himmel. 2 Makkabäer 7 und die Auferstehung der Märtyrer, Stuttgart 1979; W. H. Schmidt/J. Becker, Zukunft und Hoffnung, aaO. 70 ff; H. Kessler, Sucht den Lebenden nicht bei den Toten. Die Auferstehung Jesu Christi, Düsseldorf 1985, 41–78.

abfuhr« (Ps 115, 17). Ja, Gott selbst denkt nicht mehr an die Toten, sie sind ja seiner Macht entzogen und leben im Land des Vergessens (Ps 88, 6). Das Scheol-Dasein ist noch erbärmlicher als das traurigste Erdendasein:

»Das ist das Schlimme an allem, was unter der Sonne getan wird, daß alle ein und dasselbe Geschick trifft. Außerdem wächst in den Menschen die Lust zum Bösen, und Verblendung erfaßt ihren Geist, solange sie leben. Und danach müssen sie zu den Toten. Wer unter die Lebenden eingereiht ist, der kann noch Zuversicht haben. In der Tat, ein lebender Hund ist immer noch besser als ein toter Löwe. Die Lebenden erkennen wenigstens, daß sie sterben werden. Die Toten erkennen aber überhaupt nichts mehr. Sie erhalten auch keine Belohnung mehr, denn die Erinnerung an sie ist in der Vergessenheit versunken. Liebe, Haß und Eifersucht gegen sie, all dies ist längst erloschen. Für alle Zeit ist ihnen ihr Anteil genommen an allem, was unter der Sonne getan wird« (Koh 9, 3–6).[38]

Diese Vorstellung steht offensichtlich in einem krassen Gegensatz zur abendländisch-griechischen Idee der »Unsterblichkeit der Seele«, vegetiert hier doch der *ganze* Mensch (gleichsam in einer verdünnten, schattenhaften Leiblichkeit) in völligem Kommunikationsabbruch dahin.

Zunächst wird diese trostlose Aussicht in Israel einfach hingenommen. Aber mit der Zeit setzt dann doch (vor allem in den nachexilischen Texten, z. B. in den Psalmen und bei Deuterojesaja) das Fragen und Hoffen auch gegen den Tod ein: Wenn gelungenes Leben wirklich »Gemeinschaft mit Gott« bedeutet und wenn Gott der »Herr über Leben und Tod« ist, warum soll dann diese Gemeinschaft im Tod enden? Warum denkt Gott nicht mehr an die Toten, warum können sie ihn nicht mehr loben? Das ist doch offensichtlich

---

[38] Der Einfluß der mesopotamischen Unterwelt-Mythen auf die Scheol-Vorstellung des Alten Testament wird deutlich, wenn man diese Texte mit dem Anfang des babylonischen Mythos »Ischtars Abstieg in die Unterwelt« vergleicht: »Auf das Land ohne Wiederkehr, das Reich der Ereschkigal (= Göttin der Unterwelt), richtete Ischtar (= babylonische Liebes- und Kriegsgöttin) ihr Sinnen und Trachten. Ja, die Tochter Sins (= babylonischer Mondgott) richtete ihr Sinnen und Trachten auf das dunkle Haus, den Wohnort der Irkalla (= Ereschkigal), auf das Haus, das keiner verläßt, das er betreten hat, auf die Straße, auf der es keinen Weg zurück gibt, auf das Haus, in dem die Eintretenden des Lichtes beraubt sind, wo Staub ihre Speise und Lehm ihre Nahrung ist, wo sie kein Licht sehen, sitzend in Finsternis, wo sie gekleidet sind wie Vögel, mit Flügeln als Kleidern, und wo über Tür und Schloß Staub gestreut ist. Als Ischtar das Tor des Landes ohne Wiederkehr erreichte, sagte sie diese Worte zu dem Torwächter« (zitiert nach W. Jüngling, Ich bin Gott – keiner sonst, Würzburg 1981, 86). Im Unterschied zu den mesopotamischen Vorstellungen herrscht jedoch in der alttestamentlichen Scheol kein Gott, keine göttliche Macht mehr.

ein Widerspruch! Die Natürlichkeit des Todes wird zunehmend frag-würdig, weil sie im Widerspruch zum Glauben an Gott steht. Ist die »Gemeinschaft mit Gott« und die »Bundestreue Jahwes« denn nicht stärker als der Tod, wenn Gott wirklich Herr und Schöpfer der ganzen Wirklichkeit ist? Nicht die eigene Sehnsucht nach Unsterblichkeit projiziert ein »Weiterleben nach dem Tod«, sondern die Vertiefung des Jahweglaubens führt konsequent zur hoffenden Frage nach dem Dasein der Toten. Daraus erwachsen dann auch ganz andere als die oben genannten Psalmworte:

»Darum freut sich mein Herz und frohlockt meine Seele; auch mein Leib wird wohnen in Sicherheit. Denn du gibst mich nicht der Unterwelt preis; du läßt deinen Frommen das Grab nicht schauen. Du zeigst mir den Pfad zum Leben. Vor deinem Angesicht herrscht Freude in Fülle, zu deiner Rechten Wonne für alle Zeit« (Ps 16,9–11).

»Ich aber bleibe immer bei dir, du hältst mich an meiner Rechten. Du leitest mich nach deinem Ratschluß und nimmst mich am Ende auf in Herrlichkeit. Was habe ich im Himmel außer dir? Neben dir erfreut mich nichts auf der Erde. Auch wenn mein Leib und mein Herz verschmachten, Gott ist der Fels meines Herzens und mein Anteil auf ewig« (Ps 73,23–26).

Aus dem Glauben an die Lebensmacht Jahwes und nicht primär aus spekulativen Vorstellungen über Unsterblichkeit, über Seele, über Auferstehung usw. erwächst Vertrauen und Hoffnung auf ewige Geborgenheit, ewige Gemeinschaft mit Gott, ewiges Leben.

In diesem Kontext wird auch eine neue Dimension des universalen *Königtums* Jahwes erkannt: Wie die *Völker* sich seiner Herrschaft unterwerfen werden, so werden auch die *Toten* sich vor ihm niederwerfen und ihn anbeten (vgl. Ps 22,29 f). Seiner Herrschaft und seinem Reich sind keine Grenzen gesetzt, auch nicht die Grenzen des Todes und der Unterwelt:

»Der Herr der Heere wird auf dem Berg Zion für alle Völker ein Festmahl geben mit den feinsten Speisen, ein Gelage mit erlesenen Weinen, mit den besten und feinsten Speisen, mit besten, erlesenen Weinen. Er zerreißt auf diesem Berg die Hülle, die alle Nationen in Dunkel hüllt, und die Decke, die alle Völker bedeckt. Er beseitigt den Tod für immer. Gott, der Herr, wischt die Tränen ab von jedem Gesicht. Auf der ganzen Erde befreit er sein Volk von der Schande. Der Herr hat gesprochen« (Jes 25,6–8; vgl. auch 1 Sam 2,6; Dtn 32,39).[39]

Zum Entstehen dieser Hoffnung über den Tod hinaus hat sicherlich auch die bereits bei den Propheten einsetzende Individualisierung der Hoffnung mit beigetragen. Der Einzelne geht jetzt nicht mehr

[39] Vgl. W. H. Schmidt/J. Becker, aaO. 73.

völlig im Volksganzen auf; sein Geschick ist nicht mehr schlechthin identisch mit dem der Volksgemeinschaft. So werden jetzt die Verheißungen des Lebens, die ursprünglich an Gesamtisrael gerichtet waren, auch dem Einzelnen zugesprochen: »Ich habe dich bei deinem Namen gerufen, mein bist du!« (Jes 43, 1).

(2) Auferstehungshoffnung und Jahweglaube

Trotz dieser Zuversicht des einzelnen Glaubenden, auch nach seinem Tod in der Gemeinschaft mit Gott zu leben, finden wir anfänglich noch keine ausdrücklichen Zeugnisse über die Hoffnung auf die *Auferstehung* der Toten in den früheren Texten des Alten Testaments. Warum eigentlich nicht? Warum taucht sie erst in den letzten Büchern auf? Der entscheidende Grund dafür liegt wiederum im Glauben an Jahwe. Von seiner Umwelt her kannte Israel durchaus so etwas wie eine Erwartung der Auferstehung vom Tode; sie war sowohl in der persischen Religion wie auch im kanaanäischen Vegetationsglauben zu Hause. Davon zeugt auch die sogenannte Jesaja-Apokalypse (Jes 24–27), die um das Jahr 300 entstanden sein dürfte: »Deine Toten werden leben, die Leichen stehen wieder auf; wer in der Erde liegt, wird erwachen und jubeln. Denn der Tau, den du sendest, ist ein Tau des Lichts; die Erde gibt die Toten heraus« (Jes 26, 19; vgl. auch Hos 6, 1–3, wo die totenerweckende Kraft Gottes mit dem Frühlingsregen verglichen wird, der die Erde tränkt). Hier ist die Anknüpfung des Auferweckungsglaubens an die Erfahrung des jährlichen Wiederauflebens der Natur sehr deutlich.[40] Insofern war also die Vorstellung der Auferstehung in Israel durchaus bekannt. Selbst Totenverehrung und Totenbefragung waren im Volk gebräuchlich, auch wenn sie dauernd von »offizieller« Seite abgelehnt und als »Greuel« verurteilt wurden, weil sie »unrein«, d. h. gottes-unfähig machen (vgl. Lev 19, 31; 20, 6. 27; Dtn 18, 10 f; 1 Sam 28, 3. 9. 17 ff).

Für diese scharfe Ablehnung lassen sich vor allem zwei Gründe nennen: Einmal wird Jahwe in Israel als ein Gott des *Lebens* und der *Geschichte* verehrt, nicht aber der Toten und der Scheol. Er konnte und durfte also nicht einfach – in Analogie zu Osiris, Adonis, Baal

---

[40] Dieser Zusammenhang ist vor allem in der rabbinischen Literatur lebendig geblieben; dort wird z. B. gesprochen vom »Hervorblühen« der Toten aus der Erde, von der Mutter Erde als dem lebensspendenden Schoß der Auferstehung, von der Erde als Rose, die die Toten am Ende der Zeiten herausgibt (womit auch die Rosette als häufigste Dekoration jüdischer Sarkophage in Verbindung steht), vom Weizenkorn als Symbol der Auferstehung usw. Vgl. dazu G. Stemberger, Art. »Auferstehung der Toten« I/2. Judentum, in: TRE IV, Berlin 1979, 443–450.

usw. – die Funktion von Totengöttern übernehmen, die sich der Toten in der Unterwelt annehmen. Dieser von den Nachbarn so verschiedene Glaube an den Gott der Geschichte und des geschichtlichen Lebens mußte sich erst allmählich und mit großen Widerständen im Volk durchsetzen; deswegen waren die »amtlichen Hüter« des Glaubens jeder Form des Totenkultes und der Ahnenverehrung so feindlich gesonnen. Ein weiterer Grund kommt dazu: Die Totenverehrung absorbierte bei den Nachbarvölkern mit der Zeit fast ganz den Glauben an die Hochgötter; sie zog alle Aufmerksamkeit auf sich, da sie existentiell viel belangvoller und auch leichter vorstellbar war. Insofern stand sie aber gerade dem *Ausschließlichkeitsanspruch* Jahwes entgegen. Um der unverfälschten Reinheit des Jahweglaubens willen wurde also zunächst jede Unsterblichkeits- und Auferstehungsvorstellung abgewehrt. Gegen die eigene Sehnsucht nach Überwindung des Todes hielt die Theologie Israels an dem Glauben an den einzigen, geschichtlich handelnden Gott fest. Wenn es in späterer Zeit dann doch in Israel zu einer Auferstehungshoffnung kommt, kann dies auf keinen Fall als eine Projektion eines geistigen oder seelischen »Selbsterhaltungstriebs« gedeutet werden; der »antiprojektive Charakter« dieser Hoffnung ist zu eindeutig: »Nicht weil der Mensch unsterblich sein will, projiziert er sich einen Gott zwecks Verwirklichung seines Verlangens, sondern umgekehrt: weil der Mensch nicht sieht, wie sich seine Unsterblichkeitssehnsucht mit dem Glauben an Jahwe verbinden läßt, ›verzichtet‹ er lange Zeit auf eine Unsterblichkeitslehre, genauer: hält er das schweigende Geheimnis des Todes offen. Erst da, wo Gott selbst sich als Herr über Leben und *Tod* in Erfahrung bringt, formuliert der Israelit... seine Hoffnung über den Tod hinaus als Auferstehung der Toten.«[41]

(3) Systematisierung der Auferstehungshoffnung

Wie kam es dann aber zur theologisch entfalteten Form dieser Hoffnung?

aa) Ein *theologischer* Grund

Wir sahen, daß der Widerspruch zwischen der universalen Lebensmacht Jahwes und der Nichtigkeit der Totenexistenz schon früher erkannt wurde, was zugleich auch die »Natürlichkeit« des Todes relativierte. Zum theologisch systematisierten Glauben an die Auferstehung kam es allerdings erst durch die Verbindung der Todes-

---

[41] G. Greshake, Tod und Auferstehung, aaO. 96 f.

problematik mit der Frage nach der *Gerechtigkeit* Gottes: Wie kann der gerechte Gott die Gemeinschaft mit dem gestorbenen Gerechten einfach auflösen?[42] Der zu frühe, mitten im Leben widerfahrene Tod der Märtyrer mußte dann ja als sinnlos erfahren werden. Wenn ein solcher Tod (auch in seinen Vorformen wie Krankheit, Einsamkeit, Gewalttätigkeit der Feinde, Not usw.) Sünder und Gerechte zugleich trifft – und zwar nicht nur am Ende eines erfüllten Lebens, sondern mitten im Leben –, dann konnte er nur als *Fluch*, als Manifestation der Sünde, der Gott-verlassenheit und Gott-losigkeit gedeutet werden. Wie aber kann ein solches Geschick dem Gerechten zustoßen? Hier herrscht doch ein eklatanter Widerspruch zur Gerechtigkeit Gottes vor! In einem solchen Konflikt mußte der naive, aber doch so typisch menschliche Glaube an einen unmittelbaren Tun-Ergehens-Zusammenhang zusammenbrechen; er wird von der Erfahrung falsifiziert (vgl. Ps 73, 2–17).

Das sich daran entzündende »Theodizeeproblem«, also die Frage nach der Gerechtigkeit Gottes in dieser Welt, führte zu einer echten Krise des Glaubens, wie sie sich in den Dokumenten der sogenannten alttestamentlichen (nachexilischen) »Aufklärung« niederschlägt (z.B. in den Psalmen, im Buch der Weisheit, im Buch Ijob, im Buch Kohelet). Bei Kohelet führt sie zu einer tiefen Skepsis, der aber doch noch ein letztes Vertrauen auf den von Gott gegebenen Sinn des Lebens abgerungen wird; Ijob hingegen hofft »auf den geglaubten Gott gegen den erfahrenen Gott und vertraut sich dem Unbekannten an«.[43] Deuterojesaja gibt in seinem vierten Gottesknechtslied (Jes 52, 13–53, 12) vielleicht die tiefste Antwort auf dieses Problem: Er gibt dem schmachvollen Tod des Gottesknechtes (= Israel, später jedoch auf den einzelnen Gerechten übertragen) dadurch einen positiven Sinn, daß er ihn als stellvertretendes Leiden für die anderen deutet. Der Gerechte leidet und stirbt um der anderen willen, um ihnen einen möglichen Zugang zum Leben zu öffnen und sie so zur Gerechtigkeit hinzuführen. Dabei wird ihm selbst neues Leben von Gott zugesprochen. Gott zeigt sich gerade im Tod des Gerechten als *der* Gerechte für Sünder und Gerechte (ähnlich auch in Ps 73):

> »Bei den Gottlosen gab man ihm sein Grab, bei den Verbrechern seine Ruhestätte, obwohl er kein Unrecht getan hat, und aus seinem Mund kein unwahres Wort kam. Doch der Herr fand Gefallen an seinem mißhandelten Knecht, er rettete den, der sein Leben als Sühnopfer hingab. Er wird lange leben und viele Nachkommen sehen. Durch ihn setzt der

---

[42] Vgl. dazu J. Ratzinger, aaO. 78 ff.
[43] Ebd. 78.

Wille des Herrn sich durch. Nachdem er so vieles ertrug, erblickt er wieder das Licht und wird erfüllt von Erkenntnis. Mein Knecht ist gerecht, darum macht er viele gerecht; er nimmt ihre Schuld auf sich. Deshalb gebe ich ihm seinen Anteil unter den Großen, und mit den Mächtigen teilt er die Beute; denn er gab sein Leben hin und wurde zu den Verbrechern gerechnet. Er trug die Sünden von vielen und trat für die Schuldigen ein« (Jes 53,9–12).

Der sachliche Kern der Auferstehungshoffnung ist in dieser Theologie der Stellvertretung bereits eindeutig enthalten. Der gewaltsame Tod des Gerechten *und* die Gerechtigkeit Gottes sind deswegen miteinander zu vereinbaren, weil Gott dem Gerechten neues Leben schenkt – gerade auch durch den leidvollen Tod hindurch. Die »Gemeinschaft mit Gott« ist also stärker als der Tod, sie ist die eigentliche Wirklichkeit, vor der die Wirklichkeit des Todes zurückweichen muß.

Damit ist die theologische Basis des Auferstehungsglaubens gelegt; die verschiedenen Vorstellungen, in die sich diese Hoffnung dann im einzelnen kleidet, können durchaus aus den verschiedensten außerisraelitischen Einflüssen, aber auch aus der systematischen Entwicklung der jüdischen Apokalyptik stammen. Daß es schließlich zu einer solchen ausdrücklichen Hoffnungsgestalt kommt, ist noch durch einen zweiten Grund mit-bedingt.

bb) Die neue *geschichtliche* Situation
Die Seleukidenherrschaft (ab ca. 200 v. Chr.) brachte für das Volk Israel zwei neue Geschichtserfahrungen: zunächst einmal die der totalen politischen Ohnmacht des Volkes (s. o.). Von der Geschichte ist deswegen nichts mehr zu erwarten, nicht einmal von Gottes Handeln in der Geschichte. Wenn es überhaupt noch Hoffnung gibt, dann nur auf ein Handeln Gottes jenseits dieser Geschichte, in einer neuen Geschichte und in einer neuen Welt. In ihr allein kann sich die Gerechtigkeit Gottes Geltung verschaffen, hier jedoch nicht mehr. Da der innergeschichtliche Tun-Ergehens-Zusammenhang zerbrochen ist, kann es »Leben« in vollem Sinn, d. h. als »Gemeinschaft mit Gott«, nur noch nach der Neuschöpfung der Welt geben.

Dazu kommt noch die Erfahrung der brutalen Judenverfolgung durch die Hellenisten, die vor allem die Standhaften, die Gerechten, die Frommen trifft. Diese stehen ja jetzt vor der Entscheidung, endweder das Leben (im rein biologischen Sinn) zu wählen oder aber die Treue zum Gesetz Gottes und damit zur Gemeinschaft mit ihm, was aber nur auf Kosten des biologischen Lebens noch möglich ist. Sie entscheiden sich für das letztere, weil sie darin das eigentliche Leben sehen, was sich für sie in dieser Situation vor allem in der Vorstellung von der »Auferweckung der Toten« ausdrückt; darin kommt das wahre Leben, die Gemeinschaft mit Gott zum Tragen (vgl. das Martyrium der sieben makkabäischen Brüder in 2 Makk 7, 9. 14. 22 f. 29. 36; vgl. auch Dan 12, 2 f. 13). Das Martyrium eröffnet den Zugang zum wahren Leben, dessen erfahrbarer »Vorschein« den Gerechten in dieser Welt versagt bleibt.

cc) Die *Vorstellungen* der Totenerweckung in der Apokalyptik
Als Ort des Auferstehungslebens wird in den meisten Texten die neu geschaffene irdische Welt erhofft. Das bedeutet: Die Auferstehung wird nicht in ein ungeschichtliches, himmlisches »Jenseits« verlegt, das gleichzeitig (nur unsichtbar) mit der »alten« Erde existiert, so wie wir uns heute oft den »Himmel« der Verstorbenen vorstellen. Nach dem Untergang dieses alten Äons wird die Erde paradiesesgleich neu geschaffen. In späteren apokalyptischen Schriften des Judentums kommt es jedoch auch zu einer zunehmenden Spiritualisierung der Vorstellung vom Ort des Auferstehungslebens; dieser kann dann auch in einer absolut transzendenten, himmlischen (aber nicht leiblosen!) Welt angesiedelt werden.
Die Apokalyptik erhofft eine *leibliche* Auferstehung. Diese wird jedoch nicht nach dem Bild der Wiedervereinigung von Leib und Seele vorgestellt, was eine dem Judentum fremde Anthropologie bedeutet, sondern eher als Wiederbelebung des schattenhaft-leblosen Daseins der Scheol, als Neuschöpfung des Leibes, d. h. des *ganzen* Menschen und seines Lebens. Diese Neuschöpfung wird in Analogie zur ersten Bildung des Leibes im Mutterschoß gesehen (2 Makk 7, 22).
Die Erfahrung, daß sich die erhoffte Auferweckung der toten Märtyrer verzögert, führt dann auch zu den verschiedensten Vorstellungen über den Aufenthaltsort der Toten *bis* zur Auferstehung, also zu der Idee eines »*Zwischenzustandes*«.[44] Dies erfordert natürlich eine gewisse »Differenzierung« der Scheol: Nach dem »äthiopischen Henoch« liegt sie im Westen, eben im Bereich der untergehenden Sonne; sie ist ein Gebirge mit vier verschiedenen Höhlen, wobei die Sünder je nach der Schwere ihrer Sünden in dunklen, die Gerechten dagegen in lichten Räumen leben, die zudem noch mit erfrischenden Wasserquellen ausgestattet sind. Im rabbinischen Judentum wird die Differenzierung der Scheol so gedacht, daß direkt nach dem Tod das Gericht stattfindet, aufgrund dessen dann die Menschen zwei verschiedene Wege einschlagen: Der eine führt

---

[44] Vgl. dazu P. Hoffmann, Die Toten in Christus, aaO.; J. Ratzinger, aaO. 105 ff.

zum Garten Eden, also ins Paradies (vgl. Lk 23,43), der andere zum Tal Gehinnom, also zum Ort der Verdammnis. Noch andere Bilder waren für den Zwischenaufenthalt der Gerechten gebräuchlich, so z. B. die »Schatzkammer der Seelen« bei Gott, das Warten unter dem Thron bzw. unter dem Altar Gottes (Offb 6,9) oder die Aufnahme in Abrahams Schoß (vgl. Lk 16,19–29).

Wie die genannten Schriftstellen zeigen, stehen wir hier bereits an der Schwelle zum Neuen Testament; die Hoffnung auf die Auferweckung der Toten wurde vor allem von den Pharisäern und dem rabbinischen Schrifttum in die Zeit Jesu und der jungen Kirche hineingetragen.

ZUSAMMENFASSUNG

Die verschiedenen alttestamentlichen Hoffnungsweisen lassen sich nicht einheitlich systematisieren, d. h. in ein wohlgeordnetes dogmatisches System und auf einige wenige abstrakte Begriffe bringen; sie sind zu unterschiedlich, zu vielfältig, zu erfahrungsgesättigt, als daß ein paar theologische Begriffe sie zusammenfassen könnten. Das hängt damit zusammen, daß sich in ihnen die Glaubenserfahrung verschiedenster zeitgeschichtlicher Situationen widerspiegelt: der Königszeit, des Exils und der Befreiung aus dem Exil, der Makkabäerzeit. Aber auch die gesellschaftlichen Träger der Hoffnung sind jeweils verschieden: Propheten, Theologen, Exulanten, Makkabäer usw. Dennoch fällt auf, daß das »Woraufhin« der Hoffnung fast durchgehend als eine neue, endgültige Geschichte des Heils in einer von Gott erneuerten Gesellschaft und auf einer von ihm erneuerten Erde erwartet wird. Dieses neue Handeln Gottes wird teils in Anknüpfung an die alten Heilsereignisse, teils als Neusetzung, teils als völlige Überbietung des Alten vorgestellt. Durch ein großes Gericht am »Tag Jahwes« über die alte Geschichte wird die neue Geschichte eingeleitet, wobei dieses Gericht entweder nur über die Sünder oder über ganz Israel (mit Ausnahme des »heiligen Restes«) oder auch über alle Völker und schließlich über die ganze Welt ausgedehnt wird. Auch der katastrophische Charakter dieses Gerichts wechselt je nach Sicht der gegenwärtigen und vergangenen Dinge (bis zum Weltuntergang bei den Apokalyptikern).

In diese Erwartung der neuen irdisch-leibhaftigen Heilsgeschichte wird dann zunehmend der persönliche Tod mit einbezogen, zunächst als Hoffnung *gegen* den Tod, dann aber auch (in der Apokalyptik) als Hoffnung *über* den Tod hinaus. Damit rückt die Hoffnung auf eine individuelle Teilnahme des Gerechten an dem neuen

Heilsgeschehen stärker in den Vordergrund. Ein transzendent-himmlisches Jenseits nach dem Tod des Einzelnen, das parallel zu dieser weiterlaufenden Geschichte existiert, steht nicht im Blickpunkt solcher Hoffnung; es gewinnt erst da an Gewicht, wo ein »Zwischenzustand« zwischen dem Tod des einzelnen Gerechten und der endgültigen Auferweckung der Toten ins Auge gefaßt wird.

Als »roter Faden« der Kontinuität zwischen alter und neuer Heilsgeschichte zieht sich die *Gemeinschaft mit Gott* durch, der ein Gott der Lebenden ist; diese Gemeinschaft überdauert auch die Grenze des Gerichts, des kosmischen Untergangs und des individuellen Todes. Darauf vertraut der glaubende Jude mit einer schier unerschütterlichen Zuversicht. Wenn er sich im Leben dieser Gemeinschaft gemäß verhält, wird er auch im Tod in der rettenden Gemeinschaft mit Gott verbleiben. Worin allerdings diese »Gemäßheit« des Handelns liegt, das wird in den verschiedensten Epochen sehr unterschiedlich gesehen: in der politischen Befriedung und sozialen Gerechtigkeit bei den älteren Propheten; in der Umkehr und Treue zum Bund bei den Propheten des Exils; in der Wachsamkeit und Bereitschaft, die befreienden Wege Gottes mitzugehen bei Deutero- und Tritojesaja; im treuen Gesetzesgehorsam bei den nachexilischen Schriftstellern und besonders in der Apokalyptik.

Ein sehr eindrucksvolles Zeugnis des starken Vertrauens auf die bleibende Gemeinschaft mit Gott im Leben und im Tod bietet ein Text aus unserem Jahrhundert; er wird unter der Überschrift »Jossel Rackower spricht zu Gott« aus der Zeit des Untergangs des Warschauer Ghettos (1943) überliefert. Ich möchte hier zum Schluß unseres Kapitels über die Vorgeschichte der christlichen Hoffnung einen Abschnitt aus diesem Text anfügen:

> »Spätestens in einer Stunde werde ich mit Frau und Kindern vereint sein und mit Millionen meines Volkes in einer besseren Welt, wo es keinen Zweifel mehr gibt und wo Gott der einzige Herrscher ist.
>
> Ich sterbe ruhig, aber nicht befriedigt, ein Geschlagener, aber kein Verzweifelter, ein Gläubiger, aber kein Betender, ein Verliebter in Gott, aber kein blinder Amensager.
>
> Ich bin ihm nachgegangen, auch wenn er mich von sich geschoben hat, ich habe sein Gebot erfüllt, auch wenn er mich dafür geschlagen hat, ich habe ihn lieb gehabt und war und bin verliebt in ihn, auch wenn er mich zur Erde erniedrigt, zu Tode gepeinigt hat, zur Schande und zum Gespött gemacht.
>
> Mein Rabbi hat mir oft eine Geschichte erzählt von einem Juden, der mit Frau und Kind der spanischen Inquisition entflohen ist und über das stürmische Meer in einem kleinen Boot zu einer steinigen Insel trieb. Es kam ein Blitz und erschlug die Frau. Es kam ein Sturm und schleuderte sein

Kind ins Meer. Allein, elend wie ein Stein, nackt und barfuß, geschlagen vom Sturm und geängstigt von Donner und Blitz, mit verwirrtem Haar und die Hände zu Gott erhoben, ist der Jude seinen Weg weitergegangen auf der wüsten Felseninsel und hat zu Gott gesagt: Gott von Israel – ich bin hierher geflohen, um Dir ungestört dienen zu können, um Deine Gebote zu erfüllen und Deinen Namen zu heiligen: Du hast aber alles getan, damit ich nicht an Dich glaube. Solltest Du meinen, es wird Dir gelingen, mich von meinem Weg abzubringen, so sage ich Dir, mein Gott und Gott meiner Väter: es wird Dir nicht gelingen. Du kannst mich schlagen, mir das Beste und Teuerste nehmen, das ich auf der Welt habe, Du kannst mich zu Tode peinigen – ich werde immer an Dich glauben. Ich werde Dich immer lieb haben – Dir selbst zum Trotz!
Und das sind meine letzten Worte an Dich, mein zorniger Gott: es wird Dir nicht gelingen! Du hast alles getan, damit ich nicht an Dich glaube, damit ich an Dir verzweifle! Ich aber sterbe, genau wie ich gelebt habe, im felsenfesten Glauben an Dich.
Gelobt sei in alle Ewigkeit der Gott der Toten, der Gott der Rache, der Gott der Wahrheit und des Gesetzes, der bald wieder sein Gesicht der Welt zeigen und ihre Grundfesten mit seiner allmächtigen Stimme erschüttern wird.
Höre Israel, der Ewige ist unser Gott, der Ewige ist einig und einzig!«[45]

Auch wenn wir nicht alle Einzelheiten dieses Gebetes mitvollziehen können, so wird uns Christen doch eine solche Kraft des Glaubens und der Hoffnung oft beschämen müssen. Ist sie wirklich in unserem Glauben und in unserer Hoffnung »aufgehoben«, wie wir anfangs behaupteten? Lebt diese Hoffnung des Alten Bundes wirklich im Neuen Bund weiter? Wir werden im zweiten Kapitel gleich sehen, wie Jesus Christus in diese Hoffnungsgeschichte seines Volkes eintritt, und zwar zu einem ganz bestimmten Zeitpunkt, der durch politische Messias- und apokalyptische Neue-Welt-Hoffnungen bestimmt ist. Wird er nur nochmals eine neue Hoffnungsweise den vorangegangenen hinzufügen oder wird er wirklich die endgültige Erfüllung der alttestamentlichen Hoffnung auf das unzerstörbare Leben in der »Gemeinschaft mit Gott« bringen? Wir Christen glauben letzteres.

---

[45] »Jossel Rackower spricht zu Gott«, in: StdZ 159 (1956/57), 161–168 (Zitat 167 f).

II. Hoffnung aus der Erfüllung: Jesus Christus

Für unser christliches Heilsverständnis bedeutet das »Aufgehobensein« der Hoffnung Israels in Jesus Christus, in seiner Person, in seinem Handeln und vor allem in seinem Geschick die entscheidende Grundlage, um die Frage nach der Wahrheit unserer gegenwärtigen Hoffnung zu beantworten. Denn insofern in ihm wirklich Israels Hoffnung auf endgültiges und umfassendes Heil- und Ganzwerdenkönnen in der Gemeinschaft mit Gott und mit allen Menschen bereits erfüllt worden ist, also eine geschichtliche Realität geworden ist, kann unsere Hoffnung sich auf dieses Geschehen stützen; sie kann ihr Ziel in der universalen Teilhabe von Mensch, Gesellschaft und Natur an diesem Geschehen Jesus Christus sehen; und sie kann sich dadurch schließlich von einer bloßen Wunsch- oder Traumprojektion unterscheiden.

Um das aufzuzeigen, bedarf es allerdings erst einmal einer gründlichen Kenntnis dieses geschichtlichen Ereignisses, vor allem dessen, was hier an real erfüllter Hoffnung offenkundig und welche universale Zukunft hier eröffnet wird. Wir können in diesem Zusammenhang keineswegs die ganze Christologie darstellen, wohl aber jenen besonderen Hoffnungs- und Verheißungscharakter des Christusgeschehens, der unsere Hoffnung heute als in diesem geschichtlichen Geschehen gründend und so in einem ersten Sinn (s. o.) als »wahr« erweisen kann: nämlich »wahr« insoweit, als hier die geschichtliche Entsprechung zwischen Ursprung und Gegenwart unserer Hoffnung aufgezeigt werden kann.

Wir gehen dabei methodisch so voran, daß wir bei *der* Hoffnung ansetzen, die den Existenzgrund des Lebens und Handelns Jesu selbst ausgemacht hat, die er in seinem Tun bereits als erfüllte und zugleich doch voller Verheißungen steckende Hoffnung gelebt hat: bei seiner Verkündigung von dem Reich und der Königsherrschaft Gottes, die jetzt nahegekommen sind. Wie sich diese Hoffnung (bei Jesus selbst) durch das erlittene Geschick der Ablehnung und des Kreuzestodes und (in der jungen Gemeinde) durch die Erfahrung der Auferstehung Jesu gewandelt hat, soll dann in einem weiteren Schritt untersucht werden.

1. Die Verkündigung Jesu vom »Reich Gottes«[46]

a) Der Begriff »Basileia« Gottes in den synoptischen Evangelien

Ganz offensichtlich steht dieser Begriff im Mittelpunkt der Verkündigung Jesu; dennoch suchen wir eine eindeutige »Definition« dessen, was Jesus darunter genau verstanden hat, vergebens. Er konnte bei seinen Hörern ein vorgegebenes Verständnis voraussetzen, das sich vor allem vom Danielbuch und den frühjüdischen Schriften herleitete.[47] In Gleichnissen und Machttaten läßt Jesus daher primär ihr *gegenwärtiges* »Angekommensein« und ihre nahe Vollendung anschaulich werden. Dennoch kann die theologische Reflexion nicht darauf verzichten, den (übernommenen *und* zugleich veränderten) begrifflichen Sinngehalt dieses zentralen Hoffnungswortes Jesu zu erheben.[48]

Das hebräische Substantiv »malkut Jahwe« stellt eine frühjüdische Abstraktbildung der verbalen Aussage dar: »Gott ist König« (malak Jahwe); es bedeutet also primär das Königsein Gottes, die aktive Ausübung seiner Königsherrschaft. Diese hat einen dynamischen Charakter, insofern sie in den ältesten Schichten des Neuen Testamentes (Spruchquelle Q und Mk) als Subjekt eines Verbums der *Bewegung* genannt wird (vgl. Lk 10,9 par Mt 10,7 und Mk 1,15: die Gottesherrschaft ist »nahegekommen«; oder Lk 11,2 par Mt 6,10: »kommen«; Lk 11,20 par Mt 12,28: »gelangen zu«; Lk 16,16 par Mt 11,12: »sich Bahn brechen«; vgl. auch die Gleichnisse vom Senfkorn Mk 4,30–32 und von der selbstwachsenden Saat Mk 4,26–29, in denen die Gottesherrschaft als aktiv handelnde Größe erscheint). Traditionsgeschichtlich jünger dürften die Ausdrücke sein, in denen die Gottesherrschaft als Inbegriff des endgültigen Heilszustandes (analog zum »ewigen Leben«) genannt wird, wo sie also Gegenstand des »Sehens« (Mk 9,1), des »Annehmens« (Mk 10,15), des

---

[46] Vgl. dazu bes.: P. Hoffmann/V. Eid, Jesus von Nazareth und eine christliche Moral, Freiburg 1975, 27–72; U. Luz u. a., Eschatologie und Friedenshandeln, Stuttgart 1981; G. Greshake/G. Lohfink, Naherwartung – Auferstehung – Unsterblichkeit, Freiburg ⁴1982, bes. 41–50; H. Merklein, Jesu Botschaft von der Gottesherrschaft, Stuttgart 1983; ders. Die Gottesherrschaft als Handlungsprinzip. Untersuchung zur Ethik Jesu, Würzburg 1984; ders., Jesus, Künder des Reiches Gottes, in: W. Kern/H. J. Pottmeyer/M. Seckler (Hrsg.), Handbuch der Fundamentaltheologie, Bd. 2: Traktat Offenbarung, Freiburg 1985, 145–174; W. Simonis, Jesus von Nazareth. Seine Botschaft vom Reich Gottes und der Glaube der Urgemeinde, Düsseldorf 1985, 211 ff.

[47] Vgl. O. Camponovo, Königtum, Königsherrschaft und Reich Gottes in den frühjüdischen Schriften, Freiburg (Schweiz)/Göttingen 1984.

[48] Wir folgen hier vor allem der Untersuchung von H. Merklein, Jesu Botschaft von der Gottesherrschaft, aaO. 17 ff.

»Hineingelangens« (Mk 9, 47), des »Erbens« (Mt 25, 34; Mt 5, 5), des »Suchens« (Lk 12, 31) u. ä. wird. So kann sie auch als der Herrschaftsbereich, als das »Reich Gottes« verstanden werden, in dem eben Gottes Herr-Sein vollkommen anerkannt wird und sich prägend auf allen Ebenen menschlich-gesellschaftlichen Zusammenlebens auswirkt.

Begriffsgeschichtlich dürfte Jesus in der bei Deuterojesaja (vgl. Jes 52, 7) beginnenden, von der nachexilischen Prophetie (Jes 61, 1–3; Mi 2, 12 f; 4, 6–8; Zef 3, 14 f; Sach 14, 9. 16 f) aufgegriffenen und in der jüdischen Apokalyptik (z. B. Dan 2, 7 u. a. m.) lebendigen Traditionslinie stehen, die die Gottesherrschaft als eine zukünftige, eschatologische Wirklichkeit versteht, die von einem »Freudenboten« besonders den »Armen« in Israel »verkündigt« wird – als gerade *ihnen jetzt* zukommendes Heil: »Wie lieblich sind auf den Bergen die Füße des Freudenboten, der Frieden verkündet, gute Botschaft bringt, Heil verkündet, zu Zion spricht: Dein Gott ist König!« (Jes 52, 7); oder: »Der Geist Gottes, des Herrn, ruht auf mir, denn der Herr hat mich gesalbt. Er hat mich gesandt, damit ich den Armen eine gute Nachricht bringe, und alle heile, deren Herz bedrückt ist, damit ich die Entlassung der Gefangenen verkünde und die Befreiung der Gefesselten, damit ich ein Jahr der göttlichen Gnade verkünde, einen Tag der Vergeltung unseres Gottes, damit ich alle Trauernden tröste, die Trauernden Zions erfreue, ihnen Schmuck bringe anstelle von Schmutz, Freude statt Trauer, Jubel statt der Verzweiflung« (Jes 61, 1–3). Diese prophetische Sprache greift Jesus in seiner sogenannten »Antrittsrede« in seiner Heimat Nazaret bewußt auf (Lk 4, 16–18).[49]

Damit verbindet sich bei ihm eng der (von Sach 14, 9 bzw. Ez 36, 23 ff stammende) Gedanke der Einzigkeit bzw. der Heiligung des Namens Gottes: Gott wird als der einzige Herr in Israel und von dort ausgehend in der ganzen Welt verehrt werden, was sich deutlich in der Vaterunser-Bitte ausspricht (Lk 11, 2). Das bedeutet: Die Götter der Heiden werden endgültig als nichts und nichtig entlarvt. Damit wird zugleich auch – in irdischer Entsprechung – Israel aus der Fremdherrschaft der anderen Völker befreit (weil eben deren vermeintliche Götter nichts vermögen) und von Gott aus allen Himmelsrichtungen gesammelt, erneuert und zu seinem heiligen Volk gemacht (vgl. Ez 36, 23 ff). In dieser befreienden Sammlung seines Volkes »heiligt« Gott seinen Namen. Krankheiten wie auch Krieg sind dann für immer beendet; Israel wird Heilung und

[49] Vgl. auch Lk 4, 43; 8, 1; 16, 16: Die Gottesherrschaft wird als »Evangelium verkündet«; bzw. Lk 6, 20; 7, 26: Den »Armen« wird die Gottesherrschaft zugesprochen.

Frieden ohne Ende erleben dürfen und im Zustand eines umfassenden »Ganzseinkönnens« (= shalom) unter seinem König Jahwe leben.[50]

b) Reich-Gottes-Erwartungen zur Zeit Jesu

Während bei Deutero- und Tritojesaja und bei anderen nachexilischen Propheten die Königsherrschaft Gottes sich auf dieser (erneuerten) Erde und in dieser Geschichte einmal voll durchsetzen wird, erwartet die frühjüdische Apokalyptik ihr Kommen erst nach dem Untergang dieses alten Äons und im Gefolge der Neuschöpfung eines »neuen Himmels« und einer »neuen Erde« (s. o.). Erst in einer radikal neu geschaffenen Geschichte wird Gott in Israel, bei den anderen Völkern der Erde und bei den Mächten im Himmel als einziger Herr und König anerkannt sein. Diese apokalyptische, im Danielbuch grundgelegte Endzeithoffnung bildete den Horizont aller jüdischen Reich-Gottes-Erwartungen zur Zeit Jesu, wobei es eine ganze Reihe von verschiedenen Trägern und damit auch unterschiedlichen Akzentsetzungen gab.

Bei den *Pharisäern* (als den Nachfolgern der Hasidäer aus der Makkabäerzeit) kam es zu einer eigenartigen Verbindung verschiedener Hoffnungsströme. Einerseits erwarteten sie durch Gottes machtvolles Eingreifen eine »neue Welt«, in der ein neuer Davidssohn als politisch-religiöser Messias Israel von aller Fremdherrschaft befreien und dem unmittelbaren Königtum Jahwes unterstellen wird. Anderseits jedoch konzentrierte sich diese Hoffnung rigoros auf den Gesetzesgehorsam; in der exakten Erfüllung der Thora, so wie sie von ihren Schriftgelehrten ausgelegt wurde, liegt das entscheidende Vorzeichen und die allein sinnvolle Wegbereitung für das baldige Kommen der Gottesherrschaft. Je besser die Thora erfüllt wird, um

---

[50] Auf den sozialen Aspekt der Heilungswunder Jesu weist G. Lohfink ausdrücklich hin: Die Krankenheilungen »sind im Sinne Jesu Zeichen für den Anbruch des Gottesreiches (Lk 11,20), zugleich aber – das schließt sich eben nicht aus – notwendiges Element der endzeitlichen Wiederherstellung Israels. Der soziale Aspekt dieser Heilungen ist, besonders bei den Heilungen von Besessenen, evident. Diese werden reintegriert in die Gesellschaft – aber eben nicht in irgendeine Gesellschaft, sondern in die Gesellschaft des endzeitlichen Israel, in welchem es nach Jesaja keine Kranken mehr geben wird (Jes 33,24)« (G. Lohfink, Die Korrelation von Reich Gottes und Volk Gottes bei Jesus, in: ThQ 165 [1985], 181). Über den Zusammenhang von Reich Gottes und Frieden in der Verkündigung Jesu vgl. P. Hoffmann, Eschatologie und Friedenshandeln in der Jesusüberlieferung, in: U. Luz u.a., Eschatologie und Friedenshandeln, aaO. 115–152; A. Vögtle, Was ist Frieden? Orientierungshilfen aus dem NT, Freiburg 1983; H. Frankemölle, Friede und Schwert, Mainz 1983.

so gewisser und schneller kommt die Gottesherrschaft. Darin liegt der Sinn des gläubigen Tuns innerhalb »dieser« Geschichte: Sie kann sinnvoll ausgefüllt werden durch den Gesetzesgehorsam, wodurch zugleich der neue Äon, der dennoch allein Gottes Werk bleibt, schneller herbeigeführt, »beschleunigt« werden kann. Gerade diese Erwartung führte in »frommen« Kreisen häufig zu einem übersteigerten Leistungszwang, zu einem peniblen Rigorismus, ja zu einem bis ins Neurotische gehenden Sündenbewußtsein und zu einer dauernden Frustration beim Ausbleiben der erwarteten Gottesherrschaft trotz aller Anstrengungen bei der Gesetzeserfüllung.[51] Die Aversion Jesu gegen diese Art von Hoffnung auf das Reich Gottes zieht sich deutlich durch alle Evangelien.

Für die *Zeloten* galt einerseits durchaus auch der verschärfte Thoragehorsam als Vorzeichen der kommenden Gottesherrschaft. Zugleich jedoch sahen sie (als »linker Flügel« der Pharisäer) in der gegenwärtigen politischen Unterdrückung Israels die dem Ende vorausgehende Zeit der »messianischen Wehen«, die auf das baldige Kommen der Gottesherrschaft hindeuten. Deren Kommen kann deswegen auch insofern beschleunigt werden, als jetzt bereits diese Fremdherrschaft gewaltsam angegriffen und zerschlagen wird (z. B. durch Verweigerung der Steuerzahlung an den Kaiser, weil eben nur Jahwe als König über Israel anerkannt wird). Einzelne Führer traten deshalb mit einem messianischen Anspruch auf; sie verstanden sich als das von Gott eingesetzte Werkzeug, um den endzeitlichen Befreiungskrieg Jahwes zu führen. So beschreiben z. B. die sogenannten Segenssprüche von Qumran die Aufgabe des »Kriegsmessias«: »Und du (d. h. der Messias) wirst die Völker schlagen mit der Kraft deines Mundes, mit deinem Zepter wirst du die Erde verwüsten, mit dem Hauch deiner Lippen wirst du die Gottlosen töten ... Und es wird sein Gerechtigkeit der Gürtel deiner Lenden und Treue der Gürtel deiner Hüften. Und er mache deine Hörner aus Eisen und deine Hufe aus Erz. Mögest du stoßen wie ein Jungstier und niedertreten die Völker wie den Kot der Straßen. Denn Gott hat dich erhoben zum Zepter über die Herrscher« (1 Q Sb 5, 24–27).[52]

Daneben gab es Gruppen, die sich z. B. wie die von *Qumran* in die Wüste zurückzogen, um dort ein klösterliches Leben zu führen und dadurch das Kommen der Gottesherrschaft zu beschleunigen. Bei ihnen herrschte die Überzeugung, daß in der Gemeinde dieser sich

---

[51] Dazu P. Hoffmann/V. Eid, aaO. 39 ff.
[52] Übersetzung nach E. Lohse (Hrsg.), Die Texte aus Qumran, München ²1971, 59–61; vgl. zu diesem Fragenkreis auch: M. Hengel, Die Zeloten. Leiden/Köln 1961, bes. 235–319.

absondernden Frommen bereits das eschatologische Heil der Gottesherrschaft gegenwärtig sei; wer zu dieser Gemeinschaft gehörte und genau ihre Riten und Gebote befolgte, lebte dadurch bereits im Raum der endgültigen Gottesherrschaft. Die Trennung zwischen »dieser« und der »kommenden« Welt war also bereits in der Gemeinde aufgehoben.

c) Die Botschaft Johannes des Täufers

Wenn auch die Gestalt Johannes des Täufers nur schwer in die üblichen frühjüdischen Endzeiterwartungen einzuordnen ist, können wir aus den Evangelien doch folgendes mit einiger Gewißheit festhalten: Als ein »charismatischer Außenseiter und Prophet«[53] wendet er sich in einer radikalen Umkehrpredigt an ganz Israel, um ihm eine letzte Chance vor dem unmittelbar bevorstehenden Gericht Gottes anzubieten: »Schon ist die Axt an die Wurzel der Bäume gelegt« (Lk 3,9). Nicht das revolutionäre Handeln, nicht der Gesetzesgehorsam, nicht die kultisch-esoterische Absonderung, sondern die *Taufe* zur Vergebung der Sünden kann noch retten. Für ihn ist Israel so, wie es jetzt existiert, ein einziges und totales »Unheilskollektiv«[54]; die Abraham-Kindschaft und damit die Kontinuität mit der ganzen bisherigen Heilsgeschichte nützen überhaupt nichts mehr: »Gott kann aus diesen Steinen Kinder Abrahams machen!« (Lk 3,8). In apokalyptischer Sicht sieht Johannes ganz Israel dem jetzt eintretenden *Gericht* Gottes verfallen; seine geschichtliche Erwählung ist hinfällig geworden, so daß sie auch keine neue Heilshoffnung begründen kann. Von sich her hat Israel nur die Verwerfung im Gericht zu erwarten. Dennoch bleibt – in aller menschlichen Diskontinuität – die Kontinuität der Treue Gottes unangefochten stehen. So rückt zwar bei Johannes die Aussicht auf kommendes Heil für Israel in den Hintergrund, aber es wird nicht gänzlich ausgeschlossen. Die »Umkehr« als das Eingeständnis der eigenen Sündigkeit und Heil-losigkeit ist das letzte Angebot Gottes an Israel, um dem Gericht zu *entgehen* (was der Täufer viel mehr betont als das danach folgende positive Heil). In der »Wassertaufe« (als Gegensatz zur »Feuertaufe« des endzeitlichen Richters) wird dieses Bekenntnis und zugleich die Vergebung der Schuld real vollzogen. Johannes versteht sie als von Gott geschenkte Bedingung, um im kommenden Gericht bestehen zu können; sie ist deswegen

---

[53] P. Hoffmann/V. Eid, aaO. 42.
[54] Vgl. dazu H. Merklein, Jesu Botschaft von der Gottesherrschaft, aaO. 27–36.

»nicht nur ein Zeichen, sondern selbst wirksame Kraft, die den Getauften aus dem Unheilskollektiv des vor-findlichen Israel heraus-
reißt«.[55]
Jesus gehörte wahrscheinlich eine Zeitlang zum Jüngerkreis des
Täufers. Er hat von ihm die Taufe empfangen und zeigt während
seiner ganzen Verkündigung eine bleibende Hochachtung vor Johannes (vgl. Lk 7,26–28). Vermutlich sind auch einige Anhänger
des Johannes später in den Jüngerkreis Jesu übergewechselt (vgl.
Joh 1,35–42). Auch wenn sich Jesus von Johannes – geographisch
und theologisch – abgesetzt hat (wohl im Zusammenhang mit dem
Ortswechsel von der »Wüste« nach »Galiläa« – Mk 1,14), teilt er
mit ihm die geschichtstheologisch-apokalyptische Voraussetzung,
daß Israel an sich, so wie es jetzt existiert, dem Gericht Gottes verfallen ist.[56] Es ist auch für ihn ein sündiges Geschlecht, das aus seiner Geschichte und seinem gegenwärtigen Zustand heraus keine
Hoffnung auf Heil haben kann (vgl. Lk 13,1–5; 12,16–20.54–56;
11,31 f; 10,13–15 u. a.). Deswegen sagt Jesus dem ganzen Volk das
Gericht an und fordert dessen Umkehr; aber dies steht nicht (wie
bei Johannes) im Zentrum seiner Botschaft. Der entscheidende Unterschied in der Verkündigung Jesu besteht darin, daß er diesem an
sich verlorenen Israel eine neue positive Wirklichkeit von seiten
Gottes her gegenüberstellt, nämlich die nahegekommene Gottesherrschaft. »Jesus wagt es, dem Unheilskollektiv das Heil der basi-
leia Gottes anzusagen; an die Stelle der apodiktischen Gerichtsansage tritt die apodiktische Heilszusage.«[57] Dadurch bekommt auch
die geforderte Umkehr ein neues Gesicht: Sie besteht »einfach« in
der bereitwilligen Annahme, im Sich-schenken-Lassen dieser neuen
Wirklichkeit (vgl. Mt 18,3). Die Gerichtsansage gilt von daher
nicht mehr unbedingt; sie betrifft nur noch den, der sich dieses Heil
nicht zusagen läßt, der sich neuerlich verstockt.

d) Das Besondere der Basileia-Verkündigung Jesu

(1) Gottes Reich und die Macht des Bösen

Auch wenn im Kontext der prophetisch-apokalyptischen Tradition
Jesu Rede vom Königtum Gottes die Befreiung Israels von der römischen Fremdherrschaft miteinschließt, spielt sie bei ihm doch keine
ausdrückliche und hervorgehobene Rolle. Für ihn ist die Befreiung

[55] AaO. 32.
[56] AaO. 33 f.
[57] AaO. 36.

Israels fundamentaler: Die Herrschaft *Satans* ist bereits gebrochen. Vor Gott steht Israel nicht mehr nur als verworfenes und verlorenes Volk da (was es von sich aus noch immer ist), sondern bereits als aus der Sündenmacht des Bösen befreites und zu neuem Heil erwähltes Volk. Der Gegensatz »unterdrücktes Israel – beherrschende Fremdvölker« ist für Jesus (wie für den Großteil der Apokalyptik seiner Zeit im Unterschied zur älteren Apokalyptik) zweitrangig gegenüber dem viel bedrohlicheren Gegensatz zwischen Satan auf der einen Seite und Israel zusammen mit den Völkern auf der anderen Seite, die gemeinsam unter der Macht des Bösen stehen. Diese Macht ist nun endgültig gebrochen und somit die universale Befreiung von *jeder* ungerechten Herrschaft auf Erden in Gang gesetzt. Der objektive Grund dafür ist die neue Erwählung Israels durch Gott: Gott hebt die totale Unheilssituation Israels (und damit der anderen Völker) auf, indem er eine neue Zukunft des Heils eröffnet. Er nimmt Israel erneut als sein Volk an und wandelt *von sich aus* (unbeschadet der Freiheit Israels!) die Unheilssituation in eine Heilssituation. Der subjektive Grund für diese Überzeugung Jesu dürfte die Vision vom »Satanssturz« sein, die die Qualität einer eschatologischen Offenbarung enthält: »Ich sah den Satan wie einen Blitz vom Himmel fallen« (Lk 10, 18); d. h. der in der Apokalyptik erwartete endzeitliche Kampf im Himmel zwischen Gott und Satan bzw. zwischen Michael, dem Engel des Lichtes, der zugleich der Völkerengel Israels ist, und Belial, dem Engel der Finsternis, hat bereits stattgefunden; er ist zugunsten Michaels (und damit Israels) entschieden worden.[58] Die irdische Entsprechung zu diesem himmlischen Geschehen zeigt sich darin, daß Israel jetzt endgültig das Heil zugesprochen bekommt, daß ihm die Gottesherrschaft und Gottes Reich »nahegekommen« sind und es deswegen bereits in der Gegenwart seliggepriesen werden kann (vgl. Lk 6, 20 ff).

(2) Gegenwart und Zukunft des Reiches Gottes

Jesus steht – wie wir sahen – in der alten Tradition Israels, die das Königtum Gottes als eine eschatologische Größe der Zukunft erwartet (vgl. die Vaterunser-Bitte um das Kommen des Reiches Lk 11, 2 oder die zweite und dritte Seligpreisung Lk 6, 21). Aber diese Zukunft bekommt bei ihm eine eigentümliche Qualität: Er spricht von einer Zukunft, die so nahegekommen ist, daß sie in die Gegenwart hineinreicht und sie entscheidend verändert. Weil Israel von

---

[58] Vgl. dazu M. Limbeck, Satan und das Böse im Neuen Testament, in: H. Haag, Teufelsglaube, Tübingen 1974, 271–388.

Gott her das Heil bereits zugesprochen worden ist, weil also die Situation Israels vor Gott bereits radikal neu bestimmt ist (eben als Gemeinschaft des Heils und nicht mehr des Unheils), darum bricht sie bereits jetzt in die gegenwärtige irdische Geschichte Israels ein. Diese »theologische« (d. h. bei Gott gesetzte) Gegenwart des Heils begründet die Hoffnung auf seine unmittelbare zeitliche Nähe. D. h., die sogenannte »Naherwartung« Jesu richtet sich auf das vollendete, die irdischen Verhältnisse »umwälzende« Sich-Durchsetzen der bereits »gesetzten« Heilszusage Gottes auch in unserer geschichtlichen Erfahrungswelt. Wann dies geschehen wird, läßt Jesus offen; das Zusammenspiel von freier göttlicher Zusage und freier menschlicher Zustimmung bleibt jeder Terminberechnung oder jeder darauf abzielenden Beobachtung verschlossen (vgl. das Gleichnis von der selbstwachsenden Saat – Mk 4, 26–29; Lk 17, 20: »Die Gottesherrschaft kommt nicht mit Beobachtung«; Mk 13, 32: »Doch jenen Tag und jene Stunde kennt niemand, auch nicht die Engel im Himmel, nicht einmal der Sohn, sondern nur der Vater«).[59]

Das Sich-Durchsetzen der Herrschaft Gottes in Israel hat in Jesus bereits begonnen; sie ist deswegen nicht nur eine gegenwärtige theologische Größe (»im Ratschluß Gottes«), sondern erlangt jetzt auch eine zeitlich-geschichtliche Gegenwart. Dies vor allem dadurch, daß Jesus sie als gegenwärtige in seinem Wort und in seinen Taten »proklamiert«, sie ausruft, sie als Evangelium für die Armen verkündet und sie dabei eine sinnlich-erfahrbare Gestalt annehmen läßt. So versteht er gerade seine Dämonenaustreibungen als ein Sich-Bahn-Brechen der Gottesherrschaft in Israel: »Wenn ich mit dem Finger Gottes die Dämonen austreibe, dann ist die Gottesherrschaft schon zu euch gelangt« (Lk 11, 20). Weil Satan bereits entmachtet ist, kann Jesus die Vertreibung der bösen »Schadensgeister«, die die Menschen mit Krankheiten und allen möglichen Übeln quälen, als geschichtliche Manifestation der Gottesherrschaft verkünden. Darin wird sie – in unserer Terminologie gesagt – auf »realsymbolische« Weise vergegenwärtigt (vgl. Teil 3, I). Das bedeutet: Das Reich Gottes wartet nicht wie ein fix und fertiger Zustand irgendwo im »Himmel« oder im »neuen Äon« auf uns, sondern zeigt sich als ein Geschehen der Liebe Gottes, das unsere

<hr />

[59] Die sogenannten »Terminworte« Jesu, die das vollendete Kommen der Gottesherrschaft mit der Generation der jetzt noch Lebenden verbinden (Mk 13, 30; Mk 9, 10; Mt 10, 23), dürften wohl der nachösterlichen Naherwartung entstammen; vgl. dazu L. Oberlinner, Die Stellung der »Terminworte« in der eschatologischen Verkündigung des NT, in: P. Fiedler/D. Zeller (Hrsg.), Gegenwart und kommendes Reich. Schülerfestschrift A. Vögtle, Stuttgart 1975, 51–66.

gegenwärtige Geschichte mehr und mehr in das heilende, befreiende Leben Gottes hineinnimmt und dadurch eine wachsende Transparenz in unserer geschichtlichen Wirklichkeit gewinnt. Die Verkündigung des Evangeliums und die Machttaten Jesu (seine Krankenheilungen, seine Mahlgemeinschaft mit Sündern, Zöllnern und Dirnen, seine Speisung der Hungernden, die Vergebung der Sünden usw.) sind solche »Transparenzstellen« des hier und jetzt ankommenden Reiches Gottes. Es ist in ihnen ganz real gegenwärtig, in dem ungeschmälerten Sinngehalt des Gerechtigkeits- und Friedenswillens Gottes, allerdings noch nicht in dessen vollendeter Zielgestalt (»totum, sed non totaliter«).[60] In diesem Tun Jesu wird Gottes neue Heilszuwendung an Israel gleichsam handgreiflich erfahrbar. Gott kommt in der Person und im Handeln Jesu seinem Volk so nahe, daß er mit ihm zu Tische sitzt, daß er seine Aussätzigen berührt, daß er seine Kranken heilt, daß er seine Sünder aufnimmt. Zu der gleichen Vergegenwärtigung des Reiches Gottes ermächtigt Jesus auch seine Jünger, die er aussendet, um in Verbindung mit der Verkündigung des nahegekommenen Reiches Gottes die Kranken zu heilen (Lk 10, 9).

Damit sprengt Jesus den apokalyptischen Vorstellungshorizont des Reiches Gottes entscheidend auf. Für ihn ist die gegenwärtige Geschichte Israels nicht mehr reine Unheilsgeschichte, sondern bereits neue Geschichte des Heils von Gott her. Nicht erst der Untergang des alten Äons und die neue Schöpfung von Himmel und Erde bringen das Heilsgeschehen der Gottesherrschaft in Gang, sondern sie schafft sich mitten in dieser Geschichte einen Raum ihrer Verwirklichung. Dies geschieht aber weder durch exakten Thora-Gehorsam, noch durch kultischen Rückzug in fromme Gemeinschaften, noch durch zelotenhaft-gewaltsame Aktionen, sondern allein durch solche Zeichenhandlungen, in denen Gottes Wille zur Gerechtigkeit und zum Frieden für alle sichtbar wird. Jesu Reich-Gottes-Verkündigung konzentriert sich deswegen nicht auf das Ende dieser Geschichte, sondern auf ihre Verwandlung durch das alles verändernde und befreiende Tun der Liebe Gottes. Auch wenn dieses

---

[60] H. Merklein spricht von einem »Geschehensereignis« der Gottesherrschaft, weil »sich in ihnen bereits das Geschehen der Gottesherrschaft« ereignet (aaO. 65); P. Hoffmann nennt die gegenwärtige Gestalt des Reiches Gottes eine »punktuell-situative Realisierung« (in: U. Luz u. a., Eschatologie und Friedenshandeln, aaO. 123). Wir verwenden hier den Begriff »Realsymbol«, weil darin ausgedrückt werden kann, daß einerseits die Wirklichkeit des Reiches Gottes ganz real gegenwärtig ist, allerdings in symbolischer Vorwegnahme; denn das Reich Gottes geht andererseits in seiner Vollendungsgestalt nicht in diesen Vorwegnahmen schlechthin auf, sondern übersteigt sie im Sinn einer universalen Integration der ganzen Schöpfung (s. u.).

Tun uns Menschen allzu klein und unscheinbar vorkommt (wie ein Senfkorn oder ein Sauerteig), so wird es doch getragen von der unaufhaltsamen Dynamik der sich »durchsetzenden« Liebe Gottes. Daß dies etwa in einem sukzessiven Fortschritt geschehen soll, wird mitnichten verheißen; die überwältigende Vollendung des Ziels wird unverbrüchlich in Aussicht gestellt, ohne daß ein allgemeines Strukturgesetz der Entwicklung daraufhin angegeben würde. Überall da, wo Menschen sich selbst, ihre persönliche und gesellschaftliche Lebenswelt »transparent« werden lassen für Gottes Gerechtigkeit und Frieden, wo sie sich also zum neuen »Volk Gottes« rufen und sammeln lassen, da bahnt sich Gottes Reich seinen Weg unter uns.

(3) Der Adressat der frohen Botschaft vom Reich Gottes:
Israel als »armes« Volk

Jesus richtet sich in seiner Verkündigung zweifellos an ganz Israel, das er endgültig als das neue und heile Zwölfstämmevolk Jahwes sammeln will (vgl. das Zeichen der Berufung von zwölf Jüngern, den »Stammvätern« des neuen Israel). Israel als das erneuerte *Volk Gottes* soll der primäre Träger des jetzt anbrechenden *Reiches Gottes* sein.[61] Damit stellt sich Jesus ganz in die Tradition der prophetischen Heilsverheißung. Aber er betont einen Zug dieser Tradition besonders: Für ihn ist Israel nicht einfachhin als Volk, als Nation, als Glaubensgemeinschaft das Subjekt der neuen Heilsmöglichkeit, sondern Israel als ein *»armes«* Volk. Die Seligkeit der ankommenden Gottesherrschaft wird vor allem den Armen zugesprochen. Das wird klar ersichtlich aus Lk 6, 20–23, wo am ehesten die ursprüngliche Form der Seligpreisungen bewahrt sein dürfte:

»Er richtete seine Augen auf seine Jünger und sagte:
Selig, ihr Armen, denn euch gehört das Reich Gottes.
Selig, die ihr jetzt hungert, denn ihr werdet satt werden.
Selig, die ihr jetzt weint, denn ihr werdet lachen.
Selig seid ihr, wenn euch die Menschen hassen und aus ihrer Gemeinschaft ausschließen, wenn sie euch beschimpfen und euch in Verruf bringen um des Menschensohnes willen. Freut euch und jauchzt an jenem Tag; euer Lohn im Himmel wird groß sein. Denn ebenso haben es ihre Väter mit den Propheten gemacht.«

[61] Vgl. G. Lohfink, Wie hat Jesus Gemeinde gewollt? Freiburg 1982; ders., Die Korrelation von Reich Gottes und Volk Gottes bei Jesus, in: ThQ 165 (1985), 173–183; ders., Jesus und die Kirche, in: W. Kern/H. J. Pottmeyer/M. Seckler (Hrsg.), Handbuch der Fundamentaltheologie Bd. 3: Traktat Kirche, Freiburg 1986, 49–96.

Diese Armen, Hungernden, Weinenden, Ausgestoßenen sind zunächst einmal identisch mit dem Volk Israel, das in einer bestimmten Hinsicht vom Jüngerkreis Jesu repräsentiert wird.[62] Dieses Volk ist in seiner empirischen Gestalt noch immer weithin der Unheilsmacht Satans ausgeliefert, was sich konkret etwa in den vielen Kranken und in dem schon lange anhaltenden politischen, wirtschaftlichen und sozialen Unterdrücktsein durch die Fremdherrschaft der anderen Völker erweist. Gerade die Nähe Jesu zu Deutero- und Tritojesaja legt diese Deutung nahe; denn deren Freudenbotschaft für die Armen (z. B. Jes 61, 1 f) gilt dem armseligen Israel im und nach dem Exil, das um seiner Zugehörigkeit zu Jahwe willen von den Völkern verfolgt und erniedrigt wird. In einer vergleichbaren Situation steht Israel auch zur Zeit Jesu, wobei die politisch-gesellschaftliche Armut des Volkes ihren theologischen Grund in der heillosen Abhängigkeit Israels von der Macht der Sünde hat. Insofern jedoch Gott diese Abhängigkeit durch die Entmachtung Satans bereits gebrochen hat, kann Jesus dieses Volk – wie Deuterojesaja – wirklich seligpreisen. In diesem Zuspruch, in dieser Proklamation des Heils gelangt die Gottesherrschaft ganz real zu dem »armen« Israel, und zwar ausgehend von den Jüngern Jesu, die in ihrer Nachfolge bereits das rettende Angekommensein der Gottesherrschaft erfahren.

Nun ist aber für Jesus das Volk Israel nicht einfach undifferenziert als ganzes »arm« und hungernd und weinend. Gerade in den Menschen, die innerhalb des Volkes noch einmal die Armut, den Hunger, die Krankheit, die Trauer, das gesellschaftliche Ausgestoßensein am schmerzlichsten und leibhaftigsten erfahren, wird Israel in seiner Armut und Armseligkeit am deutlichsten repräsentiert; sie machen die Unheilssituation des Volkes mit all ihren materiellen und gesellschaftlichen Folgen ganz offenkundig. Deshalb sind sie auch der bevorzugte Adressat der Seligpreisungen Jesu; ihnen, den wirklich Armen, die durch die Römerherrschaft und die mit ihnen zusammenarbeitende Oberschicht in eine große ökonomische Notlage geraten sind (gerade auf dem Land) und zu denen auch viele

---

[62] »Die Nachfolge des Jüngerkreises symbolisiert den Exodus in die neue eschatologische Existenz, in die das Gottesvolk in seiner Gesamtheit gerufen ist. Die Jünger sollen als einzelne und als Gemeinschaft *zeichenhaft* darstellen, was in Gesamt-Israel geschehen soll: völlige Hingabe an das Evangelium; radikale Umkehr zur Lebensordnung Gottes; gewalt- und herrschaftsfreie Kommunikation (Mk 10,35–45); Sammlung zu einer neuen Familie von Brüdern und Schwestern, die den Willen Gottes tut (Mk 3,31–35)« (G. Lohfink, Die Korrelation ..., aaO. 180 f).

seiner Jünger zählen dürften, spricht Jesus das herausgehobene Subjektseindürfen der Gottesherrschaft zu.[63]

Damit reiht sich Jesus ganz bewußt in die Tradition der klassischen Propheten ein, die Gottes Liebe und Gerechtigkeit vorzüglich den Armen zugesprochen haben. Der Begriff des »Armen« und der »Armut« hat im Alten Testament eine lange Geschichte.[64] Er wird ursprünglich bei den Propheten nicht vom Gedanken des fehlenden persönlichen Eigentums und Besitzes her entworfen. Denn Jahwe ist sowieso allein der Besitzer des Landes Kanaan, das er ihnen *allen* ohne irgendeinen Unterschied, in seinem Bund zur Verfügung gestellt hat. Die Armen (in Israel) sind dann die, die es eigentlich gar nicht geben dürfte, deren Anteil am Land jedoch durch eine Verletzung der Bundesordnung Jahwes verlorengegangen ist, die also de facto »um Jahwes Verheißung Betrogenen«.[65] Ihnen gebührt darum primär Jahwes Rechtsschutz und Bundestreue, sie warten am sehnlichsten auf seine Gerechtigkeit und seine gerechte Herrschaft. Die alten Propheten treten gerade wegen der Bundestreue Jahwes entschieden für das Recht dieser Armen ein, die ganz auf Gottes schützende Macht angewiesen sind und ohne eigene Machtmittel auf die Geltung seiner Verheißungen vertrauen. Insofern schließt der Begriff des »Armen« schon immer sowohl die soziale (= reale Notlage) wie auch die theologische (= Vertrauen auf Jahwe) Dimension ein. In den nachexilischen Schriften tritt weniger der Bezug zum Bundesgedanken als vielmehr der zur Gesetzeserfüllung in den Vordergrund: Wer das Gesetz Jahwes treu erfüllt und deswegen der Verfolgung und Unterdrückung ausgesetzt ist, gilt als der »Arme«, den Jahwe liebt und dem er sein Recht verschafft. Der »Arme« wird also identifiziert sowohl mit dem Volk Israel als ganzem wie auch mit dem einzelnen »Gerechten«, dem thoratreuen Frommen. Diese sind »arm und zerknirschten Geistes« (Jes 66, 2), was in der Umformulierung der Seligpreisung Jesu bei Mt 5, 3 aufgegriffen wird: »Selig, die im Geist arm sind, denn ihrer ist das Himmelreich.«

Diese Tradition lebt zur Zeit Jesu gerade auch in der Qumran-Gemeinde weiter, die sich als »Gemeinde der Armen« versteht, weil sie eben die »Täter des Gesetzes« sind und somit dem Willen Gottes gerecht werden; ihnen wird deswegen auch seine Gerechtigkeit zu-

---

[63] Vgl. L. Schottroff, Das geschundene Volk und die Arbeit in der Ernte Gottes nach dem Matthäus-Evangelium, in: L. Schottroff/W. Schottroff (Hrsg.), Mitarbeiter der Schöpfung. Bibel und Arbeitswelt, München 1983, 149–206.

[64] Vgl. P. Hoffmann/V. Eid, aaO. 29 ff; N. Lohfink, Gott auf der Seite der Armen. Unveröffentlichtes Vorlesungsmanuskript, Frankfurt/Main 1985.

[65] P. Hoffmann/V. Eid, aaO. 31.

teil werden. Von diesem Armen-Verständnis hat Jesus sich jedoch in einem ganz bestimmten Punkt deutlich abgesetzt. Nicht eine elitäre Gruppe von Frommen ist für ihn der wahre »Kern« Israels, der das Prädikat »arm« beanspruchen darf, sondern zunächst einmal das erneuerte Israel als ganzes und *in* ihm vor allem die ganz real Armen, Kranken, Trauernden, Verachteten, Ausgestoßenen usw., die sich um Jesus scharten und sich von ihm bereitwillig das Heil der kommenden Gottesherrschaft zusprechen ließen.

Auch wenn es Jesus in seiner direkten Intention um die Armen *Israels* ging, so durchbricht er mit seiner Verkündigung doch grundsätzlich die nationalen Schranken; denn nicht die buchstabengetreue Ausführung des Gesetzes, sondern die Erfüllung des Willens Gottes in der Liebe zum notleidenden Nächsten wird zum entscheidenden Maßstab jenes Handelns, das der kommenden Gottesherrschaft gerecht wird (vgl. Mt 25, 31 ff). Ein solches Handeln ist aber prinzipiell jedem Menschen möglich. So kann man mit Recht sagen: Den Armen dieser Erde überhaupt gilt im hervorgehobenen Sinn die Verheißung des Reiches Gottes; ja, nur »für den Armen ist die Botschaft eine *frohe*« (H. U. v. Balthasar). Denn das von Jesus angekündigte Reich Gottes brachte für die wirklich Armen, die alles von Gott und nichts von sich und den Menschen mehr zu erhoffen hatten, die Einlösung der alten prophetischen Verheißungen. Und dies bereits in der Gegenwart[66]: Er vertröstet sie nicht auf ein ewiges Leben nach dem Tod, sondern kündigt an und macht zugleich sichtbar die »Intervention Gottes« (J. Jeremias) hier und jetzt für die Armen.

Diese prophetische Parteinahme Jesu für die Armen und ihr Recht zieht sich wie ein Leitmotiv durch seine ganze Verkündigung hindurch. Bei den Armen setzt die neue Rechtsordnung Gottes ein, ohne daß deswegen die anderen, die sogenannten Gerechten, die Reichen, die Mächtigen, die Gescheiten und Gesunden davon ausgeschlossen werden. Auch für sie eröffnet Jesus die Möglichkeit, in das Reich Gottes einzugehen: »Wenn ihr nicht umkehrt und wie die Kinder werdet, könnt ihr nicht in das Himmelreich kommen. Wer so klein sein kann wie dieses Kind, der ist im Himmelreich der Größte« (Mt 18, 3 f). Von ihnen ist also die radikale Umkehr zur Bereitschaft gefordert, auch ihre völlige Abhängigkeit von Gott anzuerkennen und sich alles von ihm schenken zu lassen, nicht selbst »groß« sein zu wollen, um von daher auf ganz reale, handgreifliche Weise am Geschick der Armen teilzunehmen. Die Umkehr zur

---

[66] Vgl. G. Lohfink, Zur Möglichkeit christlicher Naherwartung, in: G. Greshake/ G. Lohfink, aaO. 43 f.

Kindschaft im Reich Gottes schließt das praktische Einschwenken auf den Weg Jesu und seine Solidarität mit den Armen ein: Indem einer so handelt wie Jesus, und zwar gerade zugunsten der Armen und Kleinen, kommt das Reich Gottes in unserer Geschichte an.

2. DER WANDEL DER REICH-GOTTES-VERKÜNDIGUNG DURCH TOD UND AUFERSTEHUNG JESU

a) Heil durch den »sühnenden« Tod des »Freudenboten«

Jesu Reich-Gottes-Verkündigung wurde von Gesamt-Israel (bis auf wenige Ausnahmen) abgelehnt. Das Volk bekehrte sich nicht auf Dauer und im ganzen zu dieser Botschaft Jesu; es teilte nicht seine Hoffnung auf die baldige Vollendung des Reiches Gottes und glaubte auch nicht an die gegenwärtige Gestalt dieses Reiches im Handeln Jesu. Im Gegenteil, Ablehnung und Feindschaft nahmen ständig zu und gipfelten in seiner Hinrichtung als Aufrührer und Gotteslästerer.

Diese Entwicklung zum tödlichen Konflikt blieb Jesus nicht verborgen; von einem bestimmten Zeitpunkt an rechnete er sehr wahrscheinlich mit dem üblichen Prophetenschicksal, wovon besonders das Gleichnis von den bösen Winzern (Mk 12, 1–9) zeugt. Ein entscheidender Auslöser für die Zuspitzung der Situation dürfte die Tempelreinigung Jesu (Mk 11, 15–19) und das damit im Zusammenhang stehende »Tempellogion« sein: »Ich werde diesen von Menschen erbauten Tempel niederreißen und in drei Tagen einen anderen errichten, der nicht von Menschenhand gemacht ist« (Mk 14, 58). Damit stellte Jesus zwar nicht den Tempelkult als solchen in Frage, wohl aber – in Verbindung mit seiner Reich-Gottes-Verkündigung – das Verständnis dieses Kultes in der sadduzäischen Priesterschaft: daß nämlich der Kult eine ausreichende Sühne für Israels Schuld sei und damit auch eine hinreichende Disposition für den Empfang der neuen Heilsgabe Gottes. Für Jesus war dies in der gegenwärtigen Situation Israels eine völlige Überschätzung des Kultes. Allein die demütig-bereitwillige Annahme der neuen Heilszusage Gottes, wie sie in seinem Wort und in seinem Tun sichtbar wurde, kann den Übergang vom Unheil zum Heil bringen. Indem er öffentlich den Tempelkult als Weg zum Heil ablehnte, begab er sich in eine offene Konfrontation mit der Tempelpriesterschaft (den »Hohenpriestern«), die darin ja sowohl ihre materielle Existenzgrundlage wie auch ihre theologische Existenzberechtigung sahen.[67]

Die sich immer eindeutiger manifestierende Ablehnung Jesu durch Israel (denn auch das Volk leistete der Priesterschaft weithin Gefolgschaft) muß für Jesus selbst (in seinem durchaus geschichtlich bedingten menschlichen Bewußtsein) einen ernsten Konflikt in seiner eigenen Verkündigung vom Vater und dessen angekommener Herrschaft bedeutet haben. Denn sie wirft auch für ihn notwendig die Frage auf: Wird Gottes neues Heilshandeln für Israel faktisch ganz unwirksam? Was wird denn aus der Gottesherrschaft, wenn der »Freudenbote«, der sie ansagt und in dessen heilendem Tun sie bereits angekommen ist, umgebracht wird? Wird aus dem verkündeten Gott des Heils doch wieder ein Gott des Gerichts, der die bösen Winzer (= Israel) töten und seinen Weinberg anderen geben wird (Mk 12,9)? Sicher ist, daß die Erwartung der nahenden, zum Tod führenden Auseinandersetzung nicht spurlos an Jesu Hoffnung auf das Reich Gottes vorübergegangen ist. Sie hat vielmehr eine tiefgehende Wandlung dieser Hoffnung bewirkt, ohne sie aber deswegen einfachhin zu verdrängen. Gerade die *Abendmahlsüberlieferung* bezeugt sehr deutlich, daß Jesus auch angesichts seines sicheren Todes an der Hoffnung auf das nahe Reich Gottes festgehalten hat. Dabei können wir uns besonders auf das allgemein als authentisch angesehene Jesuswort Mk 14,25 stützen[68]: »Amen, ich sage euch: Ich werde nicht mehr von der Frucht des Weinstocks trinken bis zu dem Tag, an dem ich von neuem davon trinke im Reich Gottes.« Das bedeutet: Sein gewaltsamer Tod kann das Kommen des vollendeten Reiches Gottes nicht aufhalten; es wird kommen, und zwar in Gestalt eines großen eschatologischen Mahles (vgl. Jes 25,6–8), an dem auch Jesus nach seinem Tod teilneh-

---

[67] Vgl. dazu H. Merklein, Jesu Botschaft von der Gottesherrschaft, aaO. 133 ff; H. Schürmann, Jesu ureigener Tod, Freiburg 1975; K. Kertelge (Hrsg.), Der Tod Jesu. Deutungen im Neuen Testament, Freiburg 1976; L. Oberlinner, Todeserwartung und Todesgewißheit Jesu, Stuttgart 1980; G. Friedrich, Die Verkündigung des Todes Jesu im Neuen Testament, Neukirchen 1982.

[68] Nach R. Pesch sind die Einsetzungsworte Mk 14,22–25 Teil einer alten, vormarkinischen Passionsgeschichte, die in ihrem Kern auf Jesus selbst zurückgeht. Denn der einzig mögliche »Sitz im Leben« dieser Perikope sei das Pascha-Mahl Jesu im Angesicht seines Todes; nur von dieser konkreten geschichtlichen Situation her ließe sie sich verstehen (anders als die etwas später formulierten Kulttraditionen in Lk 22 und 1 Kor 11). Deswegen komme bei Mk auch das Todesverständnis Jesu authentisch zur Sprache. Vgl. R. Pesch, Das Markus-Evangelium II (HThK II/2), Freiburg 1977, 364–377; ders., Das Abendmahl und Jesu Todesverständnis, Freiburg 1978; H. Patsch, Abendmahl und historischer Jesus, Stuttgart 1972.

men wird. Den Jüngern, die seine Botschaft angenommen und bis zuletzt ausgeharrt haben, gibt Jesus jetzt schon im Zeichen dieses Abendmahles vorweg Anteil an diesem Mahl des Reiches Gottes. Er vollzieht im Abendmahlssaal eine eschatologische Zeichenhandlung, indem er die Heilsverheißung verbindet mit dem Zeichen des Mahles. Darin geht die Verheißung bereits anfänglich in Erfüllung; sie wird im Zeichen des Mahles real vorweggeschenkt.

Darüber hinaus sprechen viele exegetische Gründe dafür, daß Jesus *seinem Tod* selbst auch eine eschatologische Heilsbedeutung gegeben hat: Der Tod des »Freudenboten« wird von Gott selbst zum Heil für die ihn Verwerfenden angenommen. Im Rückgriff auf Jes 53 deutet Jesus seinen bevorstehenden Tod als stellvertretenden Sühnetod »für die vielen«, womit im historischen Kontext des Lebens Jesu Gesamt-Israel gemeint ist, während die Mk-Redaktion bereits alle Völker in dieses Heilsgeschehen einbezieht. Jesus nimmt stellvertretend für das sündige Israel (und damit auch für die sündige Menschheit) die innere Konsequenz der Sünde, der Verstockung auf sich (eben das Unrecht des gewaltsamen Todes), um dadurch diesen Menschen, die aus sich heraus dem Tod verfallen wären, einen Ausweg zum Heil zu öffnen. Die Nähe der gesamten Verkündigung Jesu zu Deuterojesaja legt dieses Selbstverständnis seines Todes nahe; Gott bleibt der heilende, rettende Gott – auch gegenüber dem sich verstockenden Israel. Sein Reich des Heils ist und bleibt Israel nahe. Ja, der gewaltsame Tod des »geliebten Sohnes« wird von Gott als versöhnendes Zeichen seiner ankommenden Herrschaft gesetzt. Denn er ist das äußerste Angebot des heilbringenden Gottes, der jetzt sein Reich unter den Menschen aufrichten will. Das Einstehen Jesu bis zum Letzten für dieses Reich und für diesen Gott, der den Armen Gerechtigkeit widerfahren läßt und den Verlorenen nachgeht, dieses Gehen Jesu bis »zum Äußersten«, bei dem er auch sein Leben für Gottes Gerechtigkeits- und Friedenswillen einsetzt, bedeutet: Gott gewährt dem Volk Israel (und durch es allen Menschen) eine neue, letzte Chance des Heils. Wer diese Versöhnungsgabe annimmt, d. h. wer sich seine Verlorenheit und Todverfallenheit eingesteht und allein aus dieser Solidarität Gottes mit den Verlorenen heraus zu leben beginnt; wer zugleich in irgendeiner Weise dem Tod Jesu um des Reiches Gottes (also um der Armen, der Sünder, der Verlorenen) willen nachfolgt; wer sich also von Jesus nicht »ersetzen«, sondern so »vertreten« läßt (D. Sölle), daß er auf den von ihm gebahnten Weg einschwenkt, erhält die Vergebung seiner Sünden und nimmt teil am »neuen Bund«; er kann – wie die Jünger – mit Jesus bereits jetzt das endgültige Festmahl des Reiches Gottes feiern.

b) Das Reich nach dem Gericht des Menschensohnes

Hat sich diese Verheißung Jesu erfüllt? Was ist mit der Gottesherrschaft nach seinem Tod? Die Jünger, denen er als Repräsentanten Israels das letzte »Realsymbol« der Gottesherrschaft übereignet hat (eben das Mahl als Zeichen seines Versöhnung stiftenden Todes), scheinen diesen Tod zunächst als deutliches Scheitern der Verkündigung Jesu aufgenommen zu haben. Schließlich war die Identifizierung Jesu mit seiner Botschaft so tief, daß sein Tod auch das Ende dieser Botschaft *und* der darin angesagten »Sache«, eben der nahen Gottesherrschaft bedeuten mußte. Die Jünger fliehen aus Jerusalem und zerstreuen sich in ihre galiläische Heimat. Gott hat vor ihren Augen eben selbst sein negatives Urteil über Jesus und seine Verkündigung gesprochen. Denn nach dem jüdischen Gesetz galt einer, der am Kreuz hingerichtet wird, als ein von Gott »Verfluchter« (vgl. Dtn 21,23; Gal 3,13). Statt daß in ihm das Heil Gottes sich ganz offenbarte, stellt sich jetzt in seinem Sterben die Unheilsmacht der Sünde Israels als übermächtig dar. »Gott hat den, der keine Sünde kannte, für uns zur Sünde gemacht« (2 Kor 5,21).

Aber dann, »am dritten Tag« (dem alten Symbol der Wende vom Unheil zum Heil), geschieht etwas Unvorhergesehenes: Aufgrund bestimmter »Erscheinungen«, die einzelnen Frauen in Jerusalem und verschiedenen Jüngern (einzeln und gemeinsam) in Galiläa zuteil werden, beginnt auf einmal eine neue »Sammelbewegung« in Jerusalem.[69] Wir können hier nicht die ganzen Fragen um Auferstehung und Erscheinungen des Auferstandenen behandeln; uns geht es jetzt allein darum, welche Gestalt die eschatologische Hoffnung auf das Reich Gottes aufgrund der Ostererfahrung der ersten Zeugen annimmt.

Als ursprünglicher und ältester Kern der Osterbotschaft gilt die Formel: »Gott hat Jesus aus den Toten auferweckt« (z.B. Röm 4,24; Gal 1,1; Apg 13,34 u.a.m.). Ihr »Sitz im Leben« der ersten Zeugen dürfte der Dank und Lobpreis für die Machttaten Gottes an Jesus sein. Denn sie betont ausdrücklich das Handeln *Gottes* an dem toten Jesus von Nazaret; offensichtlich steht das Verhältnis Gottes zum gekreuzigten Boten der Gottesherrschaft im Zentrum der

---

[69] Vgl. dazu G. Lohfink, Der Ablauf der Osterereignisse, ThQ 160 (1980), 162–176; Art. »Auferstehung«, in: TRE IV, 1979, 441–575; darin bes. P. Hoffmann, Auferstehung Jesu Christi/NT, 478–513; J. Kremer, Die Auferstehung Jesu Christi, in: W. Kern/H. J. Pottmeyer/M. Seckler (Hrsg.), Handbuch der Fundamentaltheologie, Bd. 2: Traktat Offenbarung, Freiburg 1985, 175–196; vgl. auch die neueste exegetische und systematische Behandlung dieses Themas: H. Kessler, Sucht den Lebenden nicht bei den Toten. Die Auferstehung Jesu Christi, Düsseldorf 1985.

Ostererfahrung. Der Gott Israels bekennt sich zu diesem Menschen, er bestätigt seine Botschaft und seinen Anspruch, das Reich Gottes den Armen bereits jetzt, mitten in der Unheilsgeschichte nahezubringen. Diese Legitimation Jesu durch Gott selbst erfahren und deuten die Osterzeugen im Verstehenshorizont der apokalyptischen Hoffnung auf die allgemeine Totenerweckung. Denn das besondere, ja einmalige Handeln Gottes an dem toten Jesus besteht darin, daß er ihn als *einzigen* vor der allgemeinen Auferstehung der Toten auferweckt hat. In dieser singulären Vorwegnahme des universalen Heilsgeschehens bekennt sich Gott auf einzigartige Weise zu Jesus: Er macht ihn zum »Erstling der Entschlafenen« (1 Kor 15,20), in dem und durch den die endzeitliche Totenerweckung aller Glaubenden ihren Anfang nimmt.[70] Die Endzeit hat mit diesem Geschehen begonnen. Diese Erfahrung »muß eine aufwühlende, tiefbewegende und alles erschütternde Erfahrung gewesen sein: nun stehen die Toten auf, nun ist das Ende der Welt nahe, nun ist die große eschatologische Wende eingeleitet.«[71] Diese apokalyptische Offenbarung, die den Osterzeugen zuteil wurde (vgl. Gal 1,12.15), ist aber von allem Anfang an nicht nur eine *theo*logische Einsicht (über das Handeln Gottes an Jesus), sondern auch eine *christo*logische: Durch dieses Handeln erhält Jesus eine hervorgehobene, einzigartige Stellung im endzeitlichen Heilsgeschehen, die weit über die der sonstigen gestorbenen Gerechten oder Märtyrer hinausgeht. Denn Gott setzt diesen Jesus als endzeitlichen *Menschensohn-Richter* ein, der in der apokalyptischen Hoffnung Israels erwartet wurde (vgl. Dan 7; äth. Henoch 37–71). In dieser Vorstellung dürfte (nach dem heutigen Erkenntnisstand) wohl die älteste christologische Ausdeutung der Ostererfahrung liegen (vgl. 1 Thess 1,9f). Die Hoffnung der ersten Christen richtet sich nun ganz auf den »vom Himmel her« (d.h. aus dem Lebensraum Gottes) wiederkommenden Menschensohn bzw. Sohn Gottes; in ihren Gottesdiensten harren sie seiner Wiederkunft (vgl. 1 Kor 16,22; Offb

---

[70] Daß die Erwartung einer individuellen Totenerweckung *vor* der allgemeinen durchaus im Blickfeld der zeitgenössischen jüdischen Eschatologie lag, wird am Beispiel der erwarteten Auferweckung des Täufers Johannes ersichtlich. Daß diese Erwartung sich jedoch gerade in Jesus erfüllte, ist allein mit dieser Vorstellung nicht zu erklären. Sie setzt die Erfahrung eines außergewöhnlichen Handelns Gottes an Jesus voraus. Vgl. dazu K. Berger, Die Auferstehung des Propheten und die Erhöhung des Menschensohnes, Göttingen 1976; P. Hoffmann, aaO. 487.

[71] G. Lohfink, aaO. 169. Gerade die Stelle Mt 27,51–53 könnte darauf hinweisen, daß sich bei den Osterzeugen die Hoffnung verbreitete, in den nächsten Tagen, Wochen oder Monaten würden auch die anderen Toten auferstehen und das Jüngste Gericht einsetzen.

22,20: »Maranatha« – »Komm, Herr!«). Die Gemeinde erwartet sein machtvolles Erscheinen von Gott her, da sie dessen Vor-schein bereits in den Ostererscheinungen erfahren durfte. Diese Einsetzung Jesu zum endzeitlichen Richter impliziert nun ein zweifaches: Einmal werden er und seine Verkündigung zum endgültigen Maßstab des Gerichtes. Wie man es im Leben mit ihm und seiner Botschaft hält, das wird das Verhalten des Menschensohnes beim Gericht bestimmen (Lk 12,8). Zum anderen legitimiert diese Sonderstellung Jesu die Jünger, jetzt – in der noch weiterlaufenden Geschichte – die Botschaft Jesu weiterzuverkünden; denn Israel muß auf das Gericht des Menschensohnes vorbereitet werden. Gerade die starke Gerichtsbetonung in dieser ältesten christologischen Aussage setzt die urchristliche Missions- und Verfolgungssituation voraus. Denn darin spricht sich sowohl der Ernst der letzten Entscheidungs- und damit Heilsmöglichkeit Israels wie auch die Hoffnung auf Gerechtigkeit für die jetzt bedrängten Glaubenden aus. Was wird nun aber angesichts dieser immer stärker christologischen Auslegung der Ostererfahrung aus der Verkündigung Jesu vom ankommenden Reich Gottes? Sie wird keineswegs verdrängt oder mit dem kommenden Richter einfachhin identifiziert; vielmehr wird sie (wie besonders aus Q, Mk und den paulinischen Schriften erkennbar ist), neu aufgegriffen und über viele Jahrzehnte weiterverkündet. Sie bekommt allerdings in Verbindung mit der baldigen Gerichtserwartung noch einmal eine verstärkte Dringlichkeit und Gültigkeit.[72] Das bedeutet: Die Gegenwart der kirchlichen Verkündigung vom Reich Gottes wird jetzt zur endgültigen Heilszeit für Israel *vor* dem Gericht des Menschensohnes. Das nahe Reich Gottes und das nahe Gericht des Sohnes Gottes werden aneinander gebunden. Die Reich-Gottes-Botschaft bekommt so allmählich eine immer stärker werdende *christologische* Prägung. Der bleibende theologische Sinn dieser neuen Akzentsetzung dürfte darin liegen, daß (in den apokalyptischen Bildern vom Menschensohn, der auf den Wolken des Himmels zum Gericht kommen wird) die Hoffnung auf die neue, wahrhaft menschliche Herrschaft Gottes unwiderruflich mit der Person und dem »Programm« Jesu verknüpft wird. Gott setzt seinen Gerechtigkeits- und Friedenswillen, also sein Königtum insofern durch, als die Botschaft Jesu und sein ganzes Tun von seinen Zeugen weitergetan wird. Daran werden sich die Menschen, allen voran Israel, »scheiden«. Nur wo Jesus als un-

---

[72] Vgl. zum folgenden G. Dautzenberg, Der Wandel der Reich-Gottes-Verkündigung in der urchristlichen Mission, in: G. Dautzenberg/H. Merklein/K. Müller (Hrsg.), Zur Geschichte des Urchristentums, Freiburg 1979, 11–32; W. H. Schmidt/J. Becker, Zukunft und Hoffnung, Stuttgart 1981, 121–130.

bedingter Maßstab auf allen Ebenen des menschlich-gesellschaftlichen Zusammenlebens angenommen wird, da kommt auf unzerstörbar gültige Weise das Reich Gottes, eben Gottes menschliche »Gesellschaftsordnung« zum Vor-schein. Mit dieser christologischen Färbung geht deswegen zugleich eine zunehmende *ekklesiologische* Gestaltung der Reich-Gottes-Botschaft einher. So erhält gerade in der markinischen Theologie das »Evangelium vom Reich Gottes« (Mk 1,14f) den Charakter einer für *alle* Zeiten und *alle* Völker gültigen »frohen Botschaft«. Die Beschränkung der Verkündigung auf Israel wird angesichts seiner erneuten Verweigerung aufgehoben zugunsten einer universalen Mission. Wer auch immer diesem Evangelium »glaubt« (auch ohne die Zeichen der Gottesherrschaft zu sehen, die Jesus in und für Israel gewirkt hat), kommt zum Heil. Im *Glauben* an dieses Evangelium der Boten geschieht nun die Annahme der Gottesherrschaft. Dies wird empirisch darin erfahrbar, daß sich allmählich *Gemeinden* bilden, in denen sich diejenigen, die an die Botschaft vom Reich Gottes glauben, denen also das »Geheimnis« der Gottesherrschaft enthüllt worden ist, zusammenschließen und von denen scheiden, die »draußen« bleiben (vgl. Mk 4,10–12). Es bildet sich somit eine neue »Familie Gottes« von solchen, die um des Reiches Gottes willen alles verlassen haben und jetzt in ganz neuen sozialen und wirtschaftlichen Bezügen leben (Mk 10,28–31). Das menschliche Zusammenleben dieser Gemeinden wird ganz von der gegenwärtigen Macht der Gottesherrschaft bestimmt: »Das Reich Gottes ist nicht Essen und Trinken, es ist Gerechtigkeit, Friede und Freude im Hl. Geist« (Röm 14,17). Gottes Gerechtigkeit und Frieden setzen sich also erfahrbar im Frieden und in der Einheit der christlichen Gemeinden, in der Ekklesia Gottes durch. Als »Stadt auf dem Berg« und als »Licht der Welt« (Mt 5,14–16) sind sie jetzt das herausragende Zeichen der nahegekommenen Gottesherrschaft.

c) Die Hoffnung auf »Teilhabe« am Leben des Auferstandenen

Im Laufe der Zeit jedoch, zumal unter dem Eindruck der sich verzögernden Parusie des Menschensohnes und unter dem immer stärker werdenden Einfluß der hellenistischen Juden- und Heidenchristen[73], tritt noch eine deutlichere Umwandlung der Reich-Got-

---

[73] In solchen (juden- und heiden-)christlichen Kreisen, die stärker vom Hellenismus geprägt sind, rückt gegenüber der Zukunftsperspektive des wiederkommenden Menschensohnes Jesus viel stärker die gegenwärtige Erhöhung Jesu zum Kyrios und zum (messianischen) Sohn Gottes in den Vordergrund (vgl.

tes-Hoffnung Jesu ein: Den Glaubenden geht es offensichtlich immer mehr darum, an dem neuen, »himmlischen« Leben des Auferweckten, an seinem lebenspendenden Geist (»Pneuma«) *teilzuhaben*. Diese Hoffnung auf Teilhabe verstärkt die christologische und ekklesiologische Neuprägung der Reich-Gottes-Botschaft Jesu. Denn diese Teilhabe kann auf zweifache Weise erlangt werden. Einmal bereits in der *Gegenwart:* Die Glaubenden können hier und jetzt durch die *Taufe* an Jesu neuem Leben Anteil erhalten (vgl. Eph 2, 6; Kol 2, 12). Dahinter steht wohl ein judenchristliches Verständnis der Taufe als Besiegelung der Bekehrung.[74] In der Bekehrung schenkt Gott (nach jüdischer Auffassung) neues, ewiges Leben bereits in der Gegenwart (vgl. Lk 15, 24. 32: »Denn mein Sohn bzw. dein Bruder war tot und lebt wieder«). Die Bekehrung zum Glauben an das Evangelium wird nun von den Christen in Verbindung gebracht mit *dem* Leben, das der lebenspendende Gott dem gekreuzigten Jesus geschenkt hat. In der Taufe mit ihrer sprechenden Symbolik des Untertauchens und Auftauchens wird die Bekehrung und damit auch das neue Leben besiegelt: Sie gewährt reale Teilhabe am Todesgeschick und am Auferstehungsleben Jesu. Daß hierbei neben jüdischen Einflüssen auch bestimmte Vorstellungen hellenistischer Mysterienkulte in dieses Taufverständnis eingeflossen sind (etwa die Idee von der Teilhabe der Mitfeiernden am Tod und am neuen Leben des Gottes), ist nicht zu bestreiten.

Diese Hoffnung auf gegenwärtige Partizipation am Auferstehungsleben Jesu wird dann vor allem in der Glaubenstheologie des Johannesevangeliums entfaltet: »Wer glaubt, hat das ewige Leben« (Joh 5, 24). Der Glaube entscheidet über Leben und Tod; er vermittelt jetzt schon unzerstörbare Lebensgemeinschaft mit Gott. Dem Glaubenden kann der leibliche Tod nichts anhaben, denn er ist bereits im Heil, im vollendeten Leben und bleibt es auch über den Tod hinaus. Das »Jetzt« gilt nicht nur als Vorstufe, dem »dann« die Vollendung folgen wird, sondern jetzt ist die Vollendung bereits da. Denn jetzt bringt der aus dem Himmel herabgestiegene Sohn das ewige Leben Gottes für den, der glaubt. Seine Sendung vom Himmel auf diese Erde ist bereits »Parusie«, und die Entscheidung zwischen Glauben und Unglauben ihm gegenüber ist bereits das endgültige Gericht.[75]

Röm 1, 3 f; Röm 10, 9 u. a. m.); die Auferstehung Jesu durch Gott begründet bereits seine gegenwärtige und nicht erst beim künftigen Gericht gegebene Hoheitsstellung.

[74] Vgl. dazu P. Hoffmann, aaO. 484 f; zum folgenden auch H. Vorgrimler, Hoffnung auf Vollendung, Freiburg 1980, 51 ff.

[75] Von der Redaktion des Johannesevangeliums werden demgegenüber aus anti-

Dieses Gegenwartsverständnis der Teilhabe kann in hellenistisch-enthusiastischen Kreisen so weit gehen (wie z.B. in Korinth), daß eine Hoffnung auf zukünftige Vollendung ganz wegfällt. Im pneumatischen Gefühl der Erfüllung und der Vollkommenheit glaubt man, alles sei schon erreicht. Wie die Gemeinde von Korinth beweist, läßt sich daher die Gefahr einer sittlichen Ungebundenheit (»Wir sind ja Pneumatiker!«) und der Gegenwartsfixierung (»Laßt uns die Gegenwart auskosten, es gibt nichts größeres zu hoffen!«) kaum vermeiden. Dagegen bezieht vor allem Paulus in seinen beiden Korintherbriefen Stellung. Auch für ihn gibt es jetzt schon eine Teilnahme am Leben des gekreuzigten und auferstandenen Christus; aber nur in *der* Weise des Hl. Geistes, daß er als das »Angeld« des Auferstehungslebens in uns wirkt (Röm 5,5; 6,11; 8,9–17.23 ff). Das bedeutet: Der Anfang des ewigen Lebens ist in uns hineingelegt, aber wir leben in ihm noch immer »auf Hoffnung hin« (Röm 8,24), nämlich, daß seine vollendete Gestalt hervortritt. Die Erfahrung des Geistes Christi erweckt in uns die Hoffnung auf Vollendung, nicht aber das ekstatische Gefühl bereits geschehener Vollendung. Solche Hoffnung bewirkt, daß wir jetzt um so intensiver am Weg des gekreuzigten Jesus teilnehmen; daß wir bereitwillig mit ihm sterben und mit ihm gekreuzigt werden. In diesem Gehorsam gegenüber dem gekreuzigten Jesus zeigt sich für Paulus vor allem die gegenwärtige Teilhabe am Geist und am Leben des Auferstandenen.

Dementsprechend spielt bei Paulus gerade die *zukünftige Form* der Teilhabe an dem neuen Leben Jesu Christi eine wachsende Rolle.[76] Er teilt die älteste christlich-apokalyptische Parusieerwartung; ja, er lebt in einer ganz drängenden Naherwartung und hofft, den wiederkommenden Herrn noch lebend zu sehen (1 Thess 4,15). Dies bestimmt auch seinen Missionselan, seinen Eifer für die Bekehrung der Heiden und Israels (Röm 9–11) und seine Ethik, die aus diesem Kontext nicht herauszulösen ist. Wegen dieser Naherwartung nimmt die Hoffnung auf die Auferstehung der Toten anfangs bei ihm auch keinen großen Raum ein. Durch *zwei* Faktoren bedingt, rückt sie dann aber doch allmählich stärker in den Vordergrund: (1) Einzelne *Todesfälle* in der Gemeinde von Thessalonich (vgl. 1 Thess 4,13–18) stellen die Hoffnung auf ewige Gemeinschaft mit dem Herrn nach seiner Parusie, die ja hier auf der gerichteten und so zum Reich Gottes ein-gerichteten Erde erwartet wird, in Frage:

doketistischen Motiven sowohl die Leiblichkeit wie auch die Zukünftigkeit der Auferstehung von den Toten betont (vgl. Joh 5,28; 6,39b.40c.44c.54b).

[76] Vgl. dazu bes. J. Becker, Auferstehung der Toten im Urchristentum, Stuttgart 1976; P. Hoffmann, aaO. 489.

Was ist mit den Toten bei der Parusie? Darauf antwortet Paulus: Die Toten werden gegenüber den dann noch Lebenden keineswegs benachteiligt; denn auch die Toten sind »*in Christus*« (V. 16). Das »In-Christus-Sein«, das Leben in seinem Lebensraum und in seiner Lebenssphäre (»Hl. Geist«) gilt auch für das Sterben und Tot-Sein; es ist die Grundbestimmung des glaubenden Menschen, ob er lebt oder stirbt (vgl. Röm 14,7 f). Das Heilshandeln Gottes an Jesus Christus, dem Gestorbenen und Auferstandenen, kommt auch den Toten zugute, genau wie den Lebenden. Hier wird zum erstenmal im Neuen Testament die Verbindung der Auferstehung der toten Christen mit der Auferstehung Jesu als ihrem ermöglichenden Grund ausgesagt. Die ganze Antwort des Paulus, die er mit vielen apokalyptischen Bildern veranschaulicht, läuft auf die Kernaussage hinaus: »Dann werden wir für immer beim Herrn sein« (1 Thess 4,17). Die bleibende Gemeinschaft mit Christus, auch über den Tod hinaus, ist der Terminus der christlichen Hoffnung.

(2) Der religiöse *Enthusiasmus* der Korinther, nach deren Überzeugung die kultische Teilhabe (Taufe) am Auferstehungsleben Jesu bereits die endgültige Vollendung schenkt und damit die Christen der Todesmacht bereits ganz enthebt, so daß auf die Einbeziehung des Leibes (= Auferweckung der Toten) in das vollendete Heil verzichtet werden kann, bringt Paulus dazu, seine Hoffnung auf die Zukunft der Auferstehung noch einmal ausführlicher zu begründen. In 1 Kor 15 argumentiert er in drei Schritten:

V. 12–19: Der ganze Sinn der christlichen Verkündigung und des Glaubens hängt von der Verbindung zwischen Auferweckung Jesu und allgemeiner Totenerweckung ab: »Wenn es keine Auferstehung der Toten gibt, ist auch Christus nicht auferweckt worden. Ist aber Christus nicht auferweckt worden, dann ist unsere Verkündigung leer und euer Glaube sinnlos.«

V. 20–28: Das Heil in Christus hat eine *geschichtliche* Dimension. Der Geschichte des Todes (von Adam an) steht eine Geschichte des Lebens gegenüber, die mit Christus beginnt. In diese Geschichte sind wir bereits einbezogen, aber dennoch ist damit die Geschichte des Todes noch keineswegs vollständig beendet. Erst Christus allein ist ihr enthoben, eben als »Erstling der Entschlafenen« und damit als Anfang einer neuen Menschheit; für die anderen steht solche Vollendung noch als erwartete Zukunft aus. Diese Zukunft gliedert Paulus geschichtstheologisch noch weiter auf: Für die nächste, baldige Zukunft wird die Parusie Jesu und damit die Auferweckung der zu Christus Gehörenden erhofft; danach folgt – gleichsam als »Interimsherrschaft« – das »Reich des Sohnes« (was durch die Unterordnung der »Mächte« unter Christus gekennzeichnet ist), bis auch der Tod als letzte Macht ihm unterworfen wird; dann erst (als fernere Zukunft) kommt das »Reich« und die »Herrschaft« Gottes, nämlich wenn Jesus seine Herrschaft dem Vater übergibt und »Gott alles in allem ist« (V. 28). Erst dann ist die Vollendung der Geschichte erreicht.

V. 35–58: Darüber hinaus hat das neue Heilsgeschenk aber auch eine *anthropologische* Dimension. Gegenüber den leibverachtenden Hellenisten betont Paulus, daß der ganze Mensch Leib ist, also vergänglich und dem Tod geweiht. Er findet deswegen sein Heil erst dann, wenn er als ganzer (und nicht nur ein »pneumatischer Kern«) auferweckt wird, wenn er als Leib der Vergänglichkeit enthoben und in eine unvergängliche, aber durchaus leibhaftige Existenzweise auferweckt wird. Dies kann jedoch nur die Schöpfermacht Gottes, die den ganzen Menschen in die unvergängliche Seinsweise des »Pneumas« Gottes verwandelt; d. h., auch der Leib findet seine Vollendung erst darin, daß er ganz und gar durchformt ist von dem Geist Gottes, daß er nichts anders mehr ist als der transparente Selbstausdruck des Lebens und der Liebe Gottes.

Wie können wir die Frage nach der *Wandlung* der Reich-Gottes-Verheißung Jesu durch seinen Tod und seine Auferstehung *zusammenfassend* beantworten? Zunächst hat sich zweifellos das *Ziel* der Hoffnung gewandelt. Zwar richtet sich die Erwartung der Christen noch immer auf das baldige Kommen des vollendeten und »wahrhaft menschlichen« Reiches Gottes (im Symbol des wiederkommenden Menschensohnes); aber durch die Verbindung mit der christologischen Reflexion der Rolle Jesu beim Kommen des Reiches (als »Menschensohn« und »Richter«, als »Kyrios« und »Sohn Gottes«) und durch die Erfahrung der Verzögerung seiner Wiederkunft rückt die Gestalt des auferweckten Herrn und die Hoffnung auf (gegenwärtige und zukünftige) Teilhabe an seinem neuen Leben mehr und mehr in den Vordergrund. Das Reich Gottes nimmt das Gesicht des Auferweckten und der Lebensgemeinschaft mit ihm an. Wenn Origenes einmal von Jesus als der »Autobasileia« (also der Gottesherrschaft »in Person«) sprechen wird, so ist diese Aussage bereits in neutestamentlicher Zeit grundgelegt.

Daß mit einer solchen berechtigten Christozentrik allerdings bald auch eine immer stärker werdende Tendenz der Spiritualisierung und Individualisierung einhergeht (zumal dann, wenn der Raum des Judentums verlassen und das Christentum fast ganz im hellenistischen Heidenchristentum beheimatet sein wird), ist offenkundig: Das Heil der Einzelnen (ob lebend oder tot), das in der vollen Lebensgemeinschaft mit Jesus besteht, ist nicht mehr unbedingt gebunden an die endgültige Umwandlung Israels und dieser Welt in das Reich Gottes. Es kann auch bereits jetzt, gleichsam parallel zu der Unheils- und Todesgeschichte unserer Welt, sowohl »im Himmel«, d. h. in der transzendenten Lebenssphäre des Auferstandenen, wie auch hier auf Erden im Empfangen seines Hl. Geistes zuteil werden. Diese Verbindung der Eschatologie mit der Christologie und der Pneumatologie *muß* keineswegs die ursprünglichen »materialistischen«, d. h. auf eine leiblich erfahrbare Umwandlung dieser Welt in das menschliche Reich Gottes hinzielenden Gehalte der Verkündigung Jesu verdrängen (wenn sie es auch faktisch oft tut). Diese können darin durchaus »aufgehoben« werden; denn die Lebensgemeinschaft mit dem Auferstandenen (als dem *»Ersten«* der Entschlafenen) schließt unmittelbar auch die solidarische Gemeinschaft aller mit ein, die sich (ob in ausdrücklich christlicher Form oder nicht) auf den Weg der Nachfolge des irdischen Jesus machen und dabei mit ihm ihr Leben hingeben um des Friedens und der Gerechtigkeit für die Armen willen. Sie schließt zudem im Lebensraum des »Neuen Jerusalem« die ganze naturhafte und kulturelle Schöpfung in die Vollendung mit ein (s. 2. Teil I/3).

Mit dem Ziel hat sich auch der *Träger* der Reich-Gottes-Hoffnung geändert: Nicht mehr das Volk Israel als ganzes und darin vor allem die es repräsentierenden Armen sind das angesprochene und neu zu bereitende Subjekt der kommenden Gottesherrschaft, sondern mehr und mehr die an das Evangelium Glaubenden, die sich von den Ungläubigen auch institutionell allmählich unterscheiden und abgrenzen. Damit ist eine deutliche Tendenz zur Einbindung der Reich-Gottes-Botschaft in die Ekklesiologie gegeben; die (von Israel getrennte) Gemeinde der Glaubenden und Getauften versteht sich als die »vor Gott Armen«, denen das Reich verheißen ist (Mt 5,3); sie wird zum hervorgehobenen Ort, zum vorwegnehmenden »Realsymbol« des Reiches Gottes.

Angesichts der Ostererfahrung und der neuen geschichtlichen Verkündigungssituation (mit der wiederholten Ablehnung Israels) ist diese Entwicklung durchaus legitim. Allerdings bleibt die Verheißung Jesu darin nur dann im vollen Sinn »aufgehoben«, wenn zwar die Partikularität Israels »weg-genommen« wird, aber nicht einfachhin durch eine andere Partikularität (eben die der Kirche) ersetzt wird, sondern nur wenn *in* dieser unvermeidlichen Partikularität der Kirche die Ursprungsverbindung mit Israel, dem Volk der »Armen Jahwes«, *und* darin zugleich die universale Offenheit für alle Armen dieser Erde sichtbar gelebt wird. Das bedeutet: Die Gegenwart des Reiches Gottes in der Kirche, in ihrem Glauben, in Taufe, Mahlgemeinschaft, Sündenvergebung und all den anderen vermittelnden Zeichen des Auferstandenen ist nur dann identisch mit dem, was Jesus als Reich Gottes verkündet hat, wenn diese Kirche einmal ihre Herkunft aus Israel nicht vergißt, sondern unermüdlich die »ökumenische Einheit« mit diesem ursprünglichen Volk Gottes sucht; und zum anderen, wenn sie ständig ganz real und sehr leibhaftig auf dem Weg zu den Armen bleibt, also zu denen, die aufgrund ihrer leiblich erfahrenen Not sich ganz auf Gottes Gerechtigkeit angewiesen wissen, um ihnen vor allem das bereits gekommene Heil der Gottesherrschaft zuteil werden zu lassen und so als »arme Kirche« in der Nachfolge des »armen Israel« zu stehen.

d) Die theologische Bewältigung der »Parusieverzögerung«

Wie ist es nun dieser Hoffnung auf Gottes Herrschaft und Reich im Laufe der kirchlichen Glaubensgeschichte ergangen?[77] Was speziell die »Naherwartung« angeht, führte die Enttäuschung über das Nicht-Eintreffen dieser so *vorgestellten* Wiederkunft Jesu und der Vollendung des Reiches Gottes zwar die ersten Christen in eine Krise, aber dennoch nicht zum Verlust ihrer Identität. Denn sie wußten um den Charakter solcher Verheißungen: Sie enthalten die Zusage einer Zukunft von Gott her, die in keiner bestimmten menschlichen Erwartung und Vorstellung aufgeht. Sie bleibt unverfügbar der Freiheit des je größeren Gottes anheimgestellt. Die Erfahrung der Treue Gottes – gerade in der Auferweckung Jesu – ließ die Hoffnung auf zukünftige Vollendung des Reiches Gottes nicht versiegen, auch wenn sich ihr Eintreffen offensichtlich verzögerte. Gott *hat* bereits endgültig in Jesus Christus zum Heil der Menschen gehandelt; er wird es auch in der Zukunft auf vollendende Weise tun; wann und wie – das bleibt allein ihm überlassen.

Der häufigste Versuch im Neuen Testament, die Erfahrung der Verzögerung und die Hoffnung auf die Parusie (und damit auf Vollendung) miteinander zu verbinden, liegt darin, mit einer »*Zwischenzeit*« zu rechnen, der eine bestimmte theologische Qualität zugesprochen wird. Z. B. wird in 2 Petr 3, 3–4. 8–12 so argumentiert: Wir stehen zwar am Ende der Tage, und das Ende steht bevor; aber Gott räumt noch eine Zeit der Umkehr für alle ein: »Denn er will nicht, daß jemand zugrunde geht, sondern daß alle sich bekehren« (V. 9). Vollendung im vollen Sinn des Wortes setzt eben auch eine universale Umkehr zu Gott voraus. Diese tritt aber nicht automatisch ein, sondern bleibt Gegenstand der Hoffnung auf die Freiheit

---

[77] Vgl. dazu G. Greshake/G. Lohfink, Naherwartung – Auferstehung – Unsterblichkeit, aaO. 50–59.

der Menschen, die sich vom Geist Gottes bestimmen läßt. – Lukas qualifiziert diese »Zwischenzeit« als Zeit der Kirche. Ihr ist das Heil, das Christus gebracht hat, anvertraut; sie soll es allen Völkern verkünden. Ihre Mission ist der Sinn der »Verzögerung« der Parusie. Die Kirche im Dienst der universalen Umkehr – darin liegt der Anker der Hoffnung angesichts der sich verzögernden Wiederkunft des Herrn. Ihre unablässige Treue (vgl. Lk 17, 10) und ihre ungebrochene Wachsamkeit (vgl. Lk 12, 45) bilden die einzig richtige, dem plötzlichen und überraschenden Kommen des Herrn angemessene Haltung in dieser geschichtlichen »Zwischenzeit«. – Paulus, der Heidenapostel und zugleich der solidarische Eiferer für sein eigenes Volk, sieht in der zwischenzeitlichen Völkermission noch einmal eine letzte Chance, die Gott dem sich »verstockenden« Israel eingeräumt hat, um auch es *als ganzes* zu retten; denn seine Verheißungen an Israel bleiben unwiderruflich, so daß er gleichsam die Umkehr der Heiden zum Anstoß für die endgültige Umkehr Israels (und damit für die Vollendung der ganzen Heilsgeschichte) wählt (vgl. Röm 11, 25–36).

Dennoch ließ sich auf Dauer nicht verhindern, daß die biblische Naherwartung allmählich verblaßte. Um dennoch die Hoffnung auf das *zukünftige* Kommen des Reiches und auf die Wiederkunft des Herrn lebendig zu halten, ging die theologische Deutung der biblischen Hoffnung verschiedene Wege; einige »Grundmuster« solcher Interpretation seien kurz genannt[78]: So wird z. B. die *kultisch-sakramental* erfahrene Gegenwart des Heils stärker in den Vordergrund gerückt. Ein solcher Glaube lebt mehr aus dem »Schon« des Heils, aus der Gegenwart des Geistes in der Kirche, als aus dem »Noch-nicht« seiner universal befreienden Kraft. Dies befähigt zwar die Christen durchaus zu einer glaubenden Gegenwartsbewältigung, nimmt aber zuweilen der christlichen Hoffnung das Drängende, Unzufriedene und Vorwärtstreibende. Eine solche Rezeption biblischer Hoffnung wird deshalb gerne von solchen innerkirchlichen Gruppierungen bevorzugt, die eher an der Bewahrung als an einer tiefgreifenden Änderung kirchlicher Zustände interessiert sind. Damit verbindet sich oft ein immer stärkeres Abschieben der universalen Zukunft des Heils in ein fernes Jenseits; sie versickert leicht in einem theologischen Lehrsystem über die »letzten Dinge«. Dieses mag dann zwar noch in den kräftigsten apokalyptischen Farben ausgemalt werden, aber eine geschichtlich verändernde Wirksamkeit im Leben der Christen und der Kirche geht davon kaum mehr aus.

[78] Ebd.

Daneben gibt es noch andere Versuche, den Zeitfaktor »Zukunft«
erheblich zu relativieren: einmal auf »existenziale« Weise, nach der
das *Jetzt* der Entscheidung zum Glauben die eschatologische Endzeit, das »Ende« und die »Vollendung« der Geschichte ist (so etwa
R. Bultmann, H. Conzelmann u. a.). Die Zeit wird ganz auf die anthropologische Erfahrung von ihr reduziert, und zwar auf die des
Augenblicks der existentiellen Entscheidung für den Glauben. Damit vergleichbar ist die »paränetische« Relativierung der Zukunft:
Auch hier wird die Nähe des Reiches Gottes nicht zeitlich-zukünf-
tig gedeutet, sondern eher als prophetisches Ausdrucksmittel der
Anforderung und des Appells an die jeweilige Gegenwart. Gott ist
stets am Handeln und darum auch jetzt. Dem stets handelnden Gott
gegenüber wird deswegen notwendigerweise eine »Stets-Bereit-
schaft« gefordert (so R. Schnackenburg und viele katholische Ex-
egeten).

Im Unterschied dazu wird heute in vielen eschatologischen Theorien die reale Zeitdimension »Zukunft« wieder stärker zur Geltung
gebracht; allerdings geschieht dies meist nicht in Verbindung mit
dem apokalyptischen Weltbild und seiner Vorstellung von einem er-
eignishaft eintretenden Ende der Geschichte, sondern ansetzend
beim *Tod des Einzelnen,* worin die individuelle Geschichte ihr Ziel
und ihr Ende findet. Darin kommt Gott mit seinem vollendenden
Heil endgültig zu den Menschen, und deswegen geschieht hier bereits Wiederkunft des Herrn, Auferstehung und Gericht. Zugleich
vollendet sich im Tod jedes Einzelnen – gleichsam sukzessive – die
universale Geschichte der Menschheit, insofern jeder Mensch als
geschichtlich relationales Wesen ein Stück Welt und Geschichte in
die Vollendung miteinbringt. Die irdische Geschichte kann dabei
gleichzeitig beliebig lang weiterlaufen (so z. B. G. Lohfink und
G. Greshake).

Wir werden uns in vielen Punkten dieser letzteren Auffassung anschließen, aber dennoch den Akzent etwas anders setzen, indem wir
der irdisch-geschichtlichen Zukunft des Reiches Gottes einen größeren Stellenwert in der christlichen Hoffnung einräumen. D. h.
wir werden (im 3. Teil) ein Verstehensmodell vorschlagen, das bei
der *gesellschaftlichen* Dimension der Vollendung ansetzt und damit
stärker die prophetisch-jesuanische Tradition von der Zukunft des
Reiches Gottes zur Geltung bringt. Dadurch wird die mehr bei der
individuellen Geschichte ansetzende Hoffnung auf zukünftige
Vollendung keineswegs ersetzt; wohl aber soll sie in den umgreifenderen Horizont der sozialen Gestalt des Heils integriert werden.[79]

[79] Diese Auffassung entspricht auch der von G. Lohfink und G. Greshake, die mit

Ein solcher Ansatz christlicher Hoffnung, der sich vor allem in den Texten 4 und 5 des 1. Teils unserer Phänomenologie wiederfindet (»Hoffnungsweise B«), hat durchaus auch eine lange Traditionsgeschichte, aus der wir im folgenden Kapitel einige bedeutsame Phasen herausgreifen wollen. Dagegen werden wir die kirchliche Überlieferung der (stärker auf die individuelle Vollendung des Menschen ausgerichteten) »Hoffnungsweise A« (vgl. die Texte 2 und 3 im 1. Teil) unter den Stichworten »Unsterblichkeit« und »Auferstehung« im 3. Teil, II/2 zur Sprache bringen.

III. Gegenwart und Zukunft des Reiches Gottes im Glauben der Kirche

1. REICH GOTTES UND HERRSCHAFT CHRISTI IN DER OFFENBARUNG DES JOHANNES

Beginnen wir unseren Gang durch diesen Zweig der kirchlichen Hoffnungsgeschichte bei der »Offenbarung« des Johannes, dem letzten Buch des Neuen Testaments, das als einzige kanonische Schrift eine christlich-apokalyptische Gesamtschau der Gegenwart und Zukunft unserer Welt enthält.[80]

a) Einleitungsfragen zur Apokalypse

Diese neutestamentliche Schrift dürfte gegen Ende der Regierung des Kaisers Domitian (81–96) in Kleinasien von einem urchristlichen Propheten namens Johannes (vgl. Offb 1,9) verfaßt worden sein. In der westlichen Kirche ist sie bereits seit dem 2. Jh. (Hippo-

ihrem Ansatz bei der Individualeschatologie keineswegs die Universaleschatologie ersetzen oder die theologische Bedeutung der Gesamtgeschichte einschränken wollen; vgl. aaO. 153.

[80] Vgl. dazu H. Kraft, Die Offenbarung des Johannes (HNT 16a), Tübingen 1974; E. Schillebeeckx, Christus und die Christen, Freiburg 1977, 417–446; D. Georgi, Die Visionen vom himmlischen Jerusalem in Apk 21 und 22, in: D. Lührmann/G. Strecker (Hrsg.), Kirche (Festschrift G. Bornkamm), Tübingen 1980, 351–372; U. B. Müller, Die Offenbarung des Johannes (ÖTK 19), Gütersloh/Würzburg 1984.

lyt) als kanonisch anerkannt, während sie in der Ostkirche noch lange Zeit, vor allem bei den Origenisten umstritten war. Erst durch Athanasius, der sie 367 in seinem Osterfestbrief den kanonischen Schriften zurechnet, wird der Kampf um ihre Anerkennung in der Kirche beendet.

In dieser Schrift drückt sich der religiös-geistige Widerstand der kleinasiatischen Christen gegen das römische Imperium aus. Sie stellt ein Trostbuch der dort verfolgten christlichen Minderheit dar, indem sie diese ermutigt: Seid getrost, der Kampf ist bereits entschieden, Christus ist der Sieger, der Herr der Geschichte; er kommt bald wieder und wird auch hier auf Erden den Kampf Satans gegen die Kirche beenden; dann wird eine neue Welt entstehen, ein neuer Himmel und eine neue Erde.

Im Zentrum der Apokalypse steht die Öffnung der sieben Siegel (ab 5, 1). Mit dieser Öffnung wird das geschlachtete und gerade *so* siegreich-erhöhte »Lamm« (= *der* Christus-Titel der Offenbarung) beauftragt. Indem es die sieben Siegel, die den ganzen Sinn und Verlauf der Geschichte enthalten, aufbricht, werden die Endereignisse in Gang gesetzt; denn jetzt, da die Siegel des Planes Gottes mit der Geschichte offenbart werden (wobei der »Seher« zuschaut), ist das Ende der Geschichte gekommen. Die Offenbarung des Sinnes und des »Woraufhin« der Geschichte bringt zugleich ganz real das Ende dieser Geschichte mit sich; denn bei Gott ist es ja bereits festgelegt und geschehen, es tritt jetzt nur noch in der irdischen Geschichte hervor; es wird dort offenbar und ereignet sich damit zugleich. Die Aussageabsicht dieser Schrift liegt also darin, die Endereignisse so zu schildern, daß das siebte Siegel das endgültige Ende, die Epiphanie Gottes und die Auferweckung der Toten enthalten soll.

Dieses ursprüngliche Konzept der aufeinanderfolgenden Öffnung der sieben Siegel ist jedoch ständig erweitert worden, um möglichst alle bekannten prophetischen Traditionen Israels zur Sprache zu bringen und dadurch für die Gegenwart neu zu aktualisieren. Zugleich möchte der Verfasser auch möglichst allen geschichtlichen Phänomenen gerecht werden. So gehen aus dem siebten Siegel sieben Engel mit sieben Posaunen hervor (Kap. 8), aus der siebten Posaune wiederum sieben Engel mit sieben Schalen (Kap. 15), welche die kosmischen und gesellschaftlichen Wehen der Endzeit, also die Strafen Gottes als Auswirkung seines Zornes und als Mahnung zur Umkehr enthalten. In diese Bilder kleidet sich die traditionell dualistische Geschichtsauffassung der Apokalyptik. So kommt es in der jetzt geschauten Endzeit zu einer großen eschatologischen Versuchung der Heiligen, die im christlichen Kontext bezogen wird auf die verschiedenen regionalen Christenverfolgungen unter den römischen Kaisern, in denen sich die satanische Widermacht auf der Erde manifestiert. Satan, der Gegenspieler Gottes, verkörpert sich geschichtlich im Antichristen Rom, das sowohl als christusfeindliches Kaisertum (»aut Christus aut Caesar«) wie auch als sündige Stadt, als »civitas terrena« (»aut Babylon aut Jerusalem«) *der* große eschatologische Gegenspieler gegen Christus und seine Gemeinde ist. Aber Christus hat diesen Feind durch seinen Tod und seine Auferstehung bereits besiegt; das eschatologische Drama neigt sich trotz aller »Rückzugsgefechte« Satans in der Geschichte dem Ende zu.

b) Die eschatologischen Grundgedanken der Apokalypse: die Visionen einer neuen Welt

(1) Das »geschlachtete Lamm« als Herr der Geschichte

Der *Grund* der Herrschaft Jesu Christi liegt in seinem Sühnetod aus Liebe zu den Menschen, worin der Sieg über den Tod und die Sünde, also über die stärksten Mächte des verneinenden, zerstörenden Hasses, ja über den ganzen dämonischen Machtbereich in dieser Welt errungen worden ist. Das Lamm, das geschlachtet wurde, ist damit zugleich der siegreiche Löwe aus dem Stamm Juda (5, 5 f). Sichtbar wird dieser Sieg Jesu vor allem in der *Sammlung* des endzeitlichen Israel (= Kirche) aus allen Völkern (5, 9 f; 14, 4) und in der *Befreiung* dieser Gemeinde aus dem Äon des Todes, was sich in der Sündenvergebung, in der Errettung vor dem ewigen Tod und in der Befähigung zum Widerstand gegen die absolute Vergöttlichung der kaiserlichen Macht erweist.

Die *Gestalt* dieser Herrschaft Jesu realisiert sich auf zwei Ebenen: einerseits im »Himmel«, womit sowohl Gottes ewiger Geschichtsplan wie auch Gottes himmlische Stadt gemeint ist. Dort herrscht Christus als das »erhöhte Lamm« und als der messianische Reiter, der die ganze Geschichte nun zum siegreichen, versöhnenden Ende führt. Zugleich regiert Christus auch auf der Erde, indem er dort ein neues Gottesvolk, seine Kirche als das wahre Israel der Endzeit aufrichtet. Durch sie übt er hier seine »Weltherrschaft« aus; konkret durch ihre Sendung in die Welt, wobei aber nicht nur die Sendung zur Verkündigung gemeint ist, sondern auch »die evangelische Praxis des Widerstandes gegen die verabsolutierte Macht des Kaisers. Das Herrschen der christlichen Gemeinde ist, vorläufig geschichtlich, ihr Widerstand – als leidende Zeugin – gegen die absolute kaiserliche Macht«.[81] Im Blutzeugnis der Märtyrer gegen den

[81] E. Schillebeeckx, aaO. 433.

Absolutheitsanspruch Roms und für den Sieg des Lammes folgt die Gemeinde ihrem Herrn, dem »geschlachteten Lamm« in Treue nach. Dieser sich noch steigernde Kampf der widergöttlichen Mächte gegen die Gemeinde des Lammes bestimmt die Endzeit unserer Geschichte; aber da Christus grundsätzlich (»im Himmel«) bereits gesiegt hat, geht die Gemeinde auch hier mit Zuversicht einem siegreichen Ausgang dieses Kampfes entgegen. Wie aber sieht nun dieses Ende aus?

(2) »Der neue Himmel und die neue Erde« (Offb 20–22)

Nach den vielen Einschüben, die alle um den endzeitlichen Kampf kreisen, beginnt dann endlich im 20. Kapitel die Verherrlichung Gottes in der endgültig und umfassend versöhnten Schöpfung, also das, was die Öffnung des siebten Siegels eigentlich offenbaren sollte. Sie setzt ein mit dem Erscheinen Gottes, vor dem Erde und Himmel fliehen (20,11); es findet also kein Weltbrand u. ä. statt, sondern die alte Welt, das Tränental, verschwindet einfachhin vor dem nun zum Gericht erscheinenden Gott. Dieses Gericht ist universal; der Tod und der Hades geben alle Toten heraus (20,13); Gott richtet die Menschen sowohl aufgrund ihrer Werke (die in »Büchern« aufgezeichnet sind) wie auch nach dem »Buch des Lebens«, worin das Geschenk der lebensspendenden Gnade symbolisiert ist (20,12). Schließlich werden selbst Tod und Hades vernichtet und mit ihnen alle, die nicht im Buch des Lebens stehen.

Dann beginnt die absolut neue Schöpfung des »neuen Himmels und der neuen Erde« (vgl. Jes 65,17). Als völlig verdorbener Machtbereich Satans kann die alte Erde nicht mehr einfach nur erneuert oder umgestaltet werden; sie muß vielmehr ganz verschwinden, so daß Gott gleichsam aus dem Nichts eine neue Erde und einen neuen Himmel schafft. Dennoch wird diese Schöpfung nicht in unirdische und unleibliche Höhen hinaufspiritualisiert. Vielmehr erscheint sie als das Herabsteigen des »himmlischen Jerusalem«, also der Wohnung und der »Gesellschaftsordnung« Gottes zu den Menschen. Damit wird die neue Erde selbst zum Himmel, zum Lebensbereich Gottes bei den Menschen; sie wird jetzt so gestaltet, wie sie in Gottes Schöpfungsplan und in der ursprünglichen Erwählung Israels (vgl. die Häufung der Zwölfzahl in Kap. 21!) schon immer gedacht war.

In zwei Symbolbildern wird diese neue Schöpfung veranschaulicht: Sie erscheint einmal (personal) als *Braut* Gottes und des Lammes, aber zugleich auch (gesellschaftlich) als die neue *Stadt*. Das identische Subjekt beider Symbole ist das neue Volk Gottes, die Kirche, die Christus gesammelt hat, die er sich zum Gegenüber seiner Liebe und zum Bereich seiner Herrschaft erwählt hat: »Komm, ich will dir die Braut zeigen, die Frau des Lammes. Da entrückte er mich in der Verzückung auf einen großen, hohen Berg und zeigte mir die heilige Stadt Jerusalem, wie sie von Gott her aus dem Himmel herabkam, erfüllt von der Herrlichkeit Gottes« (21, 9–11). Das Hauptmerkmal dieser neuen »Wohngemeinschaft« Gottes mit den Menschen liegt darin, daß den Glaubenden jetzt die unvermittelte Erfahrung der Gegenwart Gottes und seines Gesalbten geschenkt wird. Sie brauchen keinen Tempel, d. h. keine kultische Vermittlung mehr; aber auch die Sonne, d. h. die naturhafte Vermittlung wird überflüssig. So lebt die neue Stadt im ungetrübten Licht der Liebe Gottes (21, 22 ff); der Strom des überschäumenden Lebens dieser Liebe durchfließt sie (22, 1 ff), Tränen und Trauer, Klage und Mühsal sind für immer getilgt (21, 4). Der vertraute, unmittelbare Umgang Gottes mit den Menschen im Paradies wird in der neuen Schöpfung wiederhergestellt, und zwar allein von Gott und seinem Christus her; denn von ihm, dem Schöpfer, kommt die neue Welt (= die neue Kirche), die es bei ihm (»im Himmel«) schon längst gibt, zu den Menschen herab. Die Tat des Menschen bei dieser Neuschöpfung besteht vor allem in der Sehnsucht der Erwartung und in der Bereitschaft der Hoffnung, in der er ruft: »Komm, Herr Jesus!« (22, 20). In der kirchlichen Liturgie, die als Abbild der himmlischen Liturgie gefeiert wird, und im passiv-leidenden Widerstand gegen die Mächte des Bösen, vor allem der sich vergötzenden politischen Macht, wird diese Erwartung in der kirchlich-gesellschaftlichen Gegenwart realisiert.

c) Das messianische »Zwischenreich« auf Erden (Offb 20, 1–6)

Nicht nur die beiden letzten Kapitel der Apokalypse mit der Vision des neuen Jerusalem haben die Hoffnungsvorstellungen der Christen im Laufe der Geschichte bewegt, sondern auch die sechs Verse aus dem 20. Kapitel, welche die Vision des »tausendjährigen Reiches Christi« *nach* der Fesselung Satans und *vor* dem endgültigen Reich Gottes enthalten:

»Dann sah ich einen Engel vom Himmel herabsteigen; auf seiner Hand trug er den Schlüssel zum Abgrund und eine schwere Kette. Er überwältigte den Drachen, die alte Schlange – das ist der Teufel oder der Satan –, und er fesselte ihn für tausend Jahre. Er warf ihn in den Abgrund, verschloß diesen und drückte ein Siegel darauf, damit der Drache die Völker nicht mehr verführen konnte, bis die tausend Jahre vollendet sind. Danach muß er für kurze Zeit freigelassen werden.

Dann sah ich Throne; und denen, die darauf Platz nahmen, wurde das Gericht übertragen. Ich sah die Seelen aller, die enthauptet worden waren, weil sie an dem Zeugnis Jesu und am Wort Gottes festgehalten hatten. Sie hatten das Tier und sein Standbild nicht angebetet, und sie hatten das Kennzeichen nicht auf ihrer Stirn und auf ihrer Hand anbringen lassen. Sie gelangten zum Leben und zur Herrschaft mit Christus für tausend Jahre. Die übrigen Toten kamen nicht zum Leben, bis die tausend Jahre vollendet waren. Das ist die erste Auferstehung. Selig und heilig, wer an der ersten Auferstehung teilhat. Über solche hat der zweite Tod keine Gewalt. Sie werden Priester Gottes und Christi sein und tausend Jahre mit ihm herrschen« (Offb 20, 1–6).

Die drei Schlußkapitel der Apokalypse (20–22) sind komponiert nach der Ordnung der Kapitel 37–40 bei Ezechiel; auf die Verheißung des messianischen Reiches (Ez 37) folgt die Ansage der Vernichtung der feindlichen Völker Gog und Magog (Ez 38 und 39) und schließlich die Vision des neuen Jerusalem (Ez 40 ff). Unser Textabschnitt, der sich auf das messianische Reich bezieht, greift zunächst einen alten Schöpfungsmythos auf, nach welchem die Schöpfung durch die Fesselung des Chaostieres (Drachen) durch Gott geschieht. Dadurch kommt Ordnung ins All, eben der geordnete »Kosmos«, was identisch ist mit der Weltschöpfung. Für den Seher der Geheimen Offenbarung beginnt nun die *neue* Schöpfung: Das zeitweise freigelassene Chaos wird wieder gebunden und im Abgrund festgehalten. Die Fesselung des Drachen geschieht durch einen Boten Gottes; *er* besitzt den Schlüssel des Abgrundes, nicht mehr der aufrührerische Engel Satan, der – nach einem alten Mythos – den Schlüssel des Abgrundes Gott entwand, das Chaos aus dem Abgrund befreite, die Schöpfung störte und dadurch Leid und Schuld auf die Welt brachte. Dieser Engel des Bösen wird nun selbst gebunden und in den Abgrund des Chaos geworfen; Gott tritt jetzt seine unbehinderte, endgültige Herrschaft über die Welt an, was den Auftakt zur neuen Schöpfung bedeutet.
Aber dieser Herrschaft geht erst noch ein »Präludium« von tausend Jahren voraus. In dieser Erwartung eines tausendjährigen »Zwischenreiches« – die sich übrigens auch in zwei jüdisch-apokalyptischen Schriften der gleichen Zeit, nämlich im 4. Esrabuch und in der syrischen Baruchapokalypse findet – fließen zwei traditionelle eschatologische Hoffnungen Israels zusammen: einmal die (ältere) Hoffnung auf das messianische Friedensreich der Endzeit, zum anderen dann die (jüngere) Hoffnung auf das Weltgericht und die allgemeine Totenerweckung. Das messianische Reich wird dementsprechend als zeitlich begrenzte Heilszeit der endgültigen Neuschöpfung der Welt »vorgeschaltet«. Diese Kombination herkömm-

licher Hoffnungsweisen wird nun – im Stil jüdisch-apokalyptischer Schriften (besonders des sogenannten Jubiläenbuches) – verknüpft mit bestimmten »Weltwochenspekulationen«, in denen mit Hilfe einer symbolträchtigen Zahlenmystik der Anfang unserer Welt, ihr Alter und ihr Ende berechnet werden (vgl. als Vorformen solcher Mystik die 70 Jahrwochen bei Dan 9, 24–27 oder die bereits zitierte »Zehnwochenapokalypse« im äthiopischen Henochbuch).[82] Was nun das »tausendjährige Messias-Reich« angeht, so wird dieses erschlossen einmal aus der Überzeugung, daß die Welt entsprechend ihrer siebentägigen Entstehungszeit (Gen 1, 1–2, 3) auch nur sieben Schöpfungs- bzw. Gottestage lang besteht; und zum anderen aus der Vorstellung, daß ein Tag Gottes (nach Ps 90, 4: »Denn tausend Jahre sind für dich wie der Tag, der gestern vergangen ist, wie eine Wache in der Nacht«) 1000 Jahre dauert. Die Schlußfolgerung aus diesen beiden Prämissen lautet: Da jetzt die Endzeit eintritt, muß die bisherige Weltzeit ungefähr bei 6000 Jahren liegen. Jetzt bricht bald der siebte Tag der Welt an, der Sabbat der Schöpfung, an dem Gott auch wieder ausruhen wird und deswegen seinem Messias für 1000 Jahre die Herrschaft überläßt, ehe das endgültige Gottesreich beginnt.

Dieses messianische Zwischenreich wird auf der Erde errichtet, die von Satan und allen Mächten des Bösen befreit und nun ganz von Christus beherrscht ist. An dieser seiner Herrschaft haben die Märtyrer teil, die um ihrer Treue zu Christus willen ihr Leben hingaben. Sie werden jetzt bereits in dieser Geschichte und auf dieser Erde in einer ersten, vorweggenommenen Auferweckung zum neuen Leben in der Gemeinschaft mit Christus auferstehen. Sie bilden die vom Bösen befreite und zum neuen Leben erweckte Gemeinschaft der wahrhaft Glaubenden, eben der »Seligen« und »Heiligen«, der »Priester Gottes und Christi« (20, 6). Nach diesen 1000 Jahren wird Satan noch einmal für kurze Zeit zum eschatologischen »Endkampf« um Gottes »geliebte Stadt« Jerusalem (20, 9) freigelassen. Aber er und seine Hilfstruppen »Gog und Magog« (als Symbolbezeichnungen für alle heidnischen Völker – vgl. Ez 38 und 39) werden durch Feuer vom Himmel endgültig vernichtet. Jetzt kann die zweite, allumfassende Auferweckung der Toten folgen und danach endlich die Schöpfung des »neuen Himmels und der neuen Erde« (Offb 21 und 22). Gerade die Hoffnungsvorstellung einer radikal erneuerten, geschichtlich und gesellschaftlich erfahrbaren Christusgemeinschaft der Glaubenden auf *dieser* Erde und *vor* dem Jüngsten

---

[82] Vgl. dazu O. Böcher, »Chiliasmus«, I. Judentum und NT, in: TRE VII, 1981, 723–729.

Tag wurde zu einem bewegenden Motiv der christlichen Utopie durch viele Jahrhunderte der Kirchengeschichte.

2. CHILIASMUS UND CHRISTLICHE UTOPIE

Die Rezeption dieser Stelle aus der Geheimen Offenbarung führte schon in der frühen Christenheit zu dem, was man seit Augustinus die »Chiliasten« und seit dem Mittelalter den »Chiliasmus« oder den »Millenarismus« nennt (nach dem griechischen Wort »chilioi« bzw. dem lateinischen »mille«, was »tausend« bedeutet): also die Lehre von dem tausendjährigen Friedensreich Christi auf Erden. Diese Gestalt christlicher Hoffnung wurde anfangs (nach der Zerstörung Jerusalems) vor allem in judenchristlichen Kreisen gepflegt, zumal bei den (häretischen) Ebioniten.[83] Deswegen haftet ihr auch in der ganzen alten Kirche bleibend der Geruch des »Jüdischen« und damit des »Fleischlich-Irdischen«, eines von Christus längst überholten Heilsstatus an. In solchen Prädikaten sammelt sich die Polemik weiter kirchlicher Kreise (zumal des Eusebius von Caesarea und des Hieronymus) gegen die chiliastische Eschatologie. Diese wurde zwar von einer Reihe prominenter Theologen (ausgehend vom kleinasiastischen Raum) vertreten; so z. B. im 2. Jh. von Papias, Justin, Irenäus, den Montanisten und Tertullian; im 3. Jh. von Hippolyt, Julius Africanus, Methodius von Olympos; im 4. Jh. von Marcell von Ancyra, Apollinaris, Laktanz, vom jungen Augustinus usw.; aber dennoch kann man keineswegs von einer allgemeinkirchlichen Rezeption sprechen. Die alexandrinische Theologie mit ihrer von Origenes stammenden allegorischen und geistlichen Bibelauslegung lehnte den Chiliasmus völlig ab; er galt ihr einfach als zu jüdisch-»materialistisch«, zu primitiv-sinnlich. Auch im Westen verlor der Chiliasmus ab dem 4. Jh. seine Bedeutung; dies war vor allem durch die konstantinische Wende bedingt, nach der das alte Satans-Symbol der Chiliasten, eben Rom, als solches ausfiel, weil ein theologischer Angriff gegen den römischen Staat jetzt zugleich auch die mit ihm liierte Kirche treffen mußte. Eine besondere Bedeutung bei der Verdrängung des Chiliasmus kommt der Theologie des hl. Augustinus zu, der das tausendjährige Reich Christi auf Erden ekklesiologisch deutet und mit der sichtbaren Kirche identifiziert. Nach ihm liegt das Reich Christi nicht mehr in der Zukunft, sondern ist bereits in Vergangenheit und Gegenwart realisiert.

[83] Vgl. G. G. Blum, »Chiliasmus«, II. Alte Kirche, in: TRE VII, 1981, 729–733; G. List, Chiliastische Utopie, München 1973, 57 ff.

Ekklesiologie statt Utopie – darin besteht seitdem die Antwort der Theologie auf chiliastische Strömungen in der Kirchengeschichte. Diese Deutung von Offb 20, 1–6 durch Augustinus wirkte (wohl wegen ihrer Synthese von geistlicher und geschichtlicher Wirklichkeit, von transzendentem Reich Christi und irdisch-institutioneller Kirche) so überzeugend, daß der Chiliasmus in der Folgezeit gleichsam austrocknete. In der Liturgie und in der Volksfrömmigkeit hielten sich zwar chiliastische Elemente noch bis ins 6. Jh.; aber theologie- und kirchengeschichtlich wirksam wurden sie erst wieder im hohen Mittelalter durch Joachim von Fiore und die Franziskanerspiritualen. Allerdings nahm der Chiliasmus in der Folgezeit dann immer mehr sektiererische und schwarmgeisterische Formen an (z. B. bei den Waldensern und Katharern; im 15. Jh. bei den Taboriten, einer südböhmischen Gruppe der Hussiten), wozu sicher auch die ablehnende Stellungnahme der Scholastik und der Widerstand der kirchlichen Hierarchie beitrugen, die sich von dieser Utopie eines kommenden Reiches Christi natürlich direkt angegriffen fühlen mußten. In der Reformationszeit spielten chiliastische Ideen vor allem bei Thomas Müntzer und in der Täuferbewegung (besonders in ihrem »Täuferreich« zu Münster) eine Rolle, im 17. und 18. Jh. bei den Pietisten (Philipp Jakob Spener, J. Albrecht Bengel), im 19. Jh. bei dem liberalen Theologen R. Rothe, aber auch bei den Geschichtsphilosophen Fr. W. J. Schelling und Franz von Baader. Auch wenn (oder: gerade weil?) die offizielle Theologie der Kirche den verschiedensten Formen des Chiliasmus weithin skeptisch bis ablehnend gegenüberstand, so hat sich doch gerade in seiner Idee eines Friedensreiches Christi auf *Erden* noch *vor* dem Ende der Welt ein großer Teil jenes utopischen Potentials versammelt, das spezifisch christlich genannt werden kann. Was ist damit gemeint?

a) Zum allgemeinen Begriff der »Utopie«[84]

Dieser Begriff, so wie er in der Neuzeit verstanden wird (seit dem berühmten Roman »Utopia« des Thomas Morus aus dem Jahr 1516), läßt sich von *zwei* Seiten her umschreiben.

---

[84] Zum folgenden: K. Löwith, Weltgeschichte und Heilsgeschehen, Stuttgart 1953; W. Nigg, Das ewige Reich, Zürich ²1954; E. Benz, Ecclesia Spiritualis, Darmstadt ²1964; A. Neusüss, Utopie. Begriff und Phaenomen des Utopischen, Neuwied 1968; G. List, Chiliastische Utopie, München 1973; G. Friedrich, Utopie und Reich Gottes, Göttingen 1974; W. Voßkamp (Hrsg.), Utopieforschung. Interdisziplinäre Studien zur neuzeitlichen Utopie, Bd. 1, Stuttgart 1982 (darin vor allem die Artikel von P. J. Brenner, F. Seibt, K. O. Apel, J. Rü-

(1) *Inhaltlich* enthält er folgende Momente[85]: Zunächst einmal die Vorstellung von der *Perfektibilität des Menschen* und der *Konstruktibilität der Welt*. Das bedeutet: Das utopische Denken der Neuzeit wurzelt zwar einerseits in der christlichen Eschatologie und ihrer innergeschichtlichen Umsetzung in den mittelalterlichen Klostergemeinschaften, die sich als »Himmelspforten« oder »Paradiesesgarten« verstanden und in genauer Regelung des Zusammenlebens ein irdisches Abbild der himmlischen Stadt Gottes bauen wollten. Anderseits aber gründet die abendländische Utopie noch unmittelbarer in der Absicht *rationaler Weltverwandlung,* die wohl schon im 13. und 14. Jh. mit der starken Entwicklung der agrarischen Technik des Handwerks und generell des städtisch-bürgerlichen Planungsdenkens einsetzte. Von daher bekam ab dem späten Mittelalter die Vorstellung, der Mensch sei »vervollkommenbar« und seine Welt sei vernünftig »gestaltbar« immer neue Nahrung, auch wenn demgegenüber stets die geschichtlich unaufhebbaren Folgen der Erbsünde ins Feld geführt und damit alle utopischen Vorstellungen als absolut unrealisierbar abgetan wurden.

Seit der Aufklärung, die solche christlichen Einwürfe weniger beachtet, spielt das Moment der *»universalen Emanzipation«* eine besondere Rolle für das Utopieverständnis; die Gleichberechtigung und die gleiche Verantwortung aller für das Gemeinwesen gehören von da an wesentlich zum utopischen Zukunftsentwurf. Damit verbindet sich zugleich die Vision einer *»gesellschaftlichen Harmonie«* bzw. von Konfliktstrategien, die zu einer konfliktfreien Gesellschaft hinführen. Solche Visionen werden nicht nur fiktiv in irgendwelchen fernen Inselstaaten oder in unendlich weiten Zukunftswelten erhofft, sondern gerade für die gegenwärtig erfahrbare Gesellschaft als praktikabel postuliert und entworfen. Dafür stehen Namen wie Condorcet, Saint Simon, Fichte, Bolzano, Schiller, Wieland, Schlegel, Marx usw. bis hin zu Bloch und anderen Neomarxisten.[86]

---

sen); L. H. Silbermann/H. Fries, Utopie und Hoffnung, in: Christlicher Glaube in moderner Gesellschaft Bd. 23, Freiburg 1982, 55–86.

[85] Ich stütze mich hier vor allem auf F. Seibt, Utopie als Funktion abendländischen Denkens, in: W. Voßkamp (Hrsg.), Utopieforschung, Bd. 1, aaO. 254–279.

[86] Vgl. dazu die Charakterisierung der solche Visionen entwerfenden Subjekte bei F. Seibt: »Dennoch wissen die Utopien im allgemeinen ein Heilmittel nicht nur für die gesellschaftlichen, sondern eben auch für die wirtschaftlichen Verhältnisse ihrer Zeit. Das ist die Prätention, daß die Klügeren und Weiseren nach dem eigentlich zu allen Zeiten einigermaßen weltfremden intellektuellen Bildungskanon aus antiker Philosophie und einer begrenzten Auswahl von Erfahrungswissenschaften die ganze Welt zu regieren vermöchten. Es ist die Hoffnung auf den Philosophen auf dem Thron, der sie beschwingt – und, wenn man

(2) *Formal,* d. h. von ihrer Intention und Funktion her, wird heute Utopie meist (in der Wirkungsgeschichte Hegels und Marx') als »*Negation der Negation*« verstanden; d. h. sie gilt als Verneinung der bestehenden und als schlecht, als nicht-so-sein-sollend beurteilten Wirklichkeit.[87] Als solche Negation ist eine gesellschaftliche Utopie deswegen auch am ehesten zu verstehen aus dem jeweiligen Konflikt mit einer anti-utopischen Intention, also mit jener Position, die die bestehende gesellschaftliche Wirklichkeit als (zumindest relativ) gut und so-sein-sollend verteidigt. So stehen z. B. heute ökologische oder friedenspolitische Utopien im ständigen Widerstreit mit utopiekritischen Auffassungen, die sich auf die unüberwindliche Macht der »Sachzwänge« oder auf das »Real-Mögliche« innerhalb der heutigen hochkomplexen Gesellschaftssysteme berufen. (Im Feld der christlichen Utopie übernehmen diesen anti-utopischen Part meist jene Argumentationen, die einerseits die bleibende Erbsündenverfallenheit des Menschen, anderseits die Jenseitigkeit des Reiches Gottes in den Vordergrund stellen.)

Insofern nun eine utopische »Negation der Negation« auf eine totale Verneinung der bestehenden gesellschaftlichen Ordnung hinausläuft, steht sie in Gefahr, den Charakter einer »*totalitären Planungs- und Ordnungsutopie*« anzunehmen.[88] Das trifft heute z. B. nicht nur auf verschiedene (theoretische und praktizierte) Spielarten einer marxistischen Gesellschaftsutopie zu, sondern auch (auf sublimere Weise) auf Formen wissenschaftlich-technologischer Planungsutopien in unseren westlichen Gesellschaften. Denn auch bei ihnen herrscht häufig genug die Idee vor, durch eine richtige, sachgemäße Anwendung sozialtechnischer Methoden die Zukunft gesellschaftlicher Entwicklungen so in den Griff zu bekommen, daß größere Konflikte ausgeschaltet werden können. Dabei wird oft übersehen, daß die Gesellschaft eben nicht (wie viele Bereiche der Natur) vollständig zum »Objekt« wiederholbarer sozialtechnischer Versuche gemacht werden kann, sondern aufgrund der menschlichen Freiheitsentscheidungen häufig in irreversible Prozesse hin-

---

hier einen Zusammenhang zwischen dem gesellschaftlichen Sein und dem Bewußtsein hervorheben will, soweit es der utopische Kontext offenbart, dann müßte man so etwas wie ein eigenes intellektuelles Klassenbewußtsein zugrunde legen« (aaO. 266).

[87] An Einzelheiten solcher Negation nennt F. Seibt aaO. 267 z. B. die utopische Vision eines neuen Patriarchalismus (»Der große Bruder«), einer neuen Familien- und Gemeindestruktur, der Erneuerung des Schulwesens und der Pädagogik, des Arbeitsethos, der Kriegsführung usw.

[88] Vgl. hierzu und zum folgenden: K. O. Apel, Ist die Ethik der idealen Kommunikationsgemeinschaft eine Utopie?, in: W. Voßkamp (Hrsg.), aaO. 325–355, bes. 327 f.

eingerät, die mit den herkömmlichen Mitteln der Sozialtechnik kaum mehr zu steuern sind (was z. B. in der Frage des Friedens und der Abrüstung immer deutlicher zutage tritt).

Im Unterschied zur eschatologischen Hoffnung des christlichen Glaubens bezieht sich ein so verstandener Utopiebegriff sinnvollerweise nur auf eine innerweltliche, also innergeschichtlich erfahrbare und machbare Veränderung der Verhältnisse. Die absolut neue Schöpfung des »neuen Himmels und der neuen Erde« durch Gott kann wohl bei Christen der letzte Maßstab und eine Art »regulative Idee« jeder utopischen Vorstellung sein; sie selbst aber ist – wegen ihrer Unvergleichbarkeit und Nicht-Machbarkeit – nicht mehr unter dem neuzeitlichen Begriff der »Utopie« zu fassen. Trotzdem gibt es in der Geschichte des Glaubens auch so etwas wie eine legitime *christliche Utopie,* die sich auf die innergeschichtliche Zukunft von Kirche und Welt richtet. Was verstehen wir darunter? Bevor wir einige Modelle vorstellen, sollen ihre allgemeinen charakteristischen Merkmale genannt werden.

b) Die Eigenart christlicher Utopie

(1) Sie bewegt sich grundsätzlich zwischen zwei – ihren utopischen Radius *begrenzenden* – Polen. Einerseits sind Vergangenheit und Gegenwart aufgrund der Schöpfung und der Selbstmitteilung Gottes bereits Wirklichkeit des Heils, also nicht einfachhin heil-los und als solche schlechthin zu negieren.[89] Anderseits zielt christliche Hoffnung im letzten auf eine transzendente, die Todesgrenze übersteigende und damit übergeschichtliche Zukunft hin, nämlich auf die Auferstehung der Toten im endgültigen Reich Gottes, was ein Geschehen jenseits menschlicher Veränderbarkeit und Machbarkeit ist. Von daher kann die Gegenwart auch nicht einfachhin als so-sein-sollend, als schlechthin gut bejaht werden. Weder die Verneinung noch die Bejahung des Bestehenden können absolut gesetzt werden. Von daher legte sich immer wieder die Idee des »Zwischenreiches« zwischen Diesseits und Jenseits als »Kompromißformel« der Utopie nahe. Diese Vorstellung erhofft nämlich einerseits eine qualitative Veränderung der Jetztzeit (ohne sie völlig zu negieren und zu übersteigen); zugleich bietet sie einen innergeschichtlichen »Vorgeschmack« des endgültigen Reiches Gottes (ohne es voll und ganz vorwegzunehmen). In ihrer säkularisierten Form (seit der Aufklärung) fallen die Idee des »Zwischenreiches« und des »Reiches Gottes« als innerweltliche Realität bzw. Utopie zusammen,

[89] Vgl. dazu G. List, Chiliastische Utopie, München 1973, 52 ff.

weil eben jetzt der transzendente Bezugspunkt »Gott« und die vollendete Zukunft seines Reiches wegfallen.

(2) Ein weiteres Kennzeichen der christlichen Utopie liegt darin, daß sie sich – wie übrigens jede Utopie – zwischen den beiden Polen *Erwartung* und *Aktivität* bewegt. Sie lebt dabei jedoch von jener (eschatologischen) Erwartung, die das jeweils Erreichte immer wieder auf neue Ziele hin übersteigt und innergeschichtlich nie restlos befriedigt werden kann, weil sie das menschlich Mögliche grundsätzlich transzendiert. Zugleich äußert sie sich in einer Aktivität, die dieses »Andere« und »Neue« möglichst gut antizipieren will. Dabei hat die christliche Utopie (im Gegensatz etwa zur marxistischen) von Anfang an mehr auf den »Pol Erwartung« gesetzt: daß nämlich *Gott* sein Reich aufrichten werde und daß der Mensch es sich schenken lassen muß. Sicher ist diese Erwartungshaltung (von wenigen Ausnahmen abgesehen) nie rein passivisch verstanden worden; stets enthält sie die Forderung nach menschlicher Umkehr, um an diesem Reich Anteil zu erhalten. Die Nachfolge Jesu um des Reiches Gottes willen, die auch den leidenden Widerstand bis zum Martyrium gegen die Anmaßung einer sich verabsolutierenden politischen Macht einschließen kann, gehört als unverzichtbares Moment zu dieser christlichen Erwartung. Und dennoch: Die Geste des aktiven Prometheus, der das Reich Gottes auf Erden selbst mit allen revolutionär-politischen Mitteln herbeizuzwingen versucht, bleibt im Christentum die seltene und allgemein nicht rezipierte Ausnahme (z. B. Thomas Müntzer, der deswegen auch von E. Bloch als einer der wenigen wahren christlichen Utopisten angesehen wird; oder heute gewisse Strömungen innerhalb der sandinistischen Befreiungsbewegung in Nicaragua, die ihre Revolution sehr unvermittelt mit dem Kommen des Reiches Gottes identifizieren). Diese etwas formale Begriffsbestimmung wollen wir jetzt inhaltlich dadurch füllen, daß wir auf einige geschichtliche Modelle christlicher Utopie näher eingehen.

c) Ein altkirchliches Modell christlicher Utopie:
   Irenäus von Lyon (gest. um 202)

Aus seiner Heimat Kleinasien kannte Irenäus, der ein Schüler Polykarps war und 177 Bischof von Lyon wurde, den Chiliasmus; er greift ihn in seiner um 180 verfaßten Schrift »Gegen die Häresien« auf und integriert ihn in einen umfassenden theologischen Gesamtentwurf.[90]

[90] Vgl. dazu: H. U. v. Balthasar, Irenäus. Gott in Fleisch und Blut, Einsiedeln

(1) Der Adressat: die Gnosis

Gegen Ende des 2. Jh.s hat die sogenannte »Gnosis« eine Fülle von verschiedenen religiösen Systemen konstruiert, die eine systematische Auseinandersetzung von seiten der christlichen Theologie her möglich und erforderlich machen. Irenäus (als der bedeutendste Theologe des 2. Jh.s). nimmt diese Herausforderung an und wird damit der Wegbereiter einer antignostischen Theologie. Besonders gegen die Lehren der valentinianischen Gnosis und gegen Marcion zieht er zu Felde. Dualismus und Spiritualismus sind die kennzeichnenden Stichworte dieser gnostischen Konzepte. Der *Dualismus* insofern, als die Einheit der Wirklichkeit auseinandergerissen wird in die verschiedensten Gegensätze, die sich unvereinbar gegenüberstehen: Der absolute Urgrund des Seins steht gegen den Demiurgen, den Weltenschöpfer; der (böse) Gott des Alten Bundes gegen den (guten) Gott des Neuen Bundes; die Seele gegen den Leib; der pneumatische Mensch gegen den animalischen; der leidensunfähige, himmlische Christus gegen den leidensfähigen, irdischen Jesus usw. Dieser Dualismus schlägt aber im gewissen Sinn auch wieder in einen Monismus um, insofern der Unterschied zwischen Geschöpf und Schöpfer aufgehoben wird und die geistige Dimension des Menschen (»Seele«, »Pneuma«) mit der Substanz des göttlichen Urgrundes aller Wirklichkeit identifiziert wird. Aus diesem Hin und Her zwischen zertrennender und identifizierender Denkbewegung entspringt der *Spiritualismus* der Gnosis: Alles Irdisch-Fleischlich-Geschichtliche ist nur Sinnbild der widergöttlichen Entfremdung und des Abfalls vom eigentlichen Ursprung, eben dem Himmlisch-Geistig-Göttlichen, zu dem Seele und Geist zurückstreben, während der Leib und die Geschichte der Vernichtung anheimgegeben werden.

Gegen diese leib- und weltflüchtige Spiritualität der Gnosis setzt Irenäus in klarer, kompromißloser Frontstellung den christlichen Glauben als einen solchen, »der die Erde liebt« (K. Rahner). Ohne den unaufhebbaren Unterschied zwischen Schöpfer und Geschöpf zu negieren und ohne die sündige Verfaßtheit der Schöpfung zu verharmlosen, wird dennoch die ganze Schöpfung als gutes Werk

1981; ders., Herrlichkeit II, Einsiedeln 1962, 29–94; W. Löser, Im Geiste des Origenes, Frankfurt 1976, 67–75; E. Scharl, Recapitulatio mundi. Der Rekapitulationsbegriff des hl. Irenäus, Freiburg 1941; W. Hunger, Der Gedanke der Weltplaneinheit und Adameinheit in der Theologie des hl. Irenäus, in: Scholastik 17 (1942), 161–177; P. Bissels, Die frühchristliche Lehre vom Gottesreich auf Erden, in: TThZ 84 (1975), 44–47; W. Jaeschke, Die Suche nach den eschatologischen Wurzeln der Geschichtsphilosophie, München 1976, 221–246.

der schöpferischen Liebe Gottes bejaht. In diese Bejahung wird gerade das Fleisch und die irdische Geschichte des Menschen miteinbezogen; sie sind Teil dieser guten Schöpfung und zugleich auch der wirklichen Erlösung fähig. Denn Menschwerdung des Logos, Passion und Tod Jesu und schließlich seine Auferstehung von den Toten sind keine allegorisch-mythischen Chiffren für Abstieg bzw. Himmelfahrt eines himmlisch-geistigen Wesens oder generell der göttlichen, in die Entfremdung fallenden und sich wieder daraus befreienden Seele (wie es die Gnosis behauptete), sondern reale, in Fleisch und Blut sich ereignende Taten der Liebe Gottes. Sie entäußert sich so in die irdische Geschichte hinein, daß diese als ganze gerettet werden kann (und nicht bloß ein göttlich-pneumatischer Funke in ihr). »Caro cardo salutis« – »das Fleisch ist Angelpunkt und Kriterium des Heils«: So wird der von Irenäus beeinflußte Tertullian die christliche Antwort auf die Gnosis formelhaft zusammenfassen.

(2) Der theologische Grundgedanke:
die »Wiedereinholung« des Alls in Jesus Christus

Irenäus übernimmt aus Eph 1, 10 den Begriff der »Anakephalaiosis« (lat. recapitulatio)[91]; dort heißt es: »Gott hat beschlossen, die Fülle der Zeiten heraufzuführen, in Christus alles zu vereinen, alles, was im Himmel und auf Erden ist.« Damit ist zunächst einmal die Zusammenfassung aller geschaffenen Wirklichkeit unter der Herrschaft des einen Hauptes Jesus Christus verstanden. Aber zugleich enthält dieses Wort einen weitergehenden geschichtstheologischen Sinn, den Irenäus besonders hervorhebt: Christus ist der Zielpunkt der ganzen Menschheitsgeschichte und der ganzen Schöpfung; auf ihn hin sind Schöpfung und Geschichte unterwegs; sie finden in ihm ihre vollendete, sie (im dreifachen Sinn!) auf-hebende und in ihren ursprünglich-guten Möglichkeiten erfüllende Gestalt. Deswegen »wiederholt« Christus in seiner Menschwerdung und in seinem Menschsein die gesamte Geschichte; er sammelt sie »wiedereinholend« (v. Balthasar) in sich ein, gibt ihr in seinem geglückten Menschsein Raum, so daß sie sich darin selbst erneuern und vollenden kann, und holt sie dadurch heim in die wahre Beziehung zwischen Geschöpf und Schöpfer. Christus »rekapituliert« also die ganze auf ihn hin und nach seinem Ur-bild (»Logos«) geschaffene Welt, indem er ihre ursprüngliche Bestimmung als Schöpfung voll-

---

[91] Vgl. dazu R. Haubst, Anakephalaiosis, in: LThK 1, Sp. 466 f; W. Löser, Im Geiste des Origenes, Frankfurt/Main 1976, 71 ff.

endet lebt und sie zugleich – als ihr »Haupt« – daran teilhaben läßt, damit sie auch selbst zur Fülle ihrer schöpfungsgemäßen Möglichkeiten gelangt. In der Kirche wird diese heilende »Wiedereinholung« der Schöpfung durch Christus sichtbare Wirklichkeit; sie ist sein Leib und als solcher die geschichtlich erfahrbare »Fülle dessen, der alles in allem erfüllt« (Eph 1, 23), also das Sakrament der geheilten und »wiedereingeholten« Schöpfung.

(3) Die eschatologische Vollendung dieser Erde

Dieser geschichtstheologische Entwurf bildet den Rahmen der betont antignostischen Eschatologie des Irenäus, die die chiliastische Tradition Kleinasiens aufgreift und sie vor allem im 5. Buch seiner Schrift »Gegen die Häresien« (Kap. 32–36) darlegt. Dabei sind drei Gesichtspunkte von besonderer Bedeutung.[92]

a) Es geht Irenäus um die *Identität* des geschichtlichen Menschen und seiner Welt mit dem neuen Leben der Auferstehung. In der Teilhabe am Auferstehungsleben Jesu wird die ganze Schöpfung endgültig »rekapituliert«, d. h. in *ihre* eigene Vollendung hineingeführt. Deswegen wird darin der Mensch in seinem Fleisch und in seiner Welt, in der er gelebt und gelitten hat, vollendet werden. »Wie nämlich Gott es wahrhaft ist, der den Menschen auferweckt, so wird der Mensch auch wahrhaft und nicht allegorisch von den Toten auferstehen« (V 32, 2). Das gleiche gilt auch von seiner Welt; sie wird weder in ihrer Substanz noch in ihrer Materie vernichtet (weil sie von Gott geschaffen sind), sondern nur ihre sündige »Figur« (vgl. 1 Kor 7, 31) vergeht, und sie wird in den ursprünglichen, paradiesischen Zustand wiedereingesetzt (V 36, 1 und 32, 1).

b) Erst bei der Auferstehung werden die *Verheißungen* Gottes an Abraham, an Israel und an die Kirche voll erfüllt; und zwar gerade die grundlegende Verheißung, Abraham und sein Same werden die *Erde* als *Erbe* empfangen, was bisher ja noch nicht geschehen ist:

> »So bleibt auch die Verheißung, die Gott dem Abraham gegeben hat, ungeschwächt bestehen. Er sprach nämlich: Blicke hinauf mit deinen Augen und schaue von dem Ort, wo du jetzt bist, nach Norden und nach Süden, nach Osten und nach dem Meer: alles Land, das du siehst, werde ich dir geben und deinem Samen auf ewig... Gott versprach aber die Erde zum Erbe dem Abraham und seinem Samen. Nun erhalten weder Abraham noch sein Same, d. h. die, welche aus dem Glauben gerechtfertigt werden, jetzt die Erde zum Erbe; sie werden sie aber empfangen bei

---

[92] Vgl. G. G. Blum, Chiliasmus II. Alte Kirche, in: TRE VII, aaO. 729.

der Auferstehung der Gerechten. Wahrhaft nämlich und treu ist Gott. Und deswegen nennt er auch selig die Sanftmütigen, denn sie werden die Erde erben« (V 32, 1 f).[93]

Dann erfüllen sich auch die Weissagungen der Propheten von der neuen Erde und dem neuen Jerusalem (V 34). Das alles aber kann für Irenäus nicht auf das »Überhimmlische« (d. h. auf die jenseitigen Himmelssphären der Gnostiker) bezogen werden, sondern nur auf diese Erde, weil die Verheißungen Gottes auf sie bezogen sind (V 35, 2).

c) Der endgültigen Vollendung der Erde geht diese erste Auferstehung der Gerechten und mit ihr das *»tausendjährige Reich Christi«* voraus (nach Offb 20, 1–6). Dies deswegen, weil »der Mensch der Erziehung und der Gewöhnung an die Herrlichkeit Gottes bedarf«.[94] Irenäus schreibt:

»So kommen also einige durch die häretischen Reden zu irrigen Ansichten und verkennen die Anordnungen Gottes und das Geheimnis der Auferstehung der Gerechten und des Reiches, welches der Beginn der Unvergänglichkeit ist, durch welches Reich die Würdigen allmählich gewöhnt werden, Gott aufzunehmen. Es muß aber von den Gerechten gesagt werden, daß sie zuerst bei der Erneuerung dieser Welt und der Wiederkunft Gottes auferstehen werden, um die verheißene Erbschaft zu empfangen, die Gott den Vätern versprochen hat, und um in ihr zu herrschen. Dann aber kommt das Gericht. In der Welt, in der sie sich gemüht und gelitten haben, auf jegliche Weise in der Geduld erprobt, in der werden sie gerechterweise auch die Früchte ihrer Geduld empfangen. In der Welt, in der sie getötet wurden in ihrer Liebe zu Gott, in der werden sie auch lebendig gemacht werden. Wo sie Knechtschaft erduldeten, da werden sie herrschen. Denn reich in allem ist Gott, und alles gehört ihm. Deshalb muß diese Schöpfung, in den alten Zustand wieder eingesetzt, unbehindert den Gerechten dienen« (V 32, 1).

Der Gedanke der »Pädagogik« Gottes und ihrer geduldigen Heranführung des Menschen zur Reife des »Vollalters« Christi (Eph 4, 13) spielt bei Irenäus eine große Rolle.[95] Er verwendet ihn in seiner Eschatologie, um den Sinn des chiliastischen Zwischenreiches zu begründen: Erst in einem langsamen Wachstumsprozeß kann der Mensch in die letzte Vollendung hineingelangen; deswegen wird den Gerechten während der letzten Phase dieses Weges bereits Gelegenheit gegeben, sich im irdischen Reich des Sohnes durch die anschauliche Gemeinschaft mit ihm und den Engeln zu gewöhnen

---

[93] Zitiert nach: Des hl. Irenäus fünf Bücher gegen die Häresien, Bibliothek der Kirchenväter, München 1912.
[94] G. G. Blum, aaO. 729.
[95] Vgl. H. U. v. Balthasar, Geduld des Reifens, Einsiedeln 1956.

an die endgültige Herrlichkeit des Vaters in der Endvollendung des neuen Jerusalem:

> »Das alles (sc. die Visionen des Propheten Jesaja) bezieht sich ohne Widerspruch auf die Auferstehung der Gerechten nach der Ankunft des Antichristen und der Vertilgung aller unter ihm stehenden Völker, wo die Gerechten auf Erden herrschen werden, indem sie wachsen durch die Anschauung des Herrn und durch ihn sich gewöhnen an die Herrlichkeit Gottes des Vaters« (V 35, 2).

Oder: »Und wie der Mensch wahrhaft aufersteht, so wird er auch wahrhaft in den Zeiten des Reiches die Unverweslichkeit vorwegnehmen, und er wird wachsen und stark werden, um der Herrlichkeit des Vaters fähig zu werden« (V 35, 2).

(4) Zur Aktualität des Irenäus

Zweifellos sind (von der exegetischen Methode einmal ganz abgesehen) viele dieser apokalyptischen und chiliastischen Vorstellungen des Irenäus zu zeitgebunden, als daß sie von uns heute noch nachvollzogen werden könnten. Das gilt z. B. für die Idee der zeitlichen Periodisierung der Endereignisse und damit das »Vorschalten« einer verklärten, auferstandenen Erde vor dem letzten Gericht und der endgültigen Vollendung. Für unsere Vorstellungen enden Zeit und Geschichte mit dem Tod und der Auferstehung, so daß eine periodische Differenzierung der Zeiten »danach« nicht mehr sinnvoll erscheint. Auch der Gedanke der »Eingewöhnung« in die Anschauung Gottes wirkt heute nicht allzu plausibel als Begründung für ein innergeschichtliches Reich Christi.

Dennoch sehe ich in der Grundintention dieser Eschatologie eine bleibende Gültigkeit auch für unsere gegenwärtige Hoffnung, und zwar in dreierlei Hinsicht.

a) Einmal in der *antignostischen,* die Erde und ihr Geschick wirklich restlos bejahenden Sicht der Vollendung, worin die prophetische Tradition Israels und Jesu selbst bewahrt wird. So sagt auch H. U. v. Balthasar: »Irenäus bildet mit seiner Eschatologie ein wichtiges Gegengewicht gegen die weltflüchtigen und die Auferstehung des Fleisches nicht voll ernstnehmenden platonisierenden christlichen Eschatologien der späteren Zeit und des durchschnittlichen christlichen Bewußtseins.«[96]

b) Zum anderen liegt in dem Gedanken einer *»anschaulichen«* Vorwegnahme der Vollendung im Reich Christi auf Erden ein Ansatzpunkt für eine christliche Hoffnung, die auch diese Erde zum Ge-

[96] H. U. v. Balthasar, Herrlichkeit II, Einsiedeln 1962, 93.

genstand ihrer Hoffnung nimmt: daß unsere Lebenswelt nämlich im ganzen (und nicht nur punktuell) ein erfahrbares »Realsymbol« des endgültigen Reiches Gottes werden kann. Denn auch die soziale und universale Dimension von Gottes Reich soll in unserer Geschichte bereits zum Vor-schein kommen. Eine solche »Veranschaulichung« dient nicht der »Eingewöhnung« in die letzte »Anschauung« Gottes, sondern der Einbeziehung dieser Erde und dieser menschlichen Existenz gerade in ihrer leiblich-gesellschaftlichen Identität in die Vollendungsgestalt. Die Hoffnung auf größere »Anschaulichkeit« des Reiches Gottes bereits hier auf Erden kann ein Kriterium dafür sein, wie sehr wir uns von einem spiritualisierenden Dualismus (»Diesseits – Jenseits«) absetzen und uns statt dessen in den Dienst an dieser konkreten Erde begeben, um deren bleibendgültiges Aufgehobensein im vollendeten Reich Gottes wir besorgt sind.

c) Und schließlich ein drittes Moment: Die eschatologische Hoffnung des Irenäus zielt auf eine *neue Gestalt* des Zusammenlebens der Menschen im Reich Christi auf Erden. Bei aller zeitbedingten (apokalyptischen) Ausmalung dieses Neuen scheint mir seine Hoffnung insofern beachtenswert, als sie dem auferstandenen Jesus Christus eine *innergeschichtliche* Gestaltungskraft »zutraut«, die über das in Vergangenheit und Gegenwart bereits »Erreichte« hinausgeht. Während wir uns meist in einem pragmatischen Realismus damit abfinden, daß die Geschichte im ganzen und die sie tragenden vielen Einzelgeschichten doch weithin in einem gleichen Verhältnis zwischen Gut und Böse ablaufen werden, das sich nicht wesentlich von dem der Vergangenheit und der Gegenwart unterscheidet, erwartet diese Hoffnung eine wirklich neue und andere Gestalt irdischer Geschichte; dies jedoch nicht aus irgendwelchen geschichtsimmanenten Kräften, sondern aus der Kraft des alles »rekapitulierenden« auferstandenen Jesus Christus heraus. Diese neue Geschichtsgestalt bedeutet natürlich nicht ein von Gott gesetztes »Mehr« über das Geschenk seiner Selbstmitteilung in Jesus Christus und der von ihm gesammelten Kirche hinaus, wohl aber ein erhofftes »Mehr« der geschichtlichen Aneignung und der gesellschaftlichen Ausprägung dieses Geschenkes durch die Glaubenden. Insofern liegt in solcher Hoffnung auch ein hohes Maß an Dynamik und Verantwortung für die Zukunft unserer Kirche.

d) Christliche Utopie im Mittelalter:
Joachim von Fiore und seine Wirkungsgeschichte

Nach einer langen Zeit von etwa 800 Jahren, in denen die chiliastische Eschatologie kaum eine Bedeutung hatte, waren erst im Hoch-
mittelalter wieder solche geschichtlichen Bedingungen gegeben, die
die Entfaltung einer christlichen Utopie entscheidend förderten.
Die Kirche war so tief in weltlich-politische Zusammenhänge verstrickt, daß die Unterscheidung Augustins zwischen civitas Dei und
civitas terrena immer weniger erfahrbar war. Als der bekannteste
Vertreter einer utopischen Renaissance im Mittelalter gilt Joachim
von Fiore (um 1130–1202).[97] Von vielen seiner Zeitgenossen als
Prophet und Heiliger verehrt, gründete er als Zisterzienser das Klo-
ster von Fiore (Kalabrien in Italien); er wird dessen Abt, löst es
dann in einer Art Reformbewegung aus dem Zisterzienserorden
heraus und fügt ihm noch einige Zweigniederlassungen hinzu. Auf
dem 4. Laterankonzil 1215 wurde seine Trinitätslehre wegen ihrer
offensichtlich tritheistischen Tendenzen, die gegen Petrus Lombar-
dus gerichtet waren, verurteilt. Uns interessiert jedoch in diesem
Zusammenhang mehr seine Geschichtstheologie.

(1) Die Denkfigur der Entsprechung

Die entscheidende *Denkfigur* Joachims liegt in der Idee der »Con-
cordia«, der Entsprechung zwischen Altem und Neuem Bund einerseits und zwischen Vergangenheit und Zukunft der Heilsgeschichte
anderseits. So konstruiert er den Gesamtverlauf der Heilsgeschichte
derart, daß er die traditionelle Weltzeitalterlehre von den sieben
Weltzeiten à 1000 Jahren (analog den sieben Schöpfungstagen) mit
Hilfe des Stammbaums Jesu und seiner 42 (= 6 × 7) Generationen
(nach Mt 1, 1–17) neu interpretiert. Zunächst wird die Zeit des Alten Bundes in sieben Teile eingeteilt: sechs Zeiten mit jeweils sieben

---

[97] Dazu: J. Ratzinger, Art. »Joachim von Fiore«, in: LThK V, 975 f; K. Löwith,
Weltgeschichte und Heilsgeschehen, Stuttgart 1953, 136–147; 190–195; Joa-
chim v. Fiore, Das Reich des Hl. Geistes (Bearbeitung Alfons Rosenberg),
München 1955; E. Benz, Ecclesia spiritualis, Darmstadt ²1964; M. Seckler, Das
Heil in der Geschichte, München 1964, 183–215; G. Bornkamm, Die Zeit des
Geistes, in: Gesammelte Aufsätze Bd. III, München 1968, 90–103; G. Wendel-
bom, Gott und Geschichte. Joachim v. Fiore und die Hoffnung der Christen-
heit, Wien 1974; H. Mattu, La manifestation de l'Esprit selon Joachim de Fiore,
Neuchâtel/Paris 1977; H. de Lubac, La posterité de Joachim de Fiore I, Paris
1978; Y. Congar, Der Heilige Geist, Freiburg 1982, 118–128; A. Rotzetter,
Eschatologie und Utopie im franziskanischen Denken. Die utopischen Vorstellungen der ersten Franziskaner, in: FS 67 (1985), 107–113.

Generationen (= 42) gehen Christus voran; Christus selbst bildet die siebte Zeit. Analog dazu wird die Zeit des Neuen Bundes in sieben Teile gegliedert: Auf Christus folgen wiederum sechs Zeiten mit jeweils sieben Generationen (wobei für jede Generation – nach dem Lebensalter Jesu – etwa 30 Jahre berechnet werden); das ergibt genau 1260 Jahre für die Zeit des Neuen Bundes. Danach folgt die siebte Zeit, die nach einem übergeordneten trinitarischen Einteilungsschema die »Zeit des Geistes« genannt wird. Der Alte Bund gilt als die »Zeit des Vaters«, der Neue Bund als die »Zeit des Sohnes«, das dritte und neue Zeitalter eben als die »Zeit des Geistes«. Joachim führte diese Einsicht auf eine Offenbarung zurück, die ihm an einem Pfingstfest zwischen 1190 und 1195 zuteil wurde; hier sei ihm das Verständnis für den Sinn der gesamten Geschichte eröffnet worden. Dafür, daß bald das dritte Zeitalter bevorstand, sprach vor allem der radikale Verfall der eigenen Zeit, den Joachim in den Endzeitwehen der Apokalypse vorausgesagt sah und der gleichsam nach einer neuen Wende schrie.

In vielen Bildern und Vergleichen charakterisiert Joachim diese drei verschiedenen Weltzeitalter:

»Wie wir schon in dieser Arbeit schrieben, überliefern uns die Losungen der Heiligen Schrift schließlich 3 Weltzustände: Den ersten, in dem wir unter dem Gesetz waren; den zweiten in der Gnade, den dritten, den wir in Bälde erwarten, in noch reicherer Gnade; denn Gnade gab er uns um Gnade, sagt Johannes (1,16) oder Glaube für Liebe und beides zusammen. Der erste Status war in der Wissenschaft, der zweite in der Macht der Weisheit, der dritte in der Vollkommenheit der Erkenntnis. Der erste in der Knechtschaft der Sklaven, der zweite in der Dienstbarkeit der Söhne, der dritte in der Freiheit. Der erste in Plagen, der zweite in Aktion, der dritte in der Kontemplation. Der erste in der Furcht, der zweite im Glauben, der dritte in der Liebe. Der erste im Zustand der Knechte, der zweite der Freien, der dritte der Freunde. Der erste der Knaben, der zweite der Männer, der dritte der Alten. Der erste im Sternenlicht, der zweite in der Morgenröte, der dritte im vollen Tageslicht. Der erste steht im Winter, der zweite im Frühlingsanfang, der dritte im Sommer. Der erste bringt Nesseln hervor, der zweite Rosen, der dritte Lilien. Der erste bringt Gras, der zweite Halme, der dritte Weizen. Der erste Wasser, der zweite Wein, der dritte Öl. Der erste gehört zu Septuagesima, der zweite zu Quadragesima, der dritte zum Osterfest.
Eine andere Zeit ist die der Knaben und eine andere die der Greise, und so wie es richtig ist, die Knaben mit der Rute der Strenge zu züchtigen, so ist es heilsam, die Männer mit Freiheit zu beschenken, weil auf den Geist der Furcht die Annahme an Kindesstatt folgt, auf die Fehlerhaftigkeit der Knechte die Freiheit der Söhne ... Wo viel Arbeit sein wird, wird noch viel mehr Muße sein. Die Tage der arbeitsamen Martha werden vorübergehen und die glückselige Zeit der müßigen Maria wird kom-

men. Die Geistkirche, die durch Maria dargestellt wird, begann in ihren Tagen; sie wird in der nächsten (Zeit) anfangen, wenn sie auch bis jetzt nicht empfangen hatte und gebären in den Tagen des Gog; dann allerdings wird die Vollendung der Zeiten nicht mehr fern sein. Daher gehört der erste Status zum Vater, der der Schöpfer von Allem ist und fängt mit dem ersten Vater an, was sich auf das Mysterium von Septuagesima bezieht, nach den Worten des Apostels (1 Kor 15, 47): ›Der erste Mensch ist aus Erde irdisch, der zweite Mensch ist vom Himmel.‹ Der zweite (Status) gehört zum Sohn, der sich gewürdigt hat, unser Fleisch anzunehmen, damit er darin fasten und leiden könne, um so den Zustand des ersten Menschen zu erneuern, der gefallen war, indem er aß. Der dritte (Status) gehört zum heiligen Geist, von dem der Apostel sagte (2 Kor 3, 17): ›Wo der Geist des Herrn ist, da ist Freiheit.‹[98]

Ein anderes Einteilungsschema kennzeichnet das erste Zeitalter als eine Ordnung der Verheirateten, die unter dem (mosaischen) Gesetz des Vaters stehen, das zweite als eine Ordnung der Priester, die unter der Gnade des Sohnes stehen, und schließlich das dritte als eine Ordnung der Mönche, die unter der Freiheit des Geistes stehen. »Im ersten Zeitalter herrschen Mühe und Arbeit, im zweiten Gelehrsamkeit und Zucht, im dritten Kontemplation und Lobpreis.«[99]

(2) Das Grundprinzip der Geschichte: vom Buchstaben zum Geist

Das *Grundprinzip* der geschichtlichen Entwicklung, gleichsam ihre immanente Logik sieht Joachim im immer weiter voranschreitenden Gang vom Buchstaben zum Geist. Alle Ereignisse des Alten Bundes werden im Neuen Bund und dann im dritten Zeitalter des Geistes in jeweiliger Entsprechung auf vergeistigtere und gereinigtere Weise wiederholt (so z. B. die Feuertaufe des Elias durch die Wassertaufe des Johannes und die Geisttaufe der Jünger Jesu). Deshalb wird auch die Kirche im dritten Zeitalter keine äußerlich-formalen Institutionen und Ämter mehr brauchen; es wird zwar noch Hierarchie, Sakramente und andere Institutionen geben, aber in völlig verwandelter, ganz dem Geist entsprechender Gestalt. Die Kirche wird dann zu einer reinen »ecclesia spiritualis«, in der die Gemeinschaft der Glaubenden in unmittelbarer Kommunikation mit Gott steht, weil eben der Geist Gottes alles durchstimmt und befreit. In dieser Kirche wird auch die Bergpredigt vollkommen gelebt, so daß sie

[98] Aus den verschiedensten Schriften Joachims zusammengestellt nach der Bearbeitung von Alfons Rosenberg, aaO. 82 ff.
[99] K. Löwith, aaO. 139.

eine radikal arme Kirche sein wird; auch alle Kriege sind dann beendet, der Antichrist ist besiegt und das »ewige Evangelium« wird verkündet (Offb 14,6), welches Joachim als das aus dem Evangelium Jesu hervorgehende Evangelium des Geistes deutet. Dies alles steht nahe bevor, eben im Jahre 1260; Joachim selbst lebt bereits in der 40. Generation des Neuen Bundes, und seine Ordensgründung sieht er als unmittelbaren Vorläufer dieser neuen Wende an (während der entferntere Beginn des dritten im zweiten Zeitalter in der Ordensgründung des hl. Benedikt liegt).

Mit dieser Sicht von Kirche und Geschichte wendet sich Joachim keineswegs gegen Augustinus; vielmehr knüpft er ausdrücklich an ihn an und versucht seine eigene Utopie zunächst einmal in den Grenzen des ekklesiologischen Systems Augustins zu entwickeln. Deswegen prophezeit er auch keinen revolutionären Bruch zwischen der alten Zeit der Kirche und ihrer neuen Zeit im Reich des Geistes. Vielmehr erwartet er einen organischen Übergang der ganzen Geschichte zum Geist hin, der – gleichsam wie bei einer Geburt – bald zum vollen Durchbruch kommen wird.

Im Unterschied zum Chiliasmus der alten Kirche enthält diese Konzeption auch keine »Materialisierung« der eschatologischen Hoffnung, sondern eher ihre radikale Spiritualisierung im Zeitalter des Geistes; denn nicht die Hoffnung auf irdisch-fleischliche Auferstehung steht hier im Blick, sondern auf eine geistlich-innerliche »Auferstehung« der alten Kirche in die neue »ecclesia spiritualis« hinein (was von Joachim oft mit »Übergang« oder »Verwandlung« bezeichnet wird[100]). Auch enthält diese geschichtstheologische Sicht bei Joachim noch keine antikirchliche oder antiinstitutionelle Spitze (wie später bei seinen Nachfolgern). Ebensowenig spielt die numerische Zahl der »tausend Jahre« des neuen Reiches bei ihm eine Rolle, da er sie durchaus als symbolische Zahl versteht.

Dennoch geht seine Eschatologie in einem bestimmten Punkt über Augustinus hinaus; gibt es doch für die Kirche als dem gegenwärtigen Reich Christi nach seinem Verständnis noch eine Dynamik auf ein *innergeschichtliches »Mehr«* hin. Der der Kirche verliehene Hl. Geist kann auch innergeschichtlich noch in eine deutlichere, manifestere Gestalt treten. Das »Eschaton« der Kirche (und damit der ganzen Welt, weil die Kirche ja die »civitas Dei« in der Welt ist, der Sauerteig, der alles durchsäuert) wird also verdoppelt: Der transzendent-endgültigen Vollendung im Reich Gottes geht eine erneuerte Kirche und von daher eine erneuerte Gesellschaft, eben das Reich des Geistes voraus. Diese neue Gestalt der Kirche wird von

---

[100] Siehe E. Benz, aaO. 23 ff.

Joachim nicht nur als ständige Möglichkeit der »ecclesia *semper* reformanda« verstanden, sondern als ein realgeschichtlich-einmaliger *Kairos* der umfassenden und radikalen Erneuerung. Ihr Gehalt ist zwar sehr spirituell, nämlich die Erneuerung des Geistes der Glaubenden durch den Hl. Geist, der alle gleichsam zu Mönchen macht. In ihrer Form jedoch wird sie durchaus recht irdisch-konkret vorgestellt, nämlich als eine neue, von jeder »äußeren«, d. h. nicht geist-transparenten Form, Herrschaft und Institution befreite Gemeinschaft der Glaubenden. In allen wirkt der Geist Gottes dann unmittelbar und schafft eine neue Form des menschlichen Zusammenlebens. Es gibt demnach für die Kirche nicht nur die Verheißung der endgültigen Selbstvollendung im Reich Gottes (am Ende der Tage), sondern auch die einer innergeschichtlichen, qualitativen Erneuerung und Vergeistlichung, in der alles Äußerlich-Formal-Institutionelle an ihr von innen heraus, durch die bestimmende Gegenwart des Geistes überwunden wird.

Was ist von dieser Utopie zu halten? Fragwürdig an ihr ist sicher die zugrundeliegende Trinitätstheologie mit ihrer falschen Unterscheidung zwischen Vater, Sohn und Geist und der auf ihr aufbauenden Periodisierung der Heilsgeschichte. Denn schließlich ist es ein und derselbe Geist der Liebe zwischen Vater und Sohn, der in Schöpfung, Geschichte *und* Vollendung am Werk ist und dabei immer wieder das Angesicht der Erde erneuert. Zweifellos muß der Hoffnung auf eine »geistlichere«, d. h. dem Evangelium vom Reich Gottes für die Armen treuere und den Zeichen des Geistes in der jeweiligen Zeit aufgeschlossenere Universalkirche ein unbestrittenes Hausrecht in der Kirche eingeräumt werden. Wo diese Hoffnung jedoch auf eine grundsätzliche innergeschichtliche Überwindung alles formal Institutionellen in der Kirche aus ist, kann sie nur als eine schlechte Spiritualisierung und Ent-geschichtlichung der Kirche abgewiesen werden. Sie schreibt dann der Kirche eine übermenschliche, übergesellschaftliche Qualität zu, kraft derer sie ihr Sein als Ekklesia Gottes außerhalb und oberhalb aller sonstigen menschlich-sozialen Strukturformen leben könnte. Der Hl. Geist als ihr Lebensprinzip hebt die Kirche (analog zur Inkarnation des Logos: vgl. »Lumen Gentium, Nr. 8) nicht aus Geschichte und Gesellschaft heraus, sondern läßt sie *in* den gesellschaftlichen Gesetzmäßigkeiten, die jedes menschliche Zusammenleben bestimmen, die formende Kraft der Liebe Gottes vergegenwärtigen. Deswegen negiert der Geist des Auferstandenen auch nicht einfachhin die kirchlichen Institutionen als geistfremd, sondern nur solche, die sich von ihm nicht mehr durchformen, beleben und verändern lassen.

Joachims ekklesiologische Zukunftsträume waren der mittelalterlichen Kirche keineswegs fremd; sie standen in deutlich erkennbarer Nähe zu den Reformideen des Gerho und Arno von Reichersberg, des Rupert von Deutz und des Anselm von Havelberg. Auch führten seine Gedanken zunächst nicht zum Konflikt mit der amtlichen Kirche, da das utopische Potential seiner Lehre in einen umgreifenden spirituellen Rahmen eingefügt war.[101] Die geistliche Erneuerung der Kirche wurde ja in Form eines großen Klosters vorgestellt, wodurch von innen heraus alles äußerlich Formale allmählich überwunden werden sollte. Die Idee der *geistlichen* Entwicklung zu einer Kirche des Geistes ermöglichte sowohl eine innergeschichtliche Dynamik der Kirche wie auch (umgekehrt) ihre Befriedung und Integration in das orthodoxe Kirchenbild.

(3) Die Wirkungsgeschichte:
   von den »Spiritualen« bis zur Reformation

Eine quasi-revolutionäre Wirkung begannen diese Ideen erst einige Zeit später bei den sogenannten *Franziskanerspiritualen* auszuüben. Damit wird jene Richtung der Franziskaner bezeichnet, die nach dem Tod des hl. Franz in radikaler Armut und Strenge das Leben der ersten Jahre beibehalten und den ganzen Orden auf den Lebensstil des hl. Franz als unveränderlich maßgebend verpflichten wollte. So gerieten sie in wachsenden Gegensatz zu den Gemäßigten, die später »Konventualen« genannt wurden, welche dem Ideal des hl. Franz treu bleiben wollten und zugleich doch eine gewisse Anpassung an die veränderten Zeit- und Ordensverhältnisse forderten (wie z. B. Antonius von Padua und Bonaventura). Unter den »Spiritualen« wurde die Geschichtstheologie des Joachim von Fiore besonders durch Petrus Olivi, Gerhard de Borgo San Donnino, Umberto von Casale und den Dichter Jacopone von Todi weitergeführt. Sie entsprach sehr gut dem permanenten Krisenbewußtsein des 13. Jh.s, welches vor allem durch die Spannung zwischen Kirche und Kaisertum (Friedrich II.!), durch die Kreuzzüge, die städtischen Sozialbewegungen mit dem neuerwachenden Selbstbewußtsein der bürgerlichen Stände, die neuen Orden und ihren Gegensatz zu einer sehr verweltlichten Kirche erzeugt wurde.

[101] Im Jahre 1255 verurteilte eine Untersuchungskommission in Anagni seine Vision der zukünftigen Kirche, weil sie gegen die augustinische »ecclesia permixta« und damit gegen das geschichtlich unaufhebbare Ineinander von Weizen und Unkraut in der Kirche gerichtet sei. Zwar verwarf eine Provinzsynode in Arles Joachims Ideen im Jahre 1263; das gesamtkirchliche Lehramt sprach jedoch keine Verurteilung seiner Geschichtstheologie aus.

In dieser geschichtlichen Situation entsteht zum erstenmal seit dem christlichen Altertum wieder eine größere Bewegung religiöser Gruppen, die sich im Gegensatz und z. T. im offenen Widerstand zur Kirche befinden. Joachims Ideen werden jetzt als Mittel der innerkirchlichen Kritik eingesetzt und bekommen über die Geistesgeschichte hinaus eine *sozial*geschichtliche Bedeutung, weil sie sich mit radikalen innerkirchlich-revolutionären Gruppen verbinden. Das utopische Potential des Chiliasmus wird nun ausdrücklich gegen die »böse Kirche« gewandt (und nicht mehr wie in der Antike gegen die »böse Welt« = Rom), indem sich religiöse Subkulturen innerhalb der Kirche bilden. Sie versuchen mit allen Mitteln die Vision der »ecclesia spiritualis« in die gesellschaftliche Realität umzusetzen und so das neue Zeitalter einzuläuten. Nicht mehr die Kirche als ganze wird jetzt im Gegenüber zur Welt als das Subjekt der utopischen Hoffnung betrachtet (wie noch im alten Chiliasmus), sondern eine oppositionelle Gruppe innerhalb der Kirche übernimmt für sich diese Rolle. Den hl. Franz verehren sie als den von Joachim vorausgesagten »novus dux«, ja als den »neuen Christus« der neuen Zeit. Joachim selbst fungiert als sein Vorläufer, und die Ordensregel des hl. Franz wird zur Norm der Evangelienauslegung erhoben; danach sind die Bergpredigt und der Ruf Jesu zur Armut buchstäblich zu verstehen und in der Ordensgemeinschaft zu realisieren. So versteht sich diese Gemeinschaft als realer Beginn des dritten Status, des »status monachorum«. Die alte hierarchische Kirche hat in ihren Augen ihr Ende erreicht, und zwar sowohl geistlich wie auch politisch; denn in Friedrich II. sehen sie den apokalyptischen Antichristen am Werk, der von außen die alte Kirche zerstört und so mithilft, die Bedingungen einer neuen Kirche zu schaffen.

Durch solche Auffassungen gerieten die Spiritualen natürlich in Opposition zur Kirche und ihrer Leitung, besonders zu Papst Johannes XXII. (1316–1334), aber auch zur Mehrheit in den beiden neuen Bettelorden der Franziskaner und der Dominikaner. Dennoch führten die Auseinandersetzungen nicht zu einem revolutionären, die Kirche in ihren Grundfesten erschütternden Konflikt. Es gelang nämlich den Orden (zumal Bonaventura) und der Kirche im ganzen, über den Weg der Kirchenreform, die bestimmte Erneuerungsgedanken aufgriff, diese Bewegung z. T. kirchlich aufzufangen und sie zugleich ihres Konfliktstoffes zu berauben. Dazu trug natürlich auch die nicht zu unterschätzende gewaltsame Ausstoßung der als Ketzer verurteilten Spiritualen bei. Letztlich war es wiederum die theologische Antwort des Augustinus, die auch die Theologen dieser Zeit, vor allem Bonaventura und Thomas von Aquin, gegen solche Bewegungen erfolgreich ins Feld führten: Das

Zeitalter Christi ist identisch mit dem Zeitalter des Geistes und der Kirche; denn kein anderer als der Geist des auferstandenen Christus wirkt in der geschichtlichen Kirche und ihren Institutionen. Ein autonomer, darüber hinausführender Status des Hl. Geistes und einer Geist-Kirche wird mit Recht als unbiblisch abgelehnt. Damit ist aber nichts gesagt gegen eine Hoffnung, die sich auf eine deutlichere innergeschichtliche Transparenz dieses Geistes Christi in seiner Kirche und in der Welt richtet. Das nüchterne Rechnen mit der bleibenden Macht der Sünde und damit auch der bleibenden Struktur einer »ecclesia permixta« aus Guten und Bösen darf nicht zum Tod jener Hoffnung führen, die auf die erneuernde Kraft des Geistes Christi baut; die zugleich diese Kraft nicht nur ständig am Werk glaubt (in der »ecclesia *semper* reformanda«), sondern auch in bestimmten geschichtlich bedrängenden Augenblicken als besonders dringlich und not-wendig erhofft (wie z. B. zur Zeit des Zweiten Vatikanischen Konzils oder auch gegenwärtig in zahlreichen Ortskirchen der Dritten Welt, die mutig neue Wege der Inkulturation wagen).

Im Laufe des 14. Jh.s verloren die utopischen Prophezeiungen Joachims allmählich ganz ihre Bedeutung. Der Franziskanerorden wurde durch die große Pest (1348–1352) um zwei Drittel seiner Mitglieder dezimiert; der hundertjährige Krieg, die allgemeinen Mißstände in Staat, Kirche und Orden, das abendländische Schisma (1378–1449) sorgten auf ihre Weise mit dafür, daß die chiliastische Utopie nur noch von einzelnen sektiererischen Gruppen weitergetragen wurde, wie z. B. den Geißlern, den Waldensern, den Katharern, den Albigensern, den Apostelbrüdern, den Brüdern des freien bzw. neuen Geistes usw.[102]

Erst in der *Reformation* und ihrer engeren Vorgeschichte (Wyclif, Hus) gelangt der christliche Utopiegedanke – allerdings (bei den großen Reformatoren) ohne seine spezifisch chiliastische Ausprägung – in eine neue Phase. Die Idee der neuen Kirche, der ecclesia spiritualis, führt jetzt zum offenen Bruch eines großen Teils der Glaubenden mit der alten Kirche. Die Idee der »ecclesia semper reformanda« kann den Konflikt nicht mehr bannen; es kommt statt dessen zur »ecclesia vere reformata«, zu einer neuen, reformierten Kirche, die sich von der alten trennt und damit sowohl eine spirituelle wie auch gesellschaftliche Alternative zur bisherigen Kirche darstellt. Eine selbständige, von der Kirche getrennte, aber in ihrer

---

[102] In säkularisierter und pervertierter Form sind manche Begriffe dieser Utopie wiederum im Faschismus unseres Jahrhunderts aufgegriffen worden: der »neue Führer« als Messias, das »Dritte Reich«, das »Tausendjährige Reich« usw.

gesellschaftlichen Bedeutung gleichrangige radikale Gemeinschaft von Glaubenden wird jetzt zum Subjekt der christlichen Utopie. Dabei spielt gerade auch das apokalyptisch-eschatologische Motiv einer völlig erneuerten, d. h. allein dem Wort Gottes gehorsamen Kirche als Vor-zeichen des Endes dieser Welt eine große Rolle innerhalb der reformatorischen Bewegung.[102a]
Nachdem sich die neue Gemeinschaft jedoch auch als Kirche strukturell etabliert hat, wird das utopische Moment ihres Aufbruchs auch für sie selbst wieder weitgehend domestiziert. So weist bereits Luther gegenüber den radikalen Erneuerern, die auch das politische Umfeld der neuen Kirche revolutionär zum »Reich Gottes« umgestalten wollen (z. B. die Zwickauer Propheten, Thomas Müntzer, die Täuferbewegungen), jeden weitergehenden Radikalisierungsschritt als illegitim und schwärmerisch zurück. Dadurch gerät die Reformation in eine Art »häretisch-ekklesiologische Zwitterrolle« dem Utopischen gegenüber[103]: Einerseits provoziert sie als radikaler Bruch mit der alten Kirche und als organisierte neue Kirche, die sich auf den Geist und das wahre Evangelium (gegen die Institution des Amtes) beruft, ständig die utopische Kraft der radikalen Erneuerung; anderseits versteht sie sich aber auch wie die alte Kirche gegenüber allen radikalreformatorischen Bewegungen als innergeschichtlich unüberholbar und endgültig, so daß sie wie diese versucht, alle weitergehende christliche Utopie in das Programm der »ecclesia semper reformanda« zu integrieren.

(4) Modelle kirchlich-utopischer Bewegungen

Seit der Reformation tritt die christliche Utopie eines neuen, innergeschichtlichen Heilszustandes *vor* dem Ende der Zeit und als reines Abbild der Vollendung der Geschichte meistens in zwei verschiedenen *Modellen* auf:
a) Einmal im Modell einer *»radikalisierten Reformation«:* Einzelne Gruppen und Bewegungen, die sich in eine offene Opposition zur

---

[102a] Vgl. E. Kunz, Protestantische Eschatologie – Von der Reformation bis zur Aufklärung, in: M. Schmaus u. a. (Hrsg.), Handbuch der Dogmengeschichte Bd. IV, Fasc. 7c, 1. Teil, Freiburg 1980, 13–15, 70–92. Kunz schreibt: »Aber auch in der reformatorischen Bewegung selbst erblickt Luther ein endzeitliches Geschehen; denn durch den neuen und bisher einzigartigen Durchbruch des Wortes Gottes wird der Antichrist entlarvt. Das aber bedeutet den Anfang, das ›Vorspiel‹ des endzeitlichen Gerichtes« (14). Jedoch setzt Luther – anders als die Täuferbewegung und später viele Pietisten – diese Erneuerungsbewegung nicht mit einem »tausendjährigen Reich Christi«, einem »Reich des Geistes« o. ä. gleich.
[103] G. List, Chiliastische Utopie, aaO. 101.

Kirche (auch der Reformation) stellen, erklären sich selbst zum konkreten Subjekt utopischer Heilserwartung und wollen deswegen primär in ihrem eigenen gesellschaftlichen Verband den endzeitlichen Heilszustand vorwegnehmen, was sich häufig mit einem deutlichen Auserwählungs- und Elitebewußtsein verbindet. Darin vollzieht sich gleichsam eine immer neue Potenzierung der Reformation und ihres Bruchs mit der alten Kirche. Für die gesellschaftliche Gestalt solcher Bewegungen spielen die beiden grundsätzlichen Pole des utopischen Denkens eine große Rolle: Wenn die Haltung der *Erwartung* des nahen Endes vorherrscht, bereitet sich eine solche Gruppe durch ein intensiviertes spirituelles und soziales Leben innerhalb der Gruppe darauf vor, um bei dem bald erwarteten Gericht zu den geretteten Auserwählten, zu den Gerechten zu gehören. In vielen eschatologisch motivierten Sekten, die aus der Reformation hervorgingen, lebt dieses »Hasidäer-Modell« der jüdischen Apokalyptik weiter.

Wenn jedoch die Haltung der *Aktivität* eine größere Rolle in einer solchen reformatorischen Bewegung spielt, äußert sich dies verstärkt in revolutionären Einsprüchen und Handlungen nach außen, sei es gegen die etablierte Kirche oder gegen die profane Gesellschaft überhaupt, um durch aktive Veränderung der Zustände das messianische Zwischenreich herbeizuführen. Dieses »Makkabäer-Modell« lebte z. B. bei den Täuferbewegungen der Reformation, vor allem bei Thomas Müntzer, wieder auf, der im Befreiungskampf der Bauern bereits den Durchbruch des Reiches Gottes sah. Heute erlebt es seine Renaissance bei Gruppen, die im (ziemlich diffusen) Umkreis der »Theologie der Revolution« anzusiedeln sind. Zweifellos wird in solchen Gruppen die utopische Kraft der christlichen Hoffnung häufig am leidenschaftlichsten (wenn nicht fanatisch) zur Geltung gebracht. Aber gerade dabei erliegen sie sehr oft der Gefahr der Zersplitterung in einen elitären »progressus in infinitum« von immer radikaleren Abspaltungen und heben sich damit selbst auf in gesellschaftliche Bedeutungslosigkeit.

b) Daneben steht das Modell einer »*innerkirchlichen Erneuerungsbewegung*«: Es wird verwirklicht in Gruppen, die bewußt innerhalb der Kirche bleiben, weil sie theologisch keine Alternative für das konkrete geschichtliche Subjekt christlicher Hoffnung zu der einen Kirche sehen, deren Einheit sie nicht noch mehr spalten wollen, und die die Idee der »ecclesia semper reformanda« bei sich selbst in (mehr oder weniger) radikaler Weise vorleben wollen, gleichsam als Ersatz und als Vorbild für die Gesamtkirche. Auf diese Weise verstehen sich viele Ordensgemeinschaften, Säkularinstitute, Basisgemeinden und vergleichbare Erneuerungsbewegungen in der Kirche.

Auch hier lassen sich wieder zwei unterschiedliche Akzentuierungen bezüglich der gesellschaftlichen Gestalt solcher Gemeinschaften erkennen: Entweder wird die direkte Intention mehr nach innen, auf die eigene Gruppe gerichtet, so daß das eigene religiös-soziale Leben als »Modell« für Kirche und Gesellschaft allgemein sichtbar vorgelebt werden soll. In diesem eher »benediktinischen« Ideal, das heute u. a. sehr poiniert von der »integrierten Gemeinde« gepflegt wird, greift man gern auf die biblischen Motive von der »Stadt auf dem Berg« und vom »Licht der Welt« zurück. Die direkte Intention kann jedoch auch stärker nach außen, auf die Gesamtkirche und die profane Gesellschaft gerichtet sein, um dort an bestimmten Brennpunkten oder Schwachstellen präsent zu sein und hier das Evangelium zur Geltung zu bringen. Dieses mehr »franziskanische« bzw. »jesuitische« Ideal, das heute – auf radikalere Weise – besonders in der Bewegung gelebt wird, die von Charles de Foucauld ausgeht, orientiert sich stärker an den biblischen Bildern vom »Sauerteig« oder vom »Weizenkorn, das in die Erde fällt«.
Natürlich markieren solche Unterschiede keine sich ausschließenden Gegensätze; bei aller Akzentsetzung pflegen sie oft eher in »Mischformen« aufzutreten. Dabei entgehen solche Gemeinschaften, die mehr dem Modell der innerkirchlichen Erneuerungsbewegung folgen, nicht immer der Gefahr, daß der utopische Gehalt ihrer Motivation mehr und mehr domestiziert wird, daß er mit der Zeit an das für alle Gangbare und Gängige angepaßt wird. Dennoch besteht bei ihnen mehr als bei den Gemeinschaften, die das erste Modell vorziehen, die Aussicht, auf längere Sicht den utopischen »Stachel im Fleisch« der Kirche lebendig zu halten und sie so ständig anzutreiben, sich auf einen geistgemäßeren innergeschichtlichen Zustand hin zu bewegen.

e) Die »Theologie der Befreiung«: ein Beispiel christlicher Utopie der Gegenwart

Unsere Darstellung beschränkt sich hier auf einige Grundzüge der Eschatologie und darin noch einmal auf das utopische Moment innerhalb der Theologie der Befreiung.[104]

---

[104] Vgl. zum folgenden: G. Guttiérrez, Theologie der Befreiung, München/Mainz 1973; K. Rahner u. a., Befreiende Theologie, Stuttgart 1977; L. Boff, Erfahrung von Gnade, Düsseldorf 1978; ders., Die Neuentdeckung der Kirche – Basisgemeinden in Lateinamerika, Mainz 1980; ders., Kirche – Charisma und Macht, Düsseldorf 1985; Cl. Boff, Theologie und Praxis, Mainz 1983; M. Kehl, Option für die Armen, marxistische Gesellschaftsanalyse und katholische Dogma-

(1) Der Angriffspunkt:
die strukturelle Sünde der Gesellschaft

Den Angriffspunkt der utopischen *Negation* innerhalb dieser Theologie bietet nicht primär die Kirche, sondern die allgemeine gesellschaftliche Situation Lateinamerikas. Diese wird von sehr vielen Befreiungstheologen als Zustand der völligen Abhängigkeit charakterisiert. Lateinamerika liegt an der Peripherie, nicht im Zentrum der sich gegenwärtig bildenden Weltgesellschaft. Vieles, was dort geschieht, ist weithin nur Re-aktion und Re-flex auf das, was sich in den politischen und wirtschaftlichen Zentren der Welt abspielt. Lateinamerika ist ein »geschichtliches Nebenprodukt der Entwicklung anderer Völker« (G. Gutiérrez); eine eigenständige, selbstinitiierte Entwicklung ist weder im Politischen, noch im Kulturellen, auch nicht im Wirtschaftlichen und Sozialen möglich. Das Schlimmste an dieser Abhängigkeit ist, daß die globale Situation sich im Inneren der lateinamerikanischen Staaten widerspiegelt und auch dort den Mechanismus von kleineren, aber wohlhabenden Zentren und einer riesigen, völlig verarmten Randbevölkerung hervorruft. »Der gesellschaftliche Preis, den wir für das Wachstum (in Brasilien) aufzubringen haben, ist nicht gerechtfertigt, weil er ein ungeheures Maß an Marginalität und Armut hervorruft. Allein in Brasilien leben 75 Prozent der Bevölkerung unter Bedingungen relativen Randdaseins ... Die Menge gesellschaftlicher Mißlichkeiten ist nicht gerecht auf alle verteilt. Vielmehr lastet sie schwer gerade auf der Klasse, die ohnehin schon seit Jahrhunderten alles nur Erdenkliche zu entbehren hat, auf der Klasse der Lohnabhängigen.«[105]

Diese so gedeutete gesellschaftliche Erfahrung wird nun konfrontiert mit der traditionellen theologischen Rede von Gnade, Heil, Rechtfertigung usw. In dieser Perspektive erscheint die Erfahrung der Abhängigkeit und die durch sie vor allem bedingte extreme Armut und Ungerechtigkeit als Abwesenheit von bzw. als *Widerspruch* zum Heil. Denn diese gesellschaftliche Wirklichkeit widerspricht eindeutig dem Heilsplan Gottes; in der Erniedrigung seiner Geschöpfe wird auch der Schöpfer zutiefst beleidigt.[106] Deswegen bezeichnet die Befreiungstheologie diese Situation durchgängig mit dem traditionellen Terminus »*Sünde*«. Darunter wird jetzt primär die strukturelle Situation des Widerspruchs zum Heilswillen Gottes

tik, in: K. Lehmann/W. Löser/M. Lutz-Bachmann (Hrsg.), Dogmengeschichte und katholische Theologie, Würzburg 1985, 479–512; M. Sievernich, Frohe Botschaft für die Armen, in : StdZ 203 (1985), 735–747.

[105] L. Boff, Erfahrung von Gnade, aaO. 109.
[106] L. Boff, aaO. 122 f.

verstanden; dieser Widerspruch hat seinen letzten Grund im zum politischen und wirtschaftlichen System erhobenen Egoismus und Machtstreben, also in jener »grundlegenden Option, die abzielt auf die Anhäufung von Reichtum und Macht in den Händen egoistischer Minderheiten, denen jeder Sinn für die soziale Bedeutung der Güter von Erde und Kultur abgeht. Das Kulturethos, das die kapitalistische Mentalität strukturell prägt, ist zutiefst unmenschlich und unevangelisch«.[107]

Dieser Widerspruch zwischen Gottes Heil und menschlicher Geschichte kann nur behoben werden, wenn die sündigen Strukturen und die sich in ihnen manifestierende sündige Mentalität des Egoismus und Machtstrebens in einer sich wechselseitig bedingenden »Umkehr des Herzens« und »Veränderung der Zustände« aufgehoben werden. Die *Negation* als ein wesentliches Moment der Utopie gehört also konstitutiv zur Theologie der Befreiung: Die bestehende gesellschaftliche Wirklichkeit Lateinamerikas gilt als so nicht-sein-sollend und ist deswegen zu negieren. Ob diese »Negation der Negation« auf revolutionäre Weise geschehen (wie es z. B. viele Christen innerhalb der sandinistischen Befreiungsbewegung bejahten und auch die »Christen für den Sozialismus« oder der Theologe H. Assmann fordern) oder sich in einer gewaltlosen Bewußtseins- und Strukturveränderung durchsetzen soll (wie es die meisten Befreiungstheologen vertreten, z. B. L. Boff, Cl. Boff, J. Sobrino, G. Gutiérrez, S. Galilea, C. Mesters u. a.), ist eine zweite Frage und führt auch in dieser Bewegung zu verschiedenen Modellen ihrer Realisierung.

(2) Das Ziel: die »integrale Befreiung« durch Gott

Das Ziel dieser Negation liegt in einer innergeschichtlich partiellen Vorwegnahme des Reiches Gottes. Weil die Erfahrung der Sünde in ihrer gesellschaftlichen Dimension geradezu übermächtig geworden ist (und in vielen Ländern Lateinamerikas von Jahr zu Jahr immer schrecklichere Ausmaße annimmt), steht sie am Ausgangspunkt allen theologischen Denkens innerhalb der Befreiungstheorie. Und dennoch kann sie die Erfahrung von Heil selbst in einem derartig pervertierten Kontext nicht völlig zerstören. Im Gegenteil: Gerade in solchen geschichtlichen Situationen wird der Schrei nach dem befreienden Gott laut. Eine »gefährliche Erinnerung« (J. B.

---

[107] L. Boff, aaO. 129; vgl. zum Verständnis der Sünde in der Theologie der Befreiung die Untersuchung von M. Sievernich, Schuld und Sünde in der Theologie der Gegenwart, Frankfurt/Main ²1983, 232–288.

Metz) ruft die Glaubenserfahrungen Israels, die immer noch Geltung besitzen und deren Erfüllung noch keineswegs voll abgegolten sind, wieder neu ins Gedächtnis. Gerade die zentralen Verse des Exodusgeschehens werden zu *der* »biblia pauperum« Lateinamerikas:

> »Die Israeliten stöhnten unter der Sklavenarbeit; sie klagten und ihr Hilferuf stieg aus ihrem Sklavendasein zu Gott empor. Gott hörte ihr Stöhnen ... und der Herr sprach: Ich habe das Elend meines Volkes in Ägypten gesehen und den Klageschrei gegen ihre Antreiber habe ich gehört. Ich kenne ihr Leid. Ich bin herabgestiegen, um sie der Hand der Ägypter zu entreißen und aus jenem Land hinauszuführen, in ein schönes, weites Land, in ein Land, wo Milch und Honig strömen ...« (Ex 2, 23 f; 3, 7 f).

Gott allein kann aus dieser – menschlich gesehen – ausweg- und hoffnungslosen Lage umfassend und grundlegend erlösen; nur er kann die Sehnsucht unterdrückter Menschen nach Gerechtigkeit, nach Freiheit, nach Heil stillen.
Die Theologen der Befreiung sehen nun eine »Korrespondenz der Beziehungen« zwischen dem Volk Israel und den Völkern Lateinamerikas; d. h., die Beziehung der politischen Situation des unterdrückten Israel zu seinem Glauben an Gott ist analog vergleichbar der Beziehung der gegenwärtigen lateinamerikanischen Situation der Armen zu ihrem Glauben an Gott.[108] Aufgrund dieser Vergleichbarkeit der Beziehungen kann dann die jetzige gesellschaftliche Notwendigkeit der »Befreiung« aus der Abhängigkeit mit der traditionellen christlichen Hoffnung auf »Erlösung« durch Gott verbunden werden; und zwar soll das so geschehen, daß in der *politischen* und in der sie tragenden *kulturellen,* auf den »neuen Menschen« und sein neues Bewußtsein hinzielenden »Befreiung« die *theologische,* alles geschichtlich-befreiende Tun ermöglichende und im geschichtstranszendenten Reich Gottes vollendende »Erlösung« von Sünde und Tod real-symbolisch vorweggenommen wird. Die Einheit dieser drei Dimensionen macht die »integrale Befreiung« des Reiches Gottes aus. Jedes Handeln (ob ausdrücklich christlich oder nicht), das aus einer selbstlosen Liebe zu den Armen auf eine Aufhebung der strukturellen Sünde und ihrer prägenden Mentalität abzielt, bringt demnach die gnadenhafte Erlösung des Reiches Gottes ganz real zur Erscheinung.
Damit wird keineswegs das Reich Gottes mit bestimmten gesellschaftlichen Befreiungsbewegungen einfachhin identifiziert (von einigen Reden E. Cardenals und ähnlichen theologischen Simplifika-

---

[108] Vgl. Cl. Boff, Theologie und Praxis, aaO. 244.

tionen abgesehen); auch bleibt der Unterschied zu der definitiven und vollendeten Gestalt des Reiches Gottes, welche die Auferstehung der Toten und damit ein die Geschichte radikal transzendierendes Handeln Gottes einschließt, voll gewahrt. Aber dennoch kommt dieses Reich in realen, das Ganze fragmentarisch-partiell vorwegnehmenden Gestalten der Befreiung zum Vor-schein. Dadurch erhält die Geschichte zugleich eine Dynamik auf ein neues, innergeschichtlich höheres Stadium gesellschaftlicher Wirklichkeit hin, in der mehr Menschlichkeit und Gerechtigkeit gelebt wird. Die grundsätzliche Befreiung durch Jesus Christus und die darin verheißene universale Befreiung im Reich Gottes »dynamisiert« die Geschichte; und zwar nicht nur auf ihre endgültige Vollendung in der Transzendenz der Totenauferstehung hin, sondern auch auf eine neue Qualität der Geschichte selbst hin: daß sie nämlich eine Geschichte der solidarischen Freiheit aller werde.

In dieser Hoffnung scheint auf neue Weise das alte utopische Motiv des »Zwischenreiches« wieder aufgenommen zu sein, also die Vision einer neuen Gestalt menschlicher Gesellschaftsordnung aus dem alles durchformenden Geist Christi heraus, durch den die Geschichte eine Dynamik auf ein höheres Niveau innerhalb ihrer eigenen Grenzen bekommt. Allerdings verfällt die Befreiungstheologie dabei nicht in den Fehler vieler traditioneller Chiliasten, die eine Quasi-Vollendung der Geschichte *in* der Geschichte anzielen. In der chiliastischen Tradition wird oft nicht deutlich, worin überhaupt noch das qualitativ Neue der endgültigen Vollendung jenseits des messianischen Zwischenreichs bestehen solle. Die Theologie der Befreiung macht dagegen einen klaren Unterschied zwischen innergeschichtlich-realsymbolischer Vorwegnahme und geschichtstranszendent-endgültiger Vollendung des Reiches Gottes. Sie rechnet für die Zeit der Geschichte viel realistischer sowohl mit innergeschichtlich unaufhebbaren Strukturen der Wirklichkeit (z. B. mit der stets bleibenden Möglichkeit der Destruktion in der Natur und mit den daraus folgenden Phänomenen des Leids, der Krankheit, des Todes usw.) als auch mit der bleibenden Freiheit der Menschen zur Sünde. Ja, sie schließt auch die Übermacht der Sünde in bestimmten geschichtlichen Situationen und die Ohnmacht der Liebe ihr gegenüber keineswegs aus. Zugleich aber vertraut sie der größeren Macht dieser ohnmächtigen Liebe, weil sie an die Gegenwart des Geistes Christi und seiner totenerweckenden Kraft in unserer schwachen Liebe glaubt. Dabei setzt sie jedoch keineswegs auf einen allmählichen »Fortschritt« der Geschichte von der Sünde zur Liebe hin; sie weiß um die innergeschichtlich bleibenden, ja sich noch verschärfenden Konflikte und Aporien.

Analog zur Geschichte Jesu steht auch die Geschichte derer, die ihm nachfolgen, unaufhebbar im Zeichen des Kreuzes, d. h. sowohl im Zeichen des empirischen Scheiterns der Liebe wie auch im Zeichen ihres eschatologischen Sieges über Sünde und Tod. Die von Christus unserer Geschichte eingepflanzte Dynamik auf Befreiung und Gerechtigkeit hin manifestiert sich nicht in einem eindeutig-geradlinigen Fortschritt darauf hin, sondern in einem ständig neuen Überwinden der Konfliktsituationen, worin gerade die unbesieg-bare Zuversicht auf eine (keineswegs vollkommene, aber doch) qualitativ verbesserte, menschlichere Gemeinschaft mit brüderlich/schwesterlichen Formen der Konfliktbewältigung lebendig ist. »In diesem Sinn ist es unrealistisch, für eine klassenlose, absolut brüderliche und konfliktfreie Gesellschaft zu kämpfen. Realistisch dagegen ist der Kampf für eine Form von Zusammenleben, in dem die Liebe weniger schwierig und die Verteilung von Macht und Mitwirkung besser ist. Gemeinschaft ist folglich als eine Geisteshaltung zu verstehen, die es zu schaffen gilt, als eine Inspiration, die es den Menschen ermöglicht, sich unentwegt dafür einzusetzen, daß die Barrieren zwischen ihnen niedergerissen werden und daß ein solidarisches und wechselseitiges Verhältnis unter ihnen entsteht.«[109]

(3) Das Subjekt: die Kirche der Armen

Als gesellschaftliches Subjekt dieser Utopie, das sich von Gott zum befreienden Handeln befreien läßt, wird das Volk der Armen und Rechtlosen selbst angesehen, das seine menschlich-kulturelle und politische Befreiung in die Hand nimmt und damit in besonderer Weise zum »Sakrament« der befreienden Gnade Gottes für die Welt wird. Nicht eine (paternalistische) Kirche *für* die Armen, sondern die (ausdrückliche und oft auch anonyme) Kirche *der* Armen gilt als geschichtlich bevorzugter Träger des Gnadenhandelns Gottes. Damit wird die Gegenwart des Heils nicht einfachhin auf die Armen beschränkt; aber dieses nimmt innergeschichtlich bei ihnen den *Ausgang* seines Wirkens, d. h. es zielt durchaus auch auf die Befreiung der Reichen und der Unterdrücker aus ihrer Gefangenschaft innerhalb der sündigen Strukturen hin. Es wird bei ihnen dort fruchtbar, wo sie einen »Positionswechsel« innerhalb ihrer gesellschaftlichen Situation vornehmen: wo sie in bewußtseinsmäßiger und praktischer Solidarität mit den Armen an der grundlegenden Veränderung der sündigen Strukturen arbeiten.[110] In diesem

[109] L. Boff, Die Neuentdeckung der Kirche, aaO. 16.
[110] Vgl. dazu Cl. Boff, Theologie und Praxis, aaO. 269–277.

erhofften solidarischen Subjektsein von Armen und Reichen kommt der universale Heilswille Gottes und damit seine »Herrschaft« und sein »Reich« zur vollen innergeschichtlichen Konkretion. Diese Solidarität wird gegenwärtig in Lateinamerika vor allem in den sogenannten »Basisgemeinden« versucht. Dieser Begriff bezeichnet ein sehr vielfältiges Phänomen; etwas generalisiert kann darunter ein Zusammenschluß von mehreren kleinen Gruppen (oft im Rahmen einer bestehenden Pfarrei und »animiert« durch pastorale Mitarbeiter) verstanden werden, die großenteils aus Christen der unteren sozialen Schichten bestehen und die sich regelmäßig zum gemeinsamen Gebet, zum Hören auf das Wort Gottes, zum Austausch über ihren Glauben und ihre Lebenssituation, schließlich zum gemeinsamen Handeln im religiösen und gesellschaftlichen Lebensbereich treffen. Diese Gemeinden verstehen sich als »Kirche des Volkes«, womit eben gerade die Armen, die kleinen Leute, die Opfer des Systems gemeint sind. Dieser Begriff steht nicht primär im Gegensatz zu Amt, Hierarchie und Institution (nach dem bei uns üblichen Modell: »Kirche von unten« – »Kirche von oben«), sondern im Gegensatz zu einer Kirche in den mittleren und gehobenen Schichten, deren kirchliches Leben meist in den traditionellen Formen des Gottesdienstes und der sakramentalen Pastoral abläuft und die *gesellschaftlich* eher zu den Nutznießern oder gar Trägern des politischen Systems gehören. Als »Volkskirche« versuchen solche Basisgemeinden auch die gewachsene Volksreligiosität entweder zu integrieren oder zu evangelisieren.

Die hierarchische Struktur der Kirche wird in solchen Basisgemeinden keineswegs geleugnet, sie gilt aber nicht mehr als das primäre Ordnungsprinzip dieser Kirche. Statt dessen übernimmt die schwesterlich-brüderliche Gemeinschaft aller Glaubenden diese Rolle. Von daher prägt auch nicht mehr so sehr das sakramentale Leben das Bild der Gemeinde (extremer Priestermangel!), sondern viel stärker das gemeinsame Hören auf das Wort Gottes, das Gespräch und das soziale bzw. politische Handeln. Dennoch wird diese Form von Kirche theologisch vorbehaltlos als Kirche bezeichnet, insofern sie sich als Ortsgemeinde versteht, in der (nach »Lumen Gentium« Nr. 26) die Universalkirche anwesend ist und sich in ihren Grundvollzügen (Martyria, Liturgia, Diakonia, Koinonia) verwirklicht. Deswegen wird einerseits besonderer Wert gelegt auf die allmähliche Umwandlung der ganzen Kirche in ein universales Netz von solchen oder ähnlichen Basisgemeinden, anderseits aber auch (für den Weg darauf hin) auf die wechselseitige Beziehung zwischen solchen Basisgemeinden und der institutionell-hierarchischen Kirche: Jene sorgt mit ihren Ämtern, ihrer Tradition, ihren Sakramenten, ihrem Glaubensbekenntnis für die »Kontinuität, die katholische Identität und Einheit« der Basisgemeinden.[111] Diese hinwiederum schenken der traditionell institutionalisierten Form von Kirche (gleichsam wie ein »Sauerteig« bzw. ein dialektischer Gegenpol) die notwendige evangeliumsgemäße Ausrichtung an den »Geringsten der Brüder und Schwestern Jesu«, damit sie sich nicht mehr primär in den Dienst der Wohlhabenden stellt, sondern die Interessen der Armen zu den ihren macht und dadurch wirklich zu einer universalen »Kirche der Armen« wird.

Im Unterschied zu den traditionellen utopischen Bewegungen in der Kirche bilden hier nicht klösterliche Gemeinschaften, Orden oder ordensähnliche Bewegungen, auch nicht innerkirchliche Oppositionsgruppen oder sich von der Großkirche abtrennende, elitäre Widerstandsgruppen das Subjekt der christlich-utopischen Reich-Gottes-Erwartung. Dadurch, daß bestimmte Gemeinden, in denen die »Kirche der Armen« Gestalt anzunehmen beginnt, die konkreten Träger dieser Utopie bilden, scheinen folgende Gefahren, die in der Geschichte solcher Bewegungen immer wieder aufgetreten sind, einigermaßen gebannt zu sein: nämlich sowohl (1) die Gefahr der sich ständig potenzierenden Abspaltung stets noch radikalerer Gruppen, die sich damit mehr und mehr ins gesellschaftliche Abseits begeben, als auch (2) die Gefahr der Dauerfrustration, die sich bei oppositionellen, auf innerkirchlichen Widerstand fixierten Gruppen einzustellen pflegt, wie auch (3) schließlich die Gefahr der kirchlichen Domestizierung und Anpassung, bei der man sich nicht mehr als ein wirklich dynamisierender Pol innerhalb der Großkirche versteht, sondern nur noch (recht bürgerlich-liberal) als eine mögliche kirchliche Existenzform unter vielen.

In dem Maße, wie auch bei uns solche Neuansätze praktisch und theoretisch rezipiert werden, könnte sich die Kirche unseres Kontinentes ebenfalls wieder viel deutlicher als Hüterin der utopischen Hoffnungen der Menschen verstehen. Wir bräuchten diese dann nicht irgendwelchen radikalen Parteien bzw. Bewegungen zu überlassen und uns ihnen gegenüber auf die transzendente Zukunft des Reiches Gottes zu beschränken; wir könnten *als* Kirche der übrigen Gesellschaft vorleben, wie eine qualitativ neue, vermenschlichte Weise des Zusammenlebens auf dieser Erde möglich ist, wenn wir vorbehaltloser aus der gegenwärtigen Kraft des totenerweckenden Geistes Christi heraus leben.

Zum Abschluß dieses Kapitels soll nun noch jene klassische Geschichtstheologie vorgestellt werden, die weithin den normativen

---

[111] L. Boff, Die Neuentdeckung der Kirche, aaO. 19.

Maßstab für jede innerkirchliche Kritik an solchen und ähnlichen utopischen Entwürfen abgibt, die wir bisher behandelt haben.

3. DIE »GOTTESBÜRGERSCHAFT« DES AUGUSTINUS – DAS GRUNDMODELL KIRCHLICHER REICH-GOTTES-REZEPTION

a) Die geschichtliche Entstehungssituation und das leitende Erkenntnisinteresse des Werkes[112]

Im Jahre 410 fand der dritte Angriff Alarichs und seiner Goten gegen Rom statt; drei Tage und Nächte lang stürmten und plünderten sie die Stadt. Dieses Ereignis erschütterte die ganze damalige Welt des Mittelmeerraums: Das ewige, unbesiegbare Rom war gefallen. Zugleich löste dieser Untergang auch eine große theologische Unsicherheit aus; so argumentierten z. B. die heidnisch gebliebenen Römer: Die Christen und ihr neuer Glaube sind an dieser Katastrophe schuld. Sie ist ein Zeichen des Zornes der alten Götter über die offizielle Abwendung vom römischen Staatskult; unter ihrem Schutz blieb Rom stets bewahrt. Umgekehrt machte sich bei den Christen eine große Verzagtheit breit: Obwohl sich in Rom die Gräber der beiden Apostelfürsten Petrus und Paulus befinden, wodurch diese Stadt zur Mitte der Christenheit geworden war, konnte sie so zerstört und gedemütigt werden. Wo bleibt jetzt das Andenken der Apostel, wo das Herz und die Mitte der Kirche?
Auf solche Anklagen und Anfragen reagierte Augustinus zunächst mit rhetorischer Polemik. Gegen die Vorwürfe der Heiden verweist er darauf, daß Roms politischer und moralischer Niedergang schon längst vor der Christianisierung begonnen habe, nämlich bereits in der republikanischen Zeit, wobei er auf Sallust und seine Selbstkritik an Rom verweist. Die Zweifel der Christen versucht er dadurch

---

[112] Vgl. dazu: Augustinus, Die Gottesbürgerschaft, Fischer-Bücherei 374, Frankfurt/Main 1961 (hrsg. u. eingel. von H. U. v. Balthasar); W. Kamlah, Christentum und Geschichtlichkeit. Untersuchung zur Entstehung des Christentums und zu Augustins »Bürgerschaft Gottes«, Stuttgart 1951; K. Löwith, Weltgeschichte und Heilsgeschehen, Stuttgart 1953, 148–159; J. Ratzinger, Volk und Haus Gottes in Augustins Lehre von der Kirche, München 1954; E. Stakemeier, Civitas Dei. Die Geschichtstheologie des hl. Augustinus als Apologie der Kirche, Paderborn 1955; B. Lohse, Zur Eschatologie des Älteren Augustin (De civ. Dei 20,9), in: Vigiliae christianae 21 (1967), 221–240; E. Mühlenberg, Augustin – die schöpferische Grundlage der Tradition, in: C. Andresen (Hrsg.), Handbuch der Dogmen- und Theologiegeschichte Bd. 1, Göttingen 1982, 4. Teil I, 432–445; P. Brown, Augustinus von Hippo, Frankfurt/M. ²1982.

zu zerstreuen, daß er ihren Blick von Rom, das schon mehrmals abgebrannt ist, weg und auf ihre wahre Heimat bei Gott hinwendet. Warum lassen sie sich also durch dieses Ereignis so bewegen? Augustinus merkte jedoch bald, daß damit den Christen wenig geholfen war. Zuviel war bei den Glaubenden ins Wanken geraten, ging es ihnen doch in Wahrheit um die Grundfrage nach dem Wirken Gottes in der Geschichte, ja nach dem christlichen Sinn der Geschichte überhaupt. Als fast 60jähriger begann er deswegen im Jahr 413 seinen großen Entwurf einer christlichen Geschichtstheologie abzufassen, womit er die Grundlage fast aller späteren geschichtstheologischen Konzeptionen legte. 22 Bücher umfaßt dieses »Riesenwerk«. Es ist in zwei Teile gegliedert: Die ersten zehn Bücher enthalten eine Apologetik im Blick auf die Vorwürfe des religiösen Heidentums gegenüber dem Christentum; die zwölf Bücher des zweiten Teils bringen dann eine positive Darlegung des christlichen Geschichtsverständnisses.

Eine besondere (allerdings unausdrückliche) Frontstellung im zweiten Teil bezieht Augustinus gegen die offizielle konstantinische Reichsideologie, wie sie bei den Geschichtsschreibern Eusebius, Prudentius und Orosius verbreitet war. Nach ihr steht das christliche Rom seit Konstantin in bruchloser Kontinuität zum alten Kaiserreich. Der einzige Unterschied liegt darin, daß dieses jetzt die wahre Religion und die wahre Moral angenommen habe und somit das Friedensreich Christi auf Erden repräsentiere. Fast alle eschatologischen Erwartungen gelten bereits in der Gegenwart des christlich-römischen Reiches als erfüllt; der universale Friede Gottes und das Imperium Romanum bilden demnach seit Konstantin eine unlösliche Einheit. Das schlägt sich auch in der Gotteslehre dieser Theologen nieder, die durch eine enge Verbindung zwischen theologischem Monotheismus und politischer Monarchie gekennzeichnet ist. Gegen diese Legitimationsideologie des christlich-römischen Kaiserreiches entwirft Augustinus seine Theologie vom »Gottesstaat«.

b) Die eschatologischen Grundgedanken

(1) Neuplatonisches Geschichtsverständnis und christlicher Glaube

Die Verbindung zwischen diesen beiden Traditionen macht das besondere geistesgeschichtliche Kolorit des Werkes aus. Aus dem Neuplatonismus Plotins stammt der Gedanke, daß die Geschichte des Einzelnen und der Menschheit im ganzen wesentlich eine *Entfremdung* ist. Der Ursprung der individuellen und gesellschaftlichen Geschichte des Menschen liegt für Augustinus in einem transzendenten, himmlischen Jenseits, d. h. in einem ewigen Plan Gottes, der in der Schöpfung ausgeführt wird. Dieser Plan verwirklicht sich von Anfang an auch auf der Erde; allerdings wird durch die Schuld des Menschen der geschichtliche Weg auf Erden zu einem Weg der zunehmenden Entfernung von Gott und damit von der Wahrheit und der Liebe. Der Mensch entfremdet sich von sich selbst, indem er sich von Gott entfernt, d. h. sich in sich selbst verkrümmt und sich in der Sucht nach Ehre, nach Macht, nach Genuß und Mißbrauch aller Güter verzehrt. Durch das immer schon wirksame Erbarmen Gottes wird ihm jedoch von Anfang an inmitten dieser Entfremdung ein Weg gewiesen, der aus ihr herausführt und den Menschen wieder zu Gott als dem transzendent-himmlischen Ziel der Geschichte heimführt. Dieser Weg ist der Glaube.

Ursprung und Ziel der irdischen Geschichte liegen also in einem geschichtstranszendenten Jenseits, eben bei Gott und seiner ewigen, zeitüberlegenen Prädestination. Die Geschichte selbst kann darum nichts anderes sein als ein »Interim«, als die Pilgerschaft (peregrinatio) in der Fremde, als das Wandern zwischen diesen beiden Polen, eben dem ursprünglichen Plan Gottes mit den Menschen bei der Schöpfung und der endgültigen Erfüllung dieses Planes in der eschatologischen Vollendung der Welt am Jüngsten Tag. In den »Confessiones« beschreibt Augustinus mehr den christlichen Weg des Einzelnen aus der Selbstentfremdung von Gott weg zur Selbstfindung bei Gott (= conversio); in der »Civitas Dei« wird dieselbe Bewegungslinie – von Selbstentfremdung durch sündige Entfernung von Gott zur Selbstfindung bei Gott – in sozial- und universalgeschichtlicher Dimension durchgeführt.[113]

Hier kommt nun innerhalb des neuplatonischen Geschichtsbildes ein spezifisch christlich-theologischer Gedanke zum Tragen: nämlich die Entscheidung zwischen Glaube und Unglaube als das einzig gültige, die Geschichte theologisch qualifizierende Kriterium. Als Pilgerschaft zwischen zwei geschichtsjenseitigen Polen bekommt die Geschichte nur dadurch ihren eigenen theologischen Sinn, daß sie das Kampf- und Entscheidungsfeld für oder gegen Gott, für oder gegen den Glauben an Jesus Christus, für oder gegen das Sich-

---

[113] Vgl. H. U. v. Balthasar, Einleitung zu Augustinus, Die Gottesbürgerschaft, aaO. 16; vgl. dazu auch M. Seckler, Das Heil in der Geschichte, München 1964, wo im Zusammenhang mit der Geschichtstheologie des Thomas von Aquin die neuplatonische Geschichtsformel »egressus – regressus« behandelt wird (59–79).

beschenken-Lassen vom Erbarmen Gottes darstellt. Genau in dieser theologischen Alternative liegt der Ursprung der Idee von den beiden »Bürgerschaften« (wir würden heute eher sagen: »Gesellschaften«): der Bürgerschaft Gottes (civitas Dei) und der irdischen Bürgerschaft (civitas terrena). Die Bürgerschaft Gottes, die in der transzendent-himmlischen Welt Gottes ihre eigentliche, »ideale« Wirklichkeit hat, wird in der irdischen Geschichte von denen gebildet, die sich von Gott aus ihrer Entfremdung bekehren und zu ihm zurückführen lassen, die also aus der Gottesliebe leben. Die irdische Bürgerschaft setzt sich dagegen aus jenen zusammen, die hier (nach dem Beispiel Luzifers und seines Reiches) rein nach ihren selbstgesetzten Maximen im Geist der Selbstliebe leben und sich nicht aus ihrer Selbstverkrümmung, aus ihrer unbedingten Selbstbehauptung von Gott befreien lassen. Dabei verbindet sich diese theologische Alternative zwischen Glauben und Unglauben bei Augustinus einerseits mit der antiken Vorstellung der Polis und ihrer ungebrochenen Einheit von Politik und Religion; anderseits mit dem alttestamentlichen Bild der heiligen Gottesstadt Jerusalem, die eine geschichtlich-politische Realität darstellt und als solche in der eschatologischen Hoffnung Israels und der Kirche als »neues Jerusalem«, das vom Himmel herabsteigt, erhofft wird.

Zur Charakterisierung der beiden Bürgerschaften seien einige Texte des Augustinus angeführt:

»Demnach wurden die zwei Staaten durch zweierlei Liebe begründet, der irdische durch Selbstliebe, die sich bis zur Gottesverachtung steigert, der himmlische durch Gottesliebe, die sich bis zur Selbstverachtung erhebt. Jener rühmt sich seiner selbst, dieser ›rühmt sich des Herrn‹. Denn jener sucht Ruhm von Menschen, dieser findet seinen höchsten Ruhm in Gott, dem Zeugen des Gewissens. Jener erhebt in Selbstruhm sein Haupt, dieser spricht zu seinem Gott: ›Du bist mein Ruhm und hebst mein Haupt empor.‹ In jenem werden Fürsten und unterworfene Völker durch Herrschsucht beherrscht, in diesem leisten Vorgesetzte und Untergebene einander in Fürsorge und Gehorsam liebevollen Dienst. Jener liebt in seinen Machthabern die eigene Stärke, dieser spricht zu seinem Gott: ›Ich will dich lieben, Herr, meine Stärke.‹« (XIV, 28)[114]

»Obwohl darum auf dem Erdkreis so viele und große Völker mit mannigfachen Sitten und Bräuchen leben und sich durch eine Vielfalt von Sprachen, Waffen und Kleidern unterscheiden, gibt es doch nicht mehr als nur zwei Arten menschlicher Gemeinschaft, die wir mit unserer Heiligen Schrift sehr wohl zwei Staaten nennen können. Der eine besteht aus den Menschen, die nach dem Fleisch, der andere aus denen, die nach dem Geist leben wollen, jeder in dem seiner Art entsprechenden Frieden,

---

[114] Zitiert nach: Augustinus, Die Gottesbürgerschaft, aaO. 84.

und wenn sie erreichen, was sie anstreben, leben sie tatsächlich in diesem ihrer Art entsprechenden Frieden.« (XIV, 1)[115]

»Die Verehrer und Liebhaber der Götter, deren Verbrechen und Schandtaten sie mit Freuden nachahmen, kümmert es nicht im geringsten, wenn der Staat häßlich und abscheulich ist. Wenn er nur, sagen sie, steht, wenn er nur blüht, reich an Schätzen, berühmt durch Siege oder, was noch besser ist, sicher und in Frieden! Was geht uns das andere an? Nein, uns liegt nur daran, daß jeder seinen Reichtum immerfort vermehre. Dann hat man genug für die tägliche Verschwendung, und jeder Mächtige kann sich damit Schwächere untertan machen. Mögen die Armen den Reichen gehorchen, um satt zu werden und unter ihrem Schutz träger Ruhe sich zu erfreuen, mögen die Reichen die Armen zu ihrem Gefolge und Dienern ihres Hochmuts erniedrigen. Die Menge soll nicht denen Beifall klatschen, die ihr zum Besten raten, sondern denen, die ihr zum Vergnügen helfen. Nichts Unbequemes soll befohlen, nichts Angenehmes verboten sein. Die Könige seien darauf bedacht, nicht über gute, sondern unterwürfige Untertanen zu herrschen. Die Provinzen mögen den Königen dienstbar sein, nicht weil sie über gute Sitten wachen, sondern weil sie über die Erdengüter gebieten und die Genußsucht befriedigen; mag man sie auch nicht aufrichtig ehren, sondern bloß knechtlich fürchten. Die Gesetze sollen verhüten, daß jemand fremden Reben, nicht jedoch dem eigenen Leben Schaden tue. Vor den Richter soll nur geführt werden, wer fremdes Eigentum, Haus oder Leben antastet oder sonst irgendwen gegen seinen Willen belästigt und schädigt, im übrigen mag jeder mit seiner Habe, seinen Angehörigen und allen, die ihm zu Willen sind, tun, was ihm beliebt. Öffentliche Dirnen soll's in Überfluß geben für alle, die ihre Lust büßen wollen, zumal für die, die sich keine eigenen leisten können. Große, prächtige Häuser soll man bauen, üppige Gelage in Menge veranstalten, jeder soll, wie er mag und kann, Tag und Nacht spielen, saufen, speisen, in Saus und Braus leben. Überall ertöne Tanzmusik, und die Theater mögen widerhallen von Lärm unanständiger Freude und jeder Art grausamster, schändlichster Lust. Wem dieses Glück mißfällt, soll Staatsfeind heißen, und wenn einer etwas ändern oder abstellen will, mag das freie Volk dafür sorgen, daß er keinen Weg finde zu den Ohren, keinen Platz auf den Sitzen, keinen Raum unter den Lebenden. Das sollen die wahren Götter sein, die diese Glückseligkeit den Völkern verschaffen und erhalten. Sie sollen verehrt werden, wie sie es wünschen, Spiele fordern, welche sie wollen, soviel ihre Verehrer ihnen und sich selbst zum Vergnügen veranstalten mögen, nur darauf bedacht, daß solches Glück kein Feind, keine Pest, noch sonst ein Unglück bedrohe.« (II, 20)[116]

»Was anders sind also Reiche, wenn ihnen Gerechtigkeit fehlt, als große Räuberbanden? Sind doch auch Räuberbanden nichts anderes als kleine

---

[115] AaO. 119.
[116] AaO. 124–126; die Aktualität gerade dieses Textes für unsere gegenwärtige westliche Gesellschaft ist bestürzend.

Reiche. Auch da ist eine Schar von Menschen, die unter Befehl eines Anführers steht, sich durch Verabredung zu einer Gemeinschaft zusammenschließt und nach fester Übereinkunft die Beute teilt. Wenn dies üble Gebilde durch Zuzug verkommener Menschen so ins Große wächst, daß Ortschaften besetzt, Niederlassungen gegründet, Städte erobert, Völker unterworfen werden, nimmt es ohne weiteres den Namen Reich an, den ihm offenkundig nicht etwa hingeschwundene Habgier, sondern erlangte Straflosigkeit erwirbt. Treffend und wahrheitsgemäß war darum die Antwort, die einst ein aufgegriffener Seeräuber Alexander dem Großen gab. Denn als der König den Mann fragte, was ihm einfalle, daß er das Meer unsicher mache, erwiderte er mit freimütigem Trotz: Und was fällt dir ein, daß du das Erdreich unsicher machst? Freilich, weil ich's mit einem kleinen Fahrzeug tue, heiße ich Räuber. Du tust's mit einer großen Flotte und heißt Imperator.«[117]

Diese beiden »Gesellschaften« gibt es bereits sei Kain und Abel als innergeschichtliche Realitäten: Der Brudermörder Kain ist der erste Bürger der irdischen Bürgerschaft; durch seine Tat wird er zum Gründer der irdischen Reiche und Staaten, in denen dieses Prinzip der Macht, der Herrschaftsausübung und der Gewaltanwendung »erscheint«. Abel dagegen ist der erste Bürger des Gottesstaates; er hat hier keinen sichtbar verfaßten Staat gegründet, sondern lebt in seinen Nachfahren als Pilger und Fremdling unter den irdischen Reichen. Seine eigentliche Bürgerschaft bleibt eine himmlisch-transzendente:

»Als jene beiden Staaten mit ihrer Aufeinanderfolge von Geburt und Tod anfingen sich zu entfalten, da ward zuerst der Bürger dieser Erdenwelt geboren, nach ihm aber, der ein Fremdling auf Erden und Glied des Gottesstaates war, aus Gnaden vorherbestimmt, aus Gnaden auserkoren, aus Gnaden ein Fremdling hier unten, aus Gnaden ein Bürger droben... Zuerst ward das Gefäß zur Schmach zubereitet, danach das andere zur Ehre... Von Kain nun steht geschrieben, daß er einen Staat gründete, Abel aber als Fremdling tat dies nicht. Denn droben ist der Staat der Heiligen, wenn er auch hinieden dessen Bürger erzeugt, in denen er dahinpilgert, bis die Zeit seines Reiches herbeikommt.« (XV, 1)[118]

So sind die civitas Dei und die civitas terrena zwar innergeschichtlich unauflöslich miteinander verflochten; die civitas Dei bewegt sich innerhalb der civitas terrena; das ist ihre konkret-geschichtliche »Fremde«, der Ort ihrer Pilgerschaft. Aber dennoch bleiben sie grundsätzlich-theologisch streng voneinander geschieden. Die civitas Dei ist zwar »in« der Welt, aber nicht »von« der Welt. Denn die irdischen Reiche und Gesellschaften mit ihrer bestimmten Ethik

---

[117] AaO. 126.
[118] AaO. 120 f.

und Politik (wobei Augustinus vor allem das Römische Reich im Blick hat) sind als (nicht notwendige, aber doch faktische!) »Erscheinung« des geistigen Prinzips der Selbstliebe und ihrer transzendenten Verwirklichung im geistigen Reich Satans *kein* theologischer Ort des Heils. Heil ereignet sich nur dort, wo ein Mensch zum Glauben kommt und daraus handelt.

Einen wirklichen »Fortschritt« in der Geschichte gibt es deswegen nur im unermüdlichen, treuen »Fortschreiten« der glaubenden Pilgerschaft auf das ewige Ziel zu, also in der »konvertierenden« Loslösung der Einzelnen aus der civitas terrena. Darin kommt die sich verschärfende Scheidung zwischen Glaube und Unglaube, zwischen Christus und Antichrist zum Vorschein, die einmal zur ewigen Scheidung zwischen Geretteten und Verdammten führt (womit sich Augustinus gegen die universale Versöhnungs- und Harmonielehre der Alexandriner, besonders des Origenes richtet). Eine positiv-gestalterische Beziehung zwischen civitas Dei und civitas terrena, zwischen dem Glauben als dem von Gott geschenkten Heil und dem irdischen Geschichtshandeln wird nicht deutlich. Vielmehr verbinden sich hier bei Augustinus die dualistischen Tendenzen des Neuplatonismus (Transzendenz – Geschichte) und der jüdisch-christlichen Apokalyptik (Glaube – Unglaube) miteinander. Der Glaube stellt zwar einen Einbruch der Transzendenz Gottes in die Geschichte dar; aber dennoch bleibt die irdische Gesellschaft des Weltstaates generell Ort des Unglaubens, »Fremde«, die vom Glauben ertragen und durchwandert werden muß, auch – soweit möglich – genützt (uti), aber nicht genossen (frui) werden darf. Zur Möglichkeit einer »christlichen Gesellschaft« bemerkt Augustinus:

> »Wenn die Vorschriften der christlichen Religion über guten und rechtschaffenen Lebenswandel Gehör und Aufmerksamkeit fänden bei den Königen auf Erden und allen Völkern, bei den Fürsten und allen Richtern auf Erden, den Jünglingen und Jungfrauen, den Alten mit den Jungen, bei Menschen jeden Alters und jeden Geschlechts, dazu auch bei denen, die Johannes der Täufer anspricht, den Zöllnern und Soldaten, dann würde der glückliche Staat ein Schmuckstück sein unter den Ländern dieser Erdenwelt und sich zu den Höhen des ewigen Lebens erheben, um dort selig zu herrschen!
>
> Doch der eine hört's, der andere verachtet's, und die meisten freunden sich mehr mit den Lastern, die so verführerisch zu schmeicheln verstehen, als mit der heilsamen Strenge der Tugend an. So sollen denn die Diener Christi, seien es Könige, Fürsten, Richter oder Soldaten und Leute aus der Provinz, seien es Reiche oder Arme, Freie oder Knechte, männlichen oder weiblichen Geschlechts, auch den schlechtesten, wenn's not tut, und verbrecherischsten Staat ertragen und durch solche Geduld sich einen herrlichen Platz in jener hochheiligen und erhabenen

Engelversammlung und dem himmlischen Staate bereiten, in dem Gottes Wille Gesetz ist.« (II, 19)[119]

Auch wenn Augustinus gegenüber dem Manichäismus unbeirrt an der Einheit der guten Schöpfung festhält und sie nicht in zwei Grundprinzipien (gut – böse) zerteilt, so ist er doch viel stärker an der faktisch-geschichtlichen Polarisierung zwischen Glaube und Unglaube interessiert, durch die sowohl die überirdische Welt der guten und bösen Mächte wie auch ihre »Erscheinung« in der irdischen Geschichte in den unversöhnlichen Gegensatz von civitas Dei und civitas terrena gerät. Eine positive, für die Gottesbürgerschaft hilfreiche Funktion der weltlichen Bürgerschaft besteht lediglich darin, daß sie möglicherweise als gute Rahmenbedingung und auch als Vorbild für ein glückendes immanent-weltliches Zusammenleben in Frieden und Gerechtigkeit dienen kann, zum beschämenden Ansporn also für jene, die an sich unter dem Vorzeichen des Glaubens und der civitas Dei viel eher zu einem (auch innerweltlich) gelingenden Leben befähigt sind. Daneben gibt es auch noch die »erzieherische« Rolle des Weltstaates, insofern dieser durch sein abschreckendes Gegenbeispiel und durch seine offene Feindseligkeit den Gottesstaat unfreiwillig fördert. Daß darüber hinaus dem staatlich-gesellschaftlichen Handeln auch eine wirklich theologische, also die Bürgerschaft Gottes aus dem Glauben heraus hier auf Erden (»realsymbolisch«) mitaufbauende und somit heilsentscheidende Bedeutung zukommen kann, wird in der stark dualistischen Perspektive Augustins nicht ersichtlich. Seine Aversion gegen die allzu identifizierende Theologie der alten römischen Religion und der christlich-konstantinischen Reichsideologie macht eine solche vermittelnde Position wohl unmöglich.

(2) »Ecclesia permixta«: gebändigte Utopie

Man könnte aufgrund des eben Gesagten den Eindruck gewinnen, die civitas Dei sei eine reichlich spirituelle Angelegenheit, eine Gesellschaft von frommen Seelen, die inmitten einer bösen Welt ihren verborgenen Weg geht. Das ist jedoch keineswegs die Intention Augustins; als ein Mann der Kirche, der sich in seinen späteren Jahren immer mehr mit den Fragen der konkreten Kirche befaßt hat, verbindet er seine Geschichtstheologie mit der Ekklesiologie. Das bedeutet: Die civitas Dei ist für ihn weitgehend identisch mit der geschichtlichen Kirche, allerdings nicht einfachhin; auch wenn die Begriffe civitas Dei, regnum Dei, regnum Christi, ecclesia an vielen

[119] AaO. 133.

Stellen austauschbar sind, besteht doch keine völlige Identität zwischen ihnen. Das Verhältnis dürfte eher so zu sehen sein: »Die Kirche ist der zu seiner Vollendung wandernde Gottesstaat.«[120] D. h., unter einem ganz bestimmten Aspekt besteht Identität zwischen Kirche und Gottesbürgerschaft: nämlich hinsichtlich des wahren Wesens der Kirche und des eschatologischen Zieles der Kirche, an dem ihr wahres Wesen vollkommen zum Durchbruch kommen wird. Die Kirche *ist* civitas Dei, weil und insofern sie in ihren wahrhaft Glaubenden, Hoffenden und Liebenden und auch – von ihnen getragen – in ihrer hierarchischen Struktur bereits jetzt die Herrschaft Gottes und seines Christus in sich verwirklicht. Zugleich ist sie noch auf dem Weg, diese Herrschaft einmal ganz und gar, ohne Vermischung mit Ungehorsam und Unglauben in ihren eigenen Reihen zur Geltung kommen zu lassen.

Die Bürgerschaft Gottes ist also der weitere Begriff; sein Realitätsgehalt reicht über die empirisch-institutionelle Kirche hinaus. Sie umschließt alle Gerechten seit Abel, also auch Menschen außerhalb der verfaßten Kirche. Diese ist die konkrete geschichtliche »Erscheinung« der civitas Dei; und zwar sowohl im Sinn des Sakramentes, also der geschichtlichen Darstellung der übergeschichtlichen Wirklichkeit, wie auch im neuplatonischen Sinn der »Verdunkelung«, der Verbergung dieser transzendenten Wirklichkeit in ihrer geschichtlichen Gestalt. Weil die Kirche einerseits bereits jetzt die Gemeinschaft der wahrhaft Glaubenden ist, weil sie anderseits aber auch noch die »*ecclesia permixta*«, die mit Gerechten und Ungerechten vermischte Kirche ist (nach dem Gleichnis vom Unkraut im Weizen, das jetzt ruhig mitwachsen und erst am Tag der Ernte voneinander geschieden werden soll), darum ist sie mit der civitas Dei zwar realidentisch, aber noch nicht im vollen Sinn. Erst wenn diese Vermischung einmal wegfällt, findet die Kirche zu ihrer wahren Gestalt und damit auch zu ihrer vollkommenen Identität mit der Gottesbürgerschaft. So schreibt Augustinus:

> »Der Pilgerstaat des Königs Christus denke jedoch daran, daß sicherlich auch unter seinen Gegnern künftige Bürger verborgen sind. Dann wird er es nicht für fruchtlos halten, wenigstens für diese nicht, bis sie dereinst zu Freunden geworden sind, die Feinde zu ertragen. Hat doch der Gottesstaat, solang er noch auf Erden pilgert, auch solche bei sich, mit ihm verbunden durch die Gemeinschaft der Sakramente, die nicht mit ihm das ewige Los der Heiligen teilen werden. Teils sind sie verborgen, teils auch offenbar und scheuen sich nicht einmal, gegen Gott, dessen Zeichen sie tragen, mit den Feinden zu murren, und füllen bald mit ihnen

---

[120] E. Lewalter, Eschatologie und Weltgeschichte in der Gedankenwelt Augustins, in: ZKG 53 (1934), 39.

die Theater, bald mit uns die Kirchen. Doch an der Besserung wenigstens einiger von ihnen darf man um so weniger zweifeln, als doch sogar unter offenkundigsten Feinden vorherbestimmte Freunde verborgen sind, ohne es selbst zu wissen. Denn ineinandergeschoben sind die beiden Staaten in dieser Weltzeit und miteinander verwirrt, bis sie beim letzten Gericht getrennt werden.« (I, 35)[121]

Wann wird diese Trennung geschehen? Noch *in* der Geschichte oder *nach* dem Ende der Geschichte? Hier setzt die Auseinandersetzung Augustins mit den Chiliasten ein, die ja als letzte Phase der Geschichte ein tausendjähriges Reich Christi mit seinen Heiligen, d. h. mit den wahrhaft Glaubenden auf dieser Erde erhofften (s. o.). Der *junge* Augustinus hat diese Hoffnung durchaus noch geteilt:

> »Der 8. Tag bezeichnet das neue Leben am Ende der Welt: Der 7. die künftige Ruhe der Heiligen auf dieser Erde. Es wird nämlich der Herr mit seinen Heiligen auf Erden herrschen, wie die Schrift sagt, und er wird eine Kirche haben, in die kein Böser mehr gelangen wird, die getrennt und gereinigt sein wird von jeder Befleckung der Bosheit; auf diese Kirche weisen jene 153 Fische (Joh 21, 11) hin... Denn die Kirche wird hier zuerst in großer Reinheit und Würde und Gerechtigkeit erscheinen. Da wird es nicht mehr möglich sein zu täuschen, zu lügen oder daß sich ein Wolf im Schafskleid verbirgt.«[122]

Die vollendete Herrschaft Christi wird demnach erst in einer zukünftigen Kirche anbrechen; sie setzt voraus, daß der Satan gebunden ist; denn erst dann können ausschließlich heilige, glaubende Menschen der Kirche angehören. Das wird noch in dieser Geschichte vor dem Ende der Welt geschehen.

Diese Position hat Augustinus später aufgegeben. Er hält zwar daran fest, daß die Herrschaft Christi und die Herrschaft der Seinen an die Fesselung Satans gebunden ist (nach Offb 20, 2). Diese Fesselung Satans deutet er jedoch jetzt so: Christus hat den Satan bereits insofern entmachtet, als dieser keine Macht mehr über die hat, die Christus nachfolgen und die Gott zum Heil vorherbestimmt hat. In ihnen und mit ihnen herrscht Christus, und zwar bereits jetzt, seit seiner ersten Ankunft. Die Kirche als Leib Christi ist schon das tausendjährige (= Symbol der Vollkommenheit!) Reich Christi. Zwar wird das Herrschen nach dem Ende der Geschichte noch einmal eine andere Gestalt annehmen, wenn nämlich die Zeit der Prüfung und der Bewährung vorbei ist, wenn die Anfechtung durch die Ungläubigen innerhalb und außerhalb der Kirche beendet und somit das Unkraut vom Weizen geschieden sein wird. Aber

---

[121] Augustinus, Die Gottesbürgerschaft, aaO. 245 f.
[122] Sermo 259, 2, MPL 38, 1197 (zitiert nach B. Lohse, aaO. 227).

grundsätzlich ist das regnum Christi bereits in der realen Kirche dieser Zeit verwirklicht. Eine qualitativ neue Stufe der Christusherrschaft – also ohne Beimischung und Anfechtung durch die Bösen – wird nur im *Jenseits* der Geschichte, in der Vollendung der civitas Dei erreicht sein. Dann wird die theologische Qualität der Geschichte endgültig offenkundig: eben ihre von Gott vorherbestimmte Polarität zwischen Glaube und Unglaube, der allein eine theologisch bedeutsame Gestaltungskraft in der Geschichte zukommt.

Die Größe dieses Entwurfs liegt zweifellos darin, daß hier die Verheißung des Reiches Gottes und seiner geschichtlichen Vorwegnahme mit einem ganz realen geschichtlichen Subjekt verbunden wird. Sie wird nicht einfach schwärmerisch-illusionär einer elitären Gruppe der »Reinen« oder »Gerechten« vorbehalten. Gegen die Donatisten und die ständige Versuchung aller Rigoristen, das »Unkraut« aus der Kirche vorzeitig auszureißen, hält Augustinus und nach ihm die kirchliche Tradition an der geschichtlichen Realität der *ecclesia permixta* als dem eigentlichen Träger der Verheißung des Reiches Gottes fest.[123]

Die Grenzen dieser Position besprachen wir bereits in den vorherigen Abschnitten: Wird hier nicht der Kirche als ganzer ihre innergeschichtliche Dynamik genommen zugunsten einer rein geschichtstranszendenten Ausrichtung auf den jenseitigen Vollendungszustand? Wird nicht das utopische Potential des Christentums, das auf eine geist-gemäßere Kirche *in* der Geschichte hofft und von daher ausstrahlend auch auf eine humanere gesellschaftliche Ordnung dieser Welt überhaupt, wird dies nicht zu sehr domestiziert? Fordert eine solch enge Verknüpfung von Eschatologie und Ekklesiologie nicht zwangsläufig immer wieder den Widerspruch radikalerer Gruppen von Christen heraus, die die Verhei-

---

[123] Die Gegner dieser Position verstehen natürlich unter dem »Unkraut« in der Kirche je nach Standpunkt und Zeitgeist immer etwas Verschiedenes: seien es nun die sog. »Taufscheinchristen« und die »Karteileichen« oder solche, die durch ihren unchristlichen Lebensstil Ärgernis erregen; seien es feudalistische Hierarchen oder die gesellschaftlich Mächtigen, die die Ungerechtigkeit eines Systems verfestigen, oder spießige Bürger, die den Geist in der Kirche auslöschen, oder modernisierende Theologen, die den Glauben der sog. »einfachen Gläubigen« verwirren usw. Fast immer steht dahinter die gleiche Versuchung, durch »Ausrottung des Unkrauts« eine »reine« Kirche erstehen zu lassen, die doch viel eher ein strahlendes Abbild des himmlischen Jerusalem sein könnte. Ein solcher Rigorismus widerspricht aber zutiefst dem Geist Jesu und damit auch einer geistgemäßen Kirche. Ist es doch gerade die Geduld der Liebe (1 Kor 13!), in der man einander erträgt und *dadurch* immer neu zu jener Umkehr bewegt, die die Kirche als ganze in ständiger Bewegung auf eine geglücktere Darstellung des Reiches Gottes hält.

ßung des Reiches Gottes außerhalb, ja gegen die Kirche vertreten wollen?

Das Dilemma der christlichen Utopie besteht genau darin: nämlich zwischen elitärem Sektierertum und großkirchlicher Nivellierung aufgerieben zu werden. *Ein* gangbarer Weg scheint in dem oben gezeichneten Modell innerkirchlicher Erneuerungsbewegungen der verschiedensten Couleurs zu liegen: *innerhalb* der Kirche, jedoch in einer ständigen (friedlichen oder strittigen) *Polarität* zur Gesamtkirche die Hoffnung auf das Reich Gottes bei sich selbst eine gesellschaftliche Gestalt annehmen zu lassen und dadurch erneuernd-dynamisierend auf die ganze Kirche und die gesellschaftliche Umwelt zu wirken.

3. Teil

Die Vergegenwärtigung: Systematische Begründung einer heute verantwortbaren christlichen Hoffnung

Einleitung

1. Zur Methode

Im vorangegangenen zweiten Teil wurde die geschichtliche Begründung unserer gegenwärtigen Hoffnung im Christusgeschehen (einschließlich seiner alttestamentlichen Vor- und seiner kirchlichen Wirkungsgeschichte) aufgezeigt. Ohne es jeweils immer ausdrücklich zu benennen, konnten wir sehen, daß bestimmte Formen gegenwärtig gelebter christlicher Hoffnung (vgl. 1. Teil, 2–5) gerade in ihrer unterschiedlichen Akzentsetzung durchaus innerhalb der allgemeinkirchlich rezipierten jüdisch-christlichen Hoffnungsgeschichte stehen. Damit erweisen sie sich als »wahr« im Sinn der geschichtlichen Entsprechung von gegenwärtiger Hoffnung und sie begründendem Ursprungsgeschehen (siehe die einleitenden Bemerkungen zur Methode unseres Traktats).[1]
Die systematische Frage, die bisher schon begleitend als Fragehorizont präsent war, soll nun ausdrücklich behandelt werden: Inwiefern entspricht unsere gegenwärtige Hoffnung nicht nur in ihrer geschichtlichen Kontinuität, sondern auch in ihrem sachlichen Gehalt *der* Verheißung, die von Jesus Christus ausgeht, die von der Kirche lebendig gehalten wurde und die auch für unsere gegenwärtige geschichtliche Situation eine befreiende Hoffnung wecken kann? Anders gefragt: Wie müßte die christliche Hoffnung heute praktiziert und theologisch artikuliert werden, damit sie genau jener Hoffnung entspricht, welche das im Christusgeschehen enthaltene »Versprechen« zu den verschiedensten Zeiten der kirchlichen Glaubensgeschichte ausgelöst hat und in der seine verheißene Zukunft wachgehalten wurde?
Die *Vorstellungen* vom Reich Gottes und seiner universal versöhnenden Zukunft haben sich immer wieder, je nach geschichtlicher Situation, gewandelt und werden es weiter tun; sie sind die – wenn auch zeitbedingten, so doch unbedingt notwendigen – Veranschaulichungen jener Grundhaltung der Hoffnung, die aus der immer

---

[1] Was demgegenüber die Form der sog. »apokalyptischen Vergeltungshoffnung« angeht (vgl. 1. Teil, 6), kann sie zwar auch eine lange kirchliche Traditionsgeschichte aufweisen, muß aber – gemessen an dem Gesamtbild der biblischen und kirchlichen Hoffnungsgeschichte und an dem systematischen Kriterium dieses 3. Teils – doch als unsachgemäß (und damit »unwahr«) im Verhältnis sowohl zum sachlichen Gehalt des gesamten Christusgeschehens wie auch zu seiner heutigen Vergegenwärtigung abgewiesen werden.

neu erfahrenen Treue Gottes in unserer Geschichte erwächst. Diese »fundamentale« Hoffnung wird in allen geschichtlichen Veränderungen als Antwort auf die »durchtragende« Verheißung endgültiger Versöhnung festgehalten. In ihr findet die Gemeinschaft der Hoffenden über alle Zeiten und Räume hinweg ihre soziale Identität als Kirche des auferstandenen Jesus von Nazaret und seiner Reich-Gottes-Verheißung. Welche Praxis, welche Vorstellungen, welche Sprache, welche theologische Theorie werden *dieser* Hoffnung *heute* gerecht? Wenn bestimmte gegenwärtige Hoffnungsweisen im systematisch-kritischen Sinn »wahr« sein wollen, müssen sie in *unserer* geschichtlichen Situation dieser die Kirche identifizierenden Hoffnung entsprechen, den Geist des auferstandenen Jesus von Nazaret und seiner heilend-befreienden Kraft atmen.

Natürlich wird es darauf verschiedene Antworten geben, je nachdem, wie einer das Entsprechungsverhältnis von christlicher Hoffnung und gegenwärtiger geschichtlicher Situation sieht; gerade die Beurteilung der letzteren dürfte immer plural und kontrovers ausfallen. Wir versuchen in diesem dritten Teil, *eine* (sicher nicht die einzig mögliche) heute verantwortbare Weise der Hoffnung darzustellen. Sie weiß sich einerseits der geschichtlichen Hoffnungstradition der Kirche verpflichtet; anderseits stimmt sie jener Situationsanalyse unserer Gegenwart zu, wie sie z. B. zum Ausdruck kommt im Konzilsdokument »Die Kirche in der Welt von heute« (1965), in der Enzyklika »Populorum progressio« Pauls VI. (1967), im Dokument »De iustitia in mundo« der römischen Bischofssynode (1971), im Würzburger Synodenbeschluß »Unsere Hoffnung« (1975), im sogenannten »Dekret 4« der 32. Generalkongregation der Gesellschaft Jesu »Unsere Sendung heute. Einsatz für den Glauben und die Gerechtigkeit« (1975) und in ähnlichen kirchlichen Verlautbarungen. Was dort als christliche Hoffnung für unsere Zeit formuliert worden ist, scheint mir am ehesten den Kriterien gerecht zu werden, die die Hoffnung auch im systematischen Sinn als »wahr« ausweisen; wird doch hier – analog zur prophetischen und jesuanischen Tradition – die geschichtlich-gesellschaftliche Dimension des Reiches Gottes angesichts einer zutiefst krisenhaften Geschichtserfahrung heute neu hervorgehoben.

2. EINE THEOLOGISCHE »KURZFORMEL« SOLCHER HOFFNUNG

In einer Art »Kurzformel« läßt sich diese Weise gegenwärtiger christlicher Hoffnung so zusammenfassen:
(1) Wir dürfen in der Nachfolge Jesu und seines ganzen Geschicks

hoffen auf eine noch ausstehende *Zukunft* des von ihm als gegenwärtig verkündigten und in seinem Geist bleibend unter uns wirksamen Reiches Gottes. Diese Zukunft betrifft die Vollendung der ganzen menschlichen Geschichte mit ihrer naturhaften und kulturell gestalteten Umwelt; das endgültig geglückte Zusammenstimmen von menschlicher, gesellschaftlicher und naturhafter Wirklichkeit im *vollendeten* Reich Gottes ist das *Ziel* unserer Hoffnung.

(2) Dieses Reich Gottes wird *innerhalb der Geschichte* überall da bereits verwirklicht, wo in der Kraft des Geistes Christi eine entschiedene Umkehr zum Friedens- und Gerechtigkeitswillen Gottes geschieht; wo menschliches Zusammenleben so »durchlässig« für die Herrschaft Gottes wird, daß sie in den verschiedensten Lebensbereichen eine geschichtlich erfahrbare Gestalt annimmt. Diese Umkehr ist in unserer Gegenwart besonders dringlich notwendig; sie wird auch bereits in vielen Zeichen als möglich vor-gelebt. Weil nämlich ein menschenwürdiges Überleben aller auf unserer Erde, vor allem unter den immer ärmer werdenden Völkern und Gesellschaftsklassen, so bedroht erscheint wie noch nie zuvor, muß die Bereitschaft verstärkt werden, von selbstzerstörenden Wegen umzukehren und neue, allein dem menschenwürdigen Leben aller dienende Wege zu suchen. Darin kann heute die aktuelle Gestalt der biblischen Naherwartung liegen. Je mehr sich diese Bereitschaft zur Umkehr ausbreitet und auch gesellschaftlich wirksam wird, um so mehr wird dem Geist Gottes Raum geschaffen, der das Angesicht der *Erde* erneuern will. Diese Erneuerung kann sich ausdrücken in einem die Erde umspannenden »Netz« von »Realsymbolen« des Reiches Gottes, so wie sie Jesus gesetzt hat und seinen Jüngern zu verwirklichen aufgetragen hat. Eine auf Universalität hin tendierende kommunikative Einheit aller möglichen Realsymbole des Reiches Gottes dürfte das Höchste sein, was wir an geschichtlicher Vergegenwärtigung und sinnlicher Veranschaulichung des vollendeten Reiches Gottes erhoffen können, aber auch sollen.

(3) Die *Kirche* als Gemeinschaft derer, die ausdrücklich auf die Verheißung der Königsherrschaft und des Reiches Gottes vertrauen, findet ihren Sinn darin, als ganze in der Nachfolge des gekreuzigten und auferstandenen Jesus Christus das vorwegnehmende soziale Zeichen dieses universalen Friedens und seiner Gerechtigkeit zu sein. Dies im doppelten Sinn: Sie kann (a) durch ihr Dasein in den verschiedensten Rassen, Nationen und Klassen ein (wenn auch oft nur fragmentarisches) Modell universaler Einheit sein. Darüber hinaus (b) arbeitet sie mit allen Menschen »guten Willens« zusammen an einer menschenwürdigen Zukunft für alle und damit an dieser universalen Einheit der Realsymbole des Rei-

ches Gottes. Denn die geschichtliche Gestalt dieses Reiches bleibt nicht auf die institutionellen Grenzen der Kirche beschränkt. Die Kirche gibt dabei das besondere Zeugnis, daß gerade die *Gnade* der von Gott empfangenen Gerechtigkeit und Liebe am besten dem menschenwürdigen Zusammenleben aller dient.

(4) Unsere tätige Hoffnung auf dieses Geschenk des Reiches Gottes ist sich bewußt, daß alle Versuche, dem Kommen des Reiches Wege zu bahnen, angefochten bleiben von der *Macht der Sünde und des Todes.* Sie muß mit Widerständen, Rückschlägen und zunehmenden Antagonismen rechnen; ja, sie kann nicht einmal die völlige Selbstvernichtung des Lebens auf dieser Erde ausschließen. Deswegen ist ein kontinuierlicher »Fortschritt« der Geschichte auf das Reich Gottes zu oder ein revolutionärer »Sprung« in seine Richtung weder Gegenstand einer empirischen Erfahrung noch Gegenstand unserer Hoffnung. Das Kommen des Reiches Gottes steht bleibend unter dem Zeichen des *Gekreuzigten.* Dennoch dürfen wir die feste Zuversicht hegen, daß die Kirche (mag es auch in noch so unscheinbarer Form sein) da unzerstörbar lebendig bleibt und sich ausbreitet, wo sie im Geist des Auferstandenen das Wort Gottes verkündet, die Zeichen des Heils feiert und den Notleidenden dieser Welt ohne Eigeninteresse dient.

(5) Darüber hinaus vertraut unsere Hoffnung darauf, daß die Macht der Sünde und des Todes nicht in der Lage ist – genausowenig wie einst im geschichtlichen Untergang des gekreuzigten Jesus – heute und in Zukunft all das zu vernichten, was in der Kraft seines Geistes an Gerechtigkeit und Frieden in der menschlichen Geschichte getan worden ist. Wie Jesus als »Erster der Entschlafenen« gerade in seinem restlosen Lebenseinsatz für das Reich Gottes *endgültig* »*aufgehoben*« bleibt in der Lebensmacht Gottes, so kann dies auch für *jedes* Leben in seiner Nachfolge erhofft werden. Wie in jedem Tun selbstloser Hingabe, so wächst gerade auch in der Hingabe des Lebens (soweit sie in einer solchen Grundhaltung geschieht) das Reich Gottes auf unzerstörbare Weise.

Diese unsere Geschichte transzendierende Wirklichkeit des Reiches Gottes ist uns jetzt noch weitgehend verborgen, wird uns aber – so hoffen wir – im Tod offenbar werden. Sie stellt zwar keine grundsätzlich andere Gestalt des Reiches Gottes als die hier in Christus und seinem Geist verwirklichte dar; wohl aber teilt sie das unangefochtene und offenbare Leben der Lebensmacht Gottes. In ihr bleibt auch die vergangene Geschichte und das Leben der vergangenen Generationen in einer wirklich universalen Versöhnung aufgehoben. Weil diese Gestalt des Reiches Gottes nicht etwas völlig anderes gegenüber der Wirklichkeit des Reiches Gottes innerhalb der

Geschichte bedeutet, sondern genau *dessen* Vollendungsgestalt, besteht kein Widerspruch zwischen dem Einsatz für das Kommen des Reiches Gottes in dieser Geschichte *und* der Hoffnung auf das Reich Gottes »jenseits« des Todes in der Auferstehung der Toten. Gibt doch gerade diese Hoffnung unserem Tun die Kraft, ohne Resignation und ohne Fanatismus, trotz aller Enttäuschungen und oft »gegen alle (erfahrbare) Hoffnung« sich in Leidenschaft und Gelassenheit zugleich für die besten Möglichkeiten Gottes mit seiner Erde, für das universale »Netz« von Realsymbolen seines Friedens und seiner Gerechtigkeit einzusetzen.

Diese kurz skizzierte Form christlicher Hoffnung, die stärker die innergeschichtliche Zukunft des Reiches Gottes betont, hat (wie wir im zweiten Teil sahen) in der Hoffnungsgeschichte der Kirche zwar eine lange Tradition, spielte aber im ganzen doch eine erheblich geringere Rolle als die »klassisch« gewordene Hoffnung auf Unsterblichkeit und ewiges Leben. Gerade weil sie seit Augustinus oft nur den Schwärmern, Sektierern und bestimmten radikalen Randgruppen überlassen wurde, nahm sie häufig reichlich überzogene und verfälschte, ja skurrile und abstruse Formen an. In der Neuzeit wanderte diese Hoffnung aus dem kirchlichen Raum aus und nahm mehr und mehr eine säkularisierte Gestalt an, deren Hauptzeuge in der Gegenwart zweifellos der Marxismus in seinen verschiedenen Variationen und Ableitungen ist: Hoffnung auf ein irdisches Reich Gottes *ohne* Gott und ohne die verwandelnde Kraft seines Heiligen Geistes.

Diese säkularisierte Form der Hoffnung ist in unserem Jahrhundert, besonders in den letzten 30 Jahren, zu einer weltweiten Bewegung geworden, die von außen wiederum in die Kirche einströmte und vergessene christliche Traditionsströme aufbrechen ließ. Der Name Teilhard de Chardin steht gleichsam als Symbol für theologische Vermittlungsversuche, die der Einheit von Natur, Geschichte und Transzendenz in der christlichen Hoffnung gerecht werden wollen. Zuerst von der Kirche verurteilt, wird er zum großen Anreger des Konzilsdokumentes »Die Kirche in der Welt von heute«. Diese Konstitution kann als *die* entscheidende kirchliche Grundlage einer solchen Hoffnungsweise in unserer Gegenwart bezeichnet werden. Sie zeugt zwar in gewissen textlichen Unklarheiten von der Schwierigkeit, diese neu entdeckte, aber doch so alte Hoffnungsweise mit der traditionell favorisierten zu versöhnen und zu *einer* kirchlichen Hoffnungsaussage zu verbinden. Der Grundtenor ist jedoch klar: Es geht um die Verantwortung der Christen und der Kirche bei der Umgestaltung dieser Welt zu einer brüderlich-schwesterlichen neuen Menschheit, die sich als »Familie Gottes« in seinem Reich versteht und so lebt.[2] Diese Form gelebter Hoffnung hat in den letzten Jahrzehnten auch zu großen Spannungen innerhalb der Kirche geführt, zumal wenn die Vermittlung mit der geschichtstranszendenten Vollendung der Geschichte in der Auferstehung der Toten nicht genügend geleistet wird oder wenn der Gnadencharakter des Reiches Gottes unter dem »überanstrengten« Willen zur gesellschaftlichen Veränderung allmählich verlorengeht.[3] Eine präzisere begriffliche Klärung kann deswegen helfen, solche Irrwege zu vermeiden und die theologische Legitimität dieser Hoffnungsweise zu bestätigen. Wir wollen dies jetzt im dritten Teil versuchen, der die Entfaltung und Begründung unserer eben skizzierten »Kurzformel« enthält.

[2] Zur Illustration möchte ich ein paar Sätze aus der Nr. 38 und 39 dieser Konstitution zitieren: Jesus Christus »offenbart uns, daß Gott die Liebe ist, und belehrt uns zugleich, daß das Grundgesetz der menschlichen Vervollkommnung und deshalb auch der Umwandlung der Welt das neue Gebot der Liebe ist. Denen also, die der göttlichen Liebe glauben, gibt er die Sicherheit, daß allen Menschen der Weg der Liebe offensteht und daß der Versuch, eine allumfassende Brüderlichkeit herzustellen, nicht vergeblich ist...
Durch seine Auferstehung zum Herrn bestellt, wirkt Christus, dem alle Gewalt im Himmel und auf Erden gegeben ist, schon durch die Kraft seines Geistes in den Menschen dadurch, daß er nicht nur das Verlangen nach der zukünftigen Welt in ihnen weckt, sondern eben dadurch auch jene selbstlosen Bestrebungen belebt, reinigt und stärkt, durch die die Menschheitsfamilie sich bemüht, ihr eigenes Leben humaner zu gestalten und die ganze Erde diesem Ziel dienstbar zu machen...
Zwar werden wir gemahnt, daß es dem Menschen nichts nützt, wenn er die ganze Welt gewinnt, sich selbst jedoch ins Verderben bringt; dennoch darf die Erwartung der neuen Erde die Sorge für die Gestaltung dieser Erde nicht abschwächen, auf der uns der wachsende Leib der neuen Menschheitsfamilie eine umrißhafte Vorstellung der künftigen Welt geben kann, sondern muß sie im Gegenteil ermutigen.«
[3] Vgl. dazu M. Kehl, Hoffnung des Gelassenen, in: GuL 56 (1983), 50–61. In unserem Entwurf greifen wir einige Grundgedanken der Geschichtstheologie und Eschatologie wieder auf, die im 19. Jahrhundert von der Tübinger Schule, bes. von J. S. Drey (1777–1853), J. B. Hirscher (1788–1865) und F. A. Staudenmaier (1880–1856) entwickelt worden sind. Auf die geschichtlichen Zusammenhänge können wir im Rahmen dieses Handbuchs jedoch nicht weiter eingehen. Vgl. dazu J. R. Geiselmann, Die katholische Tübinger Schule, Freiburg 1964 (bes. Kap. 15: Die Reich-Gottes-Theologie, 191–279); J. Rief, Reich Gottes und Gesellschaft nach J. S. Drey und J. B. Hirscher, Paderborn 1965; P. Müller-Goldkuhle, Die Eschatologie in der Dogmatik des 19. Jahrhunderts, Essen 1966, bes. 58–73, 114–157. In der evangelischen Theologie der Gegenwart hat H. J. Kraus einen Gesamtentwurf vorgelegt, der dem Leitmotiv »Reich Gottes« folgt: H. J. Kraus, Reich Gottes: Reich der Freiheit. Grundriß systematischer Theologie, Neukirchen 1975.

I. Verwirklichungsweisen des Reiches Gottes

Unter »Reich Gottes« bzw. »Königsherrschaft Gottes« verstehen wir aufgrund der biblischen Tradition (s. 2. Teil, I/3 und II) jenes in Christus endgültig erfüllte und von ihm zugleich noch verheißene Geschehen, in dem Gottes Gerechtigkeits- und Friedenswille sich in unserer Geschichte – von Israel bzw. dem erneuerten Volk Gottes, der Kirche, ausgehend – auf heilende und befreiende Weise Raum schafft. Unter denen, die zu einer entschiedenen Umkehr bereit sind, bestimmt dieser Wille Gottes sowohl alle persönlichen und gesellschaftlichen Lebensordnungen wie auch das Verhältnis zu Natur, Technik und Kultur. Dies kommt vor allem denen zugute, die (in irgendeiner Weise) als die »Armen« am meisten unter der herrschenden Abwesenheit solcher von der Liebe Gottes geprägten Verhältnisse leiden und die deswegen alles Heil von Gott erwarten. Dieses Geschehen kann sich in verschiedener Gestalt verwirklichen.

1. DIE REALSYMBOLISCHE VERMITTLUNG: JESUS CHRISTUS UND DIE NACHFOLGE IN GLAUBE, LIEBE UND HOFFNUNG

»Realsymbolisch« besagt (im Sinn K. Rahners): Die Liebe Gottes stellt sich im anderen ihrer selbst, nämlich in der von ihr frei-gesetzten menschlichen Geschichte selbst dar; sie nimmt dieses andere als ihren eigenen Selbstausdruck (»Symbol«) an, in den hinein sie sich auslegt und ganz »real« verwirklicht. In ihm ist sie erfahrbar »da«.[4]
Worin die konkrete »realsymbolische« Vergegenwärtigung des Reiches Gottes besteht, sahen wir bereits im Zusammenhang der Botschaft Jesu vom Reich Gottes. Die wichtigsten Punkte seien hier noch einmal zusammenfassend systematisiert:
a) Das Reich Gottes findet in der *Person Jesu,* in seiner Verkündigung, in seinen Zeichenhandlungen und in seinem Geschick (besonders in Tod und Auferstehung) die grundlegende innergeschichtliche Gestalt, welche die erhoffte Vollendung des Reiches Gottes vorwegnimmt. Jesus Christus ist das alle anderen Vermittlungen tragende und ermöglichende Realsymbol der Liebe Gottes, ihres Gerechtigkeits- und Friedenswillens. Er begründet die Vergegenwärti-

---

[4] Vgl. K. Rahner, Zur Theologie des Symbols, in: Schr. z. Th. IV, Einsiedeln 1960, 275–311.

gung des Reiches Gottes auch im Leben und Tun all derer, die ihm in der Kraft seines Geistes nachfolgen. In den gelebten Zeichen dieser Nachfolge wird einerseits der ganze Sinngehalt dessen realisiert, was mit Gerechtigkeit, Frieden, Versöhnung von Gott her gemeint ist, eben kraft des in solcher Nachfolge lebendigen Geistes Gottes. Anderseits weisen solche vorwegnehmenden Realsymbole von sich her auf die sie übersteigende, in keinem einzelnen (raum-zeitlich begrenzten) Geschehen aufgehende Vollendungsgestalt des Reiches Gottes hin. Die »Transparenz« der geschöpflichen und zugleich sündigen Wirklichkeit für die Liebe Gottes ist begrenzt, so daß das »Ganze (nur) im Fragment« (H. U. v. Balthasar), eben als »totum, sed non totaliter« erscheinen kann.[5]

b) Das hervorgehobene *Subjekt* dieser Verwirklichungsweise von Reich Gottes sind – von Jesus Christus ausgehend – Menschen, die ihre persönlichen Lebenssituationen, ihre sittlichen Grundoptionen und ihre soziale Lebenswelt zunehmend von Gottes Gerechtigkeits- und Friedenswillen prägen lassen. Dies entspricht nicht nur dem personalen Charakter der Umkehr und des Heils von Gott her (»*du* bist gemeint!«), sondern auch einem philosophischen Geschichtsverständnis, in dem die Einzelnen das letzte »substantielle«, mit Freiheit und Verantwortung begabte Subjekt der Geschichte bleiben sollen. Wo diese subjektbezogene Sicht der Geschichte aufgegeben wird, wo Geschichte nur noch in gesellschaftlichen Strukturen und Systemen begriffen wird, besteht die Gefahr einer totalitären und inhumanen Geschichtstheorie (und -praxis!), auch im Bereich des Glaubens. Sie wird darüber hinaus auch existentiell belanglos, da sie z. B. über der Idee des allgemeinen Fortschritts oder der Systemstabilität leicht die Hoffnung auf eine persönliche Lebenserfüllung vernachlässigt.[6]

c) Diese innergeschichtliche Vergegenwärtigung von Reich Gottes kann sowohl in einer *ausdrücklich-christlichen* als auch in einer (von dort her ermöglichten) »*anonymen*« Weise geschehen. Im ersten Fall besagt dies, daß der *Glaube* an den dreifaltigen Gott sich in einer umfassenden (persönlichen und gemeinschaftlichen) Umkehr der Lebenspraxis auf Gerechtigkeit und Frieden hin verwirklicht.

---

[5] Der wesentliche Unterschied zwischen dem »Realsymbol« Jesus Christus und allen anderen innergeschichtlichen Vergegenwärtigungen wurde bereits in der Einleitung oben dargelegt, als es um den »Versprechenscharakter« unserer Wirklichkeit ging.

[6] Hier liegt auch einer der Hauptkritikpunkte von W. Benjamin an der marxistischen Theorie seiner Zeit; J. B. Metz greift sie auf und wendet sie auf das gegenwärtige evolutionäre, d. h. alles vergleich-gültigende Zeitbewußtsein an (vgl. 4. Teil, III B).

Diese Umkehr ist jedoch nicht nur eine (zwar notwendige, aber doch theologisch sekundäre) »Konsequenz« des Glaubens; die Praxis der Nachfolge Jesu gilt vielmehr als die ureigenste Selbstdarstellung und Selbstverwirklichung des Glaubens; darin lebt er sein Wesen und seine Bestimmung auf vollendete Weise.

Der andere Fall tritt dort ein, wo Menschen – aus welchen theoretischen Gründen auch immer – aus einer inhumanen, den Menschen und seine Welt auf Dauer zerstörenden Absolutsetzung partikularer Interessen umkehren und versuchen, in ihrem Lebensbereich auf eine menschenwürdige, d. h. auf universaler Gerechtigkeit und Versöhnung beruhende Zukunft hinzuwirken; dabei dürfen ihre Methoden diesem Ziel nicht widersprechen oder es gar aufheben. Das entspricht der christlichen Überzeugung, daß es die heilsbedeutsame *Liebe* durchaus auch ohne ausdrücklich christlichen Glauben gibt. Die Konzilskonstitution »Die Kirche in der Welt von heute« greift dies auf und spricht von einer »großen Bedeutung für das Reich Gottes« (GS 39), die dem liebenden Tun der Nichtglaubenden zukommt, und zwar sowohl für die Vollendungsgestalt wie auch für seine realsymbolische Gegenwart.

Worin besteht der besondere Dienst der (ausdrücklich) *Glaubenden* in dieser Humanisierung der Geschichte? Er zeigt sich darin, daß sie sich aus dem Vertrauen auf den ermöglichenden Grund ihrer Liebe und aus der Zuversicht des vollendenden Zieles heraus für diese Erde liebend engagieren. Der ausdrückliche Glaube an Gott, dem wir unsere Liebe verdanken und auf *dessen* Reich wir in unserem Tun hoffen, befähigt den menschlichen Einsatz erst dazu, sich zu seiner vollen Humanität zu entfalten (vgl. GS 11, 21, 22, 38, 39 usw.). Schenkt er ihm doch jene große Gelassenheit, die weiß, daß es nicht einfachhin von uns abhängt, ob es Heil in dieser Welt gibt: *Gott* richtet sein Reich der Gerechtigkeit und des Friedens unter uns auf; und keine Macht der Welt kann das in Christus und in seinem Geist bereits anwesende Reich überwältigen. Diese »Gelassenheit des Beschenkten« vermindert nicht im geringsten die hoffende »Leidenschaft für das Mögliche« (Kierkegaard); vielmehr befreit sie diese von jeder inhumanen Nötigung zur Selbsterlösung; sie »imprägniert« sie von Grund auf mit Dankbarkeit und macht sie dadurch erst wirklich menschlich.[7]

d) Ein *formales Kriterium* (von allen inhaltlichen Analogien zwischen göttlicher und menschlicher Gerechtigkeit, Liebe, Versöhnung usw. abgesehen), ob und wo wir im Tun der Nichtglaubenden

---

[7] Vgl. dazu M. Kehl, Ecclesia universalis, in: E. Klinger/K. Wittstadt (Hrsg.), Glaube im Prozeß (Rahner-Festschrift), Freiburg 1984, 240–258.

von einer Gegenwart des Reiches Gottes sprechen können, liegt darin, wieweit ihr Handeln sich von der ständigen menschlichen Versuchung abwendet, bestimmte innergeschichtliche Zustände und Methoden absolut zu setzen und sie (ausdrücklich oder faktisch) mit endgültigem Heil zu identifizieren. Denn genau dies macht solche Zustände und die sie Stützenden unmenschlich: Sie wollen Geschichte aus sich heraus fixieren, endgültig festschreiben. Wer darauf verzichtet, gibt seinen »Gotteskomplex« auf; er glaubt nicht daran, daß wir mit unseren Ideen und Plänen die Welt endgültig verwandeln können. Indem er die Geschichte offenhält, ist er – in all seinem Engagement – grundsätzlich offen für eine gute Zukunft, die nicht einfachhin das Resultat menschlicher Projekte ist. Diese Offenheit kann als die humane Voraussetzung für die christliche *Hoffnung* auf das Reich Gottes angesehen werden.[8] Wo aufgrund dieser »Umkehr« für eine Humanisierung der Welt – auch mit diesem Ziel angemessenen Methoden – gearbeitet wird, da kann man christlich durchaus von einer realsymbolischen Gegenwart des Reiches Gottes sprechen.

2. DIE COMMUNIO-GESTALT: »KIRCHE« – DAS SOZIALE SUBJEKT DES REICHES GOTTES

Die innergeschichtliche Gestalt des Reiches Gottes beschränkt sich nicht auf eine unüberschaubare Vielfalt oder auf eine nachträgliche (nur in der theologischen Reflexion stattfindende) Summierung all seiner einzelnen realsymbolischen Vermittlungen. Sie erscheint vielmehr von Anfang an in einer *gemeinschaftlichen* Form. Dies sei kurz aufgezeigt:

a) Der Adressat der *Verkündigung Jesu* war bekanntlich das Volk Israel als ganzes, das er zu einem erneuerten Volk Gottes sammeln wollte. Es ging Jesus gerade nicht darum, irgendwelche frommen Einzelnen oder Sondergruppen zu berufen, die ihm – jeder erst einmal für sich – nachfolgen und sich dann nachträglich zu einer Art »Trägerverein des Reiches Gottes« zusammenschließen. Bei aller persönlichen Akzentuierung der Umkehr-, der Glaubens- und der Nachfolgeforderung intendiert Jesus dadurch keineswegs einen Heilsindividualismus (weder des Einzelnen noch bestimmter Gruppen). Vielmehr beruft Jesus Einzelne zur Nachfolge um des Reiches

[8] J. B. Metz nennt sie den »eschatologischen Vorbehalt«, K. Rahner die Offenheit für das »absolute Geheimnis der Welt«. Vgl. dazu bes. die Artikel von K. Rahner zur Eschatologie, in: Schr. z. Th. VIII, Einsiedeln 1967, 555–609; IX, 519–540; X, 547–567.

Gottes willen, gerade insofern diese als Repräsentanten des ganzen Volkes gelten und sich in Dienst nehmen lassen für das Ankommen dieses Reiches im Volk Israel. Träger des Reiches Gottes sind in der Intention Jesu das gesamte umkehrwillige Volk Gottes und *darin* Einzelne (seien es die Jünger oder die Armen oder die Sünder) als konkrete, die geforderte Umkehr des ganzen Volkes vorbildlich darstellende und ihr dienende Zeichen.

Diese soziale Form des Reiches Gottes lebt nachösterlich weiter in der Gemeinschaft der Glaubenden, die sich vom Auferstandenen und seinem Hl. Geist versammeln läßt. Gerade weil der Geist nicht nur auf einzelne Erwählte (Propheten, Lehrer, Könige, Priester usw.) herabkommt, sondern auf das »ganze Volk« der Glaubenden ausgegossen wird (vgl. das Joëlzitat am Anfang der Petrusrede Apg 2, 17), sieht die Gemeinde die Endzeit anbrechen und weiß sich dadurch zugleich legitimiert, sich selbst als »ekklesia«, als Gottes heilige Volksversammlung zu verstehen, der die Verheißungen des Reiches Gottes gegeben sind. Die einzelnen Glaubenden werden »Heilige« und »Auserwählte« genannt, weil sie an der gemeinsamen Gabe des Geistes Gottes teilbekommen. Nicht die nachträgliche Zusammenkunft einzelner »Geistbegabter« führt zur Kirche, sondern die ursprüngliche, allen zuteil gewordene Teilhabe am gemeinsam empfangenen Geist des endzeitlichen Volkes Gottes.

Diese relative Vorgabe der Gemeinschaft gegenüber den Einzelnen bleibt eine Grundstruktur der Kirche und damit jeder innergeschichtlichen Gestalt von Reich Gottes. Sie hat ihren theologischen Grund darin, daß der Hl. Geist als das »Formprinzip« des Reiches Gottes selbst die »unio«- bzw. »communio«-Gestalt der Liebe zwischen Vater und Sohn ist[9]; er ist das einende, Vater und Sohn (als »Wovonher« und »Woraufhin« der göttlichen Liebe) vermittelnde, von ihnen zugleich vorausgesetzte und gesetzte »Worin« dieser Liebe. »Vorausgesetzt« – d. h.: Nur im »Medium« der gemeinsamen Liebe (»Hl. Geist«) vollzieht sich die Beziehung zwischen Vater und Sohn. »Gesetzt« – d. h.: Dieses »Medium« existiert – bei aller relativen Eigenständigkeit der »Person« des Geistes in Gott – nicht unabhängig von der gegenseitigen Beziehung zwischen Vater und Sohn, sondern geht aus ihr immer schon hervor.

[9] Vgl. J. Ratzinger, Der Heilige Geist als communio. Zum Verhältnis von Pneumatologie und Spiritualität bei Augustinus, in: C. Heitmann/H. Mühlen (Hrsg.), Erfahrung und Theologie des Hl. Geistes, Hamburg/München 1974, 223–238; H. Mühlen, Soziale Geisterfahrung als Antwort auf eine einseitige Gotteslehre, in: ebd. 253–272; H. U. v. Balthasar, Pneuma und Institution, Einsiedeln 1974, 201–235; M. Kehl, Hinführung zum christlichen Glauben, Mainz 1984, 107–114.

Wo dieser Geist innergeschichtlich am Werk ist, wirkt er deswegen auch stets als ein zur »communio« sammelnder Geist. Das bedeutet: Der Sinngehalt aller nur möglichen Realsymbole des Reiches Gottes (eben »Heil«, »Friede«, »Gerechtigkeit«, »Liebe« Gottes usw.) verwirklicht sich nur in einer ursprünglichen *kommunikativen Einheit«* all dieser Vermittlungen. Sie stehen grundsätzlich nicht unvermittelt nebeneinander, sondern sind bereits durch den in ihrem Sinngehalt anwesenden und ihn in unserer Geschichte vergegenwärtigenden Geist untereinander vereint. Diese Einheit ist (analog der »Struktur« des Hl. Geistes) *einerseits* das allen Realsymbolen *vorgegebene* »Worin« ihrer Wirksamkeit, d. h. der immer schon vorausgesetzte gemeinsame Lebens- und Verständigungsraum, der sie ursprünglich (und nicht nachträglich-abgeleitet) aufeinander bezieht. Was immer also an Zeichen und Gleichnissen des Reiches Gottes in der Welt gesetzt wird, ist von seinem Gehalt her aufeinander hingeordnet und geöffnet; es steht immer schon in dem vorgegebenen gemeinschaftsstiftenden »Raum« des Hl. Geistes und seiner geschichtlichen Gegenwart, die biblisch »Leib Christi« genannt wird. Diese glaubende Gewißheit entlastet die Glieder dieses Leibes von einer »überanstrengten« Hoffnung, die soziale Einheit des Reiches Gottes selbst erst von Grund auf herstellen zu müssen. *Anderseits* existiert dieser »Leib Christi«, diese kommunikative Einheit nicht als eine eigene, ontologisch und genetisch von den einzelnen Gliedern unabhängige »Hypostase«. Sie wird vielmehr – bei aller relativen Eigenständigkeit – von ihnen auch zugleich *gesetzt.* Sie verwirklicht sich nur *in* den konkreten einzelnen Realsymbolen und *in* der ihnen immanenten Tendenz auf eine *ausdrücklich* vollzogene Einheit hin, die – unter den Bedingungen unserer Geschichte – eine anschauliche Vorwegnahme des vollendeten Reiches Gottes sein kann. Auf *diese* universale communio richtet sich vor allem die christliche Hoffnung in ihrer innergeschichtlichen Dimension (vgl. Kol 1, 19 f; Eph 1, 10). Sie setzt sich deswegen dafür ein, daß die in alle Zeichen vom Geist Gottes hineingelegte Tendenz auf eine umfassende, handlungsfähige Einheit hin auch gesellschaftlich greifbar zum Durchbruch kommt. Das bedeutet, daß die überall zu beobachtenden Bemühungen – z. B. persönliche, gesellschaftliche und internationale Konflikte gewaltlos zu lösen; oder den Völkern der sogenannten »Dritten Welt« zu ihrem Recht und ihrer Eigenständigkeit im wirtschaftlichen, politischen und kulturellen Bereich zu verhelfen; oder den Menschenrechten in allen politischen Systemen Geltung zu verschaffen; oder den Ausgegrenzten und Benachteiligten einer jeweiligen Gesellschaft Gerechtigkeit widerfahren zu lassen usw. – daß all diese Bemühungen nicht einfach nur punktuell nebeneinander (und oft auch gegeneinander) ablaufen, sondern immer mehr zu rechtlich-institutionell verbindlichen und gewaltfrei akzeptierten Strukturen führen sollen, die unsere Welt im ganzen zu einem Real-Symbol der wahrhaft menschlichen communio des Reiches Gottes werden lassen.

b) Insofern wird das Reich Gottes immer schon von einem *sozialen Subjekt* getragen. Im weitesten Sinn ist dies das Beziehungsgefüge all jener (ausdrücklichen und anonymen) realsymbolischen Vermittlungen des Reiches Gottes, in denen Gottes Gerechtigkeits- und Friedenswille sich in der Geschichte Raum schafft. Genau das verstehen wir unter *Kirche* in ihrem grundlegenden geschichtlichen Sinn: nämlich (nach LG 48) das universal anwesende und wirksame Sakrament des Heils, die »ecclesia ab Abel«, die alle »Gerechten« von Abel an untereinander verbindet.[10] Überall da, wo Menschen sich von dem Geist der recht-schaffenden und totenerweckenden Liebe Gottes bestimmen lassen und dies so in den gesellschaftlichen Formen ihres Zusammenlebens ausdrücklich machen, daß diese von dem unbedingten Willen zur Einheit, zur Gerechtigkeit, zum Frieden für alle geprägt sind (vgl. GS 39), da wächst die universale Einheit des Volkes Gottes: »Zu dieser katholischen (= universalen) Einheit des Gottesvolkes, die den universalen Frieden vor-bezeichnet und vorantreibt (praesignat et promovet), sind alle Menschen berufen. Auf verschiedene Weise gehören ihr zu oder sind ihr zugeordnet die katholischen Gläubigen, die anderen an Christus Glaubenden und schließlich alle Menschen überhaupt, die durch die Gnade Gottes zum Heil berufen sind« (LG 13).

Der institutionell verfaßten Kirche (mit ihrem Glaubensbekenntnis, ihren Sakramenten, ihren Strukturen) kommt innerhalb dieser universalen Einheit die Funktion zu, die gesellschaftlich *konkreteste* und im vollen Sinn *sakramentale* Gestalt dieser Einheit zu sein (vgl. LG 1, 5, 9 usw.). Weil sich der Geist Gottes unwiderruflich und eindeutig an ihre Zeichen (z. B. an die Verkündigung des Wortes, an die Taufe, an die Sündenvergebung, an die Eucharistie und die sie tragenden Ämter usw.) gebunden hat, vermittelt sie darin auf untrügerische Weise die Gegenwart des Reiches Gottes, die durch keine menschliche Schuld zerstört und durch keine geschichtliche Vorläufigkeit aufgehoben wird, wie das bei allen anderen realsymbolischen Vermittlungen durchaus der Fall sein kann. Bei aller Zuversicht der Hoffnung ist uns ja keinerlei Sicherheit gegeben, daß die kommunikative Einheit *aller* Zeichen des Reiches Gottes auch gesellschaftlich-empirisch einmal zu einer immer greifbareren, all-

---

[10] Vgl. dazu M. Kehl, Ecclesia universalis, aaO. 243 ff.

umfassenden »communio« auf dieser Erde zusammenwächst. Die apokalyptischen Visionen des Neuen Testamentes (vor allem die »Offenbarung des Johannes«) rechnen eher mit dem Gegenteil, daß nämlich das kleine »Senfkorn« des Reiches Gottes immer wieder zertreten wird von den Füßen der Mächtigen und Gewalttäter. Auch wenn all das, was in solchen Zeichen an geistgeschenkter Liebe investiert wird und in den sozialen Formen menschlicher Einheit Gestalt gewinnt, endgültig »aufgehoben« bleibt in der eschatologischen *Vollendung* des Reiches Gottes (siehe Mt 25, 31 ff!), so gilt doch – auf der Ebene *innergeschichtlicher* Darstellung und Vermittlung – die Verheißung unzerstörbarer Geltung nur jenen Zeichen, die im eigentlichen Sinn »Sakramente« sind und in denen sich der auferstandene Christus von ihm selbst her auf kirchlich-soziale Weise »auslegt«.

Innerhalb dieser Dimension von Reich Gottes nimmt die *Eucharistiefeier* der Kirche noch einmal eine besondere Stellung ein; ist sie doch die höchstmögliche Form der innergeschichtlichen Vergegenwärtigung, weil in ihr die universale Tischgemeinschaft des Reiches Gottes ihre sakramentale Vor-Feier begeht. Die allumfassende Solidarität der *Liebe* Gottes wird real vergegenwärtigt, ja »kommuniziert« im Symbol jenes *Glaubens,* der sich diese Liebe Gottes ausdrücklich schenken läßt – »für euch *und* für alle«. Die glaubende Hoffnung auf Gottes Reich *und* die tätige Liebe zu den geringsten der Brüder und Schwestern Jesu finden in der Eucharistie (jedenfalls von ihrem Sinngehalt her) zur Einheit eines unzerstörbaren und unbedingt heilsvermittelnden Zeichens zusammen. Deswegen erhält in der Eucharistie das über die ganze Welt verstreute kommunikative Geflecht aller Realsymbole des Reiches Gottes seine *kon-zentrierende Mitte.* Alle nur möglichen einheitsstiftenden Sinngehalte von Reich Gottes sind hier zur Einheit eines konkreten sozialen Subjekts integriert: eben zu der eucharistiefeiernden Gemeinde der auf das Reich Gottes Hoffenden *und* es in Liebe Vorwegnehmenden.

Daß dieser Sinn der Eucharistiefeier auch tatsächlich erfüllt wird, hängt davon ab, wie die Kirche selbst immer wieder »umkehrt« und sich selbstlos-zurücktretend in den Dienst des Reiches Gottes stellt (statt es pragmatisch zu verdrängen oder sich triumphalistisch damit zu identifizieren). Dies impliziert vor allem die drei folgenden kirchlichen Grundhaltungen:

(1) Zum einen die Bereitschaft, in sich selbst vergleichbare Amtsstrukturen der communio-Gestalt des Reiches Gottes zu verwirklichen; also im Sinn von Mt 18, 1–5, Lk 22, 26 und Mt 18, 21 jede autokratisch-klerikale Herrschaftsform zu vermeiden, um statt dessen

einer brüderlich-schwesterlichen Mitverantwortung und Mitgestaltung Raum zu geben.

(2) Zum anderen die glaubwürdige Solidarität mit den Hoffnungen der Armen, der »um die Verheißungen Jahwes Betrogenen«, auf eine gerecht geordnete menschliche Lebenswelt. Diese Hoffnung gehört untrennbar zu der ihr gegebenen Verheißung des Reiches Gottes, so daß die Kirche ihre vier Grundvollzüge: die Verkündigung des Wortes (Martyria), die gottesdienstliche Feier der Sakramente (Liturgia), den Dienst an den Notleidenden (Diakonia) und ihre gemeinschaftliche Lebensordnung (Koinonia) ganz und gar von dieser Verheißung »imprägnieren« lassen muß, um sie in unserer Geschichte zu veranschaulichen.

(3) Schließlich die aktive Offenheit auf eine ökumenische Einheit hin, in der es zu einer »versöhnten Verschiedenheit« aller christlichen Kirchen kommt. Gerade das Sichzusammenfinden der getrennten Christen zu einer (wie auch immer rechtlich geordneten) Eucharistiegemeinschaft hilft entscheidend, die Differenz zu überwinden, die zwischen der weltweiten Vielfalt realsymbolischer Vermittlungen des Reiches Gottes und ihrer gesellschaftlich verfaßten Einheit besteht. Denn die Einigung der Kirchen zu einem einzigen (wenn auch in sich differenzierten) sozialen Subjekt könnte der Kern einer sich universal sammelnden »Menschheitsfamilie« im Dienst am Reich Gottes sein. Darin erfüllt sich dann auch die Hoffnung und die Verheißung des Gebetes Jesu: »Alle sollen eins sein: Wie du, Vater, in mir bist und ich in dir bin, sollen auch *sie* (= die Glaubenden) in uns eins sein, damit die *Welt* glaubt, daß du mich gesandt hast« (Joh 17,21).

c) Die starke Betonung der communio-Gestalt des Reiches Gottes entspricht einem philosophischen *Geschichtsverständnis,* nach dem konkrete, identifizierbare »soziale Systeme« die bestimmenden Träger geschichtlichen Handelns sind. Bilden sie doch die unverzichtbare Ebene der Vermittlung zwischen den individuellen menschlichen Subjekten und der menschlichen Geschichte als einer möglichen Universalgeschichte. Nur durch die Teilhabe an bestimmten »geschichtsbildenden« sozialen Gruppierungen wird der Einzelne zu einem mittragenden Subjekt menschlicher Geschichte. Wo diese Ebene vernachlässigt wird, steht jede geschichtliche Praxis und Theorie in Gefahr, völlig abstrakt zu werden. Entweder erscheint sie dann einseitig individualistisch ausgerichtet (und damit in der Regel realgeschichtlich-gesellschaftlich bedeutungslos) oder einseitig universalistisch bestimmt (und damit realgeschichtlich sowohl das Schicksal der Einzelnen nivellierend wie auch die Wirklichkeit der tatsächlich geschichtsmächtigen Strukturen überspringend). Um diese Gefahren zu meiden, hält die christliche Hoffnung ausdrücklich an der kirchlich-sozialen Dimension des Reiches Gottes und ihrer Vermittlungsfunktion fest. Ohne eine vernünftige Ekklesiologie verflüchtigt sich die Eschatologie leicht in eine universalgeschichtliche Schwärmerei oder in eine individuell-private Jenseitsvertröstung.

3. DIE VOLLENDUNG: VERSÖHNTE SCHÖPFUNG

Über die einzelnen realsymbolischen Vergegenwärtigungen und deren kommunikative Einheit in der communio-Gestalt hinaus richtet sich unsere Hoffnung auf die zukünftige *Vollendung* des Reiches Gottes; erst darin findet sie ihr letztes und höchstes Ziel. Worin liegen die charakteristischen Merkmale dieser Gestalt des Reiches Gottes?

a) Universalität des Heils

Dieses erste Kennzeichen besagt: Die *ganze* Wirklichkeit individueller und sozialer menschlicher Geschichte, einschließlich der zur wahrhaft menschlichen Lebenswelt gewordenen Natur und Kultur, wird in dem Maß, wie sie sich vom Geist der Liebe Gottes durchformen läßt, zum Herrschaftsraum des Friedens- und Gerechtigkeitswillens Gottes. Dann erst gilt das Pauluswort, daß »Gott alles in allem ist« (1 Kor 15, 28). Denn hier hat die geschöpfliche Aneignung der in Christus sich mitteilenden Liebe Gottes ihre volle universale Gestalt erreicht.

Das entsprechende *Subjekt* dieser Form des Reiches Gottes wird die vollendete »ecclesia universalis« sein, also die gerechtfertigte und versöhnte Menschheit, die inmitten einer von allen destruktiven Kräften befreiten Schöpfung leben wird. In ihr werden »alle Gerechten von Adam an, von dem gerechten Abel bis zum letzten Erwählten in der allumfassenden Kirche beim Vater versammelt« sein (LG 2). Daß diese Universalität nicht eine unterschiedslose Vereinnahmung der ganzen Menschheit besagt, kommt in dem Begriff »alle Gerechten« zum Ausdruck: Es sind die, die aus der rechtschaffenden Gerechtigkeit Gottes leben und sie – bis zum Einsatz ihres Lebens (wie Jesus, der die Erfüllung des »gerechten Abel« darstellt) – zum Maßstab ihres gerechten Handelns machen; und zwar gerade zugunsten derer, die unter den ungerechten Zuständen dieser Welt am meisten leiden und deswegen dieses »Reich der Gerechtigkeit, der Liebe und des Friedens« am stärksten herbeisehnen (GS 21, 38, 39).

Diese Hoffnungsperspektive entspricht einem philosophischen *Geschichtsverständnis*, in dem vorausgesetzt wird, daß die verschiedenen individuellen und gesellschaftlichen »Geschichten« erst in einer gemeinsamen Geschichte der einen Menschheit ihren vollendeten Sinn finden. Als Forderung einer universalen Solidarität vor dem Abgrund und der Katastrophe der gemeinsamen Selbstvernichtung (T. W. Adorno) wird diese Sicht der Geschichte heute immer dringlicher. In Ansätzen ist ein solches universalgeschichtliches Subjekt bereits erfahrbar, wenn auch meist in offener Ambivalenz zum Guten oder Bösen für das Geschick der Menschheit: z. B. in der weltweiten technologischen und wirtschaftlichen Verflochtenheit; in den Versuchen, zu einer umfassenden politischen Aktionseinheit zu gelangen; in der zunehmenden Abhängigkeit aller von allen; in der wachsenden Bewußtwerdung der Verantwortung für das Schicksal unserer Erde, für das Wohlergehen der Völker in anderen Ländern, für die weltweite Friedenssicherung, für die Überlebenschancen aller usw. Dennoch bleibt eine wirklich handlungsfähige, innergeschichtlich universale Einheit der Menschheit weiterhin eine Utopie. Wo diese aber gänzlich aufgegeben wird, steht jede Geschichtstheorie und -praxis in Gefahr, Geschichte nur als eine Ansammlung von individuellen und sozialen Geschichten anzusehen und – reichlich provinziell – die Augen vor der gerade heute geforderten Verantwortung für die ganze Menschheit und für eine das Leben und Überleben aller ermöglichende Erde zu verschließen. Die christliche Hoffnung vertraut – oft genug »gegen alle Hoffnung« – darauf, daß diese universale Versöhnung der Geschichte und der Schöpfung nicht eine Utopie bleibt, sondern im vollendeten Reich Gottes verwirklicht sein wird.

Der ermöglichende Grund dieser Versöhnung liegt in der restlos *offenbaren* und *unangefochtenen* Teilhabe der Menschen am Leben der dreifaltigen Liebe Gottes. Im Unterschied zu den beiden anderen Verwirklichungsweisen fällt in der Vollendung des Reiches Gottes (1) der »verbergende« Charakter aller Vermittlungen weg. Wenn die christliche Tradition bildlich vom »Schauen Gottes von Angesicht zu Angesicht« spricht, meint sie genau dies, daß einmal alle Wirklichkeit als in Gottes Liebe gegründet und von ihr durchformt erfahren werden darf. Darin erst glückt das ignatianische »Gott finden in allen Dingen« vollkommen. Zum anderen fällt in dieser Vollendungsgestalt auch (2) der konfliktive Charakter der Geschichte weg; d. h. weder das zeitliche Nacheinander (mit seiner alle Gegenwart überholenden, sie in die Vergangenheit versinkenlassenden Wirkung) noch das schuldhafte Gegeneinander (mit seiner das Gute »anfechtenden« oder zerstörenden Macht) beeinträchtigen das von Gottes Liebe bestimmte menschliche Zusammenleben.

b) Im Durchgang durch den Tod

Diese so vorgestellte Vollendung des Reiches Gottes schließt für die Menschen unabdingbar das vorangegangene Erleiden des *Todes* und die von Gott geschenkte *Auferstehung der Toten* mit ein. Denn erst durch den Tod hindurch, in dem eine Lebensgeschichte an ihr Ende kommt und somit das zeitliche Nacheinander der je neuen Erfahrungen, Entscheidungen und Handlungen beendet ist, kann (anthropologisch gesehen) eine Voll-endung von individueller und sozialer Lebensgeschichte erhofft werden. Vor dem Tod bleibt alles überholbar und widerrufbar. Solange Zeit und Geschichte nicht beendet sind, steht (bei jedem Einzelnen und in der Folge der Generationen) der Raum der Entscheidungsfreiheit für oder gegen Gott, für oder gegen seinen Friedens- und Gerechtigkeitswillen offen. Erst im Tod kann das Entschiedensein für oder gegen Gott eine endgültige Gestalt annehmen, kann sich menschliche Freiheit in ihre (bei allen Vollzügen immer schon intendierte) Endgültigkeit hinein »auszeitigen«.[11] Allein eine solche Endgültigkeit kann als mögliche Vollendung menschlicher Geschichte erhofft werden. (Wir werden unten im 2. Kapitel dieses dritten Teils ausführlicher darauf eingehen.)

Wenn wir dies einsehen und bejahen, nehmen wir implizit Abschied von der vielen noch sehr gewohnten, biblisch-apokalyptischen *Vorstellung* (nicht aber von ihrem gültigen theologischen Gehalt!), daß Gott einmal unmittelbar zu einem bestimmten geschichtlichen Zeitpunkt in diese Geschichte »eingreifen«, sie (womöglich ohne den Tod aller dann Lebenden) in einem großen Weltuntergang beenden und dann eine ganz neue Welt schaffen wird, auf der auch eine neue »Geschichte« der Menschen beginnt; in ihr würden allerdings das Böse, das Leid und der Tod keine Rolle mehr spielen, und deswegen würden auch alle destruktiven Kräfte der Schöpfung (mit ihrem naturhaften »Fressen und Gefressen-Werden«) aufgehoben sein. Die Schwierigkeiten mit solchen Vorstellungen rühren daher,

---

[11] Vgl. K. Rahner, Das Leben der Toten, in: Schr. z. Th. IV, Einsiedeln 1960, 429–437; ders., Auferstehung des Fleisches, in: Schr. z. Th. II, Einsiedeln 1955, 211–225; ders., Grundkurs des Glaubens, Freiburg 1976, 414–429; G. Greshake, Auferstehung der Toten, Essen 1969.

daß wir das apokalyptische *Weltbild* nicht mehr einfach teilen können. G. Lohfink skizziert dieses Weltbild, das auch in der christlichen Eschatologie bis heute eine große Rolle spielt, folgendermaßen:

»Die Welt Gottes und die Welt der Menschen stehen in räumlichem Zusammenhang. Der Himmel ist über der Welt. Wenn Gott oder ein himmlisches Wesen erscheinen, kommen sie vom Himmel her. Die Himmel brauchen sich nur zu öffnen.

Genauso einfach und geradlinig ist die Zeit. Die Welt hatte einen Anfang und sie wird einmal ein Ende haben. Ihr zeitlicher Anfang war identisch mit der Schöpfung. Ihr zeitliches Ende ist identisch mit dem Kommen Gottes zum Gericht. Der Zeitraum zwischen Schöpfung und Weltende ist überschaubar – im allgemeinen rechnet man mit 5000 oder 7000 Jahren. Man weiß zwar, daß Gott keinen Anfang und kein Ende hat, aber er wird als parallel zur irdischen Zeitlinie existierend gedacht. Irdische und himmlische Zeit sind einander kommensurabel, genauso wie der Himmel räumlich über der Erde liegt.

Bei einem solchen Weltbild ist das Kommen Gottes nicht anders vorstellbar, als daß er im Raum und in der Zeit erscheint. Und das Ende der Geschichte ist nicht anders vorstellbar, als daß die Geschichte auf der linearen, irdischen Zeitlinie zu Ende geht. Und das Ende der Welt ist nicht anders vorstellbar, als daß der Weltbestand mit einem Schlag zerstört bzw. verwandelt wird. So wie die Welt in 6 Tagen geschaffen wurde, wird sie in einem analogen Geschehen ihr Ende finden...

Die *Raumvorstellungen* der Apokalyptik (wurden) schon relativ früh aufgegeben, während man an ihrem *Geschichtsbild* noch lange festhielt. Konkret: die Theologie hatte im 19. Jh. längst begriffen, daß sich die Welt Gottes nicht in dreidimensionalen Räumen über unserer Welt aufschichtet, sie nahm aber gleichzeitig noch immer an, daß das Ende der Welt und der Geschichte auf der irdischen Zeitlinie stattfände, daß es also am Ende in unserer Welt ein göttliches spectaculum, nämlich Weltuntergang mit Parusie geben werde.

Das war jedoch inkonsequent. Denn all diese Vorstellungen hängen ja, wie wir sahen, aufs Engste zusammen. Man kann nicht die Raumvorstellungen der Apokalyptik verabschieden und gleichzeitig an ihrer Zeitvorstellung und an ihrem Geschichtsbild festhalten. Mir scheint deshalb, daß die so dringend notwendige Neuinterpretation der Eschatologie nur dann gelingen kann, wenn dabei nicht mehr von dem Zeit- und Geschichtsschema der Apokalyptik ausgegangen wird.«[12]

Auch mit unserem gegenwärtigen christlichen *Gottesbild* scheint die Vorstellung eines solchen herausgehobenen »Eingreifens« Gottes an einem bestimmten Endpunkt der Geschichte kaum vereinbar zu sein. Gott als die in allem verborgen »dabeiseiende«, alles tragende

---

[12] Vgl. G. Greshake/G. Lohfink, Naherwartung – Auferstehung – Unsterblichkeit, Freiburg ⁴1982, 59 ff.

und heilende Liebe greift nicht irgendwann »von außen« in diese Welt ein, um sie zu vollenden; seine alles zum Heil führende und darin vollendende Liebe ist in jedem Augenblick der Geschichte am Werk, auch wenn sie in den verschiedenen Situationen unserer Geschichte in jeweils unterschiedlicher »Transparenz« für uns erscheint. Ein *unmittelbares* »Aufscheinen« und Handeln Gottes mitten in unserer *empirischen* Erfahrungswelt – wie es die Apokalyptik sich vorstellte – ist von daher schwer denkbar. Gott als der verborgen anwesende Grund aller Wirklichkeit kann niemals ein direktes und unmittelbares Objekt unserer sinnlich-geistigen Erkenntnis werden.

Natürlich hoffen wir, daß die Transparenz der Schöpfung und der Geschichte für die Liebe Gottes einmal so total sein wird, daß »Gott alles in allem« ist. Aber genau diese Totalität schließt dann – auch von der *Soteriologie* her – notwendig den Tod als eine wesentliche Dimension des geschöpflichen Lebens und der Geschichte mit ein. Der Gott, der sich gerade in Tod und Auferstehung Jesu als endgültig befreiende Liebe offenbart hat, wird auch in aller Zukunft den Tod nicht einfach aus der Welt herausnehmen und *so* geschichtliches Leben »unsterblich« machen, sei es am Ende »dieser« oder innerhalb einer (von der Apokalyptik erwarteten) »neu geschaffenen« Geschichte. Indem durch Jesus auch unser Tod und all seine Vorformen, wie z. B. Krankheit, Schmerz, Leid, Einsamkeit usw., zum möglichen Erscheinungsort der heilenden Liebe Gottes geworden sind, kann eine wirkliche »Vollendung« der (individuellen, sozialen und universalen) Geschichte im Reich Gottes nur *durch* den persönlichen Tod der einzelnen Menschen hindurch geschehen.

Ohne die Einbeziehung des (vorausgehenden) Todes in die Vollendungsgestalt des Reiches Gottes bliebe zudem jedes Reden von *Vollendung* irgendwie doch auf eine (alte oder neue) *geschichtliche* Zukunft beschränkt, was ein Widerspruch in sich ist. Denn solange menschliche Freiheitsgeschichte in irgendeiner, wenn auch neugeschaffenen Weise weiterläuft und solange jedes Leben allein vom Tod angemessen beendet werden kann (s. 3. Teil II/1), läßt sich kein geschichtlicher (und damit doch grundsätzlich veränderbarer, vervollkommenbarer) Zustand einfachhin als »Vollendung« bezeichnen. Das käme der Absolutsetzung einer relativen geschichtlichen Situation gleich, was zur totalitären Stillegung und damit Selbstzerstörung *jeder* Form von »Geschichte« führen müßte (wenn dieser Begriff überhaupt noch einen verstehbaren Sinn behalten soll und nicht identisch wird mit dem, was wir gleich als »Aufhebung« der Geschichte in ihre Vollendung bezeichnen werden). Einzig die Bewegung auf eine absolut geschichts*transzendente* Vollendung der

Geschichte hin (was eben mit »Auferstehung der Toten« gemeint ist) bewahrt jeder Geschichte ihren relativen und damit humanen, sie nicht vergötzenden Charakter.

Diese Auffassung wird auch vom christlichen *Schöpfungsbegriff* her bekräftigt. Im Gegensatz zur Apokalyptik ist für uns die Schöpfung durch Jesus Christus eine grundsätzlich geheilte Schöpfung. Sie ist nicht mehr Ort einer reinen Sündengeschichte, die nur durch eine totale Vernichtung und Neuschöpfung hindurch gerettet werden könnte. Im auferstandenen Christus und in den an seiner Auferstehung Teilhabenden ist diese Schöpfung bereits in das vollendete Leben Gottes eingegangen. Eine universale Vollendung wird von uns deswegen gerade für *diese* Schöpfung erhofft, in die der Geist des Auferstandenen als Angeld und Keim der neuen Schöpfung hineingelegt ist. *Sie* soll im ganzen an der Vollendung Christi teilhaben, und nicht eine völlig neue Schöpfung, die mit der alten nichts mehr gemein hat.

Aber dagegen erhebt sich doch ein gewichtiger Einwand: Birgt diese Hoffnung auf eine unsere Zeit und Geschichte radikal übersteigende Vollendung nicht umgekehrt die Gefahr einer zu starken Relativierung und Abwertung der Geschichte in sich? Zeugt nicht gerade die Tradition der christlichen Hoffnung immer wieder von gefährlichen Tendenzen, die die irdische Geschichte nur als »Vor-Spiel« vor dem eigentlichen Geschehen im »Himmel« betrachten; die zur Vertröstung für ein elendes Leben im Diesseits ein seliges Leben im Jenseits in Aussicht stellen? Bei vielen unserer Zeitgenossen trägt deswegen die Rede von der die Geschichte *transzendierenden* »Auferstehung der Toten« stets den Geruch einer geschichts-*feindlichen* und *-flüchtigen* Ideologie an sich. Das muß von der »Sache« dieser Hoffnung her aber keineswegs so sein! Denn sie beinhaltet vielmehr ein Verständnis von Vollendung, das gerade den *unbedingten* Wert geschichtlichen Handelns auf ihm gemäße Weise zu wahren hilft. Dies soll durch das dritte Merkmal der Vollendungsgestalt des Reiches Gottes verdeutlicht werden.

c) Das »Aufgehobensein« der Geschichte in der Auferstehung der Toten

Die Vollendung des Reiches Gottes erhoffen wir – im Unterschied zur Apokalyptik – als das endgültige *Aufgehobensein* dieser menschlichen Geschichte (in ihrer individuellen, sozialen und universalen Dimension) im Leben Gottes. Solches »Aufheben« enthält die drei bekannten Momente:

(1) Alles, was in unserer Geschichte für das Reich Gottes bedeutsam ist, also im Grunde alles, was von uns in vertrauender Hoffnung und in tätiger Liebe ertragen und getan wird, bleibt »erhalten« (aufheben = bewahren). Es allein behält (als Teilhabe am auferstandenen Leben des Gekreuzigten!) Geltung auch über den Tod hinaus, und zwar sowohl für die vollendete Gestalt des Reiches Gottes selbst (als unersetzlicher »Baustein« in diesem »Gebäude« aus menschlich angeeigneter Liebe Gottes, das wir Reich Gottes nennen), als auch für den betreffenden Menschen selbst (als dem letzten »substantiellen« Träger solchen Tuns): Es macht seine bleibende Identität bei Gott aus. Aber auch als »Frucht« seines Lebens ist es für die noch Lebenden und ihre weitergehende Geschichte bedeutsam: Es geht ein in die unzerstörbare Basis, auf der weiter an der Gestaltwerdung des Reiches Gottes unter uns gebaut werden kann.

(2) Alles, was nicht integrierbar ist, also das Sündige, Sich-Gott-Verschließende in unserer Geschichte, wird »hinweggenommen« in die richtend-vergebende Liebe Gottes hinein (aufheben = außerkraftsetzen). Nicht als ob es in diesem Gericht einfach »annulliert« und sich in Nichts auflösen würde; es gehört unaufhebbar zur Geschichte und Identität jedes Menschen. Aber im Leben der Auferstehung bestimmt es nur noch als »vergebene« Schuld unsere Identität. Sie ist so in die den Sünder bejahende Liebe Gottes hineingeborgen, daß wir in der Kraft dieses Angenommenseins unsere Schuld ganz »aufarbeiten«, sie als Moment unserer glückenden, aus der Vergebung lebenden Identität annehmen können. Die »Vergebung« befähigt uns, nicht mehr unter der Schuld als dem »vergeblichen« Verfehlen unserer Identität zu leiden (s. 3. Teil, II/3).

(3) Die von Gott aufgenommene menschliche Geschichte bekommt eine endgültig gelungene und geglückte Gestalt, die dem Wechsel von Raum und Zeit enthoben und von aller damit gegebenen schmerzlichen Gebrochenheit befreit ist. In dieser neuen, von der Liebe Gottes »zusammengefügten« Gestalt finden die oft so auseinanderstrebenden Linien eines Lebens endlich zu einer einheitlichen, den Sinn dieses Menschen oder dieser Gemeinschaft oder der ganzen Schöpfung erfüllenden Identität (aufheben = emporheben). Die geschaffene Wirklichkeit findet erst da ganz zu sich selbst, wo sie endgültig zu Gott, dem Schöpfer und Vollender hingefunden hat. In der traditionellen Glaubenssprache heißt dies: »Heil« oder »verklärtes Dasein« oder »Himmel«. Dies bedeutet weder eine von Gott einfach der Schöpfung »aufgesetzte«, mit ihr innerlich nicht verbundene »übernatürliche« Seligkeit, noch bloß die Endgültigkeit des von uns in der Geschichte Gewirkten, sondern

die erfüllende Teilhabe unseres gelebten Lebens und seiner Welt an der Weite und Schönheit der unendlich lebendigen Liebe Gottes (dazu mehr unter II 3). Das dürfte der bleibende Sinn der apokalyptischen Rede von der »neuen Schöpfung« und der »Auferstehung der Toten« sein.

d) »Gemeinschaft der Heiligen«

Daß diese Vollendung nicht jedem einzelnen Menschen für sich geschenkt wird, sondern nur in der *Gemeinschaft der Vollendeten* (»communio sanctorum«), ja der ganzen Schöpfung, ist selbstverständlich. Denn das »Reich« Gottes wird immer nur getragen von einem entsprechenden »Volk« Gottes, dessen gemeinschaftliches und gesellschaftliches Zusammenleben immer stärker von der Liebe Gottes geprägt werden soll. In der »neuen Schöpfung« erhoffen wir die Vollendung *dieses* Reiches Gottes und seines Trägers, des Volkes Gottes. Als »Erster der Entschlafenen« legt Jesus den Grundstein für dieses vollendete Reich Gottes, welches die »Offenbarung des Johannes« – wie wir sahen – in sozialen Symbolen als »neue Stadt«, als »neues Jerusalem«, als »neuen Himmel und neue Erde« beschreibt.

Das bedeutet: Die Vollendungsgestalt des Reiches Gottes baut sich nicht additiv durch die »Summe« der individuellen Tode und Vollendungen auf. Das Verhältnis von realsymbolischer Vergegenwärtigung und communio-Gestalt des Reiches Gottes gilt auch für seine Vollendung: Die Vollendung der Einzelnen und ihrer Lebensgeschichte geschieht immer nur als Vollendung einer »kommunikativen Einheit« aller Realsymbole des Reiches Gottes. Dies zeigt sich einmal darin, daß diese Einheit das vorgegebene »Worin« aller individuellen Vollendungsgeschehen darstellt, also den vorgegebenen »Lebensraum«, in dem die Vollendung der Einzelnen geschieht und von dem sie ermöglicht wird. Der Einzelne wird nur vollendet in der Teilhabe an der vorgegebenen Vollendung der »communio sanctorum«, also am Auferstehungsleben der vollendeten Gemeinschaft derer, die das Leben und Sterben Jesu um des Reiches Gottes willen geteilt haben.

Zugleich aber gilt auch das andere: Diese vollendete Gemeinschaft der communio sanctorum führt kein von den Einzelnen losgelöstes Einzeldasein (gleichsam als »Kollektivsubjekt«). Sie entsteht immer nur *durch* den Tod und die Vollendung der Einzelnen hindurch, grundlegend in Jesus Christus und den wahrhaft »Heiligen«; in diese vollendete Gestalt des »Leibes Christi« werden wir hineingenommen *und* bauen sie zugleich durch unsere »Lebensfrucht« mit auf. Insofern sind die *einzelnen* »Geheiligten« (im Maß ihrer Heiligkeit«) gleichursprünglich das Subjekt der Vollendung wie die »*Gemeinschaft* der Heiligen«.

In dieser communio-Gestalt des vollendeten Reiches Gottes liegt das »Prinzip« der universalen Vollendung, also die grundlegende und anfanghafte Gestalt, welche die universale Vollendungsgestalt aus sich herauswachsen läßt. D. h., in der vollendeten Gestalt der communio sanctorum erscheint die universale Versöhnung der Geschichte, z. B. im Bild der endgültigen Mahlgemeinschaft (Lk 14, 15–24) oder im Bild der neuen Stadt des himmlischen Jerusalem (Offb 21, 9 ff). Vermittelt durch die soziale Gestalt der communio sanctorum wächst die *ganze* Schöpfung in ihre Vollendung hinein, so daß diese als allumfassende Ausweitung der communio verstanden werden kann.

Bevor wir diesen Gedanken weiter verfolgen, soll auf die spirituelle Bedeutung der gemeinschaftlichen Dimension des vollendeten Reiches Gottes für die christliche Hoffnung hingewiesen werden:

(1) Sie kann verhindern, daß die Hoffnung zu einem *sublimen Selbsterhaltungstrieb* über den Tod hinaus pervertiert wird. Hoffnung auf »Leben nach dem Tod« ist eben nicht zunächst eine private Hoffnung »für mich« auf ein individuell-glückliches Tête-à-tête mit Gott und dann auch noch »für die anderen«, sondern grundlegend eine gemeinsame Hoffnung »für uns und für alle«. Auf christliche Weise hoffen »für mich« kann ich nur in der Teilnahme an der gemeinsamen Hoffnung derer, die in Christus leben und sterben, indem ich also meine privaten Sehnsüchte aufgehen lasse in der weiteren und größeren Hoffnung für die anderen und mit ihnen: »Erst wo unsere Hoffnung für die anderen mithofft, wo sie also unversehens die Gestalt und die Bewegung der Liebe und der communio annimmt, hört sie auf, klein und ängstlich und verheißungslos unseren Egoismus zu spiegeln.«[13]

(2) Die soziale Vollendungsgestalt des Reiches Gottes bildet den eigentlichen theologisch-eschatologischen Ort für die *Heiligen- und Marienverehrung* in der katholischen Kirche. Abgesehen von der individuellen Vorbildlichkeit der Heiligen liegt ihr entscheidender theologischer Sinn darin, genau diesen vorgegebenen sozialen »Raum« aller einzelnen Vollendungsgeschehen grundlegend zu konstituieren und ihn konkret darzustellen. Die Heiligen sind der

---

[13] »Unsere Hoffnung«. Ein Bekenntnis zum Glauben in dieser Zeit, in: Gemeinsame Synode der Bistümer der Bundesrepublik Deutschland I, Freiburg 1976, 99.

personale Garant und Ausdruck für die Vor-gabe der gemeinschaftlichen Gestalt der Vollendung vor der der Einzelnen. Sie sind nicht nur die hervorgehobenen, uns in die Vollendung vorangegangenen Einzelnen, sondern vor allem das Symbol der von ihnen geformten gemeinschaftlichen Form der Vollendung, an der teilzuhaben auch wir Sünder und Kleingläubigen hoffen dürfen.

Eine besondere Stellung innerhalb dieser Symbolik nimmt Maria ein, die seit jeher *die* Symbolgestalt für die ecclesia (als Braut, Jungfrau, Mutter) und deshalb auch für ihre gemeinschaftliche Vollendungsgestalt darstellt; gerade als Vollendete ist sie das »Urbild der Kirche«. Darin liegt der tiefste Sinn des Dogmas von der »leiblichen Aufnahme Mariens in den Himmel«: Es will nicht so sehr ein einmalig-privates Privileg Mariens vor den anderen Verstorbenen betonen; denn auch von ihnen glauben wir, daß sie im Tod mit Leib und Seele aufgenommen werden in den Himmel, also in Christus vollendet werden (s. 3. Teil, II/2). Vielmehr soll in diesem Dogma das einmalige *soziale* Privileg Mariens betont werden, daß sie nämlich als die sündenlose, jungfräuliche Magd und Mutter des Herrn auf vollkommene Weise die vollendete Kirche *als* solche, als den Einzelnen vorgegebene Gemeinschaft der Vollendung konstituiert und repräsentiert. Von daher erheben sich m. E. starke theologische Bedenken gegen ein marianisches Prädikat, das in der jüngsten Zeit öfters genannt wird und das Maria als »Mutter der Kirche« feiert. Maria besitzt keine individuelle Sonderstellung über die Kirche, den Leib Christi und das Volk Gottes hinaus; ihre primäre theologische Bedeutung liegt gerade in ihrer sozialen Rolle, das »Urbild der Kirche« und insofern auch »Mutter der (einzelnen) Glaubenden« zu sein.

(3) Im Rahmen der sozialen Gestalt der Vollendung bekommt auch das *Gebet für die Verstorbenen* einen theologischen Sinn. Dieses Gebet, das von 2 Makk 12, 42–45 angefangen über viele Zeugnisse bei den Kirchenvätern bis hinein in unsere Gegenwart eine lange, gute Tradition hat, kam in der Reformationszeit wegen des häufigen Mißbrauchs in Verruf; es wurde als geistlicher Tauschhandel zum Loskauf der »armen Seelen« aus dem Fegefeuer mißverstanden. Sein eigentlicher theologischer Sinn liegt darin, im konkreten Glaubensvollzug zum Ausdruck zu bringen, daß Tod und Vollendung des Christen nicht ein privates Geschick des Einzelnen sind, sondern sich immer nur im Raum der communio abspielen (so sehr auch jeder seinen eigenen Tod unabnehmbar selbst sterben muß). Das Sterben und Aufgehobenwerden der Einzelnen ereignet sich in diesem sozial vorgegebenen Raum der Teilnahme an Tod und Auferstehung Jesu; und zwar als das Hinein-vollendet-Werden

in den auferstandenen Leib Christi, der immer schon die soziale Gestalt der communio hat. Diese Glaubensgemeinschaft trägt und ermöglicht die Beziehung des Einzelnen zu Christus nicht nur in der Geschichte, sondern auch im Tod und in der Vollendung. Als soziale Gestalt der Beziehung zu Christus bricht sie im Tod nicht ab, sondern hat Teil an der todüberwindenden Macht dieser Beziehung.

Diese Solidarität auch im Tod wird durch das Gebet für die Verstorbenen ausgedrückt: Es ist ein Zeichen des gemeinschaftlichen Einander-Beistehens und des Füreinander-Einstehens, im Leben wie im Sterben. Keiner tritt allein in das Gericht der Liebe Gottes ein; unser Beten und unser liebendes Tun füreinander behalten ihre Heilsbedeutung auch über den Tod derer hinaus, für die wir beten. Insofern darf solches Fürbittgebet nicht als diesseitige »Tausch- und Handelsware« gegen noch anhängende Sündenstrafen im Jenseits mißverstanden werden; jedes quantitativ-zahlenmäßige Vergleichen von Gebetsleistungen mit entsprechenden Nach- und Ablässen im Fegefeuer ist zutiefst unchristlich, weil es den Gnadencharakter des Heils pervertiert. Wegen dieses möglichen Mißverständnisses sollte man auch die Rede z. B. von »hundert Tagen Ablaß« meiden. Denn jedes Wissen darüber, *wie* unsere Solidarität im Glauben und Beten den Verstorbenen zugutekommt, ist uns versagt; es genügt die vertrauende Gewißheit, *daß* sie bedeutsam ist für unser nur gemeinsam zu empfangendes Heil. Allerdings behält dieser soziale Aspekt der Vollendungshoffnung seine Glaubwürdigkeit nur dann, wenn die Solidarität der Gemeinschaft mit den Einzelnen nach besten Möglichkeiten auch im empirischen Sterben der Einzelnen sichtbar wird, wenn diese also mit ihrer Einsamkeit nicht allein gelassen und der Erfahrung des tödlichen Abbruchs aller Kommunikation überlassen werden.

e) Hoffnung für unsere Erde

Was wird eigentlich aus unserer *Erde* in der Vollendung des Reiches Gottes, wenn die Vollendung doch nur im Durchgang durch den Tod zu erhoffen ist? Wird sie dann nicht mehr der Lebensraum einer endgültig mit Gott, untereinander und mit der ganzen Schöpfung versöhnten Menschheit sein? Überlassen wir sie gleichgültig sich selbst, z. B. einem unaufhörlichen, ziellosen Weiterlaufen oder auch einem irgendwann stattfindenden katastrophalen Untergang? Wird der »Ort« der Vollendung statt dessen ein ganz und gar unsinnlicher, Geschichte und Erde transzendierender »Himmel« sein, in dem die Toten auf eine ganz neue (mit unserem irdischen Dasein unvergleichbare) Weise leben werden?

Auf der einen Seite gilt es festzuhalten: Sowohl die natürliche wie auch die kulturell und technisch gestaltete Lebenswelt des Menschen ist zur Teilhabe an der Vollendung des Reiches Gottes berufen: »Auch die Schöpfung soll ja von der Sklaverei und der Verlorenheit befreit werden zur Freiheit und Herrlichkeit der Kinder Gottes« (Röm 8,21). Anderseits können die nicht-menschlichen Elemente dieser Welt (also z. B. Tiere, Pflanzen, Steine und sonstige Materie oder auch die künstlerischen oder technischen Werke des Menschen) nicht so »in sich« aufgehoben und vollendet werden wie die Menschen selbst; denn sie können sich ja nicht (lebend und sterbend) in Freiheit der Liebe Gottes öffnen und von daher ihre neue, endgültige, Raum und Zeit enthobene Identität geschenkt bekommen.[14] Wohl aber werden sie *in ihrer Bezogenheit* auf den Menschen und seinen Dienst am Reich Gottes mit-vollendet. Immer da, wo die »Dinge« dieser Schöpfung von uns in einer menschen- und allen Geschöpfen würdigen Lebenswelt bewahrt bzw. »hineinverwandelt« werden, wo sie also in verantwortlicher »Sympathie« vom Menschen bejaht und auf die verheißene Gestalt des Reiches Gottes hin ausgerichtet werden, da haben sie bereits auf ihre Weise teil an der »Freiheit der Kinder Gottes«, eben an ihrem Vertrauen, an ihrer Hoffnung, an ihrer Liebe. Und im Maße dieses Anteilhabens werden auch sie im Geschehen von Tod und Auferstehung mit den Menschen in der vollendeten Gestalt des Reiches Gottes »aufgehoben« sein.[15]

In dieser menschlich vermittelten und verwandelten Weise gelangt unsere Erde im Tod eines jeden Menschen in gewisser Weise an ihr Ende. Aber zugleich erreicht sie auch in jedem Menschen, der am Auferstehungsleben Jesu teilbekommt, ihre Vollendung. Diese

---

[14] Vgl. K. Rahner, Immanente und transzendente Vollendung der Welt, in: Schr. z. Th. VIII, Einsiedeln 1967, 593–609; G. Greshake, Auferstehung der Toten, aaO. 379 ff.

[15] Um ein einfaches Beispiel zu nennen: Wenn ein Kind fragt, ob sein Hund oder sein Spielzeug, an denen es hängt, auch in den Himmel kommen können, so läßt sich darauf durchaus mit ja antworten, vorausgesetzt eben, daß die Beziehung zu einem Tier oder den Dingen einen Menschen befreit zu größerer Lebensfreude, zu mehr Vertrauen und Hoffnung und Liebe, ja, zu einem sensibleren und sympathischeren Umgang mit unserer Wirklichkeit überhaupt. Dies alles ist keineswegs gleichgültig für das Reich Gottes! *Wie* der einzelne Mensch dann in seiner Vollendung diese Beziehung zu Tieren oder Pflanzen oder Dingen erfahren wird, bleibt uns jetzt notwendigerweise verborgen. Jedenfalls bildet auch diese Erfahrung eine Facette des unerschöpflichen Reichtums der Liebe Gottes und damit ein Moment der endgültig glückenden und beglückenden Identität des Menschen.

brauchen wir uns also nicht als ein blitzartiges Geschehen irgendwann an einem möglichen Ende dieser Weltgeschichte vorzustellen, sondern eher als einen ständigen Prozeß: »Die geschaffene Gesamtwirklichkeit, die Welt, wächst in und durch die leibgeistigen Personen, deren Leib sie gewissermaßen ist, durch deren Tod langsam in ihre Endgültigkeit hinein.«[16]

Aber noch einmal gefragt: Ist diese im Tod mit-vollendete »Leiblichkeit« unserer Erde nicht doch zu dünn und spirituell, weil ja von der empirisch erfahrbaren Materialität, also von dem, was unsere Sinne wahrnehmen und betasten können, nichts *in sich* in die Vollendung aufgenommen wird, sondern nur in einer Gestalt, die sie als menschlich angeeignete Teilhabe an der personalen Vollendung des Menschen erhält? Und das ist ja offensichtlich eine sehr »geistige«, jedenfalls für unsere (jetzigen) Sinne nicht erfahrbare Gestalt. Wird hier nicht doch zuviel an »Sinnlichkeit« und dem ihr zukommenden Anteil an arbeitend-schöpferischer Weltgestaltung, an menschlicher Ästhetik und Erotik preisgegeben, so daß die Vollendung unserer Geschichte und unserer Welt ziemlich blaß, im Grunde eben doch »platonisch« erscheint?

Man kann darauf zunächst mit einer Gegenfrage antworten: Warum soll überhaupt die materielle Wirklichkeit auch »in sich« vollendet werden? Worin findet sie denn ihren Sinn und ihr Ziel? Als von Gott geschaffene Wirklichkeit ist doch die ganze materielle Schöpfung letztlich nur daraufhin angelegt, daß in ihr ein Geschöpf freigesetzt wird, das zur freien Antwort auf das Geschenk der Liebe Gottes fähig ist. Ohne diese Sinnspitze hätte eine Schöpfung durch die unendliche Liebe Gottes, die in sich alle Fülle der Wirklichkeit enthält, doch kaum einen verstehbaren Sinn. Daß diese Liebe Gottes (die ja für unsere Begriffe eine »geistige«, nicht unmittelbar sinnlich wahrzunehmende Wirklichkeit ist) dennoch neben sich eine Wirklichkeit schafft, die auf endliche Weise an ihrer Liebe partizipiert und dadurch überhaupt erst ihr Dasein erhält, kann doch kaum sinnvoll damit erklärt werden, daß diese Liebe Gottes sich eben auch an endlich-materieller Wirklichkeit »erfreuen« wolle, ganz unabhängig davon, ob diese zu einer personalen, freien Antwort auf die Liebe Gottes fähig ist oder sein wird. Das unermeßliche Leid z. B., das mit der Schöpfung endlicher Wirklichkeit als möglich mitgesetzt wird und das ständig die Frage provoziert, warum es überhaupt eine Schöpfung gebe und nicht vielmehr nichts, kann doch nur dann einigermaßen überzeugend mit dem schöpferischen Handeln Gottes in Einklang gebracht werden, wenn

---

[16] K. Rahner, Zur Theologie des Todes, Freiburg 1958, 21.

es als »Preis der Liebe« gedeutet wird[17]; eben als Preis jener Liebe, zu der Gott seine endliche Schöpfung befähigen möchte, um mit ihr einen beiderseits freien »Bund« einzugehen. Insofern nun auch die materielle Welt daraufhin ausgerichtet ist und im Menschen ihre »Bundesfähigkeit« mit Gott erreicht, hat sie genau darin ihren Sinn erreicht. Und in dem Maße, wie sie vom Menschen in seine freie Antwort auf Gottes Liebe hinein integriert ist, wie sie teilhat an der »Freiheit und Herrlichkeit der Kinder Gottes« (Röm 8, 21) und so zum humanisierten »Leib« des Menschen geworden ist, in dem Maße ist sie auch endgültig vollendbar.

Und dennoch: Muß diese Vollendung nicht doch etwas »leiblicher« und »sinnlicher« als oben dargestellt werden, wenn wir im Glauben so betont an der »Auferstehung des Leibes« festhalten? Ist der Unterschied zu der vielgeschmähten platonischen »Unsterblichkeit der Seele« nicht doch zu gering? Das mag sein; die Frage ist nur: *Wie* soll die Vollendung des »materiellen« *Leibes* (des Menschen und der Erde überhaupt) in einem stimmigen Zusammenhang mit anderen theologischen Aussagen gedacht werden, wenn wir uns nicht einfach auf die apokalyptischen Bilder und ihre z. T. eben doch mythologischen Vorstellungen beschränken wollen (z. B. daß auf der neu geschaffenen, vollendeten Erde die auferweckten Toten und die irdisch Lebenden auf gleicher Erfahrungsebene miteinander umgehen u. ä.)? Die Schwierigkeit liegt darin: Einerseits glauben wir, daß Jesus Christus bereits von den Toten »leibhaftig« auferstanden ist und als solcher »mitten unter uns« lebt (was ja analog auch im Dogma von der leibhaftig in den Himmel aufgenommenen Mutter Gottes ausgesagt wird). Andersseits aber sehen oder hören oder betasten wir von seinem »Auferstehungsleib« absolut nichts mit unserem materiell-sinnlichen Wahrnehmungsvermögen (was wir auch nicht unbedingt von den »Erscheinungen« vor den Jüngern und den Frauen anzunehmen brauchen). Er nimmt als solcher keinen »Ort« in unserer materiellen Welt ein – es sei denn auf sakramental-realsymbolische Weise: in der Gemeinschaft der an ihn Glaubenden, in seinem verkündeten Wort, in den Zeichen seiner heilenden Gegenwart, besonders im Zeichen des gewandelten Brotes und Weines. Allein in solcher vermittelten Weise können wir den auferstandenen Christus wahrnehmen; die »Leiblichkeit« des Auferstandenen »in sich« (also außerhalb der sakramentalen Vermittlung) bleibt uns jetzt völlig verborgen.

Wenn es also eine Teilhabe der Verstorbenen samt ihres Leibes und ihrer Welt am Auferstehungsleben Jesu Christi gibt, dann wird sie

[17] G. Greshake, Der Preis der Liebe, Freiburg 1978.

doch wohl auch keine grundsätzlich andere, in unserer empirisch-materiell strukturierten Welt wahrnehmbare Gestalt annehmen als die des auferstandenen Christus. Deswegen bleibt *jedes* Sprechen von einer »verwandelten«, »verklärten« Leiblichkeit und Sinnlichkeit oder von einer »neuen Erde«, die auch die Materie miteinschließt, oder von einem »pneumatischen Realismus« des Auferstehungsleibes (J. Ratzinger) letztlich genauso »unsinnlich« und »unanschaulich« wie die oben dargelegte Vollendung des Menschen und seiner Erde. Eine in *unserer* jetzigen materiellen Erfahrungsstruktur wahrnehmbare Vollendung der Erde als einer materiellen Wirklichkeit, die »in sich« auch endgültig »aufgehoben« bleibt, ist von daher nicht anzunehmen.

Eine *andere,* die jetzige Empirie vollkommen transzendierende Leiblichkeit und Materialität unserer Erde zu erhoffen, ist vom Glauben an die Auferstehung des Leibes her gut begründet. Nur scheint da kein großer Unterschied zu dem oben skizzierten Denkmodell leiblicher Vollendung zu bestehen, die in Gestalt einer ganz in die menschliche Freiheit einbezogenen und *dadurch* endgültig »aufgehobenen« Materialität vorgestellt wird. Entscheidend dafür, daß wir in unserer Eschatologie nicht in einen gnostischen Spiritualismus verfallen, bleibt, daß die Hoffnung auf die Auferstehung des Leibes uns *jetzt* unbedingt der Geschichte auf unserer Erde verpflichtet: Sie soll als die »Materie« des Reiches Gottes von uns mit dem Geist des Auferstandenen durchformt werden, weil sie als eine und ganze zum Heil der »versöhnten Schöpfung« berufen ist. Die Treue zu diesem Auftrag bildet die unübersteigbare Grenze, die die christliche Hoffnung von der Gnosis scheidet. *Wie* wir uns die Vollendung unserer Erde konkret vorzustellen haben, ist demgegenüber zweitrangig. Die biblischen Bilder von der »Stadt Gottes«, vom »himmlischen Jerusalem«, vom »ewigen Hochzeitsmahl«, vom »neuen Himmel und der neuen Erde« behalten in jedem Fall ihre unersetzbare Gültigkeit. Bringen sie doch auf bildlich-symbolhafte Weise zum Ausdruck, daß unser Vertrauen auf die endgültig rettende Treue Gottes die *ganze* Schöpfung miteinschließt; ein Vertrauen also, das sich in der liebenden Verantwortung für alle Geschöpfe dieser Erde bewährt.

f) Wiederkunft des Herrn

Die vorangegangenen Überlegungen können uns helfen, nun auch ein Verständnis von der »*Wiederkunft des Herrn*« zu erhalten, das sich weitgehend vom Vorstellungsrahmen der Apokalyptik löst. Bekanntlich sammelt sich in diesem Wort die älteste Hoffnungsgestalt der Urkirche, und sie ist seitdem unlösbar mit der christlichen Erwartung des Endes und der Vollendung der universalen Geschichte verknüpft. Das Neue Testament greift die prophetische Tradition vom »Tag Jahwes« und die apokalyptische Vision des »auf den Wolken kommenden Menschensohnes« auf (s. 2. Teil, I/3 d und II/2 b) und identifiziert beides mit der Parusie des sowohl zum Gericht (Lk 12, 8 f; 17, 24. 30; Mt 16, 27; 25, 31 ff u. a.) wie auch zur Rettung der Gemeinde vor dem »Zorn Gottes« (Mk 13, 26 f; 1 Thess 1, 9 f; 4, 13 ff; 5, 1 ff) und zur Aufrichtung des vollendeten Reiches Gottes kommenden Jesus Christus (Lk 21, 27 f; Mt 25, 31 ff; 1 Kor 15, 23 ff).[18] Gericht Gottes und Reich Gottes tragen in der Hoffnung der Christen das menschliche Antlitz Jesu. In ihm richtet Gott seine menschliche Herrschaft über diese Welt auf; in ihm entmachtet er alle unmenschlichen, »raubtierartigen« (Dan 7!), eben auf Unterdrückung und Gewalttat basierenden Mächte und Herrschaften. In der Auferstehung Jesu und der Sendung seines Geistes hat diese machtvolle Wiederkunft des »Menschensohnes« bereits begonnen; Gott ist seitdem unaufhaltsam dabei, seine menschliche »Gesellschaftsordnung« unter uns aufzurichten. Der Ort, wo sich dies sichtbar ereignet, ist – von ihrer Bestimmung her – die Kirche: Hier versuchen Menschen, in der Umkehr aus allen gewalttätigen Trieben und in der geistgewirkten Kraft des Vertrauens, der Hoffnung, der Liebe miteinander zu leben. Wo immer dies geschieht, vor allem in der Eucharistiefeier und in allen mit ihr verbundenen Zeichen des Heils, kommt deswegen der auferstandene Herr stets von neuem »wieder«, um in seinem Geist »das Angesicht der Erde zu erneuern« – eben auf das endgültig glückende, menschliche Reich Gottes hin. So verwandelt der »wiederkommende Herr« unaufhörlich unsere Erde; er führt sie dabei zugleich auch ständig in ihre Vollendungsgestalt hinein, indem er Menschen in ihrem Tod endgültig und unangefochten bei sich ankommen läßt.

K. Rahner hat deswegen einen zentralen Gehalt dieser christlichen Hoffnung sehr treffend so gedeutet: Jesus Christus kehrt wieder, »insofern alle bei ihm ankommen«[19]. Menschliches Leben ist ein

---

[18] Zur neutestamentlichen Hoffnung auf die »Wiederkunft Jesu« vgl. W. H. Schmidt/J. Becker, Zukunft und Hoffnung, Stuttgart 1981, 121 ff, 130 ff; J. Baumgarten, Paulus und die Apokalyptik, Neukirchen 1975; F. Froitzheim, Christologie und Eschatologie bei Paulus, Würzburg 1979; W. Kellner, Der Traum vom Menschensohn, München 1985.

[19] In: K. Rahner/H. Vorgrimler (Hrsg.), Kleines theologisches Wörterbuch, Art. »Parusie«, Freiburg 12 1980, 279; vgl. zu dieser Frage auch W. Kasper, Die Hoffnung auf die endgültige Ankunft Jesu Christi in Herrlichkeit, in: IKaZ 14 (1985), 1–14; F. J. Nocke, Eschatologie, Düsseldorf 1982, 51 ff.

ständiges Wandern auf die unverborgene Begegnung mit Jesus Christus hin. Immer dann, wenn ein Mensch stirbt, hoffen wir, daß er bei Christus angekommen, daß er endgültig in einer befreienden und beglückenden Gemeinschaft mit ihm und dem Vater aufgehoben ist. Zu diesem Menschen ist Christus dann bereits unverborgen »wiedergekommen«. Und wenn einmal alle Menschen ihren Tod gestorben und bei Christus angekommen sind, ist er zu allen wiedergekommen; dann ist der »Jüngste Tag« erreicht. Wann und wie das sein wird, wissen wir nicht; es ist auch zweitrangig.

»Wiederkunft Jesu« bedeutet also nicht ein großes Welttheater mit planetarischem Szenario irgendwann in weiter Ferne. Nein, es ist ein Geschehen, das sich »mitten unter uns« ereignet (vgl. Lk 17,20 f) und im menschlichen Sterben vollendet. Natürlich nicht automatisch! Es kommt nicht einfach jeder Mensch, nur weil er stirbt, damit schon bei Christus an. Jesus hat für dieses An-kommen einen klaren Maßstab gesetzt: »*Kommt* zu mir, die ihr von meinem Vater gesegnet seid und nehmt das Reich Gottes in Besitz...; denn was ihr einem meiner geringsten Brüder und Schwestern getan habt, das habt ihr mir getan« (Mt 25,34.40). Nur der also, bei dem Jesus in diesem Leben bereits ankommen kann, in der verborgenen Gestalt eines Hungernden und Durstigen, eines Kranken und Heimatlosen, eines Armen und Verspotteten, nur der wird einmal bei Jesus in seiner unverborgenen Gestalt ankommen können. Wir dürfen dies getrost für jeden Menschen, auch für uns selbst erhoffen. Aber *tun* wir dabei zugleich alles, um den verborgenen Christus »mitten unter uns« zu entdecken! Dann erfüllen wir in der Tat die dringliche Mahnung Jesu, in Wachsamkeit und Aufmerksamkeit das Kommen des Menschensohnes zu erwarten (Lk 21,36; Mt 24,44; 25,13). Denn könnte es nicht sein, daß gerade heute die zu einer weltweiten Katastrophe sich steigernde Armut *das* »kosmische« Zeichen ist, das die andrängende Nähe des Menschensohnes und seines menschlichen Reiches signalisiert? Die Nah-erwartung der armen Kirchen in der Dritten Welt, daß der Herr kommt, um sie zu befreien, und unsere mit ihnen solidarische Hoffnung dürften dann die für unsere Zeit aktuelle Gestalt des urkirchlichen »Maranatha« (1 Kor 16,22; Offb 22,20; Did 10,6), des »Komm, Herr Jesus« sein. Dabei wird dieses »Kommen« weder allein auf eine irdische Gesellschaftsveränderung noch ausschließlich auf die endgültige Vollendung im Tod reduziert, sondern es umschließt das erneuernde Wirken des Menschensohnes »wie im Himmel so auf Erden«.

g) Empirisches »Ende« und theologische »Vollendung« der Welt

Auf eine Frage wollen wir am Schluß dieses Kapitels noch näher eingehen: Kommt das universale Vollendungsgeschehen des Reiches Gottes auch einmal zu einem zeitlichen *Ende*? Empirisch gesehen läßt sich ein Ende jedenfalls der *menschlich-irdischen* Lebenswelt zu irgendeinem Zeitpunkt mit großer Sicherheit voraussehen. Da es nur im Kontext der menschlichen Lebenswelt einen Sinn hat, von Reich Gottes und dementsprechend von Vollendung zu sprechen (nicht aber bei allen möglichen Planetensystemen des physikalischen Universums), braucht uns hier auch nur das Ende unserer Erde und ihrer Lebensbedingungen zu interessieren. Nach dem zweiten Hauptsatz der Thermodynamik (also dem Gesetz der Entropie) nimmt die »Unordnung« im Kosmos zu; d. h.

»der verfügbare Vorrat an kosmischer Ordnung, an nutzbarer Energie und Materie (nimmt) unwiederbringlich ab. Im Laufe der Zeit wird der geordnete Zustand des Universums sich daher so weit auflösen, daß keine der vertrauten Strukturen unserer heutigen Welt mehr existiert. Der kosmischen Maschinerie werden Treibstoff und Ersatzteile ausgehen. Sie wird aufhören zu funktionieren. Der zweite Hauptsatz der Thermodynamik erlegt also auch dem Universum selbst ein unausweichliches Ende auf. Er macht jedoch keinerlei Vorhersagen darüber, wie dieses Ende konkret aussehen wird.
Um über das endgültige Schicksal von Raum, Zeit und Materie etwas zu erfahren, müssen wir daher die Physik jedes dieser Systeme im Detail betrachten und analysieren, welcher Art der besondere Einfluß ist, den der zweite Hauptsatz auf jedes von ihnen ausübt.
Beginnen wir mit der Materie. Die Sterne sind die häufigsten astronomischen Objekte. Die Sonne – unser Stern – liefert die Energie für nahezu alle Abläufe in der komplexen Organisation auf der Erdoberfläche. Auch sie kann das nicht unendlich lange tun. Der Vorrat an nuklearem Brennstoff in ihrem Zentrum erschöpft sich langsam aber unwiderruflich. Heute hat die Sonne bereits etwa die Hälfte dieses Vorrats aufgezehrt. Nach weiteren 5 Milliarden Jahren wird sie in ernste Schwierigkeiten kommen und ihre Struktur drastisch ändern müssen, um sich der neuen Situation anzupassen.
Während dieser Krise wird die Erde von der kosmischen Szene verschwinden, indem eine gewaltig aufgeblähte, tiefrote Sonne sie verdampfen läßt. Schließlich wird die Sonne ihren Vorrat an Treibstoff völlig aufgezehrt haben, und nach einer unberechenbaren und wechselvollen Altersphase wird sie zu einem kompakten Körper von ungefähr Erdgröße schrumpfen, einem ›weißen Zwerg‹, der langsam auskühlt«.[20]

[20] P. C. W. Davies, Geburt und Tod des Universum, in: Mannheimer Forum 83/84, Mannheim 1983/84, 9–77, 56 f.

Wie dem auch sei: Über das *Wann* und *Wie* eines empirischen Endes unserer Erde kann die Theologie grundsätzlich keine Aussage machen; das fällt nicht in ihre Kompetenz. Wohl aber muß sie das *Verhältnis* von empirischem Ende und theologischer Vollendung bedenken. Beides darf keineswegs einfach miteinander identifiziert werden; denn schließlich ist auch der empirische Tod des Einzelnen z. B. durch eine qualvolle Krankheit oder einen ihn verstümmelnden Unfall nicht identisch mit der darin erhofften, von Gott geschenkten Vollendung dieses Menschen. Aber anderseits fällt beides auch nicht einfach auseinander; im Tod des Einzelnen geschieht ja der Übergang zur Vollendung. Läßt sich von daher – in Analogie zu dem Sterben des Einzelnen auch etwas über die Beziehung zwischen »Ende« und »Vollendung« unserer irdischen Welt *im ganzen* sagen? Zunächst sicher dies: Es kann für den theologischen Begriff der Vollendung nicht völlig gleichgültig sein, *wie* das empirische Ende der Erde aussieht; denn der Mensch trägt vom Schöpfungsauftrag Gottes her Verantwortung für diese Erde. Wie in der individuellen Geschichte die Grundeinstellung (etwa der Gelassenheit, des Vertrauens, der Verzweiflung, des Festhaltenwollens, des Protestes) gegenüber dem Tod entscheidend ist für die endgültige Gestalt des Aufgehobenseins der Lebensgeschichte bei Gott, so gilt auch für die Universalgeschichte: Es macht einen gewaltigen Unterschied, ob die menschliche Freiheitsgeschichte und ihre Lebenswelt durch irgendwelche unverschuldeten kosmischen Entwicklungen bzw. Katastrophen beendet wird oder durch die Schuld von Menschen, die ihre Erde als Lebenswelt selbst vernichten, etwa durch einen atomaren Krieg, durch totale Vergiftung der Atmosphäre, durch hemmungslosen Verbrauch ihrer natürlichen Reserven usw. Denn es ist uns Menschen aufgetragen, unsere Freiheit so einzusetzen, daß diese Erde wirklich die humanisierte, in ihre Vollendung bewahrend aufzuhebende »Materie« des Reiches Gottes sein kann. Was die Menschen an diesem Auftrag verfehlen, das fehlt eben dem Reich Gottes in seiner Vollendungsgestalt. Natürlich stellt der auferstandene Christus bereits die unüberbietbare Vollendung menschlicher Geschichte dar; zugleich aber intendiert die Auferstehung »des Ersten der Entschlafenen« (1 Kor 15, 20) die *universale Aneignung* der darin mitgeteilten Liebe Gottes. Und das heißt eben, daß diese Liebe sich in einer solchen Form menschlich-gesellschaftlichen Lebens widerspiegeln will, die den unausschöpflichen Möglichkeiten ihrer Aneignung am ehesten gerecht wird, also z. B. in dem, was wir oben als ein die Erde umspannendes »Netz« der Realsymbole des Reiches Gottes genannt haben, und nicht in einer von Menschen gewalttätig verödeten Erde.

Von daher wird man auch sagen können, daß zu einer wirklich universalen Vollendung der menschlichen Freiheitsgeschichte und ihrer Lebenswelt die Vollendung *aller* Menschen gehört, also das Vollendetsein aller in Tod und Auferstehung. Damit soll »Universalität« keineswegs als ein quantitatives »Vollwerden« der Geschichte verstanden werden, sondern als »qualitative Erfüllung« aller nur möglichen menschlichen Weisen der Antwort auf die Liebe Gottes. Jeder Mensch bringt ja seine eigene, unverwechselbare und unersetzbare Geschichte mit; und sie hat vor Gott ihren Wert gerade hinsichtlich *ihrer* Weise, sich Gottes Liebe »anzueignen« und »einzuverleiben«, sie erneut in sich »Fleisch und Blut« werden zu lassen. Das jeweilige Anders- und Einzigartigsein dieser beim Menschen »angekommenen« Liebe Gottes ist für die Vollendungsgestalt des Reiches Gottes von entscheidender Bedeutung; zeigt sich doch darin einerseits der unausschöpfliche Reichtum der sich mitteilenden Liebe Gottes und anderseits auch der unbedingte Wert jeder menschlichen Person innerhalb der Geschichte dieser Liebe Gottes. Erst wo diese qualitativ bedeutsame Vielfalt auch universal vollendet ist, kann man von einer endgültigen Vollendung des Reiches Gottes sprechen. Das dürfte wohl der theologische Sinn der Rede vom *»Jüngsten Tag«* sein: Er braucht dann nicht als ein kosmischer Weltuntergang oder eine universal-geschichtliche Katastrophe vorgestellt zu werden, sondern als das Zu-Ende-Kommen des universalen Vollendungsprozesses, in dem *alle* (dazu bereiten) Menschen in das Leben der Auferstehung hineinsterben.[21] Dieser Prozeß ereignet sich fortwährend innerhalb unserer Geschichte im Tod jedes Menschen; er findet sein innergeschichtliches Ende, wenn alle Menschen gestorben sind.

Über den unterschiedlichen »Zustand« der Verstorbenen und damit über ihre jeweils andere Selbst-, Welt- und Gotteserfahrung »zwischen« individueller Vollendung im Tod und universaler Vollendung am Ende aller Lebensgeschichten können wir kaum etwas aussagen. Denn im Tod tritt der Mensch aus dieser physikalisch erfahrenen Zeit unserer Erde (mit ihrem Nacheinander von »Augenblicken«) heraus; er lebt in einer Dimension, die nicht mehr »kommensurabel« ist mit unserer Zeiterfahrung, also nicht einfach parallel zu unserer Zeitlinie nur auf einer anderen, höheren Ebene weiterläuft.

---

[21] Vgl. J. Ratzinger, Eschatologie – Tod und Ewiges Leben, Regensburg 1977, 158.

Dennoch spricht die kirchliche Tradition zu Recht von einem »Zwischenzustand« der Verstorbenen.[22] Diese Vorstellung hat ihren gültigen theologischen Grund darin, daß die Vollendungsgestalt des Reiches Gottes gleichsam »dreidimensional« zu verstehen ist: Die individuelle Vollendung (im Tod) geschieht nur in Einheit mit der sozialen und universalen Vollendung der Geschichte im Reich Gottes. Solange diese universale Vollendung aller Menschen von *uns aus* gesehen, also aus der Perspektive der immer weiterlaufenden Zeit und Geschichte noch nicht eingetreten ist, bleibt für unser Denken unausweichlich eine Differenz zwischen der Vollendung der Einzelnen im Tod und der universalen Vollendung der Geschichte bestehen. Diese Differenz kann sicher nicht im Sinn eines zeitlichen »Nachher« oder eines quantitativen »Mehr« an Seligkeit, sondern nur im Sinn einer unterschiedlichen »Fülle« der menschlich angeeigneten Liebe Gottes verstanden werden. Wie dieser Unterschied von den Verstorbenen selbst erfahren wird (z. B. als »Wartezustand«, als »vollkommene Seligkeit einer leibfreien Seele«, s. u.), bleibt eine müßige Spekulation. Wir haben keine Möglichkeit, aus unserer (physikalisch bestimmten) Zeiterfahrung herauszuspringen und die Erfahrung des Vollendetseins zu teilen.

G. Lohfink spricht in diesem Zusammenhang von der »verklärten Zeit« der im Tod Vollendeten; sie meint das »Zusammengefaßtsein der gesamten Existenz in einem einzigen, ›ewigen‹ Jetzt. Nur so gelangt der Mensch zu einer wirklichen Identifikation mit sich selbst, nur so kommt er zur letzten, alles umgreifenden Selbstverwirklichung, nur so findet er zu jener Freiheit, die an ihrem Ziel angekommen ist und die sich selbst ganz besitzt. Trotzdem ist aber nun diese perfecta possessio keine Ewigkeit; denn diese neue, von Gott ermöglichte Existenzweise des Menschen hat etwas mit der Zeit zu tun: Sie ist durch die Zeit konstituiert. In ihr ist all das, was je in der Zerrissenheit irdischer Zeit als aktuale Gegenwart gelebt wurde, eingebracht und gesammelt. Die verklärte Zeit eines Menschen ist die Gesamtsumme seiner zeitlich-irdischen Existenz. Sie ist die Ernte der Zeit, sie ist gesammelte Zeit. Die ganze Geschichte eines Menschen von der Zeugung bis zum Tod ist *hineingezeitigt* in das tota simul der neuen, von Gott geschenkten, verklärten Zeitlichkeit«.[23]

Positiv vorzustellen ist solche »Zeit« sicher nicht mehr; negativ muß man jedoch zweierlei festhalten: (1) Es gibt in der Vollendung kein

---

[22] Vgl. dazu K. Rahner, Über den »Zwischenzustand«, in: Schr. z. Th. XII, Zürich 1975, 455–466.

[23] G. Lohfink, Zur Möglichkeit christlicher Naherwartung, in: G. Greshake/G. Lohfink, Naherwartung..., aaO. 67 f.

unserer Zeit vergleichbares Nacheinander. (2) Zugleich aber bedeutet Vollendung auch nicht einen fixen Zustand, in den man durch den Tod hineingelangt und in dem man dann ewig bleibt. Vollendung meint zugleich den *Prozeß* des ständigen, im irdischen Leben beginnenden und sich im Tod vollendenden Hineingenommenwerdens in das unausschöpflich bewegte Leben Gottes wie auch das *Ergebnis* dieses Prozesses, das unangefochtene Angelangtsein bei Gott. Weil das zeitlich auseinandergezogene Nacheinander von Entwicklungen und Zuständen im Tod aufgehoben ist, fällt notwendigerweise auch die zeitliche Differenz zwischen Prozeß und Ergebnis weg. »Die mit Recht geforderte Dynamik himmlischer Vollendung, der Weg von ›Herrlichkeit zu Herrlichkeit‹, darf also nicht so beschrieben werden, als resultiere er aus einem Zustand, der zunächst einmal zu erreichen ist, sondern es muß deutlich gemacht werden, daß er nichts anderes ist als das ›ständige‹ Eintreten in die Vollendung selbst, die dann freilich in diesem Eintreten auch immer schon erreicht ist.«[24]

Wie von daher nun die »sachliche« Differenz in dem *einen* »Prozeß«/»Ergebnis« der Vollendung aussieht, die zwischen der je individuellen Vollendung im Tod und der universalen Vollendung aller Menschen besteht, läßt sich sprachlich kaum mehr benennen. *Daß* sie besteht, scheint von dem Gedanken der universalen »Aneignung« der in Christus menschgewordenen und zum »verklärten« Leben auferstandenen Liebe Gottes her begründet zu sein. Man muß sich deswegen bei diesem Thema stets vor zwei Versuchungen hüten: einerseits zu einlinig unsere Zeiterfahrung auf die Erfahrung der Verstorbenen in der Vollendung zu übertragen; anderseits die unersetzliche Bedeutung *jedes* gelebten und im Tod vollendeten Lebens für die Vollendungsgestalt des Reiches Gottes zu unterschätzen.

---

[24] G. Lohfink, aaO. 69f.

II. Der Einzelne im Vollendungsgeschehen des Reiches Gottes

Wir sahen im vorigen Kapitel, daß nur durch den Tod hindurch und nur aufgrund der Überwindung des Todes in der Auferstehung der Toten die Vollendungsgestalt des Reiches Gottes erhofft werden kann. Bis jetzt haben wir stärker die sozial- und universalgeschichtlichen Dimensionen der Vollendung betrachtet. In diesem Kapitel soll nun die *existentielle* Seite, also das Schicksal des Einzelnen in diesem Vollendungsgeschehen näher entfaltet werden.

Als erstes muß in diesem Zusammenhang der *menschliche Tod* behandelt werden, bildet er doch die »Klammer« zwischen dem empirisch erfahrbaren »Ende« unserer Lebensgeschichte und ihrer darin geschehenden theologischen »Vollendung«. Was läßt sich theologisch verantwortlich über den Tod sagen? Was wir oben (s. 3. Teil, I/3b) bereits angedeutet haben, soll jetzt ausführlicher begründet werden.

1. Die christliche Deutung des Todes

a) Der Tod – die »natürlichste« Sache der Welt? [25]

Gegenwärtig läßt sich eine Tendenz beobachten, gegen angebliche religiöse und philosophische Mystifizierungen den Tod als ein ganz natürliches Phänomen hinzunehmen und zu erklären. Schließlich sei er nichts anderes als das unvermeidliche Ende der biologischen

---

[25] Literatur zu diesem Thema: K. Rahner, Zur Theologie des Todes, Freiburg 1958; ders., Zu einer Theologie des Todes, in: Schr. z. Th. X, Zürich 1972, 181–199; J. Pieper, Tod und Unstersblichkeit, München 1968; H. U. v. Balthasar, Abstieg zur Hölle, in: Pneuma und Institution, Einsiedeln 1974, 387–400; G. Greshake, Auferstehung der Toten, Essen 1969; ders., Tod und Auferstehung, in: Christlicher Glaube in moderner Gesellschaft Bd. 5, Freiburg 1980, 64–123 (unser Abschnitt a ist weitgehend eine Wiedergabe dieses Beitrags von G. Greshake); G. Greshake/G. Lohfink. Naherwartung... (siehe Anm. 12); J. Ratzinger, Eschatologie – Tod und Ewiges Leben, aaO. 63–91; J. Manser, Der Tod des Menschen. Zur Deutung des Todes in der gegenwärtigen Philosophie und Theologie, Bern 1977; F. J. Nocke, Liebe, Tod und Auferstehung, München 1978; H. Vorgrimler, Hoffnung auf Vollendung, Freiburg 1980, 133–155; G. Bachl, Über den Tod und das Leben danach, Graz 1980, 34–82; A. Keller, Zeit – Tod – Ewigkeit, München 1981; H. U. v. Balthasar, Theodramatik Bd. IV, aaO. 294 ff; P. Hünermann (Hrsg.), Sterben, Tod und Auferstehung. Ein interdisziplinäres Gespräch, Düsseldorf 1984.

Lebenskurve, wodurch neuem und besserem Leben Platz gemacht werde; auch für die Erneuerung einer Kulturgemeinschaft sei er unabdingbar notwendig, um Überalterung und Stagnation zu vermeiden. Die Gegenwehr des Menschen, seine Angst vor dem Tod sei deswegen als ein Ausdruck des natürlichen Selbsterhaltungstriebs gegen ein *vorzeitiges,* oft als brutal-schmerzlicher Abbruch erfahrenes Ende des eigenen oder des Lebens eines geliebten anderen zu verstehen. Von daher sei es wichtig, allen Menschen einen wirklich natürlichen Tod zu ermöglichen, also die biologisch-medizinischen und die gesellschaftlichen Bedingungen so zu gestalten, daß möglichst vielen ein Tod zu dem Zeitpunkt möglich ist, an dem ihre biologische Lebenskraft und ihre humanen Lebensmöglichkeiten erschöpft sind. Leiden, Krankheiten, Unfälle, Altersgebrechen, Gewalt usw. müßten soweit ausgeschaltet werden können, daß auf irgendeine Weise alle zu einem »erfüllten Leben« gelangen. Dadurch werde es möglich, den Tod ganz aus dem Leben herauszuhalten, was seiner ontologischen Wirklichkeit ja auch voll gemäß wäre. Denn nach dieser Auffassung hat der Tod mit dem Leben eigentlich nichts zu tun; er begrenzt es zwar, aber er stellt kein inneres Moment des Lebens dar. Deswegen braucht er auch nicht zum Problem zu werden oder gar die Menschen daran zu hindern, ihr begrenztes Leben voll auszukosten.

Dieser Versuch einer rationalen Bewältigung des Todes kann sich bereits auf Epikur berufen (341–270 v. Chr.), von dem der Satz überliefert wird: »Das schauerlichste Übel also, der Tod, geht uns nichts an; denn solange wir existieren, ist der Tod nicht da; und wenn der Tod da ist, existieren wir nicht mehr. Er geht also weder die Lebenden an noch die Toten; denn die einen geht er nicht an, und die anderen existieren nicht mehr.«[26]

Ein zeitgenössisches literarisches Zeugnis dieser Einstellung dem Tod gegenüber können wir dem ergreifenden Buch von Anne Philipe »Nur einen Seufzer lang« entnehmen.[27] Sie schildert darin den Tod ihres krebskranken Mannes, das Abschiednehmen von ihm und ihre eigene lange und intensive »Trauerarbeit«:

»Bis dahin hatte der Tod mich nie beschäftigt. Ich rechnete nicht mit ihm. Einzig das Leben war wichtig. Der Tod? Ein unausweichliches und zugleich ewig versäumtes Rendezvous, da sein Vorhandensein unser Nichtvorhandensein bedeutet. Er stellt sich im selben Augenblick ein, da wir zu sein aufhören. Es heißt: er oder wir. Wir können ihm zwar bewußt entgegengehen, aber können wir ihn erkennen, und sei es nur für

---

[26] Epikur, Von der Überwindung der Furcht (Hrsg. E. Gigon), Zürich ²1968, 101 (zitiert nach G. Greshake, Tod und Auferstehung, aaO. 72).

[27] A. Philipe, Nur einen Seufzer lang, Hamburg 1983.

die Dauer eines Blitzstrahls? Von dem, den ich mehr liebte als alles, sollte ich für immer getrennt sein. Das ›Nie wieder‹ stand vor unserer Tür. Ich wußte, daß kein anderes Band uns verbinden würde als meine Liebe. Wenn bestimmte empfindliche Zellen, die wir Seele nennen, fortbestünden, sagte ich mir, so konnten sie doch kein Gedächtnis besitzen und unsere Trennung mußte endgültig sein. Immer wieder sagte ich mir, daß der Tod nichts bedeutet und daß nur die Angst, das physische Leiden und der Schmerz darüber, geliebte Menschen oder ein erst begonnenes Werk verlassen zu müssen, sein Nahen so furchtbar macht...«[28]

Es scheint, daß in solchen und ähnlichen Äußerungen versucht wird, eine philosophische und existentielle Begründung dafür zu geben, wie man in unserer Gesellschaft faktisch dem Tod gegenübersteht, solange er nicht als ein grausames Geschick in das Leben eindringt[29]: Er wird einerseits weitgehend *verdrängt*; man denkt nicht an ihn, man schiebt die Sterbenden in die dafür zuständigen Institutionen ab, man verschweigt den Tod. Anderseits *gewöhnt* man sich an ihn und stumpft gegen seine Bedrohlichkeit ab; als tägliche Nachricht in den Medien und als Unterhaltung in den beliebten Krimis konsumiert man ihn. Schließlich wird der Tod auch immer mehr *entindividualisiert;* man nimmt ihn wahr als Tod in »Massen«, eben im Zusammenhang mit Naturkatastrophen, Kriegen, Hunger, Konzentrationslagern, Flüchtlingsproblemen usw. Der Tod des Gattungswesens Mensch tritt stärker in den Vordergrund als der des einzelnen.

Die Theorie vom »natürlichen Tod«, die diesen Umgang mit ihm rational begründen will, ist sehr ambivalent. Zweifellos kommt dem Tod eine notwendige Funktion für die biologische und kulturell-gesellschaftliche Innovation der Menschheit zu. Auch verweist die Begrenztheit des Lebens den Menschen auf dieses Leben, um es »gefüllt« zu leben und den Augenblick, die ihm gegebene Zeit auszukosten. Zudem appelliert diese Sicht an die berechtigte Sorge der Gesellschaft darum, daß jeder einen menschenwürdigen Tod sterben kann. Dennoch erscheint sie aus verschiedensten Gründen fragwürdig zu sein[30]:

(1) Läßt sich menschliches Leben gerade in seinen humanen Möglichkeiten wirklich zu einem bestimmten Zeitpunkt ganz ausschöpfen? Kann ein solcher Erfüllungszustand des Lebens auch nur annähernd angegeben werden? Bedeutet der Tod nicht vielmehr oft den Endpunkt immer schmaler werdender humaner Möglichkeiten? Aber auch wo dies nicht der Fall ist: Bleibt der Tod nicht fast immer

[28] Ebd. 11.
[29] Dazu G. Greshake, Tod und Auferstehung, aaO. 67 ff.
[30] G. Greshake, ebd. 72 ff.

ein Abbrechen, auch bei einem alten Menschen, gerade was seine zwischenmenschlichen Beziehungen angeht? Läßt sich wirklich irgendwann sagen, jetzt sei diese gegenseitige Liebe ausgeschöpft, erfüllt, ganz natürlich am Ende? Simone de Beauvoir scheint doch recht zu haben, wenn sie sagt: »Einen natürlichen Tod gibt es nicht: nichts, was einem Menschen je widerfahren kann, ist natürlich, weil seine Gegenwart die Welt in Frage stellt... Für jeden Menschen ist sein Tod... ein unverschuldeter Gewaltakt.«[31]

(2) Spricht aus der Theorie vom »natürlichen Tod« und aus der darin enthaltenen Forderung, den Tod grundsätzlich für alle zu einem ganz natürlichen Phänomen zu machen, nicht noch einmal ein Verfügungswille, der auch den Tod in den Griff, in menschliche Macht bekommen möchte, der ihn berechenbar, kalkulierbar, machbar haben will, ihm also den Charakter des unverfügbaren Widerfahrens nehmen will, um auch ihn dem Beherrschungswillen des Menschen zu unterwerfen? »Es ist wohl kaum ein Zufall, daß der medizinische Einsatz für einen ›natürlichen Tod‹ oft zu einem sinnlosen Sterbeprozeß und zu einer trostlosen Vereinsamung auf Intensivstationen führt.«[32]

(3) Der Mensch kann und muß sich unabdingbar reflex zu sich selbst verhalten; darin besteht das Wesen des menschlichen Geistes. Dieses auf sich selbst bezogene Bewußtsein schließt aber auch notwendig den Tod mit ein; ein rein »natürlicher Tod« ist ihm von daher gar nicht möglich. Es gibt für ihn immer nur den Tod, zu dem er ein ganz bestimmtes reflexes Verhältnis hat, ob es sich als Verdrängung oder als Verfügungswille oder als bewußte Annahme der unverfügbaren Begrenztheit des Lebens darstellt. Daß gerade die letztere Form des Umgangs mit dem Tod dem Menschen am meisten entsprechen kann, wird z. B. deutlich aus der biographischen Reflexion Peter Nolls »Diktate über Sterben und Tod«[33], in denen er das letzte halbe Jahr seines Lebens beschreibt, das gezeichnet war von einem unheilbaren Blasenkrebs, den er sich nicht wegoperieren lassen wollte, um nicht als Dauerpatient seine Freiheit an die medizinische Maschinerie zu verlieren. »Meine Erfahrung war die: wir leben das Leben besser, wenn wir es so leben wie es ist, nämlich befristet. Dann spielt auch die Dauer der Frist kaum eine Rolle, da alles sich an der Ewigkeit mißt. Obwohl ich viel christliche Erbmasse habe, spreche ich jetzt als Nichtchrist unter Berufung auf Nichtchristen... Ich hatte Zeit, den Tod kennenzulernen. Das ist das Gute

---

[31] S. de Beauvoir, Ein sanfter Tod, Reinbeck 1965, 119 f (zitiert nach G. Greshake, ebd. 76).
[32] G. Greshake, ebd. 73.
[33] P. Noll, Diktate über Sterben und Tod, Zürich 1984.

am Krebstod, den alle so fürchten. Ich wußte, daß die Zeit kürzer ist, als ich früher dachte, zumal ich an die Zeit und ihre Begrenzung vorher zu wenig gedacht hatte. Es gab viel Traurigkeit, auch echte Heiterkeit, keine Verzweiflung, erstaunlicherweise ...«[34]
(4) Der Tod ist nicht nur ein Grenzpunkt, den man außerhalb des Lebens ansiedeln kann, sondern eine Wirklichkeit mitten im Leben selbst. Denn das schrittweise Sterben, die »ars moriendi« als die Kunst, den Tod im Leben einzuüben, gehört zu einem humanen Lebensprozeß unverzichtbar dazu. In Krankheit, Leid, Frustration, Altern, »Pensionierungstod«, Abschiednehmen, Einsamkeit usw. geht uns der Tod dauernd an, wenn wir diese Phänomene nicht verdrängen. Besonders dann jedoch, wenn ein anderer Mensch, den wir lieben, stirbt, bricht der Tod in unser Leben ein, betrifft er unser innerstes Selbst, das sich gerade in solcher Liebe verwirklicht. Der radikale Widerspruch der Liebe gegen den Tod des Geliebten ist wohl der beste Gegenbeweis gegen die Rede vom »natürlichen Tod«: »Im Wort der Liebe, das Menschen in dieser Welt füreinander haben können, ist ein Zuspruch enthalten, der von weither kommt und von unbedingter Geltung sein will: du sollst sein um deinetwillen. Die Liebe hat diesen entschiedenen Ton, weil sie die klarste Ahnung des Seins und die stärkste Befürchtung des Nichts ist; sie ist die mächtigste Option gegen die Möglichkeit, daß der geliebte Mensch im Tod völlig vernichtet wird.«[35]
Ein klassisches Zeugnis dieses Einspruchs der Liebe gegen den Tod des Geliebten bleiben die Confessiones des Augustinus, wo er im 4. Buch seine Erschütterung über den Tod des Freundes beschreibt:

»Der Schmerz darüber verfinsterte mein Herz, und was immer mir vor Augen kam, war stets ein Bild des Todes. Die Heimat sogar wurde mir zur Folter, das Vaterhaus war mir eine seltsame Qual. Alles gemeinsame Erleben hatte sich nunmehr, da mein Freund tot war, zur furchtbaren Marter für mich gewandelt. Meine Augen suchten ihn überall zu erspähen, doch stießen sie nirgends auf ihn. Alle Dinge begann ich zu hassen; denn sie bargen ihn ja nicht und konnten zu mir nicht sagen: ›Schau, er wird kommen‹, so wie es war, als er noch lebte, wenn er gerade abwesend war. Mir selbst war ich zu einem großen Problem geworden, und ich fragte meine Seele, weshalb sie traurig sei, warum sie mich so in Verwirrung bringe, und sie fand keine Antwort.«[36]

Eine ähnliche Sprache spricht das genannte Büchlein von A. Philipe:

[34] AaO. 115; vgl. auch 74 f, 81 ff.
[35] G. Bachl, aaO. 51.
[36] Zitiert nach G. Bachl, aaO. 53 f., der diesen Text des Augustinus auf den Seiten 53–57 sehr schön kommentiert.

»Ich suche nirgends mehr dein Gesicht. Lange tauchtest du überall auf. Wie sollte ich einen Weg, eine Straße, ein Ufer finden, das wir nicht gemeinsam gekannt hätten? Ich mußte fliehen oder jedem Ort allein begegnen. In der Betriebsamkeit der Menge, in der Einsamkeit eines Waldweges sah ich nur dich. Mein Verstand wies diese Trugbilder von sich, aber mein Herz suchte sie. Du warst fern und nah. Stündlich fragte ich mich, nicht wie es möglich sei, daß ich lebte, sondern einfach, wie mein Herz weiterschlagen konnte, nachdem deines stehen geblieben war. Manchmal hörte ich sagen, du weiltest unter uns. Ich widersprach nicht. Wozu streiten? Aber ich dachte bei mir, daß es für manche Menschen leicht ist, den Tod der anderen zuzugeben. Suchen sie sich ihrer eigenen Unsterblichkeit zu vergewissern?«[37]

Solche Texte können die Auffassung vom »natürlichen Tod« trotz ihrer gegenwärtig hohen Plausibilität doch sehr fragwürdig erscheinen lassen. Was setzt ihr aber der christliche Glaube an *positiven* Hoffnungsaussagen über den Tod entgegen?

b) Der Tod in Widerspruch und Entsprechung zur Hoffnung auf das Reich Gottes

Der theologische Ort des Todes innerhalb der christlichen Hoffnung auf das Reich Gottes soll in zwei Thesen dargelegt werden:
(1) Der Tod als *Selbstdarstellung der Sünde* steht im Widerspruch zur christlichen Hoffnung auf das Reich Gottes.[38]
In der jüdisch-christlichen Tradition wird der Tod stets im Zusammenhang mit der *»Sünde«* gesehen, also mit dem Willen zur unbedingten Selbstbehauptung gegenüber Gott und innerhalb aller menschlich-gesellschaftlichen Vollzüge. Der Mensch, der ganz aus sich selbst und für sich selbst, aus seinen eigenen Möglichkeiten und für seine eigenen Zwecke lebt, der sich nicht Gott verdankt und sich von ihm nicht grundsätzlich auf die Situation des Nächsten hin öffnen läßt, lebt in der Sünde; er zerstört damit seine eigene Menschlichkeit und zugleich menschliches Zusammenleben in jeder Form. Sünde ist deswegen gleichbedeutend mit Kommunikationslosigkeit, und zwar sowohl in der Beziehung des Geschöpfes zu seinem Schöpfer wie auch in den Beziehungen der Geschöpfe untereinander. Eine solche Existenzform erweist sich im tiefsten als leer und nichtig, weil sie der Bestimmung des Menschen zur Kommunika-

---

[37] A. Philipe, Nur einen Seufzer lang, aaO. 41 f.
[38] Vgl. zu dieser und der folgenden These bes. G. Greshake, Tod und Auferstehung, aaO. 97 ff; H. Vorgrimler, Hoffnung auf Vollendung, aaO. 135 ff; E. Jüngel, Tod, Stuttgart ⁴1977; K. Rahner, Theologie des Todes, aaO. 45 ff; R. Pesch, Das Abendmahl und Jesu Todesverständnis, Freiburg 1978.

tion entgegensteht. Genau dies kann nun gerade im *Tod* zur deutlichsten Erscheinung und Selbstdarstellung kommen: Da nämlich, wo der Tod als Abbruch jeder Kommunikation erfahren wird, als das Ende, in dem das Leben (das mit Kommunikation im umfassenden Sinn identisch ist) als ganzes ins Leere und Nicht-mehr-Sein verläuft, da zeigt sich in ihm unerbittlich, was Sünde ist.

Dieses Todesverständnis stammt aus der alttestamentlichen Eschatologie (s. 2. Teil, I/3 e); es wurde im Neuen Testament vor allem von Paulus entfaltet (vgl. Röm 5, 12–21; 6, 23) und in der kirchlichen Lehrverkündigung aufgegriffen. So spricht z. B. die Synode von Karthago 418 von dem leiblichen Tod als einer Strafe für die Sünde Adams: »Jeder, der sagt, Adam, der erste Mensch, sei sterblich gebildet worden, so daß er dem Leibe nach sterben mußte, ob er nun sündigte oder nicht, d. h., daß er aus dem Leben scheiden mußte, nicht zur Strafe für seine Sünden, sondern aus Naturnotwendigkeit, der sei ausgeschlossen« (DS 222/NR 338). Ähnliche Aussagen enthält auch das Erbsündendekret von Trient (DS 511/NR 353). Die (zeit- und weltbild-gebundene) Vorstellung, daß der paradiesische Mensch im biologischen Sinn unsterblich gewesen ist und der leibliche Tod erst als »Straffolge der Sünde« in die Geschichte eingetreten sei, hat zwar bei solchen Aussagen auch eine Rolle gespielt; sie betrifft aber nicht den bleibend gültigen Gehalt bzw. die Intention solcher Aussagen. Diese dürften vielmehr in der Überzeugung bestehen, daß der Tod, so wie er *faktisch* in unserer Geschichte erfahren wird, die innere Selbstkonsequenz der Sünde darstellt, und zwar insofern, als diese sich in eine bestimmte Gestalt des Sterbens hinein auswirkt und ausdrückt, an der alle Menschen auf ihre Weise teilhaben: nämlich an dem Widerfahrnis des Todes als völligem Abbruch der Kommunikation, als eines dunklen, Angst und Verzweiflung einflößenden Geschicks. In der christlichen Glaubensüberlieferung wird diese Gestalt des Todes als ein universales Los für alle Menschen betrachtet, da eben alle vor Gott Sünder sind. Erst durch den Tod Jesu, des »Gerechten« und »Gehorsamen« schlechthin, wird dem menschlichen Tod der universale und unausweichliche Charakter als einer Selbstdarstellung der Sünde genommen.

Aber bereits die Reich-Gottes-Verkündigung Jesu steht zu dieser Gestalt des Todes im Widerspruch. Die nahegekommene Gottesherrschaft beendet ja die Herrschaft des Todes in all ihren lebens- und kommunikationsvernichtenden Formen; enthält sie doch gerade das Angebot Gottes an die *Sünder,* umzukehren und sich ganz von Gottes Leben, von seiner Liebe und Gerechtigkeit beschenken zu lassen. Sie eröffnet uns Sündern die Möglichkeit, aus diesem Geschenk zu leben und nicht mehr aus uns selbst; unser Leben um des Reiches Gottes willen zu verlieren und es dadurch, nicht jedoch durch Selbstbewahrung und Selbstbehauptung zu gewinnen.

Die Gottesherrschaft bringt so eine Befreiung all derer aus den Folgen der *Herrschaft des Todes,* die unter diesen Folgen am meisten leiden: die von Dämonen Besessenen, die Kranken, die unter der Ungerechtigkeit der gesellschaftlichen Verhältnisse Leidenden, die Isolierten und aus der allgemeinen Kommunikation Verdrängten usw. Wo das Reich Gottes anbricht, schwindet die Herrschaft des Todes insofern, als die unbedingte Selbstbehauptung keinen gültigen Maßstab für menschliches Zusammenleben mehr abgibt. Deswegen eignet der christlichen Hoffnung ein entschiedener Widerstand gegen jede nur mögliche Gestalt eines Todes, in dem sich diese menschlich-gesellschaftliche Selbstbehauptung ausdrückt und der deswegen menschenunwürdig ist, z. B. »Sterben in Kriegen, durch Folter, durch Todesstrafe, bei Verkehrs- und Arbeitsunfällen, durch Hunger und Krankheiten«.[39] Dazu gehört auch der im Leben vorweggenommene Tod durch gesellschaftliche Isolierung, durch Vereinsamung, durch lebensbedrohende Kommunikationsstörungen usw. Auch wenn solche Gestalten des Todes nicht gänzlich aufzuheben sind, wird die christliche Hoffnung sie dennoch stets als Widerspruch zu ihrer Hoffnung auf das Reich Gottes erfahren; sie kann sich nicht damit abfinden, sondern wird alles daransetzen, sie in einem unermüdlichen »Leiden am Wirklichen« zurückzudrängen bzw. umzuwandeln in eine wirklich menschenwürdige Gestalt des Todes. Worin aber besteht diese?

(2) Der Tod als *Teilnahme am Sterben Jesu* um des Reiches Gottes willen ist eine hervorgehobene Weise der zur Liebe »befreiten Freiheit«.

Jesus stand bis zum letzten, bis zum Einsatz seines Lebens ein für die Hoffnung auf jenen Gott, der »nicht den Tod des Sünders will, sondern daß er sich bekehre und lebe«. Er »setzte« alles auf den heilenden und befreienden Gott, von dem allein er das Heil der Sünder, die Befreiung der Armen, das Leben der Toten erhoffte. Ihm überließ er sich vorbehaltlos, seinem Weg zum Reich Gottes gehorchte er, auch wenn er die Ablehnung durch Israel und seine Hinrichtung miteinschloß. In diesem vorbehaltlosen Sich-Gott-Überlassen, das auch den Tod einbezog und somit das Ganze seines Lebens umfaßte, wurde die unbedingte Selbstbehauptung als *die* allgemeine menschliche Weise, sich selbst zu verstehen und daraus zu leben, endgültig überwunden. Denn diese Weise, ganz aus der be-

[39] H. Vorgrimler, aaO. 138.

freienden Liebe Gottes heraus zu leben und zu sterben, geschah nicht um ihrer selbst, sondern um des Reiches Gottes willen, also um der Menschen und ihres von Gott befreiten Lebens willen; ihnen sollte durch den »Sühnetod« (= »Versöhnungstod«) Jesu die reale Möglichkeit eröffnet werden, selbst auf diese Weise zu leben und zu sterben.

Diese Möglichkeit beruht nicht einfach nur auf dem Vorbild Jesu, so daß wir jetzt aus eigener Kraft sein Beispiel nachahmen könnten; das Leben und Sterben Jesu muß vielmehr als eine »exemplarursächliche« Ermöglichung begriffen werden; uns wird durch die Mitteilung seines Hl. Geistes der reale »Raum« eröffnet, an seinem Leben und Sterben *teilzunehmen,* uns in sein Ja hineinzunehmen und hineinformen zu lassen, was die Bibel mit Glaube, Umkehr, Nachfolge, Gehorsam usw. bezeichnet. Wo Menschen um des befreiten Lebens und Sterbens anderer willen sich ganz und gar, also auch den eigenen Tod und seine Vorformen miteinbeziehend, Gott überlassen, wo sie dies alles als möglichen Weg Gottes zum Reich Gottes annehmen, wo sie sich bedingungslos von ihm und nicht von sich selbst, von ihrer eigenen Leistung her »behaupten« wollen, dort nehmen menschliches Leben *und* menschlicher Tod eine ganz andere Gestalt an: die Gestalt der zur Liebe befreiten Freiheit (vgl. Gal 5, 1.13 ff). Ja, gerade dem so bejahten *Tod* kommt die Bedeutung zu, die tiefsten Möglichkeiten liebender Freiheit bereits im Leben entbinden zu können. Warum?

a) Im Tod ist das unwiderrufliche *Ende* der individuellen Freiheitsgeschichte erreicht. Das bedeutet: Die Geschichte des Menschen ist befristet, ihr Entscheidungs- und Handlungsspielraum dehnt sich nicht einfachhin endlos aus. Dadurch sind Entscheidungen, Handlungen, Situationen nicht beliebig wiederholbar oder revidierbar, was bei einer unendlichen Zeitreihe ja grundsätzlich möglich wäre; sie tragen vielmehr das Gewicht der Einmaligkeit. So kommt der geschichtlichen Freiheit von ihrem unausweichlichen Zu-Ende-Gehen ein tiefer Ernst zu: Sie muß sich in *dieser* Zeit mit ihren einmaligen Situationen (»Kairos«) entscheiden und entfalten. Was sie in dieser ihr gegebenen Geschichte tut, das ist getan und kann nicht mehr aus der Welt geschafft werden; was sie hier verfehlt, bleibt endgültig verfehlt. Insofern verleiht die Tatsache des Todes bzw. des Sterbenmüssens *jedem* Handeln (dem Tun wie dem Unterlassen) seine unwiderrufliche Bedeutung; sie ermöglicht eben der menschlichen Freiheit, End-gültiges zu intendieren und zu setzen.[40]

---

[40] Diese Anthropologie übergeht keineswegs das Phänomen des Todes bei solchen Menschen, in deren Leben faktisch keine oder nur eine erheblich gestörte Freiheitsgeschichte stattgefunden hat (z. B. bei Säuglingen und Kindern, bei geistig

Diese formale Funktion kommt inhaltlich dort auf besonders befreiende Weise zum Tragen, wo sich die Freiheit eines Menschen im Leben und im Sterben dem Kommen des Reiches Gottes zur Verfügung stellt. Denn da »baut« sie mit an einer End-gültigkeit, die nicht nur im Rahmen dieser vom Tod beendeten Geschichte, sondern von Gott her auch über dieses Ende hinaus Gültigkeit erhält. Das Neue Testament veranschaulicht diese Tatsache z. B. im Kontrastbild des Gleichnisses von den zehn Jungfrauen (Mt 25, 1–13): Es gibt für das Reich Gottes ein endgültiges »Zu-Spät«, wo Versäumtes nicht mehr aufgeholt werden kann. Positiv drückt das Gleichnis vom Endgericht (Mt 25, 31–46) dasselbe aus: Das Handeln der Menschen innerhalb ihrer Lebensgeschichte entscheidet über ihr ewiges Schicksal und damit auch über die endgültige Gestalt des Reiches Gottes.

b) Darüber hinaus kann der Tod auch deswegen eine besondere Bedeutung für die von Christus befreite Freiheit gewinnen, weil es in ihm – oder besser: ihm gegenüber – um das *Ganze* der menschlichen Freiheitsgeschichte geht. Im Blick auf den Tod steht nicht nur diese oder jene Entscheidung auf dem Spiel, sondern die ganze Lebensgeschichte und der Lebensentwurf eines Menschen, ja, letztlich er selbst. Erst vom Ende her oder im Hinblick auf das unabwendbare Ende kann das Ganze eines Lebens (relativ) unverfälscht in den Blick kommen und auch (einigermaßen) konsequent geprägt werden. Denn wie der Mensch sich der Tatsache seines Sterbenmüssens (auch in allen Vorformen) gegenüber verhält, so »färbt« sich die Gestalt seines ganzen Lebens: Nimmt er z. B. dieses »Widerfahrnis«, in dem er ja ganz entmächtigt, sich selbst ganz genommen wird, als Verfügung eines liebenden Gottes an, dem er sich selbst überläßt, weil er vertraut, daß auch dies eine Möglichkeit des Reiches Gottes ist, so kann er das Ganze seines Lebens in diese Grundhaltung integrieren; er übt sich lebend in das Mitsterben mit Christus ein, indem er allen Einzelzügen seines Lebens vom Ende und vom Ganzen her die Form einer zur Gelassenheit befreiten Freiheit gibt.[41] P. Teilhard de Chardin drückt diese Grundeinstellung in einem Gebet sehr schön aus:

Behinderten, bei Menschen, deren Freiheitsausübung durch ihr soziales Milieu oder durch die politischen Verhältnisse gestört wurde); die vorgestellte Deutung des Todes geht vielmehr von der »idealen« Bestimmung des Menschen und der ihm gegebenen Zeit aus. Sie rechnet jedoch durchaus mit der Möglichkeit, am Sterben Christi teilnehmen zu können, ohne daß dies immer auch in einer ausdrücklich-reflexen Freiheitsgeschichte ratifiziert werden müßte. Hat Christus doch gerade für die (in jeder Hinsicht) Kleinen und Armen den Zugang zum Reich Gottes weit geöffnet!

[41] Daß hier nicht die sog. »Endentscheidungshypothese« von L. Boros u. a. aufge-

»Nachdem ich Dich als den erkannt habe, der mein erhöhtes Ich ist, laß mich, wenn meine Stunde gekommen ist, Dich unter der Gestalt jeder fremden oder feindlichen Macht wiedererkennen, die mich zerstören oder verdrängen will. Wenn sich an meinem Körper oder an meinem Geist die Abnutzung des Alters zu zeigen beginnt; wenn das Übel, das mindert oder wegrafft, mich von außen überfällt oder in mir entsteht; in dem schmerzlichen Augenblick, wo es mir plötzlich zum Bewußtsein kommt, daß ich krank bin und alt werde; besonders in jenem letzten Augenblick, wo ich fühle, daß ich mir selbst entfliehe, ganz ohnmächtig in den Händen der großen unbekannten Mächte, die mich gebildet haben; in all diesen düsteren Stunden laß mich, Herr, verstehen, daß Du es bist, der – sofern mein Glaube groß genug ist – unter Schmerzen die Fasern meines Seins zur Seite schiebt, um bis zum Mark meines Wesens einzudringen und mich in Dich hineinzuziehen.«[42]

c) Die entscheidende Bedeutung des Todes für die von Christus zur Liebe befreite Freiheit besteht schließlich darin, daß er für den Glaubenden nicht nur das Ende und das Ganze einer Lebensgeschichte in den Blick bringt, sondern auch den »Übergang« in ihre mögliche *Vollendung* bedeutet. Denn über die von uns aus geschehende Integration des ganzen Lebens »im Angesicht des Todes« hinaus erhoffen wir, daß die so gewirkte Gestalt unseres Lebens und Sterbens nicht letztlich doch ins Leere und Nichtige verläuft, sondern von Gott aufgenommen und aufgehoben wird; daß also all das in unserem Leben, was in diese Grundhaltung des Sich-Gott-Überlassens zu integrieren ist, den Tod überdauert und von Gott eine neue, endgültige Sinngestalt erhält. Diese wird unserem Leben keineswegs von außen angehängt oder übergestülpt; vielmehr empfängt *diese* gelebte Geschichte darin ihre unbedingte Gültigkeit.
Ohne eine solche Hoffnung auf Vollendung im Tod gibt es wohl keinen letztlich überzeugenden Grund, dieses geschichtliche Leben in einer so radikalen Entschiedenheit für Liebe, Gerechtigkeit, Frieden usw. einzusetzen, daß sie auch die Hingabe des eigenen Lebens einschließt. Denn wenn unser Dasein zuletzt doch in ein totales Nicht-mehr-Sein versinkt, dann droht dies – über kurz oder lang – genauso auch den meisten Früchten unseres Tuns, in denen wir uns geschichtlich »objektiviert« haben, und erst recht den Adressaten,

---

griffen wird, ist deutlich. Wir behaupten ja nicht, daß erst im Augenblick des Todes diese Grundentscheidung gegenüber dem Ganzen eines Lebens getroffen wird, sondern während dieses Lebens selbst *im Hinblick* auf den das Ganze eines Lebens bestimmenden und beendenden Tod. Vgl. dazu L. Boros, Mysterium Mortis, Olten 1962; G. Greshake, Bemerkungen zur Endentscheidungshypothese, in: G. Greshake/G. Lohfink, Naherwartung..., aaO. 121–130.

[42] P. Teilhard de Chardin, Das göttliche Milieu, Olten 1969, 89 f (dort etwas anders übersetzt).

denen wir dieses Tun zugute kommen ließen. Ein existentiell und rational tragfähiger Grund für solchen Lebenseinsatz um des Guten willen kann deswegen schon aus *anthropologischen* Überlegungen heraus nur

»in der Tatsache bestehen, daß dasjenige, was wir in den meisten Taten der Freiheit hervor-bringen – und das ist in erster Linie das befreite personale Sein selbst – irgendwie durch den Tod hindurch aufgehoben bleibt. Nur wenn dies so ist, lohnt sich für ein denkendes Wesen das Leben, – nicht, als rechtfertigte sich das irdische Sein durch das spätere, jenseitige überhaupt erst, aber doch so, daß ohne dieses Aufgehobensein und Gerettetsein sich das irdische Sein als richtungs- und gewichtslos erwiese. Aber *kann* es denn so sein, angesichts der Radikalität des Untergangs im Tode? Die Radikalität der Entmächtigung des Subjekts im Sterben steht hier nicht in Frage. Ist aber die objektive Aussage, daß im Tode das Subjekt schlechthin zu existieren aufhöre, begründet? Man verweist auf die Erfahrungstatsache, daß ohne Funktionieren des Gehirns usw. kein Denken, Entscheiden und Empfinden mehr möglich sei. Da aber dieser Zusammenhang nur empirischer Natur ist und nicht als Wesenszusammenhang einsichtig gemacht werden kann, ist die Möglichkeit nicht ganz auszuschließen, daß der personale Träger des geistigen Denkens und Wollens zwar zu seiner weltlichen Daseins- und Manifestationsweise eines gesunden menschlichen Körpers bedarf, nicht aber zu seiner Existenz. Diese Nicht-Unmöglichkeit genügt, um das ›schöne Wagnis‹ (Platon, Phaidon 114 d) zu rechtfertigen, zu dem die Freiheit in innerer Dynamik hindrängt: so zu leben, als hätte der Tod über unser eigentliches Sein keine Macht.«[43]

Um es noch einmal zu verdeutlichen: Diese Hoffnung auf Vollendung im Tod nimmt der Freiheit und ihrem sittlich engagierten Leben *vor* dem Tod nichts an Bedeutung; im Gegenteil: Was in einer Lebensgeschichte nicht aus Liebe zu Gott und den Menschen getan ist, ist auch kein Gegenstand der erhofften Vollendung. Denn nicht unsere Trägheit, auch nicht unser Selbsterhaltungstrieb und Selbstbehauptungswille dürfen auf eine »ewige Bestätigung« hoffen, sondern allein das, was sich in irgendeiner Form als Teilnahme am Leben und Sterben des gekreuzigten Jesus Christus erweist. Seine Annahme durch Gott in der Auferstehung ist ja der Grund unserer Hoffnung auf Vollendung: Der *Gekreuzigte* ist auferweckt worden. Und nur da, wo unser Leben und Sterben das Zeichen des Gekreuzigten trägt (ob ausdrücklich oder nicht), wo wir also das Gute um seiner selbst und um des anderen willen, dem es zugute kommen soll, tun (und nicht wegen eines ewigen »Lohnes« für uns), da dür-

---

[43] G. Haeffner, Philosophische Anthropologie, Stuttgart 1982, 166; vgl. ders., Vom Unzerstörbaren im Menschen, in: W. Breuning (Hrsg.), Seele. Problembegriff christlicher Eschatologie, Freiburg 1986.

fen wir hoffen, daß auch unser Leben endgültig angenommen und vollendet wird von Gott. Diese Hoffnung ist nicht das begründende Wozu unserer Liebe, wohl aber die Zielrichtung, in der die Liebe für die anderen und für uns selbst hofft. Eine Liebe ohne Hoffnung auf endgültiges »Aufgehobensein« der Liebenden und ihrer Beziehung zueinander entbehrt der tiefsten Kraft ihrer Bejahung.

2. Das individuelle Subjekt der Vollendung

Das Thema dieses Abschnitts ergibt sich aus dem Widerspruch zwischen der empirischen Erfahrung des Todes, nach welcher das erfahrbare »Substrat« der Lebensgeschichte, eben der menschliche Körper, verfällt und sich auflöst, *und* der theologischen Deutung des Todes, nach welcher der Tod der Eingang in das endgültige Aufgehobensein des Menschen bei Gott bedeutet. Wer oder was geht nun eigentlich zugrunde? Wer oder was wird »aufgehoben«? Eine »Grundhaltung«, eine »Lebensgeschichte«, ein »personal-geistiges Ich«, eine »Seele«, der »ganze« Mensch (aber doch offensichtlich ohne seinen Körper)?

Hier drängt sich zunächst ein grundsätzliches Problem auf: Können wir eigentlich über diese Dinge noch begründete Aussagen machen? Ist hier nicht endgültig die Grenze des Erkenn- und Sagbaren erreicht, über die hinaus nur noch Neugierde und Spekulation zu gehen vermögen?

> »Natürlich hat der Mensch seit eh und je über das, was nach dem Tod kommt, Wissen zu erreichen versucht und mit dem Wissen die Möglichkeit einer Gestaltung der Zukunft, des Bodens, der Verhältnisse der kommenden Welt. Die Religionen sind voll von solchen Expeditionen und verfügenden Ausgriffen in die kommende Welt. Aber in vielen von ihnen und gewiß im Christentum hat sich mit großer Kraft die Kritik gegen solche Versuche gewandt. Wenn der Mensch stirbt, fällt er mit allem Wissen, mit allen seinen Produktionen, mit sämtlichen Sicherheiten erneut und nun erst recht auf das Unverfügbare zu. In diesem Augenblick steht es auf dem Spiel, ob eine Macht der Freiheit entgegenkommt, deren Treue der Ohnmacht des Menschen gewachsen ist. Der Gott der Bibel zeigt sich als der Vertrauenswürdige dort, wo die Wirklichkeit am treulosesten ist und am unverläßlichsten, im Tod. Um die Erkenntnis dieser Würde geht es in allem, was in der Bibel über Gott gesagt wird, vor allem über das Zeichen seiner Treue auf der Welt, Jesus.«[44]

Allein im Vertrauen auf das Versprechen Gottes, das er uns in Tod und Auferstehung Jesu gegeben hat, und auf seine Treue, in der er

---

[44] G. Bachl, aaO. 80 f.

dieses Versprechen einhält, können wir die folgenden Aussagen verantworten, die eher in Andeutungen und Ahnungen um das Vollendungsgeschehen im Tod kreisen. Sie sind nichts als Versuche der kirchlichen Hoffnungssprache, unsere erhoffte Teilhabe an Tod und Auferstehung Jesu verstehend zu entfalten. In der Tradition dieser Hoffnung ist die Frage nach dem individuellen Subjekt der Vollendung intensiv aufgegriffen, aber auch sehr verschieden beantwortet worden.[45]

a) Unsterblichkeit der »Seele« – Auferstehung des »Fleisches« (Patristik)

In der alten Kirche wurde unser Thema vor allem im Gegenüber zur Gnosis behandelt. Diese vertrat bekanntlich eine massiv dualistische Anthropologie (s. o. den Abschnitt über Irenäus): Die *Seele* galt als himmlisch-pneumatisch-ewige Substanz im Menschen, als sein eigentliches Selbst, der *Leib* dagegen nur als irdisch-fleischlich-vergängliche Gestalt des Menschen, eben die Form des gefallenen Selbst. Die *Geschichte* wird dementsprechend interpretiert als Verbannung der Seele in die Gemeinschaft mit dem Leib, wohingegen der *Tod* die Befreiung der Seele vom Leib und von der Geschichte, der Beginn ihrer Himmelsreise und die Rückkehr in das ewige Reich des Geistes bedeutet. Der Erfahrungshintergrund dieses gnostischen Dualismus ist uns zum Teil bis heute noch zugänglich und macht ihn oft genug auch für unsere Zeit plausibel: einerseits die Erfahrung der Vergänglichkeit und Verweslichkeit alles materiell-fleischlichen Seins; andererseits die Erfahrung eines geistig-personalen Prinzips der Erkenntnis und des Willens, das in relativer Eigenständigkeit (etwa bei alten oder kranken Menschen) zu agieren und die Hinfälligkeit des Leiblichen zu transzendieren vermag. Dennoch konnte sich die christliche Theologie niemals mit der aus solcher Erfahrung gefolgerten theologischen Abwertung des Leibes und der Geschichte abfinden. Sie übernahm in dieser ersten Phase der eschatologischen Reflexion zwar einerseits das begriffliche und vorstellungsmäßige Leib-Seele-Schema der griechisch-gnostischen

[45] Die jüdisch-apokalyptischen und die neutestamentlichen Vorstellungen über die Auferstehung der Toten haben wir oben bereits dargestellt. Zum folgenden vor allem die beiden Artikel von G. Greshake in: G. Greshake/G. Lohfink, Naherwartung..., aaO. 82–120 und 156–184; ebenfalls G. Bachl, aaO. 96–135; G. Kretschmar, Auferstehung des Fleisches, in: Leben angesichts des Todes – H. Thielicke zum 60. Geburtstag, Tübingen 1968, 101–137; H. Sonnemans, Seele – Unsterblichkeit – Auferstehung der Toten, Freiburg 1984.

Philosophie, setzte ihr aber zugleich auch eine pointierte These entgegen.[46] Das sah dann (etwas vereinfacht) so aus: Im Tod trennt sich die Seele vom Leib; aber dieser wird dabei nicht einfach fallengelassen, sondern die Hoffnung richtet sich – in einer starken Gegenakzentuierung – gerade auch auf den Leib, auf die Materie, auf die Geschichte. Für die Eschatologie, die zum hervorgehobenen Testfall solcher Bejahung von Geschichte und Leib wurde, bedeutete dies: Nicht nur die Seele, sondern auch und gerade der Leib, ja, »*dieses* Fleisch, das wir nun tragen«, ist zum Heil, eben zur Auferstehung bestimmt; allerdings nicht jetzt, sondern erst am Ende der Geschichte. Das Bekenntnis zur künftigen Auferstehung des *Fleisches* diente also als eine polemische, antignostische Formel, um eine zu spiritualisierte Vorstellung der Vollendung zu vermeiden. So betonte z. B. das Glaubensbekenntnis der XI. Kirchenversammlung zu Toledo (675) genau diesen Punkt: »So bekennen wir: nach dem Vorbild unseres Hauptes (Jesus Christus) wird die wahre Auferstehung des Fleisches aller Toten kommen. Wir glauben aber nicht, daß wir in einem luftförmigen oder in irgendeinem anderen Leibe, wie manche irren, auferstehen werden, sondern in diesem da, in dem wir leben, bestehen und uns bewegen« (DS 540/NR 892). Dadurch wurde jedoch zugleich auch die Vorstellung einer massiv-materiellen, empirisch-erfahrbaren Vollendung am Jüngsten Tag insinuiert, welche die »Öffnung der Gräber und die Umwandlung der dort befindlichen irdischen Leichname« miteinschließt.[47] Eine (empirisch unsichtbare) Vollendung von Seele *und* Leib bereits *im* Tod anzunehmen, wäre im damaligen Kontext nichts anderes als Gnosis gewesen, eben Ausdruck der Verachtung des verwesenden Körpers und der Reduzierung der Vollendung auf eine unsterbliche Seele.

Was aber geschieht mit der vom Leib getrennten »Seele« bis zur Auferstehung des Fleisches? Bei dem Versuch, diese Frage zu beantworten, flossen vor allem drei geschichtlich überkommene, in sich allerdings sehr verschiedene Vorstellungen zusammen: (1) die jüdisch-apokalyptische Idee des seligen »Zwischenzustandes« der Gerechten und Märtyrer zwischen ihrem Tod und der allgemeinen Auferweckung (s. 2. Teil, I/3 e); (2) die neutestamentliche Hoffnung, daß auch die Toten in der Gemeinschaft mit Christus geborgen sind und »vereint mit ihm leben« (1 Thess 5, 10; Röm 14, 8 u. a. – dazu gleich mehr im Abschnitt d); (3) die platonische Überlieferung von der »Unsterblichkeit der Seele«, die die Identität des Toten mit dem Lebenden sichert.

[46] G. Greshake, aaO. 85 ff.
[47] G. Greshake, Tod und Auferstehung, aaO. 111.

Gehen wir zunächst einmal auf diese letzte Vorstellung genauer ein. Sie stammt ursprünglich aus der orphischen Mysterienreligion und ist seit dem 6. Jh. in Griechenland und Kleinasien verbreitet. Philosophisch wurde sie zunächst von Pythagoras und Empedokles aufgegriffen, ehe sie dann von Platon (besonders in seinem Dialog »Phaidon«, den der zum Tode verurteilte Sokrates mit seinen Schülern führt) zu einer geistesgeschichtlich bedeutsamen Hoffnungsgestalt ausgebaut wurde.[48] Die Gründe (nicht Beweise!), die Platon aus der religiösen Überlieferung und aus seiner reflektierten Erfahrung des Phänomens »Leben« für eine mögliche »Unsterblichkeit der Seele« anführt, sind folgende[49]:

(1) Die Seele ist das *Vermögen geistiger Erkenntnis,* in der der Mensch das Unveränderliche in allem Veränderlichen erkennen kann, also vor allem die »Ideen« des Guten, des Wahren, der Gerechtigkeit. Dies ist der Seele nur deswegen möglich, weil sie die Ideen in einer vorgeburtlichen Schau gesehen hat, das Wissen um sie von da an in sich trägt und sie in Form der »Wiedererinnerung« jetzt in den Gegenständen dieser Welt erkennen kann. Dieses apriorische Wissen der Seele weist zunächst nur auf ihre mögliche *Prä*existenz vor dem irdischen Leben hin. Aber Platon folgert daraus zugleich eine unsterbliche *Post*-existenz nach dem irdischen Leben, weil aus ihrer Präexistenz folgt, daß sie grundsätzlich eine Raum und Zeit überlegene Kraft ist, die weder durch die Geburt erst entsteht noch durch den Tod wieder untergeht.

(2) Weil die Seele das Unveränderliche erkennen kann, hält es Platon für wahrscheinlich, daß sie selbst diesem *Unveränderlichen verwandt* ist, ja selbst unveränderlich und damit unvergänglich, dem ständigen Entstehen und Vergehen enthoben ist. Denn nach der antiken Erkenntnistheorie kann Gleiches nur durch Gleiches erkannt werden.

(3) Der entscheidende Grund liegt aber darin, daß für Platon die Seele das *Prinzip des Lebens* ist; der Begriff »Seele« impliziert notwendig den Begriff »Leben«. Der Begriff »Tod« als Gegensatz zum »Leben« steht damit auch in unversöhnbarem Gegensatz zum Begriff »Seele«: Es kann kein Seiendes geben, das eine Seele hat und zugleich tot ist. Wenn also der Tod des Menschen eintritt, dann zieht sich die Seele entweder zurück oder sie geht zugrunde. Letzteres ist aber nicht möglich, weil die Seele als Prinzip des Lebens

---

[48] Vgl. dazu: G. Bachl, aaO. 96–135; F. Ricken, Die Unsterblichkeitsgewißheit in Platons »Phaidon«, in: Stichwort ›Tod‹. Eine Anfrage (Hrsg. Rhabanus-Maurus-Akademie), Frankfurt 1979, 98–116; G. Altner, Tod, Ewigkeit und Überleben, Heidelberg 1981, 25–30.

[49] Wir folgen hier vor allem dem in Anm. 48 genannten Artikel von F. Ricken.

nicht sterben kann. Also bleibt nur der Weg des Rückzugs der Seele auf sich selbst, in strenger Absonderung vom vergänglichen und sterblichen Leib. Diesen Weg geht die Seele des Menschen im Tod; es ist der Weg ihrer Befreiung aus dem Gefängnis des Leibes zu ihrem eigentlichen Selbstseinkönnen. »Denn alsdann wird die Seele für sich allein sein, abgesondert vom Leibe, vorher aber nicht. Und solange wir leben, werden wir, wie sich zeigt, nur dann dem Erkennen am nächsten sein, wenn wir so weit wie möglich nichts mit dem Leib zu schaffen noch gemein haben, was nicht höchst nötig ist, und wenn wir mit seiner Natur uns nicht anfüllen, sondern uns von ihm rein halten, bis der Gott uns selbst befreit. Und so rein, der Torheit des Leibes entledigt, werden wir wahrscheinlich mit eben solchen zusammensein und durch uns selbst alles Ungetrübte erkennen, und dies ist eben wohl das Wahre« (Phaidon 66e–67b).[50]

Daß dieser anthropologische Dualismus bei Platon keineswegs zu einem weltflüchtigen Spiritualismus führte, ist klar; geht es ihm doch gerade darum, mit Hilfe dieser Unsterblichkeitslehre die unbedingte sittliche Verpflichtung des Menschen zum Guten, zum Wahren, zur Gerechtigkeit aufzuzeigen. Dies zu erkennen und zu tun, ist die eigentliche Bestimmung des Menschen; deswegen kann auch die Polis, der Raum des sozialen und politischen Zusammenlebens der Menschen, nur auf dem Fundament dieser »unsterblichen« Werte gegründet werden. In der späteren gnostischen Fassung des anthropologischen Dualismus von Seele und Leib spielte diese gesellschaftspolitische Intention Platons keine große Rolle mehr; hier verband sie sich vielmehr mit einer leib-, welt- und geschichtsfeindlichen Grundeinstellung.

Bei der Übernahme der platonischen Unsterblichkeitsvorstellung in die christliche Theologie, die seit dem 2. Jh. einsetzte, wurden bestimmte Korrekturen an ihr vorgenommen. Zu nennen ist hier vor allem die, daß der menschlichen Seele die Unsterblichkeit nicht einfach »naturwüchsig« aus sich selbst heraus zukomme, sondern als ein *Geschenk* des lebendigen Gottes anzusehen sei, durch das er den Menschen gnadenhaft Anteil gebe an seinem ewigen Leben.[51] Eine wichtige Korrektur fand dann im Zusammenhang der Entwicklung der Lehre vom »*Zwischenzustand*« der Seele zwischen Tod und allgemeiner Totenerweckung am Jüngsten Tag statt. Einerseits

---

[50] Daß dieses Argument heute nicht mehr sehr überzeugend ist, weist F. Ricken aaO. nach; denn tatsächlich führt Platon nur den Beweis für die Unsterblichkeit des *Begriffs* Seele, welcher mit dem Begriff Tod unvereinbar ist. *Diese* »Unsterblichkeit« gilt aber für jeden Begriff (auch der Begriff »rot« ist nicht sterblich ...). Daß nun aber die einzelne, im Menschen existierende Wirklichkeit »Seele« unsterblich, also unbegrenzt lebensfähig ist, folgt daraus allein noch nicht.

[51] Vgl. G. Greshake, in: Naherwartung ..., aaO. 89 f.

konnte im damaligen hellenistischen Kontext die Überzeugung von der Unsterblichkeit der Seele eine gute Hilfe sein, um damit das Schicksal des Menschen *nach* dem Tod und *vor* der endgültigen Auferweckung zu erklären: Wenn der Tod jetzt als Trennung von Seele und Leib verstanden wird, kann der Leib zunächst ruhig der Verwesung anheimfallen, um am Jüngsten Tag dann schließlich doch auferweckt, d. h. in Herrlichkeit umgewandelt und mit der Seele wiedervereinigt zu werden. Im Gegensatz zu Platon aber geht diese unsterbliche Seele nach dem Tod (bzw. nach mehreren reinigenden Wiedergeburten und Toden) nicht einfachhin in die Seligkeit der vom Leib befreiten Schau der Ideen ein, sondern muß in einer Art »Wartezustand« im Hades auf die endgültige Seligkeit warten. Dieser Wartezustand ist natürlich differenziert je nach der irdischen Lebensweise des Menschen; auf jeden Fall aber bedeutet er zunächst eine stark *geminderte Seligkeit* der Seele. Von dieser Minderung blieben anfangs nur die Märtyrer, die Patriarchen und die Propheten ausgenommen; sie werden bereits nach ihrem Tod als »appendices dominicae resurrectionis« in die Herrlichkeit des auferstandenen Christus aufgenommen. Unter dem zunehmenden Einfluß des Neuplatonismus, also etwa seit Cyprian (1. Hälfte des 3. Jh.s) und besonders seit Augustinus (4. Jh.) wird diese Seligkeit allen guten Christen gleich nach ihrem Tod verheißen, und zwar als vollkommene Seligkeit der Seele bei Christus. Dieser Seligkeit fehlt nur noch die Auferstehung des Leibes, und insofern ist es noch eine Seligkeit im »Wartestand«. Jedoch wird dabei nicht immer deutlich, wie die erwartete Auferstehung des Leibes noch eine Steigerung der Seligkeit der Seele bewirken kann.

So kann man (mit G. Greshake) durchaus zu Recht sagen: Die Lehre vom »Zwischenzustand« diente zwar dazu, klar die christliche Position von der Gnosis zu unterscheiden (insofern eben auch der Leib in das Heil miteinbezogen bleibt). Aber dies erkaufte man mit der Konstruktion eines eschatologischen (und damit auch geistlichen) Dualismus: Die existentiell gelebte Hoffnung richtete sich mehr und mehr auf die vollkommene *Seligkeit* der Seele, die nach dem Tod, eben nach ihrer Trennung vom Leib bereits erwartet wurde. Diese leibfreie Seele galt demnach als das hervorgehobene Subjekt der Vollendung. Die Hoffnung auf die endzeitliche, an ein fernes Ende gerückte *Auferweckung* des Leibes wurde dagegen (für Theologie und Spiritualität) immer blasser und unwirksamer.

Dies dürfte bis heute weithin so geblieben sein; denn die eben skizzierte Vorstellung vom Tod und von der Vollendung bildet auch heute noch einen Grundzug christlicher Volksfrömmigkeit, die sich bisher kaum von solchen neuplatonischen Schemata gelöst hat.

b) Die Seele als »Form« des Auferstehungsleibes (Thomas von Aquin)

In der Hochscholastik, besonders von Thomas von Aquin (1225–1274), wird das Subjekt der Vollendung neu bestimmt.[52] Thomas mildert den neuplatonischen Dualismus durch seine Neuinterpretation des Aristoteles. Dabei kommt er zu seiner anthropologischen Grundformel: »anima forma corporis«, d. h. die Seele ist die Form des Leibes. Demnach sind Seele und Leib nicht zwei ursprünglich eigenständige, nachträglich miteinander verbundene »Substanzen«, sondern zwei ursprünglich aufeinander hingeordnete und angewiesene »Seinsprinzipien« des einen Menschen, nämlich Form und Materie (= materia prima!). Die Form (= Seele = das individuelle, geistige, personale Wesen des Menschen) erwirkt und formt sich aus dem Material irdisch-weltlicher Möglichkeiten (= Materie) den menschlichen Leib; sie legt sich darin aus, stellt sich darin dar, verwirklicht sich darin. Der Leib wird zum Selbstausdruck der Seele, die Seele zum gestaltgebenden Ursprung des Leibes.[53] Nur in der Einheit beider Seinsprinzipien existiert der Mensch.

Diese seinsnotwendige Einheit zerbricht im Tod, der auch von Thomas noch als Trennung von Seele und Leib verstanden wird. Aber diese Trennung wird nicht als ersehnte Befreiung der Seele vom Leib gedeutet, sondern als Vernichtung des Menschseins des Menschen: »mortuus homo non est homo« (Albertus Magnus). In dieser Trennung geht der Leib zugrunde, die Seele aber nicht; sie führt ein »un-natürliches« Dasein bis zur Auferstehung von den Toten. Erst wenn der Leib auferweckt wird, kann von der Vollendung des *einen* Menschen gesprochen werden. Die Identität dieses vollendeten Menschen mit dem irdischen wird allein gewährleistet durch die (als »subsistierende Form«) unsterbliche Seele, also durch die je individuelle »Form« des Menschseins. Zugleich wird diese aber auch (über ihre »natürliche« Unsterblichkeit hinaus) als *Identitätsträger* des Menschen nach der (den Menschen ja als solchen zerstörenden) Trennung vom Leib gnadenhaft von Gott erhalten, um in der Auferstehung am Jüngsten Tag sich einen neuen Leib erwirken und »formen« zu können. Daraus entsteht dann der eine, voll-

---

[52] Dazu: R. Heinzmann, Die Unsterblichkeit der Seele und die Auferstehung des Leibes, Münster 1965; J. Pieper, Tod und Unsterblichkeit, München 1968; H. J. Weber, Die Lehre von der Auferstehung der Toten in den Haupttraktaten der scholastischen Theologie, Freiburg 1973; G. Greshake in: Naherwartung ..., aaO. 91 ff.

[53] Vgl. auch besonders K. Rahner, Zur Theologie des Symbols, in: Schr. z. Th. IV, Einsiedeln 1960, 275–311.

endete Mensch der Auferstehung. Die Seele vermag also nicht aus sich selbst heraus, etwa aus der Kraft ihres geistig-unsterblichen Wesens, das Formprinzip *auch* des vollendeten Auferstehungsleibes zu sein, sondern nur aufgrund ihrer besonderen Berufung durch Gott. So versucht Thomas, die natürliche Unsterblichkeit der Seele mit der gnadenhaft geschenkten Auferstehung des Leibes zu vereinbaren.

Diese eigenartige Verbindung der aristotelischen Anthropologie mit der neuplatonisch-dualistischen Eschatologie führt bei Thomas zu ungelösten Widersprüchen[54]: (1) Zwar sind Leib und Seele seinsnotwendig aufeinander bezogen; aber im Tod hören dennoch nicht beide auf zu existieren, sondern nur der Leib. (Hier wirkt offensichtlich der neuplatonische Dualismus in der Anthropologie nach.) (2) Nach dem Tod existiert die Seele zwar als vom Leib getrennte in einem »naturwidrigen« Dasein, wird aber zugleich als »zuhöchst selig« bezeichnet. Die Auferstehung des Leibes bringt demgegenüber nur noch eine »akzidentelle« Steigerung der Seligkeit (was eine Nachwirkung des neuplatonischen Dualismus in der Eschatologie sein dürfte). Das Schwergewicht der christlichen Hoffnung liegt also auch hier ganz auf der Vollendung der Seele nach dem Tod. Die vom Leib zwar widernatürlich getrennte, aber doch vollkommen selige Seele als Form eines neu zu gestaltenden Auferstehungsleibes gilt somit als das eigentliche Subjekt der Vollendung.

Einen deutlichen Niederschlag findet diese eschatologische Konzeption im Lehrentscheid Papst Benedikts XII. über die »beseligende Gottesschau und die letzten Dinge« (»Benedictus Deus«, 1336), in dem er gegen seinen Vorgänger Johannes XXII. die traditionelle Lehre bekräftigte. Dieser hatte nämlich in verschiedenen Predigten die Auffassung vertreten, die Seelen der Geretteten würden nach dem Tod vorerst nur in einer unvollkommenen Seligkeit verharren, bis am Jüngsten Tag bei der Auferstehung des Leibes die vollendete Seligkeit erreicht sei. Dagegen lehrt Benedikt XII. in aller dogmatischen Entschiedenheit:

> »Mit apostolischer Vollmacht bestimmen wir in diesem für immer geltenden Lehrentscheid: Nach allgemeiner Anordnung Gottes waren, sind und werden sein im Himmel, im Himmelreich und im himmlischen Paradies mit Christus, in Gemeinschaft mit den heiligen Engeln:
> Die Seelen *aller Heiligen*... sofort nach ihrem Tod oder nach der Reinigung – wie oben gesagt – bei jenen, die einer solchen Reinigung bedurften, und zwar auch vor der Wiedervereinigung mit ihrem Leib und vor dem allgemeinen Gericht, nach der Auffahrt unseres Heilandes Jesus Christus, unseres Herrn, in den Himmel.

[54] Vgl. G. Greshake, aaO. 94 ff.

Und nach dem Leiden und dem Tod unseres Herrn Jesus Christus schauten und schauen sie die göttliche Wesenheit in *unmittelbarer Schau* und auch von Angesicht zu Angesicht, ohne Vermittlung eines Geschöpfes, das dabei irgendwie Gegenstand der Schau wäre. Ohne Vermittlung zeigt sich ihnen vielmehr die göttliche Wesenheit unverhüllt, klar und offen.
In dieser Schau sind sie erfüllt von dem Genuß der göttlichen Wesenheit. Und durch diese Schau und durch diesen Genuß sind die Seelen der schon Verstorbenen *wahrhaft glücklich* im Besitze des Lebens und der ewigen Ruhe...
Ferner bestimmen wir: Wie Gott allgemein angeordnet hat, steigen die Seelen derer, die in einer tatsächlichen schweren Sünde verschieden, sofort in die *Hölle* hinab, wo sie von höllischen Qualen gepeinigt werden. *Aber trotzdem* werden am Tage des Gerichtes alle Menschen vor dem Richterstuhl Christi in ihrem Leibe erscheinen und Rechenschaft geben über ihre eigenen Taten, ›damit ein jeder sein Entgelt empfange für das, was er bei Lebzeiten getan hat‹ (2 Kor 5, 10).«[55]

Die theologische Ratlosigkeit dieser Konzeption angesichts der Auferstehung des Leibes kommt in dem »Aber trotzdem...« recht ungeschützt zum Vorschein. Es ist in der Tat kaum zu verstehen, was die Auferstehung noch über den wahrhaft glücklichen »Besitz des Lebens und der ewigen Ruhe« hinaus bedeuten kann. Sie scheint eher dogmatisch festgehalten als theologisch begründet und existentiell erhofft zu sein.

c) Geschenkte, nicht postulierte »Unsterblichkeit« (Evangelisch-katholische Kontroverse)

In der evangelischen Theologie der Neuzeit, besonders seit der sogenannten »dialektischen Theologie« zu Beginn unseres Jahrhunderts hat sich ein starker Widerstand gegen die (in ihrer Sicht!) rein philosophisch begründete Unsterblichkeitslehre der Scholastik entwickelt. Man warf ihr vor, sie schreibe dem Menschen eine ihm »von Natur aus« zukommende Unsterblichkeit zu; sie sei sein »Selbstbesitz« aufgrund seiner Natur, so daß sich gerade darin der menschliche Wille zur unbedingten Selbstbehauptung und Selbstmächtigkeit auch über den Tod hinaus manifestiere. In dieser Lehre formuliere sich der sündige Widerstand des Menschen gegen das »sola gratia« des totenerweckenden Gottes.
Zweifellos trifft dieser Vorwurf so nicht zu; für Augustinus z. B. ist die Seele des Menschen deswegen unsterblich, weil sie ein von Gott

---

[55] DS 1000–1002/NR 901–905.

geschaffenes Bild und Gleichnis Gottes ist. Auch Thomas und mit ihm die ganze Scholastik hält die Seele nur deswegen für unsterblich, weil sie von Gott als Identität verleihendes Formprinzip des irdischen (und – in besonderer Gnade – auch des auferstandenen) Leibes so *geschaffen* wurde. Die »Natur« der Seele ist also in diesem Sinn immer schon eine von Gott geschenkte, den Menschen als das Gegenüber seiner unaufhebbaren Liebe konstituierende Wirklichkeit. »Und deshalb ist mit ›natürlicher Unsterblichkeit‹ jener unwiderrufliche, von der Schöpfung her begonnene Dialog Gottes mit den Menschen und nicht ein geschichtslos-monologischer Eigenund Wesensstand des Menschen thematisiert.«⁵⁶

Seine Berechtigung behält der Vorwurf der evangelischen Theologie jedoch zweifellos gegenüber der Philosophie der Aufklärung und des deutschen Idealismus. Bei vielen ihrer Vertreter gilt die Unsterblichkeit als ein Postulat der Sittlichkeit des Menschen. Zum Wesen der menschlichen Sittlichkeit gehört eben – als Postulat einer endgültigen Erfüllung und Vollendung des sittlichen Handelns – die Unsterblichkeit des Menschen im Sinn eines »unendlichen Progressus«, einer »ins Unendliche fortdauernde(n) Existenz und Persönlichkeit desselben vernünftigen Wesens«⁵⁷ (s. 4. Teil, II). Die Stimme des göttertrotzenden Prometheus scheint in Fichtes Willen zur Unsterblichkeit wieder laut zu werden:

»Das, was man Tod nennt, kann mein Werk nicht abbrechen; denn mein Werk soll vollendet werden, und es kann in keiner Zeit vollendet werden, mithin ist meinem Dasein keine Zeit bestimmt, – und ich bin ewig. Ich habe zugleich mit der Übernehmung jener großen Aufgabe die Ewigkeit an mich gerissen. Ich hebe mein Haupt kühn empor zu dem drohenden Felsengebirge, und zu dem tobenden Wassersturz, und zu den krachenden in einem Feuermeere schwimmenden Wolken, und sage: ich bin ewig, und ich trotze eurer Macht! ... Zerreibet im wilden Kampfe das letzte Sonnenstäubchen des Körpers, den ich mein nenne; – mein Wille allein mit seinem festen Plane soll kühl und kalt über den Trümmern des Weltalls schweben; denn ich habe meine Bestimmung ergriffen, und die ist dauernder als ihr; sie ist ewig, und ich bin ewig, wie sie.«⁵⁸

⁵⁶ G. Greshake, aaO. 109 f; sehr differenziert greift G. Ebeling die traditionelle Lehre von der »Unsterblichkeit der Seele« auf: »Daß die Seele fortbesteht, besagt im Grunde nur, daß des Toten ein ewiges Geschick wartet. Denn die Auferstehung zum Gericht bringt allererst die Scheidung in ewiges Leben und ewigen Tod. Die Unsterblichkeit der Seele gibt kein Anrecht auf ewiges Leben. Richtiger spricht man darum von Unzerstörbarkeit der Seele, da ja auch dem ewigen Tod das Moment der Unzerstörbarkeit eigen ist« (Dogmatik des christlichen Glaubens Bd. III, Tübingen 1979, 458).

⁵⁷ I. Kant, Kritik der praktischen Vernunft, in: Werke in 10 Bänden (hrsg. v. W. Weischedel), Bd. 6, Darmstadt 1968, 252 ff.

⁵⁸ J. G. Fichte, Einige Vorlesungen über die Bestimmung des Gelehrten, 3. Vorle-

Gegen dieses Unsterblichkeitspathos richtet sich vor allem der Protest weiter Teile der neueren evangelischen Theologie. Denn im Grunde ist der Mensch vor Gott ein Nichts, und dies wird im Tod deutlich manifestiert, insofern dort der Mensch in das Nichts zurücksinkt. Der Mensch stirbt den Ganztod; es bleibt nach dem Tod »weder ein göttliches, noch ein geschöpfliches Etwas, sondern ein Tun und Verhalten des Schöpfers seinem Geschöpf gegenüber«.[59] Gott schafft in der Auferweckung der Toten ein neues Geschöpf ohne einen sich durchhaltenden Identitätsträger im Menschen selbst. Der einzige Identitätsträger des Geschöpfes ist Gott und seine Treue zu diesem Geschöpf. Statt der Seligkeit einer unsterblichen Seele rückt die biblische Rede von der Auferstehung der Toten ins Zentrum der Eschatologie.

Gegen diese Theorie von der radikalen Neuschöpfung des Menschen aus dem Nichts hat die katholische Theologie starke Bedenken angemeldet. Natürlich gilt auch für sie, daß das »ewige Leben« nicht der Selbstmacht des Menschen, seiner unsterblichen Seele oder dem Willen seines geistigen Ich entspringt, sondern einzig und allein als Geschenk des totenerweckenden Gottes entgegengenommen werden kann. Aber dieses Geschenk hat seinen Grund bereits in der Schöpfung; denn der erlösende Gott ist kein anderer als der Schöpfergott. So ist und bleibt der Mensch Geschöpf Gottes auch im Tod; und als solches ist er von Gott in Abhängigkeit *und* Eigenständigkeit zugleich ins Dasein gesetzt. Dieser geschenkte »Selbstand« des Menschen kann weder durch seine Sünde noch durch seinen Tod schlechthin aufgehoben werden; denn das schöpferische Ja Gottes zu seinem Geschöpf ist unwiderruflich. Dieses Ja hat seinen Ort aber nicht nur im Bewußtsein und im Handeln Gottes, sondern es schlägt sich in der geschöpflichen Wirklichkeit nieder, indem es ihr einen unzerstörbaren Charakter verleiht und sie so (auf endlich-geschöpfliche Weise) teilhaben läßt an der Unzerstörbarkeit der Liebe Gottes. Eine totale »annihilatio« des Geschöpfes im Tod kann es von daher nicht geben; sonst müßte Gott die geschenkte, im Geschöpf selbst Gestalt gewordene Teilhabe an seiner Liebe zurückziehen, was ein Widerspruch in sich ist. Denn dies würde zugleich die Selbstaufhebung der Liebe Gottes in ihrer schöpferischen Unwiderruflichkeit und damit in ihrer Göttlichkeit bedeuten.

Deswegen führt die »Neuschöpfung« in der Auferweckung der Toten nicht über den Weg des völligen *Untergangs* des »alten« Ge-

---

sung, Gesamtausgabe der Bayerischen Akademie der Wissenschaften, Bd. III, Stuttgart 1966, 50 (zitiert nach G. Greshake, aaO. 99).

[59] K. Barth, Kirchliche Dogmatik III/2, Zürich 1948, 428.

schöpfs, sondern über die radikale *Umkehr* aus der pervertierten Schöpfungsrelation zwischen Geschöpf und Schöpfer zu der endgültig geglückten Weise, wie sie Christus in seinem Gehorsam dem Vater gegenüber gelebt hat. Darin ist die ursprünglich intendierte Beziehung zwischen Geschöpf und Schöpfer in einer einmaligen, unableitbaren (d. h. aus der Schöpfung selbst nicht entspringenden) Gestalt erfüllt worden. In dem Maße, wie sich ein Mensch in diese von Christus geheilte und erneuerte Schöpfungsrelation hineinnehmen läßt, bekommt er Anteil an der neuen Schöpfung des von den Toten auferweckten Christus.

Allerdings bleibt auch hier die Frage noch offen, wer denn genauerhin in dieser Neuschöpfung durch »Umkehr«, die auch den Tod miteinschließt, das *Subjekt* solcher Vollendung sein soll: *Wer* »kehrt um«, so daß er vom Tod zum Leben gelangt?

d) Auferstehung »im Tod« (Katholische Theologie der Gegenwart)

In der katholischen Theologie sind in den letzten 40 Jahren zahlreiche Versuche unternommen worden, die Frage nach dem Verhältnis von »Unsterblichkeit der Seele« und »Auferstehung des Leibes« neu zu interpretieren. Dabei ist man weithin zu einem Konsens gelangt.[60] Das Grundanliegen der (meist von K. Rahner inspirierten) neueren Entwürfe läßt sich so zusammenfassen: Der *eine* Mensch (als leibhafte Person) hat von Christus her nur *eine* Hoffnung auf Überwindung des Todes, nämlich auf die *Auferstehung* als Teilnahme an der Auferstehung Jesu. Nicht die Seligkeit der leibfreien, unsterblichen Seele kann das hervorgehobene Ziel unserer Hoffnung sein, sondern die den Tod besiegende, ganzmenschliche Gemeinschaft mit dem auferstandenen Christus.

Bei diesem Rückgang auf die ursprüngliche biblische Hoffnungsbotschaft sollen zu starke dualistische Tendenzen sowohl in der Anthropologie wie auch in der Eschatologie mehr als früher vermieden werden. Dies geschieht vor allem dadurch, daß man jetzt (1) Unsterblichkeit der Seele und Auferstehung des Leibes miteinander identifiziert und (2) dieses *eine* Vollendungsgeschehen bereits im Tod jedes Einzelnen ansiedelt. Das heißt: Die Vollendung, die der glaubende Mensch im Tod erhofft, also das endgültige Aufgehobensein seiner Lebensgeschichte im Leben Gottes, wird gleichgesetzt mit dem, was die Schrift »Auferstehung der Toten« nennt.

---

[60] Von diesem Konsens haben sich jedoch J. Ratzinger, L. Scheffczyk, J. Finkenzeller, A. Ziegenaus, F. Holbök u. a. ausdrücklich distanziert; vgl. G. Greshake, in: Naherwartung..., aaO. 113 ff, 161 ff.

Was der Mensch im Tod von Gott erhofft, ist nicht einfach nur die Glückseligkeit einer ersten Vollendungsstufe, die die leibfreie Seele genießt, sondern meint das Eine und Ganze der personalen Vollendung. Die »Gemeinschaft mit Christus«, die nach Paulus den Tod überdauert, *ist* eben – von allem zeitbedingten apokalyptischen Vorstellungsinventar gereinigt – zugleich die Auferstehung von den Toten. Die verschiedenen Vorstellungen der biblischen und altkirchlichen Eschatologie werden in ihrem sachlichen Gehalt miteinander identifiziert und nicht einfach mehr *als* Vorstellungen systematisiert und zeitlich aneinandergereiht (nach dem Schema: zuerst die Gemeinschaft der Seele mit Christus, am Jüngsten Tag schließlich die Auferstehung des Leibes und die Wiederherstellung des ganzen Menschen).

Ein gewisses *Problem* ergibt sich jedoch aus dieser Gleichsetzung: Was geschieht mit dem *Leib* des Menschen, der ja in seiner empirischen Gestalt offensichtlich nicht im Tod aufersteht? Was geschieht mit der ganzen materiell-leiblichen Welt? Wird sie letztlich einfach der endgültigen Verwesung überlassen – ohne Hoffnung auf Vollendung?

Bei diesem Problem muß man vor allem bedenken, daß »Leib« (griech. »soma«) im biblischen Sinn nicht den Gegensatz zur »Seele« oder zur geistigen Person (also eine materielle Substanz) meint, sondern in der Regel den ganzen Menschen, *insofern* er in Beziehung zur Welt und zu den anderen Menschen gesehen wird; der Mensch als zur Welt und zu den anderen Menschen hin relationales Wesen ist im ganzen »Leib«.[61] Unter dieser Rücksicht sind Leib und »Selbst« des Menschen identisch, wie es etwa im Einsetzungsbericht der Eucharistiefeier zum Ausdruck kommt: »Das ist mein Leib, der für euch hingegeben wird.« Wenn darum von der Auferstehung des »Leibes« gesprochen wird, ist damit im biblischen Sinn immer die Auferstehung des ganzen Menschen gemeint.

Sicher ist in der Vorstellungswelt des Neuen Testamentes darin auch die Vorstellung einer Neubelebung oder Umwandlung oder Neuschöpfung des verwesten Leichnams eingeschlossen. Solche – im Menschen- und Weltbild der Apokalyptik beheimateten – Vor-

---

[61] Vgl. dazu J. Schmid, Art. »Leib«, in: LThK 6, 899–902; E. Schweizer, Art. »Soma«, in: ThWNT VII, 1024–91; K. Rahner, Geist in Welt, München ²1957; J. B. Metz, Art. »Leib«, in: LThK 6, 902–905; J. Splett, Art. »Leib, Leib-Seele-Verhältnis«, in: SM Bd. III, 213–219; G. Greshake, Auferstehung der Toten, Essen 1969, 384 ff; R. Schulte, Leib und Seele, in: Christlicher Glaube in moderner Gesellschaft Bd. 5, Freiburg 1980, 5–61; G. Scherer, Das Leib-Seele-Problem in seiner Relevanz für die individuelle Eschatologie, in: F. Dexinger (Hrsg.), Tod – Hoffnung – Jenseits, Wien 1983, 61–88.

stellungen werden in der heutigen katholischen Theologie weithin aufgegeben. Dies geschieht einerseits aufgrund einer (seit M. Scheler gewohnten) *anthropologischen* Unterscheidung zwischen Körper und Leib: Mit »Körper« wird die materielle, sich in Raum und Zeit ausdehnende Wirklichkeit des Menschen rein *»in sich«* bezeichnet (also seine Haut, sein Fleisch und Blut, seine Knochen, eben das biologisch-chemische Substrat, das er mit den anderen Lebewesen dieser Erde gemeinsam hat). »Leib« dagegen ist ein viel weiterer Begriff; er meint die ganze welthaft-geschichtlich-materielle Selbstdarstellung des Menschen als Person. Dieser Leib ist ein wesentliches, unverzichtbares Moment des vollendeten Lebens der Auferstehung. Dagegen kann das Körperliche »rein in sich« durchaus der Erde und ihren biologischen Gesetzen des Vergehens und Neuwerdens übergeben werden. Diese anthropologische Überlegung wird noch dadurch bestärkt, daß uns heute die *Vorstellung* eines »körperlich« erscheinenden Auferstehungsleibes, der also doch irgendwie auf vergleichbare Weise wahrnehmbar sein soll wie der jetzige, in Raum und Zeit empirisch zu erkennende Leib kaum mehr nachvollziehbar ist. Hier treffen dieselben Überlegungen zu, die wir oben bereits bei der Frage nach der Vollendung unserer Erde angestellt haben: Nicht der Körper »in sich« wird auferweckt und vollendet, sondern insofern er in den leibhaft-personalen Selbstvollzug des Menschen integriert ist. Was bedeutet das?

Zunächst liegt in einer solchen Neuinterpretation des Auferstehungsleibes zweifellos eine gewisse *Spiritualisierung* hinsichtlich des rein körperlichen Momentes unseres Leibes. Aber anderseits läßt sich wohl nicht leugnen, daß das Gegenteil, nämlich das Festhalten an einer Auferweckung, die auch das Körperliche »in sich«, in seiner raum-zeitlich situierten Sinnlichkeit, auferweckt wissen will (wenn auch »verklärt« oder verwandelt – aber was heißt das konkret?), doch in die Nähe mythologischer Vorstellungen gerät, die die Unvergleichbarkeit sowohl von göttlicher und menschlicher wie auch von innergeschichtlicher und geschichtstranszendenter Wirklichkeit vernachlässigen. Dementsprechend bannt eine solche Theorie den Auferstehungsleib zu leicht in die Vorstellungswelt unserer empirischen Wahrnehmungen und vergißt dabei seinen streng analogen Charakter, der bei aller Ähnlichkeit doch seine immer noch größere Unähnlichkeit beinhaltet.

Der theologisch relevante Gehalt der »Auferstehung des Leibes« braucht jedoch bei einer behutsamen »Entmythologisierung« keineswegs aufgegeben zu werden: Der Mensch ist nicht vollendbar als ein rein geistiges Ich bzw. als eine »Seele«, die in »leibfreiem« Zustand selig sein kann (eben durch die sie befreiende Trennung vom Leib im Tod). Vielmehr existiert er grundsätzlich als eine personale Freiheit, die sich nur in der mitmenschlichen Beziehung zur Geschichte und zur Welt verwirklicht. Innerhalb des raumzeitlich gebundenen Daseins vor dem Tod vollzieht sich diese Beziehung nur im Medium der materiellen Körperlichkeit; im Tod aber tritt der Mensch ja aus der so raumzeitlich strukturierten Welt heraus, so daß der Körper als solcher für ihn seine Bedeutung verliert. Damit fällt er aber keineswegs schlechthin aus dem Vollendungsgeschehen heraus: Als jene *Gestalt,* die der Mensch von sich her in seiner geschichtlichen Verwirklichung gefunden hat und in der sich (umgekehrt) die Welt in ihn eingeprägt hat, bleibt der Leib und die in ihm versammelte, personal angeeignete und durchformte Materialität unserer Welt endgültig aufgehoben.[62] Anders gesagt: Der Mensch tritt im Tod in seine Vollendung immer nur als jemand ein, der in Beziehung zu anderen Menschen steht, mit denen er in einer gemeinsamen Geschichte und Gesellschaft verbunden ist; der in Beziehung steht zur Kultur und zur Technik, welche er sich als menschliche Lebenswelt schafft; der fernerhin in Beziehung steht zur Natur, die ihm als menschliche Umwelt anvertraut ist. »Auferstehung des Leibes« meint deswegen: Der Mensch als relationales Wesen wird nur mit seinen je besonderen, bleibenden Beziehungen zur mitmenschlichen, kulturellen und natürlichen Welt vollendet, die ihn erst zu der konkreten, geschichtlichen Person machen. Diese Beziehungen brechen im Tod in ihrer empirischen, raumzeitlich gebundenen (»körperhaften«) Erscheinungsweise ab; wenn aber der Tod nicht nur Ende, sondern auch Vollendung bedeutet, dann ist der Mensch genau *in* diesen seinen geschichtlichen Bezügen endgültig »aufgehoben«.

Zusammenfassend läßt sich sagen, daß unsere Frage nach dem »Subjekt« der Vollendung von vielen katholischen Theologen der Gegenwart etwa so beantwortet wird: Es ist der Mensch in seinem leib-seelischen Bezogensein auf die Welt und damit auch die Welt in ihrer humanisierten Beziehung zum Menschen. Trotz dieses Versuches, einen krassen Dualismus in der Anthropologie und in der Eschatologie zu überwinden, wird manchem die Antwort unbefriedigend vorkommen. Denn bleibt hier als Subjekt der Vollendung nichts anderes übrig als eine anthropologisch und kosmologisch »herausgeputzte« unsterbliche Seele?[63] Ist diese im Tod gerettete »Leiblichkeit« des Menschen und seiner Welt nicht doch zu sehr

---

[62] Vgl. auch G. Greshake in: Naherwartung..., aaO. 114 ff.
[63] Vgl. die Einwände von J. Ratzinger, Eschatologie – Tod und Ewiges Leben, aaO. 96 ff.

»spiritualisiert«? Wird der eschatologische Dualismus nicht bloß verlagert auf das Verhältnis zwischen (leib-seelischer) Person und dem Körper? Das mag sein; aber ich sehe im Augenblick keine andere, einigermaßen überzeugende Theorie, die die verschiedensten Gesichtspunkte der christlichen Hoffnung auf die Auferstehung der Toten ähnlich stimmig integrieren könnte (vgl. 3. Teil, I/3e zur Vollendung der Erde »in sich« und »in ihrer Bezogenheit« auf den Menschen!). Ohne eine gewisse Polarität zwischen Geist und Materie, zwischen der Person (mit Selbstbewußtsein und Freiheit) und ihrem empirischen Körper wird – einfach vom gegebenen Phänomen der menschlichen Person her – keine Anthropologie und Eschatologie auskommen.[64] Aber muß dies immer gleich »Dualismus« genannt werden, für den doch kennzeichnend ist, daß er die Differenz zwischen zwei Polen auf Kosten der Identität, schließlich bis zur Zertrennung überbetont?

Mir scheint, daß Paulus in vergleichbarer Weise mit diesem Problem ringt, wenn er in seiner Sprache und in seinem Denkhorizont dazu schreibt:»So ist es auch mit der Auferstehung der Toten. Was gesät wird, ist verweslich, was auferweckt wird, unverweslich. Was gesät wird, ist armselig, was auferweckt wird, herrlich. Was gesät wird, ist schwach, was auferweckt wird, ist stark. Gesät wird ein irdischer (wörtlich: seelischer, psychischer) Leib, auferweckt ein überirdischer (wörtlich: geistlicher, pneumatischer) Leib. Wenn es einen irdischen Leib gibt, gibt es auch einen überirdischen« (1 Kor 15, 42–44).[65] Wir brauchen also in dieser Frage, gerade was »Dualismus« bzw. Einheit der anthropologisch-eschatologischen Hoffnung angeht, nicht paulinischer sein zu wollen als Paulus selbst.

---

[64] Vgl. G. Haeffner, Vom Unzerstörbaren im Menschen, vgl. S. 263 Anm. 43.

[65] H. J. Klauck schreibt in seinem Kommentar zum 1. Korintherbrief zu dieser Stelle:»Das Bildmaterial aus dem voranstehenden Gleichnis wird in fünf wirkungsvollen Antithesen auf die Auferstehungsfrage angewendet. ›Gesät werden‹ will man teils auf das Begraben der toten Körper oder auf die Erschaffung des irdischen Menschen einschränken, es dürfte aber allgemeiner auf die ganze Wegstrecke des Lebens mit dem Tod als Abschluß zu deuten sein. Die Sätze klingen dualistisch, was damit zusammenhängt, daß Paulus dualistische weisheitliche Traditionen verarbeitet. Seine Absicht ist dabei, den Wundercharakter des neuen Lebens herauszustellen. V. 44 ist das eigentliche Ziel der Antithesenreihe. Dem Gegensatz von ›seelischem‹ und ›geistlichem‹ Leib liegt ein dreigestuftes anthropologisches Modell mit Affinitäten zur Gnosis hin zugrunde... Mit der Sarx gehört auch die – bei Platon unsterbliche – Psyche noch auf die Seite der Vergänglichkeit, nur das Pneuma überdauert, es ist der Garant der geforderten Kontinuität. Paulus ist bestrebt, innerhalb dieses Bezugsrahmens um jeden Preis den Soma-Begriff festzuhalten. Am Leib hängt für ihn die Individualität und Identität der eigenen Person, deshalb kann er sich mit einer Unsterblichkeit der Seele nicht zufriedengeben. Vielleicht spielt der Bedingungs-

e) Die den Tod überwindende »Form der Identität« (Neuinterpretation der »Unsterblichkeit«)

Zum Abschluß dieses Kapitels wollen wir noch einmal auf die besondere Bedeutung der menschlichen *Freiheit* im Vollendungsgeschehen eingehen. Sie spielt ja – wie wir sahen – sowohl beim christlichen Verständnis des Todes wie auch bei der Deutung der Vollendung eine hervorgehobene Rolle; ist sie doch das dem Menschen eigene Vermögen, zu seiner Ganzheit und End-gültigkeit hinzufinden. Kann man von daher nun sagen, daß die Freiheit des Menschen das ist, was (vergleichbar der »unsterblichen Seele«) den Tod überdauert und die Identität des verstorbenen mit dem lebenden Menschen begründet? Sicher gilt das nur in einem gewissen Sinn. Denn nicht die menschliche Freiheit als solche ist einfachhin das Vermögen, sich selbst über den Tod hinaus »endgültig« zu setzen, sondern nur insofern sie von Gott dazu befähigt ist, zu ihm und dem Geschenk seiner Liebe ja zu sagen. Weil die schöpferische Liebe Gottes zu ihrem Geschöpf ein unbedingtes, reueloses Ja sagt (als *unendliche* Liebe kann Gottes Liebe von sich aus nicht »enden« oder sich zurückziehen und damit das Geschöpf ins Nichts zurückfallen lassen) und weil in diesem Ja Gottes die Befähigung des Menschen zum antwortenden, die Liebe Gottes annehmenden Ja liegt, darum gibt es im Menschen eine (geschenkte!) »Kraft«, die »stärker sein kann als der Tod«: Es ist die zur antwortenden Liebe befähigte Freiheit des Menschen. Auch wenn wir diese Freiheit nur in ihrer empirischen Gestalt als körperlich-leibliche Freiheit erfahren, so ist von ihrem Begriff her jedoch keineswegs ausgeschlossen, daß sie sich auch in einer anderen, diese empirisch-materielle Erfahrungsweise transzendierenden Form verwirklichen *kann*.

Daß dies auch wirklich geschieht, hoffen wir aufgrund der Auferstehung Jesu und des in ihr aufscheinenden Versprechens der Teilhabe an seinem Auferstehungsleben – »ob wir nun leben oder sterben« (vgl. Röm 14, 8). Nicht allein die Erfahrung unserer geschöpflichen Freiheit berechtigt uns dazu, auf eine endgültige Vollendung des Menschen zu hoffen; erst die Teilhabe am Leben und Sterben Jesu Christi, der die Bestimmung geschöpflicher Freiheit restlos erfüllt hat und dadurch auch unsere Freiheit aus ihrer tödlichen Selbstverschlossenheit Gott gegenüber befreit hat, erst die Teilhabe an seinem ganz geglückten, in der Auferstehung von Gott ange-

satz V. 44b auf die Auferstehung Jesu als bisher einziges Beispiel für den realisierten Übergang von psychischer zu pneumatischer Leiblichkeit an« (H. J. Klauck, 1. Korintherbrief [Die Neue Echter Bibel Bd. 7], Würzburg 1984, 118 f).

nommenen Ja zu Gott macht den Grund unserer Hoffnung aus, daß wir auch über den Tod hinaus endgültig gerettet sein werden.

In der Sprache der paulinischen Verkündigung heißt dies: »Leben wir, so leben wir dem Herrn, sterben wir, so sterben wir dem Herrn. Ob wir leben oder ob wir sterben, wir *gehören dem Herrn*« (Röm 14, 8; vgl. 1 Kor 15, 23); oder: »Wenn Jesus – und dies ist unser Glaube – gestorben und auferstanden ist, dann wird Gott durch Jesus auch die Verstorbenen *zusammen mit ihm* zur Herrlichkeit führen« (1 Thess 4, 14); denn die *»in Christus* Gestorbenen« (1 Kor 15, 18; 1 Thess 4, 16) dürfen (wie die noch Lebenden) darauf vertrauen, einmal *»immer beim Herrn«* zu sein (1 Thess 4, 17). Dieses »In«- bzw. »Mit-Christus-Sein« bedeutet die Teilnahme an seinem Leben und Sterben um des Reiches Gottes willen; es ist die glaubende Beziehung zu Jesus Christus und damit das Hineingenommensein in seine Beziehung zum Vater; es ist – wieder mit anderen Worten – das Erfülltsein vom Hl. Geist, der der gleiche ist in Jesus Christus und in den ihm Nachfolgenden. Diese im Leben und Sterben durchgehaltene Beziehung zu Jesus Christus ist das verbindende Moment zwischen Leben und Tod; es ist die durchtragende, den Tod überwindende Form der Identität, gleichsam die »Seele« des gestorbenen Menschen; sie macht ihn zum möglichen Subjekt der Vollendung.

Wenn nun der Tod wirklich die endgültige, das ganze Leben einsammelnde Phase der Identitätsfindung des Menschen ist (s. 3. Teil, II/1 b), dann geschieht für den, der Christus auch im Sterben nachfolgt, hier seine endgültige, umfassende Identifikation mit Christus. Nur das an ihm und seiner Lebensgeschichte, was in diese glaubende Beziehung zu Jesus Christus hineingeformt und somit von ihr durchformt werden kann, bestimmt jetzt noch die Identität des Menschen und läßt ihn zum erlösten Gegenüber der offenbaren und unangefochtenen Begegnung mit Gott werden.

So können wir zusammenfassend die Ausgangsfrage dieses Kapitels beantworten: Der ausschließlich in der leibhaft gelebten, glaubenden Beziehung zu Jesus Christus seine Identität findende Mensch ist das (individuelle) Subjekt der Vollendung; er ist das »soma pneumatikon« (1 Kor 15, 44), der restlos vom Geist der Liebe zwischen Vater und Sohn durchformte Mensch.

3. MOMENTE DES VOLLENDUNGSGESCHEHENS

Den Gedanken der Identitätsfindung des Menschen durch seine glaubende Beziehung zu Jesus Christus führen wir in diesem Kapitel noch etwas weiter, um mit seiner Hilfe die verschiedenen Gehalte zu deuten, die die kirchliche Glaubenstradition mit der im Tod erhofften Vollendung verbindet. Es geht uns also jetzt um die theologische »Innenseite« des Todes, die nicht in zeitlich voneinander abgehobene Phasen, sondern nur in verschieden akzentuierte, inhaltliche Momente des einen Vollendungsgeschehens differenziert werden kann. Da mit dem Eintritt des Todes *jedes* Reden von einer zeitlichen Ausdehnung dieses Geschehens sinnlos wird, kann man auch nicht sagen, das alles ereigne sich nach diesem Verständnis nun »im Augenblick« des Todes, so als ob die ganze Fülle des endgültigen Aufgehobenwerdens und -seins bei Gott in ein paar Sekunden zusammengedrängt würde. So schwierig es ist, zeitliche Kategorien in diesem Zusammenhang ganz zu vermeiden, müssen wir uns doch bei den kommenden Aussagen immer bewußt bleiben, daß hier nicht von einer weiterlaufenden »Geschichte« auf höherer Ebene, sondern von dem in sich unendlich reich differenzierten, aber unausgedehnten »Geschehen« der vollendenden Begegnung zwischen Gott und Mensch die Rede ist.

Dennoch brauchen wir uns diese Begegnung nicht als total verschieden von der bereits jetzt im Leben sich abspielenden Begegnung mit Gott vorzustellen. Viel eher dürfen wir annehmen, daß unsere jetzige Beziehung zu Gott dann ihre endgültige, restlos offenbare und unangefochtene Gestalt finden wird. Deswegen sind durchaus die verschiedenen Momente des Vollendungsgeschehens bereits im irdischen Leben vor dem Tod zu erfahren. Wenn wir den Sinn dieses Lebens im Prozeß des Hineinwachsens in die glaubende Beziehung zu Jesus Christus und durch ihn zu Gott und seinem Reich sehen, wenn diese Beziehung allein unsere den Tod überwindende Identität ausmacht und im Tod end-gültig wird, dann können wir die im Tod erhoffte Begegnung mit Gott als Geschenk der sich vollendenden und »zugleich« vollendeten Identitätsfindung des Menschen verstehen. Unter diesem Vorzeichen sollen die einzelnen, in der kirchlichen Hoffnungsgeschichte bedeutsam gewordenen Momente dieses Geschehens ausgelegt werden.[66]

[66] Vgl. zum folgenden auch G. Lohfink, Was kommt nach dem Tod?, in: G. Greshake/G. Lohfink, Naherwartung..., aaO. 208–223; G. Greshake, Stärker als der Tod, Mainz ⁸1984; G. Bachl, Über den Tod und das Leben danach, Graz 1980; J. Ratzinger, Eschatologie – Tod und Ewiges Leben, aaO. 160–193; F. J. Nocke, Eschatologie, Düsseldorf 1982, 69–78, 102–114, 125–134, 143–153; die Artikel von G. Scherer, J. Ratzinger, H. U. v. Balthasar, K. Lehmann, P. Henrici in: IKaZ 9 (1980), 193–252; H. U. v. Balthasar, Theodramatik Bd. IV, aaO. 315 ff.

a) Das »Gericht«:
Identitätsfindung durch die »richtende« Liebe Gottes

Wir rufen uns wieder in Erinnerung, was wir im ersten Teil zu der sogenannten endzeitlichen Vergeltungshoffnung gesagt haben: Das Gericht Gottes ist Ausdruck seiner »richtenden *Liebe*«; es ist primär (d.h. von der Möglichkeit der Hölle erst einmal abgesehen) ein Moment der Vollendung, also des endgültigen Hineingenommen-werdens in das Leben der dreifaltigen Liebe Gottes. Dies vorausge-setzt, lassen sich folgende drei Aspekte des Gerichtes unterschei-den:

(1) Es ist die entscheidende *Krise* jedes Lebens. Das bedeutet: Wenn ein Mensch im Leben Gottes »aufgehoben« wird, kommt es zur endgültigen Unterscheidung und Scheidung (griech.: »krisis«) zwi-schen dem, was von seiner Lebensgeschichte identifizierbar ist mit der glaubenden Beziehung zu Jesus Christus, und dem, was ihr wi-derspricht. Diese Unterscheidung vollzieht sich bereits ständig im *Leben* eines Menschen: Da, wo er (ausdrücklich oder nicht) Jesus Christus als unbedingten und endgültigen Maßstab seines Lebens anerkennt (ihn also als »Richter« über sein Leben annimmt), da steht sein Leben dauernd in der »Krisis«: nämlich ob er sich im Ge-horsam mit Christus und seiner Lebensform identifiziert oder ob er sich sündigend davon distanziert. Im Sakrament der Buße, in dem ja die Umkehr von solcher Distanzierung und die neue Identifizie-rung mit Christus geschieht, stellt sich diese »Krise« auf kirchlich-sakramentale Weise dar.

Im *Tod* ist nun das Ganze einer Lebensgeschichte diesem Maßstab unterstellt; das Leben gerät als ganzes in die »Krise«; es kann nichts mehr ausgeklammert, übergangen und verdrängt werden; alles steht in Frage, ob es in die Beziehung zu Christus integrierbar ist oder nicht. Diese umfassende »Lebenskrise« erhält im Tod, insofern er Ende *und* Vollendung beinhaltet, den Charakter des Nicht-mehr-rückgängig-machen-Könnens *und* des Endgültig-Werdens der im Leben gelebten Scheidung und Unterscheidung.

Damit ist jedoch keineswegs ein simples Festschreiben des »End-ergebnisses« eines Lebens gemeint. Das vom Menschen in die Voll-endung Eingebrachte wird dadurch erst zum endgültigen »Ergeb-nis«, daß es in die vergebende Liebe Gottes eingeborgen wird. *Sie* gibt dem Menschen die endgültige Gestalt seiner Identität, indem sie die von ihm in seinem Leben getroffene Entscheidung absolut ernst nimmt *und* sie zugleich hineinnimmt in ihr befreiendes, neues Leben schaffendes Ja zu diesem sündigen Menschen.

»Das sogenannte *Ende des Pilgerstandes* bedeutet wohl, daß die Zeit vor dem Tod günstiger, unwiederholbarer Augenblick ist, einmalige Chance der Lebenswahl, ernstes Risiko des Scheiterns. Die Theologie kann damit aber nicht meinen, ein solches Ende bedeute schlechthin den Sieg der Vergangenheit, als würde nun, nachdem das Spiel gespielt ist, Gewinn und Verlust zusammengezählt und das Ergebnis ewig gemacht. Das wäre nichts anderes als die Befestigung der Endlichkeit in ihrem unerlösten Zustand, und Gott wäre vom Schicksal oder von einer bloßen Funktion für die ewige Bedeutung dessen, was der Mensch ist, nicht zu unterscheiden. Sollte gerade in diesem Augenblick, wo der Mensch auf die lebendige Macht der Zukunft zugeht, diese sich als Maske des Gewesenen erweisen oder gar als Ohnmacht, sich dem, was der Mensch aus freier Gestaltung geworden ist, in einer lebendigen Beziehung zuzuwenden? Jenes Ende sagt nichts anderes, als daß Gott den Menschen als Person ernst nimmt, in dem Moment, nicht nur in ihm, wo er dem Menschen den Zugang in die volle Gegenwart öffnet.«[67]

(2) In dieser endgültigen Teilhabe an der Liebe Gottes wird der Mensch auch erst voll der »*Wahrheit*« seines Lebens inne. Denn in dieser umfassenden »Krisis« wird genau das in die »Unverborgenheit« seiner Selbsterkenntnis gebracht, was er in Wahrheit ist und wer er geworden ist. Es geht ihm unverdrängbar auf, was nur Schein an ihm ist, eben vertuschter Egoismus und abgelehnte Liebe; aber auch umgekehrt das, was von unbedingter Beständigkeit und Gültigkeit an ihm ist, weil es eben »wirklichkeitsgemäß«, d. h. seiner Wirklichkeit als freies, zur Liebe berufenes Geschöpf Gottes entsprechend gelebt worden ist.

Jesus ist selbst die »Wahrheit« Gottes, d. h. die restlose Offenbarkeit und die unbedingte Verläßlichkeit Gottes für uns. Deswegen bringt die sich vollendende Beziehung zu Jesus Christus den Menschen unverstellt und unverdeckt zu seiner eigenen Wahrheit und der seiner Welt; er erfährt, was »wirklich« gilt und was »Wirklichkeit« im eigentlichen Sinn bedeutet: nämlich in der unendlichen Liebe Gottes gegründet und von ihr allein bestimmt sein. Daß diese radikale Einsicht in die Wahrheit oder eher Unwahrheit seines Lebens den Menschen nicht in die tiefste Verzweiflung stürzen muß, verdankt er nur der enthüllenden Wahrheit Jesu Christi, die identisch ist mit der erscheinenden Barmherzigkeit Gottes. Von ihr »durchschaut« zu werden (vgl. Ps 139!) und an ihrem »Durchschauen« meiner selbst teilzubekommen, das macht mich nicht zunichte. Es verleiht mir vielmehr erst jene Identität, in der ich meine Endgültigkeit ertragen kann, nämlich die des für immer und restlos angenommenen »verlorenen Sohnes«.

[67] G. Bachl, aaO. 168 f.

(3) Dieses letzte Zur-Wahrheit-Finden unserer ganzen menschlichen Wirklichkeit impliziert zugleich auch, daß die menschlichen Verhältnisse »zurecht«-gerückt werden; der Friedens- und Gerechtigkeitswille Gottes schafft sich endgültig Raum; unverborgen und ungehindert erscheint sein Reich der Gerechtigkeit und des Friedens. Das bedeutet vor allem, daß die Armen und Kleinen dieser Erde, deren Hoffnungen von den Reichen und Mächtigen so oft mißachtet und unterdrückt werden, Gottes ausgleichende Gerechtigkeit erfahren dürfen. Für sie und für alle, die sich in ihrem Leben selbstlos in den Dienst dieser Gerechtigkeit Gottes gestellt haben, wird die Verheißung des Reiches Gottes endgültig erfüllt. Darin liegt ein bleibender Sinn der (apokalyptisch ausgemalten) Gerichtsgleichnisse Jesu: Gott schafft denen endgültig Recht, die unter der menschlichen Ungerechtigkeit am meisten gelitten haben. Dadurch kommt es »heraus«, wer in Wirklichkeit der »Größte« im Reich Gottes ist: eben der, der sich wie ein Kind oder ein Armer restlos von Gottes Liebe beschenken läßt.

Mit dieser Deutung des Gerichts wird die traditionelle Unterscheidung zwischen dem Gericht über den Einzelnen nach seinem Tod (als Rechenschaft über sein Leben, als »Lohn- und Strafzuteilung« für seine Taten) und dem Gericht über die Gesamtgeschichte am »Jüngsten Tag« (als Scheidung des Unkrauts vom Weizen, der Böcke von den Schafen, der endgültigen Aufrichtung des Reiches Gottes) voll beibehalten. Wir verzichten nur auf die apokalyptische Vorstellung einer doppelten, zeitlich auseinandergezogenen Gerichtsszenerie. Statt dessen verstehen wir das Gericht Gottes als ein integrales Moment des einen Vollendungsgeschehens, das in sich die drei Dimensionen der individuellen, sozialen und universalen Geschichte vereint und das sich sowohl im Tod jedes einzelnen Menschen wie auch im Prozeß des universalen Hineinsterbens aller Menschen und ihrer Welt in das vollendende Leben Gottes hinein ereignet (vgl. 3. Teil, I/3 f).

b) Die »Läuterung«:
Identitätsfindung durch die »heilend-reinigende« Liebe Gottes

Auch die »Läuterung« (bzw. das »Fegfeuer«) kann als ein (nicht zeitlich abzuhebendes) Moment des Aufgenommenwerdens in die vollendende Liebe Gottes verstanden werden.[68] Sie ist nicht ein

---

[68] Vgl. dazu J. Gnilka, Ist 1 Kor 3,10–15 ein Schriftzeugnis für das Fegfeuer?, Düsseldorf 1955; A. Stuiber, Refrigerium interim. Die Vorstellungen des Zwi-

Zwischenstadium zwischen Himmel und Hölle, sondern ein Teil der positiven Vollendung. Wenn der Mensch nämlich seine vollendete Identität ausschließlich in seiner Beziehung zu Jesus Christus findet, dann schließt dies (s. o.) bei uns Sündern notwendig die Scheidung von Wahrheit und Unwahrheit, von Integrierbarem und Nicht-Integrierbarem mit ein. Dies aber gelingt nur, indem der bleibende *Widerspruch des Selbstbehauptungswillens,* der auf dem Unwahr-Eigenmächtigen besteht, überwunden wird. Innerhalb unserer *Lebensgeschichte* erfahren wir diesen Widerspruch bei jedem Versuch, zum Willen Gottes »umzukehren«. Solche Umkehr ist immer so etwas wie ein Schwimmen gegen den Strom des Willens zum Bösen; sie erfordert die Überwindung des eigenen und des gesellschaftlichen Widerstandes gegen diese Umkehr, was oft mit einem sehr schmerzlichen Loslösungs- und Reinigungsprozeß verbunden ist. Im *Tod,* wo das Ganze der Lebensgeschichte in die Beziehung zu Christus integriert werden soll, nimmt solche Umkehr eine ganzheitliche Gestalt an: Es geht um die endgültige Abkehr vom letzten, umfassenden Selbstbehauptungswillen des Menschen, der sich nicht als ganzer »loslassen« und Gottes Liebe »überlassen« will. Diese endgültige Überwindung des sündigen Selbst-Widerspruchs in der Kraft der offenbaren Liebe Gottes ist durchaus ein schmerzlicher Heilungs- und Läuterungsprozeß. Aber erst durch ihn wird ein Mensch fähig zur umfassenden Identifikation mit Christus und darin zum endgültigen Leben in der Liebe Gottes.

Diesen »Prozeß« dürfen wir uns nicht als einen zeitlich gestreckten Vorgang nach dem Tod vorstellen, sondern als einen unaufgebbaren Aspekt der Intensität des Vollendungsgeschehens, das im Tod jedes Einzelnen sich ereignet. Durch ihn wird besonders hervorgehoben, daß das Mitleben und Mitsterben mit Christus immer auch im Zeichen des *Kreuzes* steht, also sowohl des Widerspruchs menschlicher Sünde, menschlichen Selbstbehauptungswillens gegen die Liebe Gottes wie aber auch der befreienden Überwindung dieses Widerspruchs durch die Liebe Gottes. Denn wie Jesus Christus, der selbst ohne Sünde war, am Kreuz den Widerspruch der Menschheitssünde auf sich nimmt, ihn aushält und ausleidet, indem er darin gegen allen Augenschein an der Hoffnung auf den heilbringenden Gott festhält und so den Tod selbst zum Ort dieser Liebe macht;

schenzustandes und die frühchristliche Grabeskunst, Bonn 1957; E. Fleischhack, Fegfeuer. Die christlichen Vorstellungen vom Geschick der Verstorbenen geschichtlich dargestellt, Tübingen 1969; K. Rahner, Fegfeuer, in: Schr. z. Th. XIV, Einsiedeln 1980, 435–449; J. Le Goff, Die Geburt des Fegefeuers, Stuttgart 1984; G. L. Müller, »Fegfeuer«. Zur Hermeneutik eines umstrittenen Lehrstücks in der Eschatologie, in: ThQ 166 (1986), 25–39.

und wie Jesus genau dadurch zu seiner vollendeten Identität als auf-
erstandener Christus findet, so erfährt der sündige Mensch in der
Teilnahme an diesem Sterben und Auferstehen Jesu in sich selbst die
Macht der sich Gott widersetzenden Sünde, die aber vor der Übermacht der heilend-vergebenden Liebe Gottes weichen muß. Sie verliert ihre Macht als identitätsbestimmende Verneinung und bleibt
nur als vergebene Sünde ein Moment der von Gott endgültig bejahten und damit geheilten Identität des Menschen.[69]
Als Ansatz einer *biblischen* Grundlage für diese Sicht des Gerichtes
läßt sich durchaus mit der theologischen Tradition 1 Kor 3, 11–15
heranziehen (neben Offb 1, 14; Hebr 12, 29; Dan 10, 6; Jes 66, 15 f):

> »Denn einen anderen Grund kann niemand legen als den, der gelegt ist:
> Jesus Christus. Ob aber jemand auf dem Grund mit Gold, Silber, kostba-
> ren Steinen, mit Holz, Heu oder Stroh weiterbaut: das Werk eines jeden
> wird offenbar werden; jener Tag wird es sichtbar machen, weil es im
> Feuer offenbart wird. Das Feuer wird prüfen, was das Werk eines jeden
> taugt. Hält das stand, was er aufgebaut hat, so empfängt er Lohn. Brennt
> es nieder, dann muß er den Verlust tragen. Er selbst aber wird gerettet
> werden, doch so wie durch Feuer hindurch.«

An diese Stelle hat sich in der Vergangenheit oft eine buchstäbliche,
in einen massiven Fegfeuer-Materialismus abgleitende Deutung angehängt. Demgegenüber dürfte der gültige Sinngehalt der Aussage
darin liegen, im »Feuer« ein Bild für das Angesicht des kommenden
und richtenden Herrn zu sehen, zumal für die Majestät und Herrlichkeit seiner Liebe. Im unverhüllten Gegenüber zu ihm wird der
sündige, sich widersetzende Mensch geläutert und verwandelt –
»wie durch Feuer hindurch«.
Als bedeutsame *lehramtliche* Texte zum »Purgatorium« können genannt werden:
(1) Der Brief Papst Clemens' VI. über die Wiedervereinigung der
Armenier (1351):

> »Vom Reinigungsort: wir fragen: hast du geglaubt und glaubst du an
> einen Reinigungsort, in den die Seelen aller derer hinabsteigen, die in der
> Gnade sterben, aber noch nicht durch vollständige Buße für ihre Sünden
> genug getan haben? Ebenso: hast du geglaubt und glaubst du, daß ihre
> Feuerqual nur zeitlich ist und daß sie nach ihrer Reinigung sofort, auch

---

[69] G. Ebeling sieht die annehmbare Wahrheit der Rede vom »Fegfeuer« in dem,
»was das Sein in der Welt vor Gott notwendig enthält, nämlich ein Leiden an
der Welt und an mir selbst und erst recht ein Leiden an Gott und seiner Ferne.
Dies gilt es zum Objekt des weltüberwindenden Glaubens zu machen und inmitten der peinvollen Bedrängnisse sich der Hoffnung auf die Herrlichkeit Gottes zu rühmen (Röm 5, 2), einer Hoffnung, die Gott gegen den Tod recht gibt«
(Dogmatik des christlichen Glaubens Bd. III, Tübingen 1979, 463).

vor dem Tag des Gerichtes, zur wahren und ewigen Seligkeit gelangen, die in der Anschauung Gottes von Angesicht zu Angesicht und in der Liebe besteht?« (DS 1066 f/NR 906).

Bei diesem Text ging es im Zuge von Einigungsgesprächen mit der Ostkirche darum, die Tatsache eines Reinigungs*ortes* mit einer zeitlich-vorübergehenden Reinigung von noch ungebüßten läßlichen Sünden festzuhalten.

(2) Der Lehrentscheid des Konzils von Trient über den Reinigungsort (1563):

> »Erleuchtet vom hl. Geiste, schöpfend aus der hl. Schrift und der alten Überlieferung der Väter, hat die katholische Kirche auf den hl. Konzilien und zuletzt auf dieser Allgemeinen Versammlung gelehrt: es gibt einen Reinigungsort, und die dort festgehaltenen Seelen finden eine Hilfe in den Fürbitten der Gläubigen, vor allem aber in dem Gott wohlgefälligen Opfer des Altares« (DS 1820/NR 907).

Aus dem Rechtfertigungsdekret des Trienter Konzils (1547):

> »Wer behauptet, nach erlangter Rechtfertigungsgnade werde jedwedem bußfertigen Sünder die Schuld so erlassen und die Strafwürdigkeit für die ewige Strafe so getilgt, daß auch keine Strafwürdigkeit zu einer zeitlichen Strafe mehr abzubüßen bleibe, sei es in diesem Leben oder im zukünftigen, im Fegfeuer, bevor der Zugang zum Himmelreich offensteht, der sei ausgeschlossen« (DS 1580/NR 848).

Diese Texte sind gegen die Reformatoren und ihre Ablehnung der Fegfeuerlehre formuliert. Deren Ablehnung bezog sich vor allem auf die abergläubischen Elemente der damit verbundenen Vorstellungen (z. B. Loskauf von armen Seelen durch Gebet und Geld usw.). Sie lehnten ein Fegfeuer aber auch deswegen ab, weil sie darin eine Form der Werkgerechtigkeit noch im Jenseits sahen: Der Verstorbene muß sich erst noch durch eine letzte Buße den Himmel verdienen, worin er durch Gebet und Opferwerke der Lebenden unterstützt wird. Eine solche Vorstellung, die zweifellos in Lehre und Volksfrömmigkeit verbreitet war, widerspricht in der Tat dem reinen Gnadencharakter der Vollendung. Der Sinn, warum die katholische Kirche dennoch die Läuterung betont, liegt darin, daß der geschichtliche Prozeß der Buße und Umkehr *auch* ein Moment des Todes und der Vollendung des Menschen darstellt, insofern hier erst die *endgültige,* von Gottes Liebe gewirkte und den im Glauben gerechtfertigten Sünder reinigende Integration seines *ganzen* Lebens in die Beziehung zu Christus geschieht (vgl. das im 3. Teil, I/3d über das Gebet für die Verstorbenen Gesagte).

c) Der »Himmel«:
Identitätsfindung durch die »beglückende« Liebe Gottes

Mit dem, was wir als »Himmel« erhoffen, ist wiederum nicht ein Zustand »nach« Gericht und Läuterung gemeint, sondern ein anderes hervorgehobenes Moment des einen Vollendungsgeschehens: nämlich die endgültig *geglückte* Identität eines Menschen und seiner Welt. Seine volle Bestimmung als Mensch findet der Einzelne erst da, wo er ganz »aufgeht« in seiner Beziehung zu Christus. Darin erst ist seine Freiheit von aller Unfreiheit und aller Unwahrheit befreit – eben zur ungehinderten Teilnahme am Leben des Auferstandenen. Und genau dies bedeutet ein glückendes Hineingenommensein in die Beziehung Jesu zu seinem Vater, dem schöpferischen Grund unendlicher Liebe, *und* in die heilend-befreiende Beziehung Jesu zu den Menschen, die alle in diese Liebe einbezogen werden sollen. Erst diese Identität der von Christus ganz befreiten und auf die unendliche Weite der Liebe Gottes hin ausgeweiteten Freiheit bringt die schönsten und d. h. auch die menschlichsten Möglichkeiten eines Lebens zur Erfüllung. Beruht sie doch jetzt auf dem restlos gelungenen Übereinstimmen von *geschenkter* und *angenommener* Identität; das Geschenk des Hineingenommenseins in Jesu Beziehung zum Vater und zu den Menschen kommt endlich ganz beim Menschen an, weil er jetzt ganz für sie geöffnet ist und sich ganz von ihr durchformen läßt.

Innerhalb der *Lebensgeschichte,* in der Menschen miteinander versuchen, alle Lebensbereiche in ihre Beziehung zu Christus zu integrieren und so »ganz« sein zu wollen (vgl. Gen 17, 1), ist diese Identität bereits »realsymbolisch« gegeben, ist bereits ein Stück »Himmel auf Erden« vorweggenommen. Im *Tod* nimmt diese Identität eine endgültige und umfassende Gestalt an; sie ergreift alle Dimensionen des Menschseins und ist zugleich freigeworden von aller Anfechtung durch den sündigen Selbstbehauptungswillen des Menschen, der innerhalb der Geschichte die volle, geglückte Integrität des Menschen verhindert.

Gehen wir in diesem Zusammenhang noch auf einige *traditionelle Vorstellungen* ein, wie sie sich etwa in der kirchlichen Verkündigung, in der Frömmigkeit und in lehramtlichen Äußerungen (etwa in »Benedictus Deus«, s. o.) niederschlagen:

(1) Ist der »Himmel« vorzustellen als ein »*Ruhe*-Zustand« ungetrübten und endlosen Daseinsgenusses, als »ewige Ruhe«? Wenn unter »Himmel« das Geschenk geglückter Identität verstanden wird, dann meint dies vor allem das *Geschehen* des *immer neuen Glückens* von empfangener und angenommener Liebe Gottes, das

sich in seiner Vollendung nie selbst »still-legt«, als ob jetzt alles »ge-laufen« wäre. Die Seligkeit des Himmels besteht vielmehr im Zu-sammenstimmen von Gegenwart, Dauer, Endgültigkeit der emp-fangenen Liebe *und* von der Zukünftigkeit des immer Neuen, des immer noch Schöneren, des immer Einmaligen und nie Auszu-schöpfenden dieser Liebe. »Die Begegnung mit Gott ist keine ewige Ruhe, sondern ungeheures und atemberaubendes Leben, ein Sturm von Glück, der uns hinwegreißt, aber nicht irgendwohin, sondern immer tiefer in die Liebe und in die Seligkeit Gottes hinein.«[70]

(2) Was ist mit dem unmittelbaren »*Schauen* Gottes von Angesicht zu Angesicht«, mit der »*Schau* der göttlichen Wesenheit« gemeint (vgl. DS 1000/NR 902 f)? In dem Lehrentscheid »Benedictus Deus« steht bei dieser Formulierung im Hintergrund die mittelalter-liche Dominikanertheologie (z. B. eines Albertus Magnus, eines Thomas von Aquin), nach welcher die höchste Seligkeit der begna-deten menschlichen Natur in der Vollendung ihrer *intellektuellen* Erkenntnisfähigkeit besteht. Diese wird als »Schau Gottes von An-gesicht zu Angesicht« vorgestellt (und weniger als Liebe zu Gott, wie in der Franziskanertheologie z. B. des hl. Bonaventura). Dabei wird auf biblische Aussagen wie Mt 5,8 (»Sie werden Gott schauen«), 1 Kor 13,12 (»Dann aber schauen wir von Angesicht zu Angsicht«), 1 Joh 3,2 (»Denn wir werden ihn sehen, wie er ist«) und Offb 22,4 (»Sie werden sein Angesicht schauen«) usw. zurückge-griffen. Was die »Unmittelbarkeit« dieser Begegnung angeht, so soll mit dieser Aussage nicht die Vermittlung durch Christus und seinen vollendeten Leib, die Kirche, aufgehoben werden. Vielmehr werden wir im »Himmel« gemeinsam mit hineingenommen in die unmittelbare Beziehung des Sohnes zum Vater. So bleibt unsere Gemeinschaft mit Gott immer eine durch Christus und seinen Leib »vermittelte Unmittelbarkeit«.

Von daher erklärt sich auch der Sinn der Redeweise »von Angesicht zu Angesicht«. In dieser vollendeten Teilhabe an der Gottesbezie-hung Jesu zeigt sich uns der Grund unserer gesamten Wirklichkeit unverborgen als sich unendlich verschenkende Liebe. Diese Liebe wird dadurch kein »Gegenstand« unserer Erfahrung wie andere bzw. neben anderen. Das Hineingenommenwerden in die Bezie-hung Jesu zum Vater macht uns vielmehr alle geschöpflichen Ge-genstände unserer Erkenntnis und unseres Willens restlos transpa-

---

[70] G. Lohfink, Was kommt nach dem Tod?, aaO. 212; H. U. v. Balthasar, Theo-dramatik Bd. IV, aaO. 341 ff; H. Häring, Was bedeutet Himmel?, Zürich 1980; W. Beinert, Der Himmel ist das Ende aller Theologie, in: ThPQ 134 (1986), 117–127.

rent für Gottes Liebe. Wir können jetzt Gott unangefochten »in allen Dingen finden«.

Der Gegensatz zwischen »Glauben« (hier auf Erden) und »Schauen« (im Himmel) wird in der christlichen Verkündigung oft viel zu vordergründig dargestellt – etwa nach dem Modell: Wir glauben, daß Australien existiert; wenn wir aber hinfahren, können wir selbst sehen, daß und wie es existiert. Demgegenüber bedeutet »Glauben« im theologischen Sinn die Anerkennung des restlosen Gegründetseins in Gott; und dies wird auch im Tod nicht etwas völlig anderes sein: Es vollendet sich da zu einem alles umfassenden Sich-Gott-Anvertrauen, um unangefochten und offenbar an der Beziehung Jesu zum Vater teilzubekommen (= »Schauen«).

(3) Gegen solche und ähnliche Vorstellungen des »Himmels« erhebt sich oft ein schwerwiegender *Einwand:* Trennt der Himmel nicht die »Seligen« vom Schmerz und den Konflikten der weiterlaufenden Geschichte? Bedeutet Vollendetsein also doch so etwas wie ein vollständiger Auszug aus der Geschichte? Wie kann dann aber die Vollendung ein Geschenk jenes Gottes sein, der in *dieser* Geschichte wirkt und sie ins Reich Gottes hinüberführen will? Auf diese Frage läßt sich so antworten: »Himmel« besagt mitnichten ein weltloses Gott-Schauen oder in Gott »Versenktsein«. Vielmehr erhoffen wir von ihm die unangefochtene Erfahrung, *alles* Geschehen in der Liebe Gottes gegründet zu sehen – auch das Leid, den Schmerz und den Tod, die geschichtlich nicht durchschaubare Sinnlosigkeit und Ungerechtigkeit usw. Diese Erfahrung wird uns durch die volle Teilnahme am »auferstandenen« Glauben Jesu vermittelt, der auch im Tod daran festhielt, daß Gott ein Gott des Heils ist und sich als solcher gerade auch im Kreuzestod seines Sohnes manifestiert. Die Berechtigung dieses Glaubens Jesu erweist sich für ihn und für uns in seiner Auferstehung von den Toten; denn hier »offenbart« sich Gott als der unbedingt liebende und heilende Grund aller Wirklichkeit. Genau dies ganzheitlich (d. h. in allen Dimensionen unseres Menschseins) und unangefochten zu erfahren, erhoffen wir vom »Himmel«.

Dies nimmt jedoch nicht den Schmerz einer mit dem Leid der Geschichte solidarischen Liebe hinweg. Weil es eine Seligkeit der *Liebe* ist, die wir erhoffen, schließt sie die Verwundbarkeit und das Mitleiden am Leid anderer bleibend mit ein. Die Herrlichkeit des Himmels ist die des auferstandenen Gekreuzigten, des »geschlachteten Lammes« der Apokalypse. Seine Solidarität mit dem Leid der Geschichte endet nicht in seiner Erhöhung. Wer also am »Himmel« Jesu Christi teilbekommt, nimmt damit auch teil an seiner Solidarität mit den Leidenden der Geschichte. Allerdings so, daß jedes, auch das uns (innergeschichtlich) am sinnlosesten erscheinende Leid als ein in der Liebe Gottes integriertes und damit erlöstes Geschehen *erfahren* wird. Das ungebrochene Gott-Finden wirklich in *allen* Dingen macht den »Himmel« unseres Glaubens aus und bestimmt auch das Verhältnis der vollendeten zur weitergehenden Geschichte.

Diese Erfahrung wird auch dann nicht anders sein, wenn einmal die konfliktive Geschichte auf dieser Erde nicht mehr weitergehen sollte, wenn also alle Menschen hineingestorben sind in die unverhüllte Begegnung mit Gott. Denn auch das vergangene Leid der Geschichte wird in der Vollendung nicht verdrängt oder vergessen. Jesus Christus hört eben nie auf, das für uns »geschlachtete Lamm« zu sein (Offb 5, 6. 12 f), also die Stigmata der Geschichte und seiner Solidarität mit ihr an sich zu tragen. Die wirklich christliche Hoffnung auf den »Himmel« erwartet nicht das selige, unbeschwertweltvergessene Elysium der Unsterblichen, sondern die »Hochzeit des Lammes« (Offb 19, 7 f), d. h. die versöhnende Vereinigung von menschlicher Geschichte (repräsentiert in der geretteten Märtyrerkirche) und göttlicher Liebe (repräsentiert im auferstandenen Gekreuzigten). In dieser Versöhnung bleibt das Leid der Geschichte unvergessen, jedoch als ein von jeder Sinnlosigkeit erlöstes »aufgehoben«.

4. DAS THEOLOGISCHE PROBLEM DER »HÖLLE«: EINE »NEGATIVE« VOLLENDUNG?

Wir haben bisher die verschiedenen positiven Momente des einen Vollendungsgeschehens dargestellt. Nun enthält die christliche Hoffnungstradition aber auch die Rede von der »Hölle«, also dem ewigen Verlorensein derjenigen, die sich der Liebe Gottes (auch in ihren vielen »anonymen« Vermittlungsformen) ganz und gar verschlossen haben. Gibt es demnach so etwas wie eine »negative Vollendung«? Scheint das nicht ein Widerspruch in sich zu sein? Zweifellos gehört die Lehre von der Hölle zu den problematischsten Gehalten der christlichen Eschatologie.[71]

Einerseits ist in vielen Schriften des Neuen Testaments, gerade auch in der Verkündigung Jesu von der Hölle die Rede (vgl. Mt 22, 1–14: das Gleichnis vom königlichen Hochzeitsmahl; Mt

---

[71] Vgl. zum folgenden auch G. Greshake, Heil *und* Unheil? Zu Bedeutung und Stellenwert von Strafe und Sühne, Gericht und Hölle in der Heilsverkündigung, in: ders., Gottes Heil – Glück des Menschen, Freiburg 1984, 245–276; H. U. v. Balthasar, Theodramatik Bd. IV, 223–293.

25, 1–13: das Gleichnis von den zehn Jungfrauen; Mt 25, 31–46: das Gleichnis vom Weltgericht; Mt 18, 8 f: die Warnung Jesu vor der Hölle usw.). Auch in der Lehrtradition der Kirche nimmt die Hölle einen unangefochtenen Platz ein. So heißt es z. B. im sogenannten Athanasianischen Glaubensbekenntnis »Quicumque« (das zwischen dem Ende des 4. und dem Ende des 6. Jh.s entstand) am Schluß: »Und die, welche Gutes getan haben, werden eingehen zum ewigen Leben, die aber Böses getan haben, ins ewige Feuer« (DS 76/NR 916). Oder in »Benedictus Deus« (DS 1002/NR 905): »Wie Gott allgemein angeordnet hat, steigen die Seelen derer, die in einer tatsächlichen schweren Sünde verschieden, sofort in die Hölle hinab, wo sie von höllischen Qualen gepeinigt werden.« *Anderseits* aber scheint diese Aussage nur schwer mit unserem Gottesverständnis vereinbar zu sein. Denn Gott will doch ausschließlich das Heil aller Menschen; er ist der unbedingt heilende und rettende Gott – das ist die Botschaft Jesu, die er gerade mit seinem Tod noch verkündete und die in seiner Auferstehung von Gott selbst endgültig bestätigt wurde. Deswegen hat die Kirche ja auch nie die Lehre Augustins von der »doppelten Prädestination« angenommen; sie hat es stets entschieden abgelehnt, daß es von Gott her eine »Vorherbestimmung zur Verdammnis« geben könne.

Aber auch von unserer Vorstellung der Vollendung her kommen wir mit der Lehrtradition über die Hölle in Schwierigkeiten: »Vollendung« verstehen wir ja als das von Gott geschenkte Aufgehobensein einer Lebensgeschichte in der endgültigen Gemeinschaft mit Christus, also in einer ganz und gar *positiven* Sinngestalt. Wie soll es dieses Aufgehobensein nun aber in einer grundsätzlich *negativen* Form geben können, nämlich als das end-gültig bleibende Sich-Verweigern gegenüber der angebotenen Beziehung zu Jesus Christus und damit gegenüber dem Hineingenommensein in die Beziehung Christi zum Vater? Was ermöglicht denn überhaupt eine solche Endgültigkeit mit negativen Vorzeichen? Die im Glauben und in der Liebe vollzogene Teilhabe am Leben, Sterben und Auferstehen Jesu, also die den Tod überwindende Gemeinschaft mit ihm, bildet zwar den ermöglichenden Grund des positiven Aufgehobenseins eines Lebens im Leben Gottes. Aber sie kann ja nicht den Grund für ein negatives Aufgehobensein abgeben, da ja der so »Verlorengehende« sich gerade *gegen* jede Teilhabe am Leben Christi verschlossen hat. Wo kommt also die Kraft zur Endgültigkeit eines Daseins her, wenn sie nicht aus der gelebten Teilhabe an der Liebe Gottes stammt? Die Vorstellung, daß Gott zunächst einmal jeden Menschen im Tod auferweckt und aufgehoben sein läßt, gleichgültig, wie er gelebt hat, und erst dann die Unterscheidung in positive und negative Endgültigkeit trifft, kommt uns heute allzu anthropomorph und mythologisch vor; erscheint hier doch Gott als »Deus ex machina«, der ohne jede geschöpfliche Vermittlung von außen in die Schöpfung eingreift und per Dekret eine endgültige Scheidung zwischen Guten und Bösen herbeiführt. Wäre – so etwas einmal vorausgesetzt – dann nicht eine »annihilatio«, also das Verlöschen eines sich im Leben ganz der Liebe verschließenden Menschen und seiner Lebensgeschichte im Tod die angemessenere Lösung, wenn er sich schon bewußt und ganzheitlich gegen jede Form des Beschenktwerdens von der Liebe Gottes und des Weitergebens dieser Liebe entschieden hat?

Diese Fragen sind nicht leicht zu beantworten. Ich möchte hier nur einige Ansätze zu einer Antwort vorlegen.

a) Positive Vollendung (»Himmel«) und negative Endgültigkeit (»Hölle«) einer Lebensgeschichte stehen grundsätzlich nicht auf der gleichen Stufe; sie sind keine von Gott her gleichmöglichen Alternativen für den Ausgang eines menschlichen Lebens. Wenn der Tod wirklich Endgültigkeit und Vollendung einschließt, dann wird von Gott aus allein das Heil, die vollendete Gemeinschaft mit ihm als Gabe der Auferstehung geschenkt. Gott ist nicht der Geber von letztem Heil *und* letztem Unheil. Der Grund für eine negative Endgültigkeit kann nur im Menschen selbst liegen.

b) Vielleicht kann das mit »Hölle« Gemeinte verstanden werden als eine analoge Übertragung der geschichtlich erfahrenen Möglichkeiten der Freiheit, die sich von Gott befreien läßt, auf die Möglichkeiten einer sich dieser Liebe verschließenden Freiheit. D. h., zu der Freiheit, die sich ganz in die Beziehung zu Jesus Christus hineingibt und darin von Gott im Tod zu ihrer Endgültigkeit gebracht wird, wird ein »Gegenmodell« entworfen, eben das Modell einer Freiheit, die sich nicht auf Christus beziehen will und die im Tod allein das von ihr selbst Getane und Behauptete *behält* (nicht aber von Gott erhält). Ihre unbedingte Selbstbehauptung wird endgültig – als Bild einer letzten Sinngestalt von Freiheit, die ganz allein auf sich gesetzt und gebaut hat und im Tod ihre äußerste Möglichkeit ausschöpft, nämlich *als* Selbstbehauptung endgültig zu werden.

In der christlichen Tradition dürfte genau dies mit »Hölle« gemeint sein: Sie wird als eine reale Möglichkeit der menschlichen Freiheit betrachtet, insofern diese ganz und gar aus sich selbst heraus lebt und stirbt und sich in keiner Weise verdanken will. Ob diese Möglichkeit jemals realisiert worden ist oder noch wird, dürfen wir offen lassen. Aber als *Möglichkeit* hält der christliche Glaube an ihr fest, und zwar vor allem, um das unersetzbare Gewicht der menschlichen Lebensgeschichte, ihrer freien Entscheidung auch gegen das angebotene Geschenk der Liebe Gottes zu betonen. Heilende Gemeinschaft mit Christus gibt es eben nur für den, der sich darin von sich aus positiv einbeziehen läßt. Gott beglückt mit seiner Liebe niemanden »zwangsweise«; er hat ja gerade menschliche Freiheit *als* solche schöpferisch freigesetzt, damit sie sich frei ihm liebend zuwenden kann. Wo sie dies nicht tut, stößt die Liebe Gottes an ihre selbstgesetzten Grenzen. Sie kann nicht gegen ihr eigenes Wesen als Liebe handeln und so das Nicht-Wollen des anderen einfach übergehen, um ihn doch noch zu retten.

c) Trotzdem bleibt die Frage noch offen: Woher stammt diese *reale Möglichkeit* der menschlichen Freiheit zur Endgültigkeit über den Tod hinaus? Ist es doch eine »natürliche«, der Freiheit »an sich« eigene Möglichkeit, die schon vorgängig zu ihrer Entscheidung für die Liebe Gottes und damit der Partizipation an *deren* Unzerstörbarkeit gegeben ist? Kommt der menschlichen Freiheit also eine Art »natürliche Unsterblichkeit« zu? Zweifellos eignet der Freiheit wesentlich die *Intention* auf Endgültigkeit hin (z. B. in ihrer Wahrheitssuche: daß die erkannte Wahrheit ein für allemal wahr bleibe; in ihrer Liebe: daß der andere und meine Beziehung zu ihm endgültig und unwiderruflich sei; im Versprechen der Treue usw.). Aber daß diese Intention auch eine reale Endgültigkeit über den Tod hinaus erreicht, und zwar eine solche, die die Endgültigkeit des *Subjekts* der Freiheit bedeutet (nicht nur einer Erkenntnis oder Entscheidung dieses Subjekts, die natürlich auch über den Tod hinaus Geltung besitzen können), dafür kann die Philosophie zwar durchaus positive Hinweise aufzeigen (z. B. im Sinn eines notwendigen Postulats der Sittlichkeit oder einer geistmetaphysischen Möglichkeitsbedingung für die Selbsterkenntnis).[72] Aber damit scheint noch kein hinreichender Grund für eine absolut negative End-gültigkeit der Freiheit gegeben zu sein. Eine (im Tod geschehende) Selbstaufhebung jener Freiheit, die sich sowohl der sittlichen Forderung des unbedingt Guten wie auch der geistigen Selbsterkenntnis in ihrer letzten Tiefe (= Geist als Liebe) verschlossen hat, bliebe als eine denkbare Alternative noch immer plausibel.

Vermutlich läßt sich einzig von einer *Theologie* der *Schöpfung* her die prinzipielle Möglichkeit der menschlichen Freiheit verstehen, sich auch über den Tod hinaus end-gültig zu bestimmen. Das von Gott Geschaffensein schließt ein unwiderrufliches Ja des Schöpfers zu seinem freien Geschöpf, eine unzerstörbare Treue Gottes zu ihm ein (s. 3. Teil, II/2 c). Diese Bejahung durch Gott gibt den ontologischen Grund für das Dasein des Menschen ab. Sie bestimmt zuin-

---

[72] Dazu G. Haeffner, Vom Unzerstörbaren im Menschen, aaO.

nerst das Sein der menschlichen Freiheit, indem sie ihr eine unaufhebbare, seinsmäßige (also der bewußten Entscheidung vorausliegende) »Positivität« verleiht, die durch nichts, weder durch die menschliche Ablehnung Gottes noch durch den Tod vernichtet und so in »Nichts« aufgelöst werden kann. Selbstverständlich ist dieses Ja Gottes darauf ausgerichtet, den Menschen in eine endgültig positive Vollendung hineinzutragen und nicht in die negative Verlorenheit der Hölle. Aber dieses Ja trägt den Menschen auch da noch, wo er sich gegen es entscheidet. Gottes unendliche Liebe nimmt zwar ihre selbstgesetzte Grenze an der menschlichen Entscheidungsfreiheit an, aber sie »endet« dabei nicht so, daß sie sich selbst als bejahende Liebe aufhebt. Sie läßt auch das sich ihr versagende Geschöpf nicht schlechthin fallen.

d) Führt diese durchtragende Treue Gottes aber nicht doch letztendlich jedes freie Geschöpf zum Heil? Kann sie sich denn auf eine »neutrale« ontologische Daseinsbegründung des Geschöpfes beschränken? Oder findet sie nicht doch einen Weg, um jeden Menschen zu seinem endgültigen Heil in sich einzubergen, ohne dabei seine Freiheit zu verletzen? Von Origenes und manchen anderen Kirchenlehrern (z. B. Gregor von Nyssa, Diodor von Tarsus, Evagrius Ponticus) wurde in diese Richtung gedacht. Ihre Hoffnung nahm die Gestalt der sogenannten »*Apokatastasis*«-Lehre an, die mit der Allversöhnung am Ende der Zeiten rechnet. Darunter wird die »Wiederherstellung der ganzen Schöpfung einschließlich der Sünder, Verdammten und Dämonen zu einem Zustand vollkommener Glückseligkeit« verstanden.[73] Im Hintergrund steht die neuplatonische Idee, daß das Böse letztlich nichtig, ein Nichts an Wirklichkeit sei und deswegen bei der Vollendung der Welt auch offen als solches hervortreten werde, d. h. ins Nichts zurückfalle. Zugleich spielt aber auch die Kreuzestheologie dabei eine große Rolle: Gott stirbt in Jesus am Bösen, und dadurch stirbt das Böse endgültig an der Liebe Gottes.

Von der Kirche ist die Apokatastasis-Lehre auf der Regionalsynode von Konstantinopel (543) ausdrücklich verurteilt worden:

> »Wer sagt oder glaubt: die Strafe der bösen Geister und gottlosen Menschen sei nur zeitlich und werde nach bestimmter Zeit ein Ende nehmen, und dann komme eine völlige Wiederherstellung (Apokatastasis) der bösen Geister und gottlosen Menschen, der sei ausgeschlossen« (DS 411/NR 891).

---

[73] J. Loosen, Art. »Apokatastasis« II (dogmatisch), in: LThK 1, Freiburg 1957, Sp. 709; H. U. v. Balthasar, Theodramatik Bd. IV, aaO. 223 ff.

Diese Verurteilung rechtfertigt sich insofern, als die »bösen Geister« als personifizierter Ausdruck des Bösen schlechthin von Gott nicht »wiederhergestellt« werden können.[74] Das Böse *als* solches ist nicht von Gott »wiederherstellbar«, versöhnbar und integrierbar; es kann nur durch seine Vergebung überwunden werden. Damit ist aber noch nicht geklärt, ob nicht »die Bösen« als die Subjekte bösen Tuns durch Gottes Vergebung endgültig mit ihm versöhnt und »wiederhergestellt« werden können. Um jedoch den unbedingten Ernst der einmaligen irdischen Lebensgeschichte und ihre Entscheidungen nicht aufzuheben oder zu verharmlosen, hat die Kirche diese Lehre der Allversöhnung nicht akzeptiert. Wir dürfen und sollen zwar in einer universalen Solidarität der Hoffnung darauf vertrauen, daß kein Mensch sich so vollständig der Liebe Gottes verschließt, daß er im Tod in eine endgültige Kommunikationslosigkeit und Einsamkeit versinkt. Wir müssen auch in der hoffenden Leidenschaft für die guten Möglichkeiten der Liebe Gottes alles daran setzen, um durch unser Zeugnis Menschen für sie »aufzuschließen«. Aber ein theologisch-systematisierbares Wissen, daß es die Hölle nicht gibt, dürfen wir uns nicht anmaßen. Wir müssen mit ihrer realen Möglichkeit rechnen, zugleich dabei aber hoffen, daß sie für niemanden Wirklichkeit wird.

H. U. v. Balthasar gibt dieser Hoffnung heute eine ansprechende theologische Form. Sein Anliegen besteht darin, die universale Heilszuversicht (gerade der östlichen Kirchenväter) mit dem Freiheits- und Verantwortungsbewußtsein der westlichen Theologie zu vereinen, also zum einen unverkürzt die allumfassende Erlösungsmacht der gekreuzigten Liebe Gottes zu verkünden, die uns Hoffnung gibt, daß alle gerettet werden und es keine »Hölle« gibt, und zugleich die Freiheit des Menschen nicht zu einem Kinderspiel zu degradieren, über die sich Gott in väterlicher Güte einfach hinwegsetzen könnte. Die Einheit von beidem sieht er gewahrt in einer Theologie des *Karsamstag,* des »Descensus ad inferos« (»des Abstiegs in das Reich des Todes«): In der Liebe des gekreuzigten Gottes gibt es für jeden eine endgültige Gemeinschaft mit Christus über den Tod hinaus. Allerdings gilt dies für den sich Verweigernden, auf seine Selbstbehauptung bis zum letzten Bestehenden in einer ganz anderen Weise als für den sich der Liebe Christi Öffnenden. Der sich verweigernde Mensch begegnet im Tod vor allem der Solidarität des »toten Christus mit den Toten«, d. h. mit den im theologischen Sinn »Toten«, den alle Kommunikation absolut Verweigernden.

---

[74] Vgl. H. Vorgrimler, Hoffnung auf Vollendung, aaO. 161 f.

»In diese Endgültigkeit (des Todes) steigt der tote Sohn ab, keineswegs mehr handelnd, sondern vom Kreuz her jeder Macht und eigenen Initiative entblößt, als das rein Verfügte, als der zur reinen Materie Erniedrigte, restlos indifferente Gehorsame, unfähig zu jeder aktiven Solidarisierung, erst recht zu jeder ›Predigt‹ an die Toten. Er ist (aus einer letzten Liebe aber) tot mit ihnen zusammen. Und damit stört er die vom Sünder angestrebte absolute Einsamkeit: der Sünder, der von Gott weg ›verdammt‹ sein will, findet in seiner Einsamkeit Gott wieder, aber Gott in der absoluten Ohnmacht der Liebe, der sich unabsehbar in der Nicht-Zeit mit dem sich Verdammenden solidarisiert. Das Psalmwort: ›Wollte ich in der Unterwelt lagern, so bist du auch dort‹ (Ps 139, 8) erhält damit einen ganz neuen Sinn. Und auch das ›Gott ist tot‹, als eigenmächtiges Dekret des Sünders, für den Gott das Abgetane ist, erhält einen ganz neuen, objektiv von Gott selbst her gesetzten Sinn.«[75]

In dieser Gestalt der Gemeinschaft mit Christus zeigt sich die Liebe Gottes als jene »Macht«, die den Sünder nicht übermächtigt und gegen seinen Willen »zum Heil zwingt«; die ihn vielmehr in der gleichsam stummen Gebärde des Dabeiseins begleitet in die letzte Einsamkeit hinein. Wie dieser Mensch eine solche »Begleitung« an sich erfährt, muß offen bleiben. Für die *universale* Hoffnung des Glaubens genügt dies: »Nur in der absoluten Schwäche will Gott der von ihm geschaffenen Freiheit das Geschenk der jeden Kerker aufbrechenden und jede Verkrampfung lösenden Liebe vermitteln: in der Solidarisierung von innen mit denen, die alle Solidarität verweigern.«[76]

[75] H. U. v. Balthasar, Über Stellvertretung, in: Pneuma und Institution, Einsiedeln 1974, 408.
[76] H. U. v. Balthasar, aaO. 409; W. Maas, Gott und die Hölle. Studien zum Descensus Christi, Einsiedeln 1979; vgl. dazu auch: M. Kehl/W. Löser (Hrsg.), In der Fülle des Glaubens. Hans Urs von Balthasar-Lesebuch, Freiburg 1980, 50 ff.

4. Teil

Die Bewährung: Christliche Hoffnung im Gespräch mit außerchristlichen Geschichtsentwürfen

I. Der Gesprächsrahmen: »Reich Gottes« und »universale Kommunikationsgemeinschaft«

Bei der Darstellung der Methode unseres eschatologischen Traktats haben wir über die innertheologisch-systematische Wahrheitsbegründung der christlichen Hoffnung hinaus eine philosophische Argumentation vorgeschlagen, durch die unsere Hoffnung sich im Gespräch mit anderen Geschichtstheorien und Hoffnungsweisen »bewähren« kann. »Bewährung« meint dabei nicht, daß von einem obersten Vernunftmaßstab aus beurteilt werden kann, ob eine bestimmte Hoffnung wahr oder falsch ist. Es geht vielmehr »nur« um den Aufweis, ob und wieweit eine Hoffnung (in ihrer Praxis und ihrer Theorie) der menschenwürdigen Zukunft unserer Erde dient. Mehr allgemein und grundsätzlich läßt sich dies dadurch zeigen, daß eine bestimmte Hoffnungsaussage verglichen wird mit dem transzendentalphilosophisch begründbaren »Ideal« einer menschenwürdigen Zukunft aller: Inwieweit »entspricht« sie dem in jeder Kommunikation unabdingbar mitgesetzten Vorgriff auf eine »universale Kommunikationsgemeinschaft«, in der alle dazu fähigen und willigen Menschen sich wechselseitig als gleichberechtigte Partner akzeptieren (s. o.)? Ein derartiges »Entsprechen« begrenzt die christliche Hoffnung keineswegs auf dieses transzendental aufgewiesene Woraufhin; sie kann es vielmehr unendlich überbieten. Wohl aber sollte ein *Unter*bieten und ein schlechthinniges Widersprechen der Hoffnung ausgeschlossen werden können, weil sie sich dadurch zumindest aus dem westlich-europäischen Dialog der verschiedenen Geschichts- und Hoffnungskonzeptionen herausstellt, sich auf ihre Partikularität versteift und damit den Anspruch, Heil *für alle* zu verkünden, faktisch aufgibt.

Im vierten Teil soll dieser Vergleich, der den christlichen Kontext der Hoffnung übersteigt, durchgeführt werden, und zwar im Gespräch mit einigen für die Neuzeit und ihr Ringen um eine menschenwürdige Zukunft bedeutsamen Positionen, in denen die menschliche Hoffnung andere Wege einschlägt als innerhalb des christlichen Vertrauens auf die Verheißung Gottes. Dabei werden wir diese Entwürfe zugleich auch kritisch auf mögliche Defizite hinsichtlich der in ihnen vorgestellten menschenwürdigen Zukunft aller befragen. Geht es uns doch in diesem Gespräch auch darum, die christliche Hoffnung nicht nur als *eine* mögliche Hoffnungsgestalt unter anderen zu behaupten, sondern auch ihren »Überschuß« an Humanität gegenüber anderen Hoffnungsweisen sichtbar zu machen; jenen Überschuß, der nicht aus einem noch tiefer schürfenden *menschlichen* »Hoffnungssystem« oder aus einer noch umfassender ausgreifenden Vision erwächst, sondern allein aus der in Christus bereits grund-legend erfüllten Verheißung *Gottes*. Dieser Ursprung unserer Hoffnung in dem schöpferisch-befreienden Versprechen Gottes und ihr Ziel in der geschichtstranszendenten Vollendung des Reiches Gottes lassen die christliche Hoffnung nicht über allen menschlichen Hoffnungen »schweben« in einem unangreifbaren »Himmel« gottgewirkter Zukunftsträume. Sie bedingen vielmehr ihre unüberbietbare »Inkarnation« in alles menschliche Hoffen und Sehnen hinein, um es von innen her zu seinen humansten Möglichkeiten, d. h. zu einer hoffenden Lebenspraxis auf die ungeminderte menschenwürdige Zukunft der ganzen irdischen Schöpfung zu befähigen. Wir versuchen im folgenden, diesen hohen Anspruch wenigstens andeutungsweise in den kritischen Fragen an die jeweils vorgestellten Entwürfe zu begründen.

Bevor wir jedoch auf die einzelnen Autoren eingehen, ziehen wir erst einmal einen allgemeinen Vergleich zwischen der christlichen Hoffnung auf das »Reich Gottes« und dem transzendentalen Ideal einer philosophischen Kommunikationstheorie, nämlich der »universalen Kommunikationsgemeinschaft«. Daß hier eine gewisse inhaltliche Entsprechung vorliegt, läßt sich nicht bezweifeln; schließlich ist für beide der vorwegnehmende Vorgriff auf eine universal gelingende Verständigung der Menschen, gründend auf einer unbedingten Gerechtigkeit, zentral. Dieser Vorgriff bedeutet auch für die philosophische Theorie keineswegs nur ein rein formales, transzendental notwendiges Strukturprinzip, das in jedem kommunikativen Handeln quasi »naturhaft« angelegt ist. Die bewußte und freie Bejahung dieser Vorgabe im Akt der Kommunikation gehört wesentlich mit zu ihrer Eigenart als *menschlich-kommunikatives* Handlungsapriori. Insofern enthält ein solcher (transzendentaler) Vorgriff immer auch ein Moment inhaltlich bestimmter Hoffnung. Allerdings bleibt dieser Inhalt innerhalb der Handlungstheorie sehr allgemein und offen; *wie* die »universale Kommunikationsgemeinschaft« konkret aussehen soll, *ob* und *wie* sie (faktisch) erreicht werden könnte – das läßt den verschiedensten geschichtsphilosophischen Theorien und ihren empirischen Verwirklichungen Raum.[1]

---

[1] »Zwar ist es richtig, daß wir im Argumentieren – also im ernsthaften Denken mit Gültigkeitsanspruch – den kommunikativen Idealzustand nicht nur als ›regulative Idee‹ betrachten, sondern darüber hinaus kontrafaktisch antizipieren müssen, also gewissermaßen die formale Struktur einer Alternativ- oder Gegen-

Die christliche Hoffnung auf das Reich Gottes wird sich in diesem Streit der Theorien und Praxen auch erst einmal als eine unter vielen inhaltlichen Konkretisierungen dieses Ideals darstellen, die mit anderen konkurriert. Aber es wird sich dabei sehr schnell zeigen, daß sie aufgrund ihres Bezuges zum geschichtstranszendenten Gott den Möglichkeitshorizont dieses Ideals übersteigt: Sie hofft auf eine »Kommunikationsgemeinschaft«, die *grundsätzlich* (und nicht bloß faktisch!) *nicht* im Bereich der Möglichkeiten menschlich-kommunikativen Handelns liegt. Manchen mag diese Hoffnung deswegen als Ausdruck eines religiösen oder mythischen Defizits gegenüber dem handlungstheoretischen Ideal und anderen möglichen inhaltlichen Konkretisierungen erscheinen. Es läßt sich aber begründet aufzeigen, daß gerade dieses Übersteigen der christlichen Hoffnung der Humanität unserer Zukunft am meisten zugute kommt. An folgenden vier Punkten wird dies deutlich:

(1) In die christliche Hoffnung wird ausdrücklich auch die völlige Versöhnung mit der *Natur,* also mit der natürlichen Umwelt des Menschen, einbezogen, die selbst als geheilte und in sich versöhnte, vom Gesetz des »Fressens und Gefressenwerdens« befreite Schöpfung zum Inhalt unserer Hoffnung gehört (s. 2. Teil, I/3a und 3. Teil, I/3). Das bedeutet z. B.: Die vollendete Gemeinschaft des Reiches Gottes kann niemals auf Kosten der Natur und der nicht-menschlichen Mitgeschöpfe erreicht werden, sondern nur in verantwortlich-dienender Teilhabe des Menschen am Ganzen seiner Welt. Als humanisierte Welt wird diese dann umgekehrt teilhaben an der »Freiheit und Herrlichkeit der Kinder Gottes« (Röm 8,21).[2]

(2) In unserer Hoffnung ist ausdrücklich die »Rettung des *Vergangenen*« (W. Benjamin) eingeschlossen; auch die bereits vergangene Geschichte mit ihrem Tun und ihrem Erleiden, ja gerade mit ihren Toten hat Anteil an einer möglichen Vollendung der »universalen Kommunikationsgemeinschaft«. Unsere Hoffnung auf die Aufer-

---

Welt zur bestehenden Realität unterstellen. Aber diese Antizipation betrifft gerade nicht eine ›konkrete Utopie‹, deren empirische Realisierung man fiktiv vorstellen und beschreiben oder als zukünftig eintretenden Weltzustand erwarten könnte. Denn sie betrifft nur die *normativen Bedingungen* idealer Kommunikation, deren empirische Realisierung in einer konkreten Gesellschaft stets zusätzlichen Bedingungen der historischen Individualisierung – z. B. konkreter Institutionen und Konventionen – unterliegen muß.« So K. O. Apel, Ist die Ethik der idealen Kommunikationsgemeinschaft eine Utopie?, in: W. Voßkamp (Hrsg.), Utopieforschung. Interdisziplinäre Studien zur neuzeitlichen Utopie Bd. 1, Stuttgart 1982, 325–355 (Zitat 344 f).

[2] Vgl. dazu Ph. Schmitz, Ist die Schöpfung noch zu retten?, Würzburg 1985; ders. (Hrsg.), Macht euch die Erde untertan? Schöpfungsglaube und Umweltkrise, Würzburg 1981.

stehung der Toten entspringt nicht der Projektion eines unzerstörbaren Selbsterhaltungstriebs des bürgerlichen Subjekts, sondern ist als von Gott verheißene Versöhnung die unableitbare Überbietung aller menschlichen Hoffnungsmöglichkeiten. Nur als solche wird sie der Hoffnung auf eine wirklich *universale* menschenwürdige Zukunft voll gerecht.[3]

(3) Was die *Realisierung* dieser Zukunftshoffnung angeht, so stimmt die christliche Hoffnung mit dem kommunikationstheoretischen Ideal darin überein, daß dieses innerhalb der Geschichte niemals als endgültig vollendete »universale Kommunikationsgemeinschaft« eintreten wird, sondern sich immer nur in der Weise von Antizipationen verwirklicht. Darüber hinaus aber hofft unser Glaube, daß diese Form der Realisierung nicht die einzige ist, sondern daß Gott die Geschichte in einer geschichtstranszendenten Vollendung aufheben wird und somit das Ideal *als solches* Wirklichkeit werden läßt. Gegen alle Widerstände unserer Realität hoffen wir auf das endgültige, alles versöhnende »Reich der Freiheit«. Aber wir erwarten dieses Ziel unserer Geschichte nicht als Endergebnis einer immer leistungsfähigeren menschlichen Freiheit und Verständigung, sondern als *Geschenk* jener Liebe, die einmal alle geschaffene Wirklichkeit in ihre heilende und befreiende Versöhnung einbergen möchte. Dabei enthält diese Hoffnung zugleich ein aktives Sich-Einsetzen *für* jede Form einer annäherungsweisen, »realsymbolischen« (und nicht bloß »kontrafaktischen«!) Vorwegnahme der »universalen Kommunikationsgemeinschaft« in unserer Geschichte *und* zugleich einen entschiedenen Widerstand *gegen* jede Form der Verweigerung von universaler Kommunikation. Sie vertröstet sich also mitnichten aus der Geschichte heraus in ein besseres Jenseits, sondern sucht in dieser Geschichte alle Wege, die auf eine bessere, wirklich menschenwürdigere Zukunft für alle auch innerhalb der Geschichte hinführen.

Die Kunst der christlichen Hoffnung, die wir ein Leben lang erlernen müssen, besteht genau darin, zwei Einstellungen miteinander zu vereinbaren: die tätige »Leidenschaft für das Mögliche« (S. Kierkegaard) und die vertrauende »Gelassenheit des Beschenkten«. Aber dies nicht so, daß die Leidenschaft die Gelassenheit auffrißt oder die Gelassenheit die Leidenschaft einschläfert, sondern daß die eine die andere trägt und zur Entfaltung bringt. Ignatius von Loyola bringt dieses Balancespiel auf die Formel: »Dies sei die erste Regel für das Handeln: vertraue so auf Gott, als hinge aller Erfolg

---

[3] Vgl. dazu H. Peukert, Wissenschaftstheorie – Handlungstheorie – Fundamentale Theologie, Frankfurt 1978, bes. 273 ff.

der Dinge von dir und nicht von Gott ab. Wende ihnen jedoch alle Mühe zu, als ob du nichts und Gott allein alles tun werde.«[3a]

(4) Gerade diese Hoffnung auf eine geschichtstranszendente Vollendung der Geschichte, die also den Tod und die Auferstehung von den Toten miteinschließt, braucht keineswegs als Abwertung der *Geschichte* (und damit als »Unterbietung« des transzendentalen Maßstabs) gedeutet zu werden (auch wenn wir Christen dafür oft genug Anlaß bieten). Sie bezieht sich ja gerade auf *diese* Geschichte und *ihre* endgültige Zukunft: daß sie im ganzen zu einem sinnvollen Ergebnis hingeführt wird. Denn das vollendete Reich Gottes ist nicht etwas, das unserer Wirklichkeit einfach am Ende übergestülpt oder äußerlich angehängt wird. Es wird ja gerade als Vollendung *unserer* Freiheit, als *unser* geglücktes und vollendetes Dasein, als die äußerste und schönste Möglichkeit *unserer* Wirklichkeit erhofft. Das bedeutet: Wenn wir auf eine universale Versöhnung unserer Wirklichkeit hoffen, dann kann diese nur darin bestehen, daß all das Gute, was in unserer materiellen und geistigen Wirklichkeit den Kriterien Jesu entsprechend »bewahrungswürdig« ist und den Geist seiner Liebe atmet, zum Ziel kommt; daß es also wirklich »aufgehoben« ist, indem es in die Lebensfülle Gottes hineingenommen wird (was beim einzelnen Menschen in seinem Tod geschieht). Dadurch wird unsere Wirklichkeit gerade nicht in Gott hinein aufgelöst und gleichsam »verdunstet«, sondern bleibt als sie selbst in der bewahrenden und vollendeten Lebendigkeit seiner Liebe aufgehoben. Darin findet dann auch das in der zwischenmenschlichen Liebe gesprochene Grundwort seine Erfüllung: »Du sollst ewig sein!« Denn das Hineingenommenwerden unserer Liebe und all ihrer möglichen Gegenstände in das »ewige Leben« Gottes schenkt unserer endlichen Wirklichkeit ihre eigentümliche, von Gott verschiedene »Ewigkeit«: nämlich das bleibende, der Vergänglichkeit enthobene Eingesammeltsein unseres *jetzigen* Lebens (mit seiner Geschichte, seinen Freuden und Leiden, seinen Beziehungen und Taten) in der Gestalt einer endgültig geglückten Vollendung.

Diese Hoffnung des Glaubens gibt dem menschlichen Dasein eine Tiefe und eine Radikalität, die es der Gleich-gültigkeit eines leeren, alles nivellierenden Zeitstroms entreißen und jedem Augenblick liebenden Handelns eine unbedingte Bedeutung verleihen. Die Zukunfts- und dementsprechend Hoffnungslosigkeit, die gegenwärtig viele Menschen in unserer Gesellschaft lähmt, hat wohl auch einen Grund in diesem verbreiteten Geschichtsbewußtsein, nach welchem

---

[3a] Nach G. Hevenesi, Scintillae Ignatianae, Wien 1705, 2; vgl. dazu H. Rahner, Ignatius von Loyola als Mensch und Theologe, Freiburg 1964, 230 ff.

alle vergangenen und gegenwärtigen Ereignisse letztlich von einer endlos weiterlaufenden, gleich-gültigen Zeit verschlungen werden und es deswegen auch nichts geben kann, wofür wir bedingungslos »unser Leben« hingeben könnten. Der Glaube widersteht dieser Verödung und Verflachung menschlicher Geschichte; denn das Vertrauen auf die end-gültig heilende und versöhnende Zukunft Gottes beläßt unserem geschichtlichen Handeln, auch dem der schon längst Untergegangenen und Vergessenen, seinen unzerstörbaren Sinn.[4]

Dieser (sehr allgemeine) Vergleich unserer Hoffnung mit einem philosophisch begründeten Zukunftsideal soll nun im Gespräch mit einigen Zukunftsentwürfen der neuzeitlichen Philosophiegeschichte und unserer Gegenwart konkretisiert werden. Dabei ist zu beachten, daß wir in diesem Zusammenhang nicht in die innerphilosophische Auseinandersetzung um das Verständnis und die Richtigkeit der Aussagen des jeweiligen Autors einsteigen können; das würde unsere Kompetenz und den Rahmen dieses Buches bei weitem übersteigen. Wir gehen von dem »erkenntnisleitenden Interesse« des Theologen an die verschiedenen Konzeptionen heran; d. h., sie werden für das Gespräch mit der Eschatologie »aufbereitet«, um mögliche Übereinstimmungen und Differenzen deutlich hervortreten zu lassen. Daß dabei nicht das Ganze einer Theorie angemessen gewürdigt werden kann und auch bestimmte Einseitigkeiten und Verkürzungen bei der Auslegung auftreten können, scheint mir unvermeidlich zu sein. Es ist der Preis dafür, daß überhaupt der Blick des Theologen auf eine *Vielfalt* geschichtsphilosophischer Systeme *außerhalb* des christlichen Glaubens gelenkt wird, die für das heutige Bewußtsein in unserer Gesellschaft *relevant* sind und mit denen eine faire, von Berührungsängsten möglichst freie und auch für Nichtfachleute verständliche Auseinandersetzung gesucht wird.

---

[4] Vgl. dazu bes. J. B. Metz, Glaube in Geschichte und Gesellschaft, Mainz 1977, 3–12, 70–74, 87–103.

II. Die Geschichtsphilosophie einer ethisch postulierten Vollendung des Menschen: I. Kant

1. Sittlichkeit und Glückseligkeit

Die geschichtsphilosophischen Schriften Kants[5] sind auf dem Hintergrund seines kritischen Dualismus zu sehen: Einerseits wird die spekulative Vernunft in ihre Grenzen gewiesen; sie kann keine realitätsgerechten Aussagen machen über Dinge, die nicht in der sinnlichen Erfahrung gegeben sind. Wenn sie es dennoch tut, dann »hypostasiert« sie die eigenen Erkenntnisbedingungen des transzendentalen Ich zu objektiven Gegenständen an sich. Wenn aber dieser apriorische Mechanismus der Vernunft einmal durchschaut ist, wird Metaphysik als »objektives« Wissen von Gott, Freiheit und Unsterblichkeit unmöglich. Auf der anderen Seite entwirft die Vernunft aber mit Notwendigkeit diese drei metaphysischen »Ideen«, und zwar aus einem »praktischen« Interesse heraus, damit der Mensch überhaupt als sittliches Wesen leben kann. Die Begrenzung der spekulativen Vernunft (»Was kann ich wissen?«) steht ganz im Dienst der praktischen Vernunft, also der Ethik: »Was soll ich tun?« Die ethische Frage ist aber zugleich notwendig mit der anderen, der eschatologisch-geschichtsphilosophischen Frage verbunden: »Was darf ich hoffen?« Beides gehört bei Kant in der Bestimmung des »höchsten Gutes« des Menschen unzertrennlich zusammen: die Bestimmung des Menschen zur unbedingten *Sittlichkeit* und die Bestimmung des Menschen zur endgültigen *Glückseligkeit* (nach dem Maß seiner Würdigkeit): »Tue das, wodurch du würdig

---

[5] Z. B. Die Religion innerhalb der Grenzen der bloßen Vernunft (1793), in: I. Kant, Werke in 10 Bänden (hrsg. v. W. Weischedel), Bd. 7, Darmstadt 1975, 645–879 (bes. III. Stück); Idee zu einer allgemeinen Geschichte in weltbürgerlicher Absicht, aaO. Bd. 9, 31–50; Über den Gemeinspruch: Das mag in der Theorie richtig sein, taugt aber nichts für die Praxis, aaO. Bd. 9, 125–172; Das Ende aller Dinge, aaO. Bd. 9, 175–190; Zum ewigen Frieden, aaO. Bd. 9, 191–251. Zur Interpretation der »Eschatologie« Kants vgl. J. Rief, Reich Gottes und Gesellschaft nach J. S. Drey und J. B. Hirscher, Paderborn 1965, 45 ff; P. Cornehl, Die Zukunft der Versöhnung, Göttingen 1971, 59–81; W. Schulz, Philosophie in der veränderten Welt, Pfullingen 1972, 482 ff; R. Schaeffler, Einführung in die Geschichtsphilosophie, Darmstadt 1973; ders., Was dürfen wir hoffen?, Darmstadt 1979.

bist, glücklich zu sein!«[6] Sowohl der Kampf gegen den Eudämonismus (der die *Sittlichkeit* von der Glückseligkeit trennen will) als auch gegen eine hoffnungslose Ethik (die die *Glückseligkeit* von der Sittlichkeit trennen will) bestimmen Kants praktische Philosophie.

2. Die Unsterblichkeit des Einzelnen

Für den *Einzelnen* und seine sittliche Existenz sieht Kant als letztes Ziel die völlige Angemessenheit der Gesinnung zum moralischen Gesetz, also eine »Heiligkeit« und »Vollkommenheit, deren kein vernünftiges Wesen der Sinnenwelt in keinem Zeitpunkt seines Daseins fähig ist«.[7] Als *notwendige,* sittliche Bestimmung der Freiheit ist diese »Heiligkeit« zugleich faktisch *unmöglich.* Die Auflösung dieses Widerspruchs geschieht dann durch das *Postulat der Unsterblichkeit* des Einzelnen; diese wird verstanden als ein »unendlicher Progressus« hin zur endgültigen Vollkommenheit, was jedoch nur unter der Voraussetzung einer ins Unendliche dauernden Existenz gedacht werden kann. Aber dieser Progressus allein führt beim endlichen Menschen niemals zu einer qualitativ endgültigen Vollendung, die eben mehr ist als nur die quantitativ sich stets steigernde und sich stets weiter steigern-könnende Vollkommenheit. Sie wird erst durch das Postulat des »gnädigen Gottes« denkbar, »der diesen Prozeß in einer einzigen intellektuellen Anschauung ineins sieht und somit dem Menschen die geschuldete qualitative Unendlichkeit schenkt und ihn der Glückseligkeit teilhaftig werden läßt«.[8]

3. Vollendung der allgemeinen Geschichte

Auch die *allgemeine* Geschichte der Völker und der Menschheit im ganzen vollzieht sich in einem unendlichen Fortschritt hin zur Vollendung der menschlichen Gattung. Die Geschichtsphilosophie Kants beschäftigt sich mit der Frage, wie sich die von der praktischen Vernunft geforderte Sittlichkeit in der gesellschaftlichen Wirklichkeit durchsetzen könne, und zwar bis zur vollendeten Übereinstimmung von Sittlichkeit und Gesellschaft. Daß hierbei die strenge Methodik der spekulativen und praktischen Vernunft nicht

---

[6] I. Kant, Kritik der reinen Vernunft (1781), Phil. Bibl. 37a (hrsg. v. R. Schmidt), Hamburg 1956, A 808.
[7] I. Kant, Kritik der praktischen Vernunft (1788), Phil. Bibl. 38 (hrsg. v. K. Vorländer), Hamburg 1959, 220.
[8] P. Cornehl, aaO. 67.

voll durchgehalten werden kann, ist klar; die konkrete Lebenserfahrung, politische Optionen und schließlich auch überkommene
theologische Vorstellungen spielen jetzt eine viel stärkere Rolle.
So versucht Kant in seinen geschichtsphilosophischen Schriften *einmal* die *politisch-pragmatische* Frage zu lösen, »wie die Ordnung des
Zusammenlebens von der Vernunft her zu gestalten ist angesichts
der Tatsache, daß die Menschen eben faktisch unvernünftig und
böse sind«. Es geht ihm dabei »um die prospektive Sicht der möglichen Verbesserung der Menschheitsgeschichte«.[9] Zum *zweiten* versucht er aber auch die *philosophisch-historische* Frage zu beantworten, worin denn der Sinn und die Einheit der menschlichen
Geschichte überhaupt liegen könne. Denn weder handeln die Menschen instinktmäßig sinnvoll noch nach einem allgemein verabredeten Plan; wenn aber überhaupt so etwas wie Sinn und Vernunft in
der Universalgeschichte anzutreffen sein sollen (was von der praktischen Vernunft postuliert wird!), dann nur als teleologisch wirkende »*Natur*-absicht«, die sich zwar nur *durch* die Freiheit der
Menschen, aber dabei auch *gegen* die *bewußten* Absichten der Menschen, vor allem gegen die Macht des Bösen, durchsetzen kann,
und zwar auf das letzte Ziel der geglückten Übereinstimmung
(»Versöhnung«) von Vernunft, Freiheit, Sittlichkeit einerseits und
sinnlicher Realität, Natur, Gesellschaft anderseits hin.
Allerdings muß man, wenn es konkret um dieses Ziel der Entwicklung der Menschheit geht, auch die religionsphilosophischen
Schriften (besonders die »Religion innerhalb der Grenzen der blo
ßen Vernunft«, 1793) einbeziehen. Dann lassen sich nämlich zwei
Stufen dieses Zieles unterscheiden:

> »Die Errichtung einer bürgerlich-*rechtlichen* Gesellschaft und eines ›ewi
> gen Friedens‹ unter den Völkern *und* die Errichtung einer bürgerlich-
> -*ethischen* Gesellschaft, dem ›Reiche Gottes auf Erden‹ ...
> Die Notwendigkeit, den ›Sieg des guten Prinzips über das böse‹ mit der
> ›Gründung eines Reiches Gottes auf Erden‹ zu verbinden, hat Kant deut
> licher als *Lessing* gesehen: Der sittliche Kampf des einzelnen gegen das
> Böse kann allein nicht zum Sieg und zur wirklichen Herrschaft des Gu
> ten führen. Dazu ist die gesellschaftliche Bindung und Verstrickung des
> Individuums zu fundamental und die Gefahr des Rückfalls zu groß. Soll
> es also zur Herrschaft des guten Prinzips kommen, dann nur durch die
> Errichtung und universale Ausbreitung einer Gesellschaft, die durchs
> moralische Gesetz konstituiert wird. Eine solche Gesellschaft wäre ein
> ›Reich der Tugend‹, das ›Reich Gottes auf Erden‹.«[10]

---

[9] W. Schulz, aaO. 485.
[10] P. Cornehl, aaO. 67 f.

Dieses unterscheidet sich von der bürgerlich-rechtlichen Gesellschaft und ihrem (inneren wie äußeren) »ewigen Frieden« dadurch, daß es ganz auf dem Prinzip der Freiwilligkeit (im Unterschied zu den »Zwangsgesetzen« und Sanktionen der ersteren) beruht. Die Bürger dieses »Reiches« übernehmen von sich aus das unbedingte moralische Gesetz als Maxime ihres Handelns; sie handeln aus »Moralität«, nicht aus bloßer »Legalität« heraus. Diese beiden Weisen des Ziels der Menschheit schließen sich keineswegs gegenseitig aus; auch löst das eine nicht das andere vollkommen ab. Vielmehr kann das moralische »Reich der Tugend« innerhalb der verschiedenen bürgerlich-rechtlichen Gesellschaften wachsen und diese zugleich auf eine universale Menschengesellschaft hin übersteigen.

Bei der Frage, *wie* dieses Ziel der Menschheit erreicht werden soll, hält Kant daran fest, daß der Fortschritt der Geschichte keineswegs gradlinig vonstatten geht, sondern nur durch Antagonismus hindurch. Kant war ein politischer Realist, der sich keinem naiven Fortschrittsglauben hingab. Zudem betont er noch unter einer anderen Rücksicht den Unterschied zwischen vollendeter bürgerlich-rechtlicher Gesellschaft und dem »Reich Gottes auf Erden«: Das eine können die Menschen aus gemeinsamer Anstrengung heraus schaffen, das andere kann nur von Gott selbst erwartet werden, wobei jedoch vom Menschen vorher alles Menschenmögliche getan werden muß. Die »Idee« Gottes ist also notwendig, damit das letzte Ziel der Geschichte, die volle Übereinstimmung von Reich der Freiheit und Reich der Notwendigkeit, von Sittlichkeit und Gesellschaft garantiert werden kann. Ohne dieses *Postulat* Gottes und ohne die von ihm garantierte universale Versöhnung wäre auch das sittliche Handeln des Einzelnen unmöglich, da es einer letzten Sinnhaftigkeit entbehren müßte. Denn jedes sittliche Handeln in der Welt, das auf die Verwirklichung des Guten in der menschlichen Gesellschaft ausgerichtet ist, verliert seine Unbedingtheit, wenn nicht sein *individuelles* Ziel mit dem *allgemeinen* Ziel der Menschheit zur Übereinstimmung gebracht werden kann. Erst diese letzte Übereinstimmung (»Versöhnung«) von Besonderem und Allgemeinem macht beides sinnvoll.

4. Offene Fragen

a) Kant spricht angesichts seines geschichtsphilosophischen Entwurfs von einem »Chiliasmus der *Vernunft*«, weil ohne diese Option der vernünftigen Hoffnung »das trostlose Ungefähr an die Stelle des Leitfadens der Vernunft« träte.[11] Es fragt sich jedoch, ob diese Sicht wirklich die äußerste mögliche Haltung der Vernunft selbst wiedergibt oder ob nicht doch den genannten Postulaten der jüdisch-christliche *Glaube* an eine zutiefst sinnvolle, weil von der göttlichen Vorsehung geleitete Geschichte und die daraus erwachsende Hoffnung auf eine vom gnädigen Gott geschenkte Versöhnung zugrunde liegt. Bezieht die geschichtsphilosophische Theorie Kants ihre argumentative Kraft nicht doch stärker, als sie es sich eingesteht, von der ihr vorausliegenden Option des christlichen Glaubens?

b) Wie denkt sich Kant die *Vermittlung* von innergeschichtlicher Zukunft des Menschengeschlechts (sei es des erreichten »ewigen Friedens«, sei es des geschenkten »Reiches Gottes auf Erden«) mit der Unsterblichkeit des Einzelnen, die ja Überwindung des Todes und damit eine die Geschichte transzendierende Vollendung bedeutet? Wird hier nicht das Grundproblem jeder eschatologischen Geschichtsdeutung umgangen: wie nämlich der Einzelne gerade in seinem *Tod* an der erhofften Vollendung der Geschichte teilhaben kann? Das unvermittelte Nebeneinander von (postulierter) individueller Unsterblichkeit des Einzelnen und (erhoffter) gesellschaftlich-universaler Versöhnung der Geschichte bleibt unbefriedigend.[12]

c) Der *geschichtliche Grund* seines Vertrauens auf die göttliche Vorsehung und seiner postulierten Hoffnung wird von Kant weder im Tun der Menschen noch in Jesus Christus gesehen. Zwar hat das Faktum des Christusereignisses bei Kant die Bedeutung, daß die vollkommene Heiligkeit als *mögliche* manifest geworden ist, was somit die sittliche Forderung an den Menschen, nach dieser Heiligkeit zu streben, legitimiert. Aber es bleibt eben bei der *Forderung*, die endgültige Vollkommenheit – schrittweise – selbst zu *erreichen*; der Gedanke einer in Christus vorweg *geschenkten* und dadurch dem Menschen ermöglichten Vollendung seiner (individuellen und universalen) Geschichte (eben in der *Teilhabe* an dem Auferstehungsleben Jesu Christi) ist Kant fremd geblieben. Diese Vermittlung von Geschichte und Vernunft, von geschichtlich Einmaligem (Jesus Christus) und Menschlich-Allgemeinem (»Universalgeschichte«) konnte Kant nicht mitvollziehen.

---

[11] I. Kant, Idee zu einer allgemeinen Geschichte in weltbürgerlicher Absicht, aaO. 35.
[12] Vgl. P. Cornehl, aaO. 76 ff.

III. Die versöhnende Kraft der »Vernunft in der Geschichte«: G. W. Fr. Hegel

In der Antwort auf die letztere, von Kant offen gelassene Frage, liegt vielleicht die größte Bedeutung der Geschichtsphilosophie Hegels. Sie steht am Ende eines langen Denkweges und setzt sich aus Vorlesungen zusammen, die er zwischen 1822 und 1831 gehalten und die E. Gans 1837 zum erstenmal veröffentlicht hat. Wir können die Entwicklung der Hegelschen Philosophie bis zu diesem Punkt nicht nachzeichnen. Uns interessiert in diesem Zusammenhang nur die Frage: Worin sieht Hegel den Sinn und das vollendete Ziel der Geschichte? Worauf darf der Mensch hoffen? Thesenartig zusammengefaßt kann man sagen: Die Geschichte kommt darin zu ihrer Vollendung, daß sich das Bewußtsein der Freiheit, wie es durch Jesus Christus im Christentum religiös bereits wirklich geworden ist, nun auch progressiv im ganzen rechtlich-politischen Bereich aller Völker verwirklicht und durchsetzt.[13]

1. VERNUNFT IN DER GESCHICHTE

Die entscheidende *philosophische Voraussetzung* Hegels in seiner Geschichtskonzeption ist, daß »die Vernunft die Welt beherrscht, daß es also auch in der Weltgeschichte vernünftig zugegangen ist«.[14] Die Vernunft ist identisch mit dem »Absoluten«, dem »Unendlichen«, dem »Geist«, dem »absoluten Subjekt«, dessen Wesen als Selbstbewußtsein in sich die Entgegensetzung und Vermittlung von Selbst und Anderem, von Identität und Nicht-Identität bedeutet. Dieser »Geist« tritt jedoch aus seiner »abstrakten« Identität des Selbstbesitzes heraus, entäußert sich an das andere seiner selbst und verwirklicht sich in diesem anderen, also im Endlichen, im Geschichtlichen selbst (ohne sich schlechterdings zu verendlichen: Das Endliche ist die notwendige »Erscheinung« des Unendlichen). Das Ziel ist dann die konkrete »Identität«, die vollendete Einheit des

---

[13] P. Cornehl, aaO. 146; zu Hegels Geschichtsphilosophie siehe auch W. Schulz, aaO. 494–507; W. Jaeschke, Die Suche nach den eschatologischen Wurzeln der Geschichtsphilosophie, München 1976, 296–324.

[14] G. W. Fr. Hegel, Die Vernunft in der Geschichte (hrsg. v. J. Hoffmeister), Hamburg 1955, 28.

sich selbst wissenden und besitzenden Geistes mit der im ganzen »durchschrittenen«, als »Entfremdung« »aufgehobenen« und »aufgearbeiteten« Welt. Erst die totale Vermittlung von absoluter Subjektivität und geschichtlicher Objektivität, die endgültige Versöhnung von ursprünglicher Positivität und geschichtlicher Negativität bzw. Entfremdung (= »Identität der Identität und Nicht-Identität«) bringt den Geist an sein Ziel.

Hegel versucht »als metaphysischer Vollender der christlichen Theologie«[15] mit diesem Begriff des absoluten Geistes, der sich nur im anderen seiner selbst verwirklicht, das christliche Dogma von der Menschwerdung Gottes »auf den Begriff zu bringen«. Diese christliche Wahrheit soll nicht als eine religiöse Sonderwahrheit stehen bleiben, sondern als das innerste Gesetz der gesamten Wirklichkeit erkannt werden. Um der Allgemeingültigkeit des Christentums willen muß seine Wahrheit als »vernünftig«, ja als höchstmögliche Äußerung der Vernunft und d. h. als der allgemeinen Wirklichkeit des Selbstbewußtseins entsprechend begriffen werden können. Dies geht aber nur, wenn der Glaube an Gott und die Erfahrung der Welt zusammengedacht und als sich wechselseitig erhellend begriffen werden können; ja, wenn Gott und Welt als sich gegenseitig konstituierend gedacht werden können: Gott (als »Geist« gedacht) kommt durch Welt und Geschichte zu seiner eigensten Wirklichkeit – Welt und Geschichte haben umgekehrt ihre Wirklichkeit nur als notwendige Erscheinung (= Selbstdarstellung) dieses »Geistes«. Gott wird also »vergeschichtlicht« (ohne jedoch seine Absolutheit zu verlieren! Er bleibt darin »absoluter Geist«); Welt und Geschichte werden »vergeistigt« (als Momente des »notwendigen Prozesses« des absoluten Geistes, ohne daß dabei jedoch die Freiheit des Menschen aufgehoben wird!). Geschichte wird somit »begriffen« als der Weg des absoluten Geistes zu seiner konkreten Vollendung und Versöhnung hin; in ihr findet der Geist sein »Zu-sich-Kommen im Anderen, die Selbstvermittlung im Durchgang durch die Entfremdung«.[16]

Deswegen ist Geschichte für Hegel auch »kein Sonderthema der Philosophie«; »die Philosophie ist vielmehr im ganzen Geschichtsphilosophie, weil ihr Gegenstand kein ruhendes Sein ist, sondern ein Prozeß: jenes ›Absolute‹, das ›wesentlich Resultat‹ und deswegen ›erst am Ende das ist, was es in Wahrheit ist‹«.[17] Weil die Geschichte nun im wesentlichen Geschichte des absoluten Geistes ist,

[15] W. Schulz, aaO. 495.
[16] R. Schaeffler, Einführung in die Geschichtsphilosophie, aaO. 186.
[17] R. Schaeffler, aaO. 178.

deswegen ist sie aufgrund der Natur des Absoluten ein notwendiger Prozeß; sie ist – bei aller Freiheit der agierenden Menschen – der »vernünftige, notwendige Gang des Weltgeistes«, der »die Substanz der Geschichte ist«.[18]

2. GESCHICHTE DER FREIHEIT

In der *Geschichtsphilosophie* wird nun das Wesen dieses Geistes näherhin als *Freiheit* dargelegt. Ihre abstrakte Eigentümlichkeit liegt im unabhängigen Bei-sich-selbst-Sein, im sich selbst wissenden und bestimmenden Selbstbesitz des Geistes. Dieses abstrakte »An-sich-Sein« des Geistes verwirklicht sich jedoch nur als *konkrete Freiheit*, d. h. im sich entäußernden und (die darin erfahrenen Entfremdungen) negierenden Durchgang der Freiheit durch die geschichtlich-gesellschaftliche Welt. So erscheint diese »konkrete Freiheit« gerade im Phänomen der Vermittlung von subjektiv-individueller Freiheit der Selbstbestimmung und intersubjektiv-gesellschaftlicher Objektivität, von individuell Besonderem und gesellschaftlich Allgemeinem. »Die subjektive Freiheit darf sich nicht selbst genügen und auf sich selbst stellen, sondern soll sich mit dem Ganzen vermitteln«, d. h. sie soll konkret werden als politische, gesellschaftliche Freiheit.[19] Dies geschieht nach Hegel im »Staat« (vgl. seine Rechtsphilosophie!). »Erst im wahren, vernunftgemäßen Staat gelingt die vollendete Einheit von Besonderheit der subjektiven Freiheit und von Allgemeinheit der objektiven Gesetze und Institutionen. Der Staat ist die ›Wirklichkeit der sittlichen Idee‹, weil hier beide Momente der sittlichen Substanz – Freiheit als Selbstbesitz des Subjekts und ihre verpflichtende Bindung durch objektive Bestimmungen – als solche ›aufgehoben‹, versöhnt und zu sich selbst gekommen sind. Erst im Staat, wo das Allgemeine zum endgültigen Selbstzweck geworden ist, erreicht auch das Individuum seine letztgültige Bestimmung, ›ein allgemeines Leben zu führen‹, welche Bestimmung es sich in Freiheit zu eigen macht; dadurch wird die Freiheit des Subjekts erst ›konkret‹, d. h. sie erhält ihre ›Objektivität, Wahrheit und Sittlichkeit‹, die sie im ›abstrakten‹ Ausleben der privaten Bedürfnisbefriedigung nie erreichen kann. Im Staat und seinen Institutionen wird das Recht der besonderen Freiheit zugleich zur Pflicht gegenüber der Allgemeinheit und umgekehrt.«[20]

---

[18] G. W. Fr. Hegel, Die Vernunft in der Geschichte, aaO. 30.
[19] W. Schulz, aaO. 497.
[20] M. Kehl, Kirche als Institution, Frankfurt ²1978, 16.

Das gilt natürlich nur für Staaten, deren Gesetze und Verfassungen auf dem allgemeinen Recht auf Freiheit begründet sind, in denen also immer schon »objektiver Geist« Wirklichkeit geworden ist, so daß die Subjektivität in ihnen immer schon das ihr und ihrer Freiheit Gemäße, den Geist, entdecken kann. Solche Staaten gibt es für Hegel aber erst durch das *Christentum;* denn dieses hat erst das *allgemeine* Recht auf Freiheit, das Bewußtsein also, daß alle Menschen frei sind, in die Welt gebracht. Das Christentum ist für den späten Hegel (im Gegensatz zum jungen!) gerade *die* Religion der Freiheit. Erst durch sie ist die Weltgeschichte in ihre letzte Phase getreten, in der dieses christlich-religiöse »Prinzip« der Freiheit sich in die allgemeine rechtlich-politische Verfaßtheit der ganzen Welt einbürgert und damit einen von diesem Freiheitsprinzip konstituierten Weltzustand hervorbringt.

3. Jesus Christus – der Grund der universalen Versöhnung

Worin liegt der *Grund* für diese Einstufung des Christentums als der »Religion der Freiheit«, durch die der gesamten Wirklichkeit »prinzipiell« bereits die allgemeine Freiheit und das Bewußtsein von ihr eingestiftet wurde, was sich dann nur noch in allen Bereichen durchsetzen muß? Diesen Grund entfaltet Hegel in seiner *Religionsphilosophie,* die mit seiner Geschichtsphilosophie zusammen gesehen werden muß. Wir können sie hier nicht im einzelnen darstellen. Entscheidend für uns ist, daß Hegel im geschichtlichen Christusereignis nicht – wie die Aufklärung – die sittliche Forderung endgültig aufgestellt sieht, sich durch »Aneignung der Lehre Jesu als der Predigt des moralischen Gesetzes« immer mehr selbst zu vervollkommnen – in einem unendlichen Progressus zur vollendeten Sittlichkeit. Er begreift vielmehr das Eigentliche des Christentums in der »Anerkennung der gerade in Jesu Geschick *vollzogenen,* also geschichtlich vermittelten *Versöhnung* von Gott und Mensch, Endlichem und Unendlichem, die als die Ermöglichung und Eröffnung menschlicher Freiheit, als die endgültige Aufhebung des eschatologischen Dualismus von Diesseits und Jenseits begriffen werden muß«.[21]
Diese theologische Glaubensaussage versucht Hegel in der Religionsphilosophie auf den Begriff zu bringen, d. h. sie als einzig »vernünftige« Erklärung der gesamtmenschlichen Wirklichkeit, ihrer erfahrenen Entzweiung und ersehnten Erlösung darzustellen. Denn

[21] P. Cornehl, aaO. 95.

nach Hegel kann nur eine Erlösung, die dem Menschen in der Geschichte, in einem einzigen konkreten geschichtlichen Subjekt (»Subjekt muß an Subjekt sich wenden[22]«) *vorweg geschenkt* wird und die als solche auch eine Gewißheit der sinnlichen Anschauung (und nicht nur des allgemeinen Gedankens) vermitteln kann, den Menschen wirklich von dem Drang nach Selbsterlösung befreien. In Christus sieht Hegel diese Erlösung ein für allemal geschehen, weil hier in Inkarnation, Tod und Auferstehung das Wesen des absoluten Geistes, nämlich sich selbst nur in der »Entäußerung« an das Andere seiner selbst, eben an das Endliche und Geschichtliche, zu finden, radikal und unüberbietbar verwirklicht ist. In dem Gottmenschen Jesus Christus kommt die Geschichte des absoluten Geistes bereits in *einem* Subjekt zu ihrem Ziel. Gerade in Tod und Auferstehung Jesu erkennt Hegel diese Vollendung der dialektischen Bewegung von Entzweiung und Versöhnung in der Geschichte des Geistes; denn »Jesus als der Gottmensch (hat) in seiner Passion den ungeheuren Widerspruch zwischen Leben und Tod, Identität und Differenz durchgehalten. Indem er den Gegensatz von Endlichem und Unendlichem – nicht nur in der Vorstellung, in der Lehre, sondern in der Existenz, im Sterben – ausgehalten hat, hat er darin gezeigt, daß er an und für sich aufgehoben und vor Gott nichtig ist. Er hat dies vermocht durch die ›unendliche Kraft der Einheit‹ (Phil. d. Rel., 139), die sich in der tiefsten Entäußerung erhält und so den Umschlag, die Konversion der Negation in die Negation der Negation erwirkt«.[23]

Ähnlich schreibt Hegel auch in seiner Phänomenologie: »Nicht das Leben, das sich vor dem Tode scheut und von der Verwüstung rein bewahrt, sondern das ihn erträgt und in ihm sich erhält, ist das Leben des Geistes. Er gewinnt seine Wahrheit nur, indem er in der absoluten Zerrissenheit sich selbst findet. Diese Macht ist er nicht als das Positive, welches von dem Negativen wegsieht...; sondern er ist diese Macht nur, indem er dem Negativen ins Angesicht schaut, bei ihm verweilt. Dieses Verweilen ist die Zauberkraft, die es in das Sein umkehrt.«[24]

[22] G. W. Fr. Hegel, Vorlesungen über die Philosophie der Religion (hrsg. v. G. Lasson), Hamburg 1966, 4. Bd., 133.

[23] P. Cornehl, aaO. 135; vgl. dazu J. Splett, Die Trinitätslehre G. W. Fr. Hegels, Freiburg 1965.

[24] G. W. Fr. Hegel, Phänomenologie des Geistes (hrsg. v. J. Hoffmeister), Hamburg 1962, 29 f.

Durch Tod und Auferstehung Jesu ist damit auch bereits die versöhnte Welt, die absolute Aufhebung aller Gegensätze, das universale Reich Gottes auf Erden und die individuelle Unsterblichkeit der Seele vollendete Wirklichkeit geworden; das *Ende der Geschichte*, das Eschaton, ist bereits *präsent,* ist bereits als Qualität des Geistes da. Es verwirklicht sich vor allem in der Gemeinde derer, die das Geschick Jesu »im Geiste« an sich nachvollziehen lassen: »So ist die Gemeinde selbst der existierende Geist, der Geist in seiner Existenz, Gott als Gemeinde existierend.«[25] Der qualitative Unterschied zwischen Gegenwart und Zukunft der Vollendung, zwischen der geschehenen Vollendung Christi und der erhofften Vollendung der Christen fällt im Grunde weg; für eine futurische Eschatologie bleibt da kein Platz, wo die Endlichkeit als solche bereits »im Geist« aufgehoben, vollständig versöhnt ist. Die bleibende Wirklichkeit der unversöhnten Negativität der Geschichte auch nach Christus wird von Hegel zu wenig berücksichtigt. Woran liegt das?

Der Grund liegt wohl einmal darin, daß die *Negativität des Todes* weder bei Christus (als letztes, notwendiges Moment der Entäußerung des Geistes, in dem sich aber die Lebens- und Einheitskraft des Geistes durchhält) noch bei den Christen (als in Christus bereits vollzogene und uns mitgeteilte Vernichtung aller Negation)[26] richtig ernstgenommen wird als radikaler Abbruch des Lebens und der Geschichte, bei dem sich die ganze Angewiesenheit des ohmächtigen Geschöpfs auf die Macht des Schöpfers zeigt. Und zum anderen ist eben auch »*Auferstehung von den Toten*« nicht das Sich-Durchsetzen des Lebens des Geistes in aller Negativität, also seiner immer schon gegenwärtigen Identität in aller Nicht-Identität, sondern das absolut freie Geschenk des Schöpfers an das Geschöpf. Dieses entscheidende Moment der christlichen Theologie, nämlich die Freiheit des Schöpfers dem Geschöpf gegenüber (sei es bei der ersten Schöpfung, sei es in der schöpferischen Erhaltung [= »creatio continua«] innerhalb der Geschichte, sei es in der Neuschöpfung der Auferstehung), die Freiheit also, die aus schöpferischer Liebe die Negativität des Nichts und des Todes überwinden kann, kommt bei Hegel zu kurz. Denn diese »Freiheit« des absoluten Geistes wird bei ihm zugleich als logische »Notwendigkeit« des Geistes

---

[25] G. W. Fr. Hegel, Vorlesungen über die Philosophie der Religion, aaO. 198.
[26] »Die im unendlichen Schmerz (sc. der Liebe) bewährte Subjektivität braucht den Tod nicht mehr zu fürchten, sie hat ihn ja bereits hinter sich…« (P. Cornehl, aaO. 142).

(seines innersten Wesens) gedacht; nämlich als die Notwendigkeit, dem im Absoluten immer schon gesetzten Anderen sein volles Recht, das Recht der Verschiedenheit zu gewähren.[27] Hegel hält zwar durchaus an dem Unterschied zwischen innertrinitarischem Prozeß des Absoluten (das eben als *freie Subjektivität* gedacht wird) und seiner freien, liebenden Selbstentäußerung in Schöpfung und Erlösung fest; aber diese Freiheit der Selbstentäußerung ist zugleich mit dem Wesen des Geistes (seiner Differenzierung in Selbst und Anderes) notwendig gegeben. Die göttliche Freiheit ist hier festgelegt auf die »Logizität des Begriffs«[28], der sich selbst entfaltet. Ihr fehlt das Moment der »Unableitbarkeit aus allem schon Vorhandenen, auch aus dem, was der Wollende selbst schon ist«.[29] Weil dieses Moment einer wirklich schöpferischen, Neues schaffenden Freiheit – einer Freiheit, die also selbst (auch bei Gott!) immer noch eine Zukunft des Neuen, Überraschenden, »Zufälligen« hat – zu kurz kommt, darum muß der »notwendige« Prozeß der Selbstentfaltung dieser Freiheit in Jesus Christus und seiner Auferstehung, also in der absolut gelungenen und versöhnten Identität von Gott und Mensch, von Unendlichem und Endlichem, von Positivem und Negativem bereits vollständig an sein Ziel gekommen sein. Er kann als solcher bei Hegel keine wirkliche Zukunft mehr haben.

Weil aber Freiheit und Liebe sowohl bei Gott wie beim Menschen nicht schlechthin auf den »Begriff« gebracht werden können, weil es keine schlechthinnige Identität von Liebe und »logischer Notwendigkeit« des Geistes in seiner Selbstverwirklichung gibt, muß gegen Hegel die Möglichkeit einer wirklichen Zukunft der Geschichte zwischen Gott und Mensch auch nach Christus betont werden; einer Zukunft, in der sowohl die Negativität, das Unversöhnte, der Tod wie auch das Positive, die Kraft der versöhnenden Liebe Christi durchaus eine eigene Realität darstellen, die noch keineswegs vollständig in einer umfassenden Versöhnung »aufgehoben« sind.[30]

5. Der Sinn der Geschichte nach Jesus Christus

Worin sieht nun Hegel den *»Sinn« der Geschichte nach Christus,* nachdem in ihm ja eigentlich schon alles »gelaufen« ist? Weil im

---

[27] Vgl. W. Pannenberg, Gottesgedanke und menschliche Freiheit, Göttingen 1972, 99.

[28] W. Pannenberg, aaO. 108.

[29] AaO. 110.

[30] Gerade in diesem Insistieren auf der noch zu erhoffenden »Zukunft der Versöh-

Christusgeschehen (sowohl in der Verkündigung Jesu wie besonders in Tod und Auferstehung) die *Freiheit* des Geistes gegenüber
allem Endlichen und Weltlichen, seine allein gültige Bindung an das
Unendliche und Absolute real an die Welt vermittelt wurde, darum
ist seitdem die Freiheit als die entscheidende Bestimmung jedes
Menschen offenbar geworden. Im Begriff der christlichen Freiheit
sind deswegen »alle äußerlichen, natürlichen oder auf willkürlicher
gesellschaftlicher Setzung beruhenden Unterschiede ›der Herrschaft, der Gewalt, des Standes, selbst des Geschlechts, des Reichtums‹ aufgehoben«.[31] Die menschliche Bestimmung ist *eine*, sie gilt
für alle! Weil *alle* Menschen vor Gott gleich sind, weil deswegen die
Freiheit eine *allgemeine* Bestimmung des Menschen geworden ist
(nicht als Idee, sondern als Realität »in Christus«!), darum liegt im
Christentum und seiner Botschaft die Kraft, das gesamte gesellschaftliche Leben der Völker danach zu gestalten, ihm also die Gestalt der Freiheit zu geben. Darin besteht die Sendung der Gemeinde »im Geist«; die Weltgeschichte ist seitdem nichts anderes als
die Selbstdurchsetzung der Freiheit im gesamten gesellschaftlich-in-
stitutionellen Bereich, damit das Reich Gottes wirklich »allgemein«
werde.

Hegel bleibt jedoch trotz dieses geschichtsphilosophischen Prinzips
ein Realist: Er sieht durchaus, daß die Geschichte des Christentums
kein linearer, konfliktloser Freiheitsprogreß ist, sondern von vielen
Rückfällen, Gefährdungen und Pervertierungen durchsetzt ist.
Dennoch kann die Christenheit nicht mehr einfach hinter die in
Christus erreichte Gestalt der Freiheit und ihres Bewußtseins zurückfallen; die Kraft der einmal geschenkten Versöhnung und Freiheit setzt sich gegen alle Widerstände durch.

6. WIDERSPRÜCHE

In diesem Befreiungsprozeß erfüllt sich der Endzweck der Geschichte; zugleich wird damit auch das *eschatologische Heil* aller
Menschen identifiziert. »Das Programm der christlichen Geschichte ist Eschatologie im Vollzug.«[32] Am Schluß der Weltgeschichte läßt sich nach Hegel deswegen auch die Wahrheit Gottes,
wie sie im Christentum offenbar geworden ist, bereits voll und ganz
verifizieren; seine Rechtfertigung angesichts des Bösen in der Welt

---

nung« gipfelt die Kritik P. Cornehls an Hegels Religions- und Geschichtsphilosophie.
[31] G. W. Fr. Hegel, Vorlesungen über die Philosophie der Religion, aaO. 178.
[32] P. Cornehl, aaO. 157.

geschieht *in* der Geschichte. Ende und Vollendung der Geschichte fallen somit ineins.

Wie führt Hegel nun diese innergeschichtliche »Theodizee« durch, die auf eine geschichtstranszendente »Bewahrheitung« Gottes, eben auf die christliche Erwartung der Auferstehung von den Toten und auf das darin vollendete Kommen des Reiches Gottes verzichtet? Er kann dies nicht ohne *Widersprüche* tun: Einerseits soll die Geschichte der Weg zur Freiheit jedes Menschen, jedes einzelnen Subjekts sein; in der vollendeten gesellschaftlichen Freiheit aller besteht der Sinn der Geschichte. Andererseits aber wird gerade das Phänomen des Leids, der Unfreiheit, des Unglücks des Einzelnen in der Geschichte dadurch übergangen, daß Geschichte von Hegel als »politische« Geschichte verstanden wird; in ihr geht es nicht um das subjektive Glück und das Recht der Individuen. Denn die eigentlichen subjektiven Triebkräfte der politischen Geschichte sind nach ihm die menschlichen Leidenschaften; angesichts des geschichtlichen Schauspiels der Leidenschaften bleibt für die Realisierung des individuellen Glücks und Rechts in der Geschichte kein Platz: »Die Geschichte ist nicht der Boden für das Glück. Die Zeiten des Glücks sind in ihr leere Blätter. Wohl ist in der Weltgeschichte auch Befriedigung, aber diese ist nicht das, was Glück genannt wird; denn es ist Befriedigung solcher Zwecke, die über den partikulären Interessen stehen.«[33] Oder: »Es kann auch sein, daß dem Individuum Unrecht geschieht; aber das geht die Weltgeschichte nichts an, der die Individuen als Mittel in ihrem Fortschritt dienen.«[34] D. h. also: In der Weltgeschichte interessiert das Individuum nur, insofern es sein partikuläres Interesse an Glück und Gerechtigkeit zurücksteckt und sich als Mittel der Weltgeschichte für ihre »allgemeinen Zwecke« gebrauchen läßt (wie es z. B. die sogenannten »welthistorischen Individuen« tun, die sich als Staatsmänner am »Material« der Geschichte, am Staat, betätigen und so erst zu wirksamen »Mitteln« der Geschichte werden).

Indem die Geschichte die Individuen gerade in ihren subjektiven Leidenschaften als Mittel zur Durchsetzung ihres eigentlichen Ziels benutzt, erweist sich in ihr die »List der Vernunft«: Sie schickt »die Individuen mit ihren besonderen Interessen und subjektiven Leidenschaften in die Geschichtsschlacht, wo sie sich gegenseitig ihre Partikularität aneinander abkämpfen, während sie selbst sich ›unangefochten‹ und ›unbeschädigt‹ aus dem Streit heraushält und hinter den Kulissen – mit kaum zu leugnender Infamie – zusieht, wie das

[33] G. W. Fr. Hegel, Die Vernunft in der Geschichte, aaO. 92 f.
[34] AaO. 76.

Individuelle in diesem Kampf zugrundegeht und – wunderbar genug – das Allgemeine aus dem Untergang des Besonderen resultiert.«[35] Die Individuen müssen dem »objektiven Weltgeist« geopfert werden, obwohl sie doch gerade als »subjektiver Geist« von Christus erlöst sind und sich diese Erlösung in der allgemeinen gesellschaftlichen Versöhnung der Geschichte durchsetzen soll. Von diesem Widerspruch her erweist sich Hegels System der Geschichtsphilosophie doch in gewissem Sinn als totalitär, als Entwurf einer »erpreßten Versöhnung« (Th. W. Adorno).
Dieser Widerspruch wird von Hegel nicht gelöst. In seinem Geschichtskonzept kann er auch nicht gelöst werden, weil hier die Dimension der *Zukunft*, der noch ausständigen Vollendung der Versöhnung ausfällt. Deswegen müssen das Leid, das Negative, die Entfremdung, der Tod in der Geschichte heruntergespielt werden. Wo die Versöhnung schon als ganz und gar vollendete und nicht mehr erhoffte gedacht wird, also ohne jede noch bestehende Differenz zwischen »schon« und »noch nicht«, da kann das Negative und damit überhaupt das individuelle Schicksal keine eigenständige Bedeutung mehr haben. Der Grund für das Ausfallen der Zukunftsdimension in Hegels Geschichtsphilosophie liegt zutiefst in seinem systematischen Ansatz. Wenn das »Besondere« nichts anderes darstellt als eine notwendige und zugleich ungenügende Verkörperung des »Allgemeinen«, ein Moment in der Bewegung des sich entfaltenden absoluten Geistes, kann das Individuelle als solches und damit auch das wirklich Neue, Unableitbare, Zukunftseröffnende der Freiheit in dieser Geschichte des Geistes keinen eigenen Wert beanspruchen. Die eschatologische Hoffnung auf eine noch ausstehende vollständige Versöhnung der Welt, durch die auch die Opfer der Geschichte gerettet werden können, wird überflüssig.
Trotz dieser großen Schwächen des Hegelschen Systems wird man seine Vorzüge gerade für eine christologisch orientierte Geschichtstheologie nicht unterschätzen dürfen. Der »späte« Hegel hat ja – in seiner Hinwendung zur christlichen Tradition und Institution – versucht, das entscheidende Anliegen der christlichen Theologie philosophisch zu begründen: daß die endgültige Versöhnung des Menschen und der Geschichte nur möglich ist, wenn sie sich als *verdankte Versöhnung* versteht; aber nicht nur als eine immer noch in der Zukunft ausständig zu erhoffende Versöhnung (weil eine solche nicht vom »Leistungsdruck«, vom Postulat der Selbsterlösung befreit), sondern als eine Versöhnung, die von einer geschichtlich bereits geschenkten Versöhnung (Jesus Christus) herkommt und

[35] P. Cornehl, aaO. 159.

von daher auf ihre endgültige Vollendung zugeht. Daß dieser Versuch Hegels letztlich doch gescheitert ist, liegt daran, daß er die Differenz von Christologie und Eschatologie, von präsentischer und eschatologischer Versöhnung nicht gewahrt hat.

IV. Drei Varianten einer
marxistischen Geschichtstheorie

A. Die Hoffnung
auf die »klassenlose Gesellschaft«: K. Marx

1. Von Hegel zu Marx

Der Marxismus stellt – von seiner philosophischen Wurzel in der linkshegelianischen Schule her (Ludwig Feuerbach, Bruno Bauer, Arnold Ruge, Max Stirner u. a.) – zunächst eine Gegenbewegung gegen Hegels christlich-idealistische Geschichtsphilosophie dar. Während Hegel seine Theorie auf der Voraussetzung der in Christus bereits geschehenen Versöhnung der entzweiten Wirklichkeit aufbaute und diese Versöhnung in Staat, Religion und Philosophie bereits als gegenwärtige Wirklichkeit zur Vollendung kommen sah, dachten die Linkshegelianer aus einer völlig veränderten Grunderfahrung heraus. Der bürgerliche Geschichts- und Gesellschaftsoptimismus, dem Hegels Philosophie Ausdruck verliehen hatte, war Ende der dreißiger Jahre des vorigen Jahrhunderts einer großen Ernüchterung, ja teilweisen Verbitterung über die realen reaktionären politischen Zustände gewichen. Von der präsenten Versöhnung war immer weniger zu erfahren, und so begann »das Pathos der Präsenz in die Erfahrung totaler Differenz und Entfremdung umzuschlagen.«[36] Die gegenwärtige Wirklichkeit wurde als total schlecht und unversöhnt angesehen; sie konnte nur auf dem Weg einer radikalen, umfassenden Revolution, die einen Bruch mit aller bisherigen Geschichte bedeutet, zur Versöhnung gebracht werden.

---

[36] P. Cornehl, aaO. 314.

Das Christentum, dem diese Philosophie eine entscheidende Mitschuld an der Entfremdung des Menschen in der Gegenwart gab, wurde radikal abgelehnt und bekämpft. Denn sein »eschatologischer Dualismus«, nach dem die Versöhnung als Jenseits der Geschichte vorgestellt wird und der dadurch zur »Verdoppelung« der Wirklichkeit führt (nämlich einerseits in ein »hier« geduldig zu ertragendes Diesseits und anderseits in ein »dort« trostvoll zu erhoffendes Jenseits), erhärte notwendig die Entfremdung des Menschen in der Geschichte. Zugleich damit wurde auch die Kernthese christlicher Geschichtstheologie fallengelassen: daß nämlich in Christus bereits die Versöhnung der Geschichte *in* der Geschichte geschenkt sei.

Wenn wir gleich einige Grundzüge der Marxschen Geschichtsphilosophie aufzählen, beabsichtigen wir keineswegs, diese *ausschließlich* als säkularisierte Heilsgeschichte oder als atheistische Form prophetischer Anklage darzustellen. Das wäre eine ungerechtfertigte, im Dienst einer allzu einseitigen, christlichen Apologetik stehende Verkürzung. Als philosophische Theorie bezieht die marxistische Kritik der Gesellschaft ihre Motive und Argumente nicht einfach aus säkularisierter jüdisch-christlicher Hoffnung, sondern vor allem aus der innerphilosophischen Auseinandersetzung. Die Marxsche Revolutionstheorie, als materialistische Wendung Hegels, versteht sich ebenso wie die Frage nach dem realen Vernünftigwerden der gesellschaftlichen Wirklichkeit und dem Wirklichwerden der gesellschaftlichen Vernunft als die radikalste Zuspitzung der philosophischen Tradition der Aufklärung. Sie ist also keineswegs einfach als »verkleidetes Christentum« zu deuten. Darüber hinaus wird durch den dialektischen Überschwang – gerade des jungen Marx der Pariser Manuskripte – die nüchterne wissenschaftliche Kritik der politischen Ökonomie nicht von vornherein widerlegt. Ebensowenig falsifiziert Marxens heute schwer nachzuvollziehendes Vertrauen in den notwendigen Gang der Geschichte automatisch schon seine Werttheorie. Marxismus ist eben utopischer Entwurf *und* analytisches Instrumentarium zugleich. Dieser Ambivalenz gilt es gerade im theologischen Gespräch mit Marx sich bewußt zu bleiben. Dennoch wird ein eschatologischer Traktat zurecht die Marxsche Philosophie vorrangig als »Geschichts- und Hoffnungskonzeption« in die Auseinandersetzung miteinbeziehen, dagegen ihre analytischen Theoriebestandteile vernachlässigen dürfen.

2. VERSÖHNUNG DER GESCHICHTE DURCH REVOLUTIONÄRE VERSÖHNUNG DER GESELLSCHAFTLICHEN VERHÄLTNISSE

Die geschichtsphilosophische Theorie von Marx läßt sich (schematisch verkürzt) in vier Grundzügen so zusammenfassen[37]: (1) Das *Subjekt* der Geschichte wird radikal antimetaphysisch bestimmt; nicht Gott, nicht Vorsehung, nicht der absolute Geist sind das in und durch die Menschen letztlich handelnde Subjekt, sondern der *Mensch allein*; er allein wird, oder besser: soll zum schöpferischen Subjekt der Selbstbefreiung des Menschen in der Geschichte werden. Gemeint ist aber nicht der abstrakte »Mensch als solcher« (Feuerbach!), sondern der *konkrete* Mensch, der sich in seinem praktischen (nicht theoretischen!) Verhältnis zur Natur und zu seinen Mitmenschen selbst verwirklicht. Diese Selbstverwirklichung geschieht durch arbeitende Entfaltung der Produktivkräfte und durch gesellschaftliche Organisation der Produktionsmittel. (2) Der *»konkrete« Mensch* ist der Mensch innerhalb der *ökonomischen Verhältnisse*. Diese Verhältnisse sind die Grundlage, die »Basis« aller geistigen, religiösen, kulturellen, politischen Zustände und Veränderungen eines Volkes in der Geschichte. Sie machen deswegen auch die eigentliche *Dimension* der Geschichte aus, die eben nicht primär Heilsgeschichte oder Geistesgeschichte oder Kulturgeschichte ist. (3) Umfassende *»Versöhnung der Geschichte«* kann also nur durch *revolutionäre Veränderung* der gegenwärtig völlig entmenschlichten ökonomischen Verhältnisse geschaffen werden, da der Mensch im Kapitalismus zur käuflichen Ware verdinglicht ist. Diese notwendige Veränderung der ökonomischen Verhältnisse, die zur Selbstbefreiung des Menschen von aller Entfremdung führen wird, kann nur von einer geschichtsmächtigen Klasse, konkret vom Proletariat, durchgeführt werden. Bei diesem ist die Entfremdung an ihr äußerstes Ziel gelangt: die absolute Ohnmacht im kapitalistischen Wirtschaftsprozeß. Bei dieser Klasse ist die Entfremdung »total geworden, und wenn die proletarische Klasse ihre Entfremdung aufhebt, dann hebt sie, eben als Träger der totalen Entfremdung, Entfremdung überhaupt und damit die Einteilung in Klassen als solche auf.«[38]

[37] Die wesentlichen geschichtsphilosophischen Aussagen Marx' finden sich im »Kommunistischen Manifest« (1848) und im »Kapital« (seit 1867). Zur Geschichtsphilosophie Marx' vgl. K. Löwith, Weltgeschichte und Heilsgeschehen, Stuttgart 1953, 38–54; G. Lukács, Geschichte und Klassenbewußtsein, Neuwied 1970; H. Fleischer, Marxismus und Geschichte, Frankfurt ³1970; A. Schmidt, Geschichte und Struktur – Fragen einer marxistischen Historik, München 1971; W. Schulz, Philosophie in der veränderten Welt, Pfullingen 1972, 553–566.

[38] W. Schulz, aaO. 563.

Bevor wir den vierten Grundzug der Marxschen Geschichtsphilosophie behandeln, sei hier ein kleiner religionsgeschichtlicher Exkurs eingeschaltet: Denn zur Erklärung, wie gerade das total entfremdete und *ohnmächtige* Proletariat das *geschichtsmächtige* Subjekt der Veränderung sein kann, wird von Marx eine dialektische Denkfigur als Deutung der Geschichte herangezogen, die sowohl in der Apokalyptik wie auch in den griechisch-orientalischen Mythen der ewigen Wiederkehr eine große Rolle spielte,[39] nämlich der Gedanke des dialektischen Umschlags von der totalen Negation in die Negation der Negation, also in die Positivität. Wo die Entfremdung auf die Spitze getrieben wird, ergibt sich die Möglichkeit des qualitativen Umschlags. Darin meldet sich das alte apokalyptische Motiv »der äußersten Dekadenz, das Motiv vom Triumph des Bösen und der Finsternis, die dem Wechsel des Äons und der Erneuerung des Kosmos vorausgehen.«[40] In solchen Vorstellungen lebt ein fundamentaler Geschichtsoptimismus: »In der Verschlimmerung der gegenwärtigen Situation erblickt doch zumindest ein Teil der Menschen die Vorzeichen einer Erneuerung, die *notwendig* folgen muß.«[41] Oder: »Die Verschlimmerung des Übels beschleunigt zugleich die endliche Befreiung.«[42] Dieses alte religionsgeschichtliche Motiv wird von den Linkshegelianern und besonders von Marx aktualisiert und auf die historische Situation des Proletariats übertragen: Weil hier das Böse, die Finsternis, die Entfremdung »vollkommen« geworden sind, sind auch die Möglichkeit und die Notwendigkeit des Umschlags, der Erneuerung, der Befreiung nahegekommen.

Als neuzeitlicher Philosoph sieht Marx in diesem Geschichtsschema jedoch nicht ein übermenschliches »Verhängnis«; es sind die Menschen, die sich dieser Entfremdung bewußt werden, wie sie ja auch durch Menschen herbeigeführt wurde. Durch das *Bewußtwerden* wird der Zeitpunkt des (allerdings notwendigen!) Umschlags der Geschichte herbeigeführt: Die Freiheit zur schöpferischen Selbstbefreiung kann tätig werden. Geschichte wird – im Gefolge der Aufklärung und des Idealismus – als eine Dialektik von Freiheit und Notwendigkeit begriffen.

Die revolutionäre Veränderung zur Selbstbefreiung hin wird getragen durch die »kommunistische Bewegung«; (4) ihr *Ziel* wird die *zukünftige klassenlose* Gesellschaft sein, in der alle bisherige Ge-

---

[39] Vgl. dazu M. Eliade, Der Mythos der ewigen Wiederkehr, Düsseldorf 1953, bes. 171 ff, 186 f, 192, 213 f.
[40] AaO. 186.
[41] AaO. 192.
[42] AaO. 214.

schichte aufgehoben und vollendet sein wird. Denn dieser zukünftige Kommunismus ist »die wahrhafte Auflösung des Widerstreits zwischen den Menschen mit der Natur, und mit dem Menschen, die wahre Auflösung des Streits zwischen Existenz und Wesen, zwischen Vergegenständlichung und Selbstbestätigung, zwischen Freiheit und Notwendigkeit, zwischen Individuum und Gattung. Er ist das aufgelöste Rätsel der Geschichte und weiß sich als diese Lösung.«[43]

Das Ziel der Geschichte bleibt auch bei Marx die endgültige »Versöhnung« als Vermittlung aller Gegensätze und Widersprüche der Geschichte. Aber diese Versöhnung, die noch nirgends gegeben ist, muß in der realen, ökonomisch geprägten Geschichte vom Menschen selbst revolutionär erwirkt werden. Geschenkte Versöhnung bleibt ausgeschlossen; sie muß erarbeitet werden, bis die »klassenlose Gesellschaft« des reinen Kommunismus die Vollendung bringt.

»Marx selbst hat diesen *Vollendungszustand* nicht in concreto geschildert. Entscheidend ist, daß der Mensch sich hier in seiner Totalität gewinnen, das heißt, sich als allseitiges Wesen, wie Marx sagt, aneignen soll. Dieser totale Mensch ist eine Konstruktion. Er ist das Gegenbild zur Zerrissenheit des Menschen im Zustand der Entfremdung. Geschichte ist als Gang durch die Negation Herstellung der Vollendung.«[44]

Die extreme Polarisierung zwischen negativer Gegenwart und positiver Zukunft ist zweifellos auch ein Kennzeichen der *prophetischapokalyptischen* Sprache. Marx hat sich dieser überkommenen Denkform bedient, nicht nur um eine Geschichts*theorie* zu entwerfen, sondern vielmehr um zum revolutionären *Handeln* aufzurufen und zu motivieren. »Der alte jüdische Messianismus und Prophetismus, den zweitausend Jahre ökonomischer Geschichte vom Handwerk bis zur Großindustrie nicht verändern konnten, und das jüdische Bestehen auf unbedingter Gerechtigkeit, sie erklären die idealistische Basis des historischen Materialismus. Es ist deshalb kein Zufall, daß der letzte Antagonismus der beiden feindlichen Lager, der Bourgeoisie und des Proletariats, dem Glauben an einen Endkampf zwischen Christus und Antichrist in der letzten Geschichtsepoche entspricht, und daß die Aufgabe des Proletariats der welthistorischen Mission des auserwählten Volkes analog ist«.[45]

[43] K. Marx, Werke (Hrsg. H. J. Lieber/P. Furth), Bd. 1, Berlin 1962, 593 f.
[44] W. Schulz, aaO. 564.
[45] K. Löwith, aaO. 48.

3. Einwände

Worauf *gründet* sich diese Sicht der Geschichte und diese Zuversicht auf ihre notwendige Vollendung in der Zukunft? Sicher nicht einfach auf gegenwärtige, empirische Erfahrung oder ausschließlich auf eine wissenschaftlich-analytische Theoriebildung; aber auch nicht auf eine hoffnungweckende »Verheißung«, die in der Geschichte ergangen ist. Viel eher scheint der Grund dieser Vision in dem unbedingten *Willen* zur Versöhnung, zur Gerechtigkeit, zur Freiheit zu liegen. Ob jedoch der menschliche Wille allein und die ihm möglichen Mittel der gesellschaftlichen Veränderung den breiten Graben zur Realität hin überspringen können, bleibt fraglich. Es spricht nicht nur die Erfahrung der Geschichte bislang dagegen. Auch der Einwand Hegels, daß der Wille zur Selbsterlösung ein direkter Widerspruch zur Idee der Versöhnung bedeutet, weil er gerade den unbedingten ethischen Leistungsdruck nicht vom Menschen nimmt, sondern verschärft, ja verewigt und den Menschen in der dauernden Entzweiung zwischen Sein und Sollen beläßt, dieser fundamentale Einwand wurde von Marx (und dem gesellschaftlich verwirklichten Marxismus) nicht hinreichend beantwortet.
Eine andere Frage ist die nach dem Sinn der Geschichte für den *Einzelnen:* Wie wird der gegenwärtige, der vergangene und der zukünftige einzelne Mensch an der letzten Vollendung der Geschichte teilhaben? Diese Frage bleibt offen. Das Marxsche Geschichtskonzept unterscheidet sich in diesem Punkt nicht von dem Hegels. Die Weltgeschichte geht auch als die Geschichte der Klassenkämpfe über das Schicksal und die Hoffnung des Einzelnen hinweg. Mir scheint, daß eine – was die Zukunft betrifft – optimistische Geschichtstheorie wie die von Marx ohne die Voraussetzung des Glaubens an den geschichtsmächtigen, konkret: den totenerweckenden Gott notwendig den Einzelnen als letztes konkret-bestimmbares Subjekt der Geschichte und ihrer Vollendung hintansetzen muß. Denn wie können die Toten, die tot bleiben, an der wie immer vorgestellten Vollendung partizipieren?

B. Der »Messias« und die Revolution: W. Benjamin

An diese offenen Fragen läßt sich gut die Darstellung der Geschichtsphilosophie Walter Benjamins anknüpfen, die sich sowohl dem Marxismus wie auch der jüdischen Mystik und Apokalyptik verpflichtet weiß.[46] W. Benjamin gilt als ein wichtiger Anreger der »Kritischen Theorie« M. Horkheimers und Th. W. Adornos; auch die sogenannte »Politische Theologie« von J. B. Metz verdankt ihm zahlreiche Inspirationen (z. B. den Begriff der »gefährlichen Erinnerung«, die Sicht der Geschichte als »Leidensgeschichte« statt einer bloßen »Siegergeschichte«, die hohe Bewertung des »Narrativen« gegenüber dem Argumentativen, die Einbeziehung der »Rettung des Vergangenen« in die Vision einer Vollendung der Geschichte, die Hoffnung auf eine apokalyptische »Unterbrechung« des ewig gleichen und alles nivellierenden Zeitstroms). Die heute noch anziehende Originalität Benjamins dürfte gerade in der eigenartigen Verbindung von jüdisch-theologischer Tradition und marxistisch-materialistischer Philosophie begründet sein. So bezeichnet ihn sein Freund Gershom Scholem einmal zutreffend als »marxistischen Rabbi«.[47]

Im Zusammenhang unserer Eschatologie wollen wir nur auf Benjamins sogenannte »Geschichtsphilosophische Thesen« eingehen.[48] Sie sind sein letztes Manuskript (im Februar 1940 in Paris verfaßt) und dürften auch so etwas wie sein geistiges Vermächtnis darstellen. Ursprünglich waren sie von ihm konzipiert als eine geschichtsphilosophische Einleitung zu einem größeren Werk über den französischen Dichter Ch. Baudelaire (1821–1867). Sie bringen (auf verschlüsselte Weise) seine tiefe Enttäuschung über den Hitler-Stalin-Pakt und auch seine Abkehr vom existierenden Kommunismus zum Ausdruck. Dabei argumentieren sie »auf vertrakteste Weise mit messianischer Theologie, die sich eines materialistischen Vokabulars bedient. Vielleicht sind sie deswegen für manche so schwer verständlich, vielleicht ist aber auch ein Extrakt jüdischer Hoffnung und Geschichtsbewußtseins nie mehr so deutlich formuliert worden.«[49] Benjamins 18 »Thesen« liegt die gleich zu Anfang (in der 1. These) ausgesprochene Einsicht zugrunde, daß der historische Materialismus, der die Geschichte als einen aus dem Wesen der Materie abgeleiteten, notwendigen, dialektischen Entwicklungsprozeß zur klas-

---

[46] Zur Person Walter Benjamins: Er wurde am 15. 7. 1892 in Berlin geboren, war dort als Germanist, Literaturkritiker und Geschichtsphilosoph tätig, bis er 1933 als jüdischer Emigrant nach Paris ins Exil ging. 1940 mußte er von dort vor den Nazis fliehen. Als der Versuch scheiterte, über die Pyrenäen nach Spanien zu fliehen, nahm er sich am 27. 9. 1940 das Leben.

[47] G. Scholem, Walter Benjamin und sein Engel, in: S. Unseld (Hrsg.), Zur Aktualität Walter Benjamins, Frankfurt 1972, 88.

[48] In: W. Benjamin, Zur Kritik der Gewalt und andere Aufsätze, Frankfurt 1971, 78–96; vgl. dazu W. Fuld, Walter Benjamin – Zwischen den Stühlen, München 1979, 279–291.

[49] W. Fuld, aaO. 284.

senlosen Gesellschaft versteht, bezüglich seiner Überzeugungskraft sehr stark auf die (in ihm unreflektiert implizierte) Theologie angewiesen ist:

»Bekanntlich soll es einen Automaten gegeben haben, der so konstruiert gewesen sei, daß er jeden Zug eines Schachspielers mit einem Gegenzug erwidert habe, der ihm den Gewinn der Partie sicherte. Eine Puppe in türkischer Tracht, eine Wasserpfeife im Munde, saß vor dem Brett, das auf einem geräumigen Tisch aufruhte. Durch ein System von Spiegeln wurde die Illusion erweckt, dieser Tisch sei von allen Seiten durchsichtig. In Wahrheit saß ein buckliger Zwerg darin, der ein Meister im Schachspiel war und die Hand der Puppe an Schnüren lenkte. Zu dieser Apparatur kann man sich ein Gegenstück in der Philosophie vorstellen. Gewinnen soll immer die Puppe, die man ›historischen Materialismus‹ nennt. Sie kann es ohne weiteres mit jedem aufnehmen, wenn sie die Theologie in ihren Dienst nimmt, die heute bekanntlich klein und häßlich ist und sich ohnehin nicht darf blicken lassen.«[50]

1. Die Fraglichkeit des »Fortschritts«

Worin liegt nun nach Benjamin der spezielle Beitrag der Theologie für ein marxistisches Geschichtsverständnis? Zunächst einmal in der Kritik an einer oberflächlichen *Fortschrittsideologie*[51], die (so These 13) den Fortschritt pauschal auf die Menschheit als ganze (statt auf bestimmte Fertigkeiten und Kenntnisse) bezieht; die ferner an eine unendliche Vervollkommnung der Menschheit glaubt; die schließlich die Unaufhaltsamkeit und Notwendigkeit des Fortschritts behauptet. Seine Hauptkritik jedoch richtet sich auf die einer solchen Fortschrittsidee zugrundeliegende Vorstellung der *Zeit,* die nur als eine »homogene und leere Zeit« verstanden wird, die von der Menschheit einfach auf ein fernes Ziel hin durchlaufen wird.[52] Der gebannte Blick in die Zukunft, der einem solchen Fortschrittsdenken eigen ist, wird hier zum erstenmal innerhalb eines marxistischen

---

[50] W. Benjamin, Geschichtsphilosophische Thesen, aaO. 78.

[51] Darin sind ihm auch M. Horkheimer und Th. W. Adorno in ihrer »Dialektik der Aufklärung« (Amsterdam 1947) gefolgt.

[52] Vgl. These 13: »Die Vorstellung eines Fortschritts des Menschengeschlechts in der Geschichte ist von der Vorstellung ihres eine homogene und leere Zeit durchlaufenden Fortgangs nicht abzulösen. Die Kritik an der Vorstellung dieses Fortgangs muß die Grundlage der Kritik an der Vorstellung des Fortschritts überhaupt bilden« (aaO. 89). Diese Kritik der neuzeitlichen Fortschrittsideologie übernimmt Benjamin von Baudelaire und von Franz v. Baader, einem bedeutenden Geschichtsphilosophen des deutschen Idealismus und der Romantik (1765–1841).

Geschichtsschemas in Frage gestellt; die immanente teleologische Sinndeutung der Geschichte wird faktisch aufgegeben.

Dennoch kann auch Benjamin, wenn er wirklich Marxist sein will, nicht auf die von der Zukunft erwartete Emanzipation des Menschen von Elend und Unterdrückung verzichten; aber diese wird von ihm differenzierter gedacht.

a) Zur wirklichen Befreiung des Menschen gehört wesentlich die »*Rettung des Vergangenen*«. Geschichte ist eben nicht nur eine Geschichte der Sieger, der Herrschenden, der Überlebenden, sie ist primär die »Leidensgeschichte der Welt«. Gegen den Historismus und den Idealismus, die die Geschichte nur nach dem, was in ihr erfolgreich überlebt hat, beschreiben, will Benjamin »die Geschichte gegen den Strich bürsten« (These 7), will er »im Vergangenen den Funken der Hoffnung anfachen« (These 6). Auch die Leiden und Unterdrückungen der Vergangenheit, auch die vergessenen Toten sollen einmal an der Befreiung der Menschheit teilhaben. Darin spricht sich eine typisch jüdisch-apokalyptische Geschichtstheologie aus, für die der enge Zusammenhang von erfahrenem Leid, von Erinnerung an die eigenen Toten und von Hoffnung auf ihre Erlösung wesentlich ist.

b) Die endgültige Befreiung impliziert für Benjamin darüber hinaus nicht nur (wie allgemein in der Emanzipationsideologie) Wohlstand und Freiheit, sondern vor allem auch »*Glück*«, und zwar ein allgemeines Glück, das jedem Menschen zuteil werden soll: »Die Ordnung des Profanen hat sich aufzurichten an der Idee des Glücks.«[53] Gegen einen oberflächlichen Fortschrittsglauben, der mit zunehmendem Wohlstand und wachsender Freiheit auch bereits das glückliche, erfüllte Leben ankommen sieht, kann Benjamin mit seinem Insistieren auf Glück die Frage nach der »Möglichkeit einer bedeutungslosen Emanzipation« aufwerfen: »Könnte eines Tages ein emanzipiertes Menschengeschlecht in den erweiterten Spielräumen diskursiver Willensbildung sich gegenübertreten und doch des Lichtes beraubt sein, in dem es sein Leben als ein gutes zu interpretieren fähig ist?«[54] Denn eine »herrschaftsfreie Kommunikation« nützt nichts, wenn zwar die »Gewalt« der Repression weggenommen, aber auch der »Gehalt« des Diskurses verlorengegangen, sinnlos und banal geworden ist.

---

[53] Theologisch-politisches Fragment (im Anschluß an die geschichts-philosophischen Thesen), aaO. 95.

[54] J. Habermas, Bewußtmachende oder rettende Kritik – die Aktualität W. Benjamins, in: S. Unseld (Hrsg.), Zur Aktualität W. Benjamins, aaO. 173–223, Zitat 220; J. Habermas, Der philosophische Diskurs der Moderne, Frankfurt 1985 (Exkurs zu Benjamins geschichtsphilosophischen Thesen, 21–26).

Worin besteht für Benjamin das »Glück«, das er einer solchen leeren Befreiung entgegensetzen will? In dem Fragment »Agesilaus Santander«, das G. Scholem sehr schön ausgelegt hat, formuliert er es so: »Er will das Glück: den Widerstreit, in dem die Verzückung des Einmaligen, Neuen, noch Ungelebten mit jener Seligkeit des Nocheinmal, des Wiederhabens, des Gelebten liegt.«[55] Glück ist also jene paradoxe Erfahrung des zugleich Neuen und doch – als bleibend Gewesenes – Wiederholbaren; die Erfahrung, daß das schon einmal Gelebte als wirklich Neues, Ungelebtes, Einmaliges wiederholt, noch einmal gelebt werden kann.

Gibt es eine bessere formale Umschreibung für das, was auch die christliche Hoffnung mit »Seligkeit« meint: jene gefüllte Gegenwartserfahrung, in der das Verlangen nach Dauer, ja nach Ewigkeit des erlebten Schönen als erfülltes Verlangen ineins fällt mit der erfüllten Sehnsucht nach dem Neuen, dem Zukünftigen, dem immer noch Schöneren? Diese Dialektik von Gewesenem und Neuem im »gefüllten Augenblick« der »Jetztzeit« bildet ein Grundmotiv des Denkens von Benjamin.

2. Erlösung und/oder Revolution?

Wie aber ist ein solches Glück in der Geschichte für alle zu bewerkstelligen? Sicher nur in Verbindung mit dem vorher Genannten, also mit der »Rettung des Vergangenen«. Dabei schließt das »Vergangene« nicht nur das vergessene Leid und Leben der Toten ein, sondern auch die ganze Tradition jener Kulturgüter, in denen sich die Schönheits- und Glückserfahrung der Menschen, ihre Hoffnungen und Utopien bereits versinnlicht haben: Kunst (als ästhetisch vermittelte Humanität des versöhnten Menschen) und Religion (als metaphysisch-theologisch vermittelte Humanität, welche der ästhetischen Vermittlung erst ihren Gehalt, ihre »Substanz« verleiht), aber auch die realen politischen Befreiungsbewegungen der Geschichte (z. B. Spartakus, Französische Revolution u. ä.).[56]

Die Frage bleibt: Wie kann ein solcher »rettender Eingriff in eine Vergangenheit«[57] geschehen? Benjamin nennt dafür zwei Möglichkeiten, die in einer unaufgelösten Spannung stehen: die *messianische Erlösung* und die *kommunistische Weltrevolution*. Was aber heißt bei ihm »Erlösung«? Einige Zitate mögen das erläutern: »Es schwingt

---

[55] Zitiert nach G. Scholem, W. Benjamin und sein Engel, aaO. 102.
[56] Vgl. dazu H. Günther, W. Benjamin und die Theologie, in: StdZ 191 (1973), 33 ff.
[57] J. Habermas, Bewußtmachende oder rettende Kritik ..., aaO. 187.

in der Vorstellung des Glücks unveräußerlich die der Erlösung mit. Mit der Vorstellung von Vergangenheit, welche die Geschichte zu ihrer Sache macht, verhält es sich ebenso. Die Vergangenheit führt einen zeitlichen Index mit, durch den sie auf die Erlösung verwiesen wird« (These 2). Oder: »Freilich fällt erst der erlösten Menschheit ihre Vergangenheit vollauf zu. Das will sagen: erst der erlösten Menschheit ist ihre Vergangenheit in jedem ihrer Momente zitierbar geworden. Jeder ihrer gelebten Augenblicke wird zu einer citation à l'ordre du jour – welcher Tag eben der jüngste ist« (These 3). Oder am schönsten im Bild vom »*Engel der Geschichte*«, das er in der 9. These entfaltet:[58]

> »Es gibt ein Bild von Klee, das Angelus Novus heißt. Ein Engel ist darauf dargestellt, der aussieht, als wäre er im Begriff, sich von etwas zu entfernen, worauf er starrt. Seine Augen sind aufgerissen, sein Mund steht offen, und seine Flügel sind ausgespannt. Der Engel der Geschichte muß so aussehen. Er hat das Antlitz der Vergangenheit zugewendet. Wo eine Kette von Begebenheiten vor uns erscheint, da sieht er eine einzige Katastrophe, die unablässig Trümmer auf Trümmer häuft und sie ihm vor die Füße schleudert. Er möchte wohl verweilen, die Toten wecken und das Zerschlagene zusammenfügen. Aber ein Sturm weht vom Paradiese her, der sich in seinen Flügeln verfangen hat und so stark ist, daß der Engel sie nicht mehr schließen kann. Dieser Sturm treibt ihn unaufhaltsam in die Zukunft, der er den Rücken kehrt, während der Trümmerhaufen vor ihm zum Himmel wächst. Das, was wir den Fortschritt nennen, ist dieser Sturm.«

Nach G. Scholem[59] greift W. Benjamin hier auf die jüdisch-mystische Tradition zurück, die im Engel sowohl den Boten Gottes als auch den persönlichen Engel jedes Menschen sieht, der dessen geheimes, ihm selbst verborgenes, himmlisches Selbst darstellt, das ständig bei Gott weilt. Dieser persönliche »Schutzengel«, der aus der Zukunft der Erlösung auf den Menschen zukommt, soll den auf Erden lebenden Menschen in diese Zukunft führen, die zugleich identisch ist mit der Vergangenheit seines heilen Ursprungs bei Gott. Der Engel symbolisiert also die erlösende Einheit von Ursprung und Ziel, von Paradies und eschatologischer Vollendung des einzelnen Menschen: »Du bleibst am Ursprung. Ursprung ist das Ziel.«[60]
Diese Vorstellung nun weitet Benjamin aus auf die menschliche Geschichte überhaupt; sie hat als ganze einen solchen Engel, also

---

[58] W. Benjamin, Zur Kritik der Gewalt..., aaO. 84 f.
[59] G. Scholem, Walter Benjamin und sein Engel, aaO. 108 f, 130 ff.
[60] K. Kraus, Worte in Versen I, 1916, 67 (zitiert nach G. Scholem, aaO. 123; von W. Benjamin ist dieses Wort seiner 14. These vorangestellt).

einen geheimen Begleiter und Führer, der sie aus der Vergangenheit in die Zukunft ruft. Weniger bildlich ausgedrückt könnte dies besagen: Der Geschichte eignet eine innere Sinn-sehnsucht, die das Ende der Erlösung mit dem Anfang des Paradieses, also ihre Vollendung mit ihrem Ursprung ineins fallen lassen möchte. Aber diese Dynamik kann sich nicht ihrem Sinn gemäß entfalten. Stattdessen erscheint die Geschichte als »eine einzige Katastrophe«, die »unablässig Trümmer auf Trümmer häuft«. Der »Engel der Geschichte« will diese Entwicklung anhalten (»verweilen«), um das »Zerschlagene zusammenzufügen« und die »Toten zu wecken«; er will die Katastrophe unterbrechen, das letzte Sinnziel der Geschichte erfüllen und die Erlösung der Geschichte *in* der Geschichte selbst geschehen lassen.

Aber das kann nicht gelingen; die Geschichte kann sich immanent nicht selbst erlösen. Sie wird unaufhaltsam vorwärts getrieben in eine Zukunft, die sie nicht kennt und nicht sieht (der Engel steht ja mit dem Rücken zur Zukunft). Die vorwärtstreibende Kraft, die vom Ursprung an tätig ist (als »Sturm vom Paradies«) und die jedes Verweilen, jedes Anhalten der Geschichte und damit jede immanente Sinnerfüllung der Geschichte (eben die Einheit von heilem Ursprung und geheilter Vollendung) verhindert (der Engel kann die »Flügel nicht schließen«), ist für Benjamin der »Fortschritt«: Durch ihn wird die Geschichte zur reinen Katastrophen- und Trümmergeschichte.

Dennoch bleibt sie nicht völlig ohne Hoffnung. In der Nr. B (im Anschluß an die 18 Thesen) nimmt Benjamin den jüdischen Glauben an den *Messias* wieder auf, der zu jeder Zeit »durch die kleine Pforte einer Sekunde«[61] in die Geschichte eintreten und sie erlösen, d. h. sie anhalten und die Zeit zum Stillstand bringen, das Zerschlagene zusammenfügen und die Toten auferwecken kann. Was der »Engel der Geschichte«, also das der Geschichte selbst eigene Sinnverlangen nicht vermag, ist allein dem Messias vorbehalten. Die Geschichte mit ihrer ganzen katastrophischen Vergangenheit kann gleichsam nur durch einen »Sprung« aus der Immanenz und ihrer dauernd »fortschreitenden« Kontinuität heraus gerettet werden. Allerdings wird bei Benjamin nicht deutlich, ob dieser »Sprung« aus der Geschichte in die messianische Erlösung wirklich ein Transzendieren der Geschichte meint, wie es etwa die jüdische Apokalyptik und das Christentum in der Verheißung der »Auferstehung der Toten« als einem realen Geschehen erhoffen. Benjamin übersetzt nämlich diese messianische Vorstellung zugleich in die Sprache des Hi-

---

[61] W. Benjamin, Geschichtsphilosophische Thesen B, aaO. 94.

storischen Materialismus; und da bedeutet dieser »Sprung« aus der Geschichte für ihn die *»Revolution«*, in der die Geschichte (für einen Augenblick jedenfalls) abgebrochen, still-gelegt wird. Seinem Revolutionsverständnis wie auch seiner Messiasvorstellung liegt dabei ein ganz bestimmtes *Zeitverständnis* zugrunde: Wahre Geschichts-Zeit ist nicht »leere, homogene Zeit«, nicht fließender Strom von Kontinuität, in der alles Geschehen im Grunde »gleichgültig«, konformistisch (These 6) verläuft. Dieses Geschichtsverständnis des neuzeitlichen Historismus muß zugunsten der Geschichte als einer von »Jetztzeit erfüllten Zeit« überwunden werden. Was heißt das? Geschichte als dauerndes, leeres Kontinuum von Geschehnissen zerstört den einmaligen und bleibenden Wert jedes Geschehens. Sie ist der ständig siegende »Feind«, vor dem weder die Lebenden noch die Toten sicher sind, weil sie alle vergessen und damit vernichtet werden. Deswegen muß die Zeit als dieses Kontinuum zerbrochen werden, um bestimmte (vergangene) Geschehnisse als für die Gegenwart und Zukunft absolut bedeutsame, als »gefüllte« Zeit herausbrechen und festhalten zu können: Im Gewesenen soll das bleibend Gültige und völlig Neue bewahrt werden. Hier greift Benjamin zweifellos das alte biblisch-prophetische Zeitverständnis wieder auf: Zeit ist primär der gefüllte »Kairos«, der durch Jahwes Heilstun sinnvoll erfüllte Augenblick eines Ereignisses, von dem her das Volk lebt und den es in seinen Festen immer wieder neu vergegenwärtigt (s. 2. Teil, I/2). Bei Benjamin ereignet sich solche »erfüllte Zeit«, die das Kontinuum der Zeit vernichtet, theologisch gesprochen durch den Messias, materialistisch gesprochen durch die Revolution: Sie ist, »unter dem freien Himmel der Geschichte«, »der Tigersprung ins Vergangene«, welcher eben das Vergangene als ganz Neues, Jetzt-Wirksames aktualisiert und als erfüllte »Jetztzeit« vergegenwärtigt (z. B. verstand sich die Französische Revolution als »ein wiedergekehrtes Rom« – These 14). »Das Bewußtsein, das Kontinuum der Geschichte aufzusprengen, ist den revolutionären Klassen im Augenblick ihrer Aktion eigentümlich. Die große Revolution führte einen neuen Kalender ein... Noch in der Julirevolution hatte sich ein Zwischenfall zugetragen, in dem dieses Bewußtsein zu seinem Recht gelangte. Als der Abend des ersten Kampftages gekommen war, ergab es sich, daß an mehreren Stellen von Paris unabhängig voneinander und gleichzeitig nach den Turmuhren geschossen wurde« (These 15). Ein Gedicht aus dieser Zeit setzt diesen Vorgang in Analogie zu Josua, der durch sein Gebet den Untergang des Tages aufhalten wollte, um dadurch seinen Truppen den endgültigen Sieg zu ermöglichen;[62] auch in der

[62] »Damals, als der Herr die Amoriter den Israeliten auslieferte, rief Josua in Ge-

Revolution sollte der Tag angehalten, der Lauf der Zeit außer Kraft gesetzt werden. Benjamin glaubt deswegen gerade in ihr jene Gegenwart zu finden, die »nicht Übergang ist, sondern in der Zeit einsteht und zum Stillstand gekommen ist« (These 16). Der marxistische Revolutionär und Geschichtsschreiber gilt ihm als »Manns genug, das Kontinuum der Geschichte aufzusprengen« (ebd.). In solchen Versuchen erkennt Benjamin »das Zeichen einer messianischen Stillegung des Geschehens, anders gesagt, einer revolutionären Chance im Kampf für die unterdrückte Vergangenheit« (These 17).

3. Das Problem der Vermittlung

Die geschichtsphilosophischen Thesen lassen es offen, ob die Geschichte als ganze (und nicht nur in einigen Augenblicken!) durch eine solche revolutionäre »Stillegung« gerettet werden könne; das würde ja in der Tat einen »Sprung in die Transzendenz« bedeuten, welche »diese Thesen zur Geschichte zwar zu verleugnen scheinen, die aber noch immer als geheimer Kern in ihren Formulierungen steckt«.[63] Wie dem auch sei, man wird dem Urteil von J. Habermas zustimmen können, nach dem Benjamin selbst »die Chance, daß die punktuellen Durchbrüche, die das Immerwiedergleiche unterminieren, zu einer Tradition sich verbinden und *nicht* der Vergessenheit anheimfallen«, sehr skeptisch beurteilt.[64] Was Israel gelang, nämlich eine Tradition gefüllter Ereignisse zu einer »Heilsgeschichte«

genwart aller Israeliten: ›Sonne, steh still über Gibeon und du, Mond, über dem Tal von Ajalon!‹ Und die Sonne blieb stehen, der Mond stand still, bis das Volk an seinen Feinden Rache genommen hatte. – Das steht auch im ›Buch des Helden‹ –. Die Sonne blieb mitten am Himmel stehen, und ihr Untergang verzögerte sich beinahe um einen ganzen Tag. Weder vorher noch nachher hat es je einen solchen Tag gegeben, an dem der Herr auf das Wort eines Menschen gehört hätte; der Herr selbst kämpfte für Israel« (Jos 10, 12–14). Die gleiche Idee des Anhaltens der Zeit und der dadurch bedingten »Erlösung« der Geschichte findet sich auch wieder in dem Märchen-Roman »Momo« von Michael Ende, Stuttgart 1973, 241 ff.

[63] G. Scholem, W. Benjamin und sein Engel, aaO. 134; J. Habermas nennt noch einen anderen Einfluß auf diese Zeitvorstellung Benjamins, nämlich die surrealistische Kunst, die für Benjamin das ästhetische Lebensgefühl der Moderne verkörpert. Die Vorstellung der Sprengung des historischen Kontinuums vergleicht Habermas mit dem im Surrealismus erzeugten Schock, durch den das dem Kunstrezipienten vertraute Form- und Zeitempfinden erschüttert wird. Zur Stützung dieser These weist Habermas auf die intensive Beschäftigung Benjamins mit Baudelaire hin (J. Habermas, Der philosophische Diskurs der Moderne, aaO. 21 ff).

[64] J. Habermas, Bewußtmachende oder rettende Kritik..., aaO. 190.

zu verbinden (s. o.), kann Benjamin nicht mehr mitvollziehen. Dazu ist die geschichtliche Erfahrungsbasis der Revolution zu schwach und auch zu widerspruchsvoll: Die verschiedenen Revolutionen bringen offensichtlich nicht die »Erlösung« der Geschichte, sie brechen das Kontinuum der Geschichte nicht endgültig auf, sie retten die Toten nicht vor der letzten Vergessenheit und Nichtigkeit. Gerade wegen dieser Erfahrung dürfte Benjamin sowohl gegenüber einer schlichten Identifizierung von Revolution und messianischer Erlösung als auch einer völligen Differenzierung zwischen beiden zurückhaltend gewesen sein. Er läßt das Verhältnis beider zueinander offen.

Für eine christliche Geschichtstheologie ist es jedoch eine entscheidende Frage, *wie* sich die Hoffnung auf den *Messias,* dessen Ankunft ja nicht mehr schlechthin aussteht, dessen Vergangenheit und Gegenwart unsere Geschichte vielmehr bereits *»jetzt«* (vgl. Lk 4, 21) bestimmen, mit dem *menschlichen* Einsatz zur gegenwärtigen und zukünftigen Versöhnung der Geschichte vermitteln läßt; wie sich also die Gegenwart als bereits »gefüllte Jetztzeit« verstehen läßt, »in welcher Splitter der messianischen (Zeit) eingesprengt sind«[65], und zwar nicht nur der *erhofften* messianischen Zukunft, sondern auch und vor allem ihrer *geschehenen* Vergangenheit, eben des erlösenden »Kairos« des Christusereignisses. Wir haben oben (im dritten Teil) versucht, diese Vermittlung in der Denkfigur der »realsymbolischen Vergegenwärtigung« des Reiches Gottes auf den Begriff zu bringen.

C. Die Utopie des »Reiches« der Versöhnung von Mensch, Gesellschaft und Natur: E. Bloch

Als dritte marxistische Variante einer »Hoffnungsphilosophie« haben wir den Philosophen Ernst Bloch (1885–1977) ausgewählt, dessen Gedanken in den letzten Jahren wieder eine besondere Aktualität gewonnen haben; das gilt vor allem für die ökologische und die Friedensbewegung unserer Gegenwart, die – ob bewußt oder nicht – manche zentralen Anliegen Blochs aufgegriffen haben und nun versuchen, sie in unsere gesellschaftliche Wirklichkeit umzusetzen. Auf diese aktuell gewordenen Aspekte der Hoffnungsphilosophie Blochs möchte ich mich hier beschränken und sie ins Gespräch mit der christlichen Hoffnung bringen.[66]

[65] W. Benjamin, Geschichtsphilosophische Thesen A, aaO. 94.
[66] Literatur zu diesem Abschnitt: E. Bloch, Der Geist der Utopie, Frankfurt 1964

1. Gott – Mensch: Die »riesige Schöpfungsregion« im Menschen

Was die Beziehung des Menschen zu Gott angeht, steht Bloch ganz in der religionskritischen Linie Feuerbachs. Gott als Woraufhin menschlicher Hoffnung hat keinen realontologischen Gehalt; er ist nichts anderes als »hypostasiertes (= vergegenständlichtes) menschliches Wunschbild höchster Ordnung«.[67] Den die Religion als »Gott« verehrt, holt die anthropologische Wende der Neuzeit auf die Erde zurück: Es ist der Mensch selbst in seinen besten Möglichkeiten. Die metaphysisch-religiöse Objektivierung seiner eigenen Idealgestalt zu einem realexistierenden Gott-wesen wird als Schein durchschaut und zerstört.

Aber zugleich geht Bloch – mit Marx – über Feuerbach hinaus. Denn in den Augen Blochs bekommt der Begriff »Mensch« bei Feuerbach seinen Inhalt durch die »Aufspreizung« des bürgerlichen Subjekts zum allgemein-menschlichen. Das bestimmte Selbstverständnis einer bestimmten Klasse in einer historisch-relativen Gesellschaft wird ontologisiert zum Wesen des Menschen schlechthin; geschichtlich Konkretes wird absolut gesetzt. Bloch karikiert dieses Menschenbild als »Bourgeois«: in sich geschlossen, statisch-befriedigt, in die Trivialität seiner jeweils bestehenden Lebenswelt eingebunden. Deswegen verbindet sich bei Feuerbach mit der Absetzung Gottes zugleich eine Verarmung der Hoffnungsinhalte der religiösen Tradition, für die der »Bürger« eben kein geeigneter Sachwalter mehr darstellt. Stattdessen muß *der* Mensch, der mit Recht an die Stelle des religiösen Gottes treten darf, als ein utopisches Wesen gedacht werden, in dem durch diese anthropologische Wende eine »riesige Schöpfungsregion« wachgerufen wird. Es ist der Mensch, der sich ganz »unabgeschlossen« weiß, der das »Noch-nicht-Bewußte« in sich entdeckt und der von daher seine Bestimmung, seinen Sinn ableitet. Es ist der Mensch, der in seinem wahren Wesen noch verborgen ist (»homo absconditus«), der sich erst durch den geschichtlichen Prozeß des Bewußtwerdens und der Realisierung seiner verborgenen, aber bereits in der Hoffnung zum Vorschein

---

(Ges.Ausg. Bd. 3); ders., Das Prinzip Hoffnung, Frankfurt 1959 (Ges.Ausg. Bd. 5); ders., Atheismus im Christentum, Frankfurt 1968 (Ges.Ausg. Bd. 14); H. Sonnemans, Hoffnung ohne Gott?, Freiburg 1973; Th. Pröpper, Der Jesus der Philosophen und der Jesus des Glaubens, Mainz 1976, 29–38; R. Schaeffler, Was dürfen wir hoffen?, Darmstadt 1979, 97–118, 251–308; G. Altner, Tod, Ewigkeit und Überleben, Heidelberg 1981, 42–46; P. J. Brenner, Aspekte und Probleme der neueren Utopiediskussion in der Philosophie, in: W. Voßkamp (Hrsg.), Utopieforschung, Interdisziplinäre Studien zur neuzeitlichen Utopie Bd. 1, Stuttgart 1983, 11–63 (bes. 12–19).
[67] E. Bloch, Das Prinzip Hoffnung, aaO. 1517.

kommenden Möglichkeiten verwirklicht. Gegen Feuerbach entwirft Bloch also eine Anthropologie des »utopischen Begriffs vom Menschen«.[68]

2. Das »zukunftshaltige« Zusammenspiel von Mensch und Natur

Dieser geschichtliche Prozeß der Menschwerdung des Menschen ist aber nicht bloß eine Sache des denkenden, hoffenden und handelnden *Subjekts;* er hat seine *objektive,* materiale Basis in der Struktur der Materie und der Natur. Die Natur selbst ist das »reale Möglichkeitssubstrat«[69] der menschlichen Hoffnung auf eine bessere Welt. Dem »Noch-nicht-Bewußten« des menschlichen Subjekts korrespondiert das »Noch-nicht-Gewordene« der Natur: Die materielle Natur selbst ist »zukunftshaltig«, hat utopischen Charakter. Sie steckt voller Möglichkeiten und Tendenzen, die allerdings verborgen und noch unausgeschöpft sind und zu einer Verwirklichung hindrängen, die ihrer eigentlichen Bestimmung, ihrer Sinnerfüllung erst gemäß ist.

Weil die menschliche Hoffnung in diesem latenten Sinnpotential der Materie ihr objektives, »ontologisches« Fundament hat, kann sie von beliebigen Wunsch- und Phantasieträumen unterschieden werden, ja sie wird zu einer »konkreten Utopie«, die an der gegebenen Wirklichkeit ansetzt und diese zugleich über sich hinausführt.[70] In der Übereinkunft *beider* Möglichkeiten erst kann die Geschichte als ganze zum Ziel kommen: »Der einsamen Intention kommt ein Drängen des gesellschaftlichen Außen, ja sogar der physischen Natur entgegen, worin eine objektive Tendenz gesellschaftlicher und nicht zuletzt außermenschlich-physischer Art angelegt sein kann.«[71] Oder etwas bildhafter: »Das Licht im Stall von Bethlehem (= das Symbol menschlich-subjektiver Zukunft) und das Licht des Sterns, der darüber stillstand (= das Symbol der naturhaften Zukunft) sind hierbei einer religiösen Intention, der das, was drinnen keimt, auch draußen umgeht, eines und dasselbe.«[72] Das Subjekt der Geschichte *und* das »Subjekt« der Natur können nur im wech-

[68] AaO. 1517 f.
[69] Th. Pröpper, aaO. 30.
[70] Vgl. dazu unsere Darstellung über den »Versprechenscharakter« der Wirklichkeit in der Einleitung (Exkurs).
[71] E. Bloch, Experimentum Mundi, Frankfurt 1975 (Ges.Ausg. Bd. 15), 114 f.
[72] E. Bloch, Das Prinzip Hoffnung, aaO. 1518.

selseitigen Zusammenspiel den noch verborgenen Sinn unserer Wirklichkeit hervorbringen.

Mit dieser Einbeziehung der Natur als eines Partners des Menschen im Prozeß der Menschwerdung geht Bloch – mit der großen abendländischen Tradition der Naturphilosophie – über den späten Marx hinaus. (Er beruft sich deswegen auch nur auf eine Frühschrift von Marx, nämlich auf die »Ökonomisch-philosophischen Manuskripte« aus dem Jahr 1844.) Die Natur ist für ihn nicht mehr bloßer Widersacher des Menschen, nicht mehr nur widerständiges Objekt der Beherrschung und Unterwerfung unter die nützlichen Zwecke des Menschen; sie ist seine Mitspielerin, sie kommt dem Menschen entgegen, und beide schließen sich einander an in der gemeinsamen Tendenz auf das letzte Ziel der Geschichte hin: »Naturströmung als Freund, Technik als Entbindung und Vermittlung der im Schoß der Natur schlummernden Schöpfungen, das gehört zum Konkretesten an konkreter Utopie. Doch auch nur der Anfang zu dieser Konkretion setzt zwischenmenschliches Konkretwerden, das ist soziale Revolution voraus.«[73]

3. Das Ziel der Geschichte: Das »Reich«

Worin liegt aber nun der latente *Sinn*, die Bestimmung des materiellen und des bewußten Seins? Woraufhin drängen die Möglichkeiten und Tendenzen von Mensch und Natur eigentlich? In der Vision des letzten Ziels greift Bloch noch stärker als sonst auf die religiöse Sprache des Judentums und des Christentums zurück. So gewinnt für ihn der Begriff »*Reich*« eine besondere Bedeutung. Von jeder Verbindung mit Gott »entmythologisiert«, wird das Reich in der marxistischen Tradition, die Bloch aufgreift, als »Reich der Freiheit«, eben des Befreitseins von allen entfremdenden gesellschaftlichen und naturhaften Zwängen beschrieben. Aber anders als beim späten Marx gehört für Bloch zu diesem Vollendungszustand menschlicher Geschichte auch die geheilte und mit dem Menschen versöhnte, von ihrer eigenen Entfremdung befreite Natur hinzu. Das »Reich der Freiheit« ist »Naturalisierung des Menschen, Humanisierung der Natur – als der mit dem Menschen total vermittelten Welt.«[74] Die Menschwerdung des Menschen und die »Resurrektion der Natur« sind ein einheitliches Geschehen; »das Reich ist Auswendigkeit, nicht nur Inwendigkeit, ist Ordnung, nicht nur

---

[73] E. Bloch, Das Prinzip Hoffnung, aaO. 813.
[74] AaO. 364.

Freiheit, ist wesentlich Ordnung jener Subjektivität, die mit Objektivität nicht mehr behaftet ist als mit einem Fremden.«[75] Der Weg zu diesem endgültigen Ziel der Aufhebung aller Widerständigkeit und Entfremdung, also zur Versöhnung von Mensch, Gesellschaft und Natur kann so zu Recht mit Habermas als »Heilsgeschichte der Menschheit« und als eine »Heilsgeschichte des Weltalls« bezeichnet werden.[76] Daß eine solche Vision, die auf die alten Propheten Israels zurückgeht, gerade heute besondere Bedeutung gewinnt, wo die Folgen einer hemmungslosen Ausbeutung der Natur zu gesellschaftlich-wirtschaftlichen Zwecken uns immer massiver bewußt werden, ist begreiflich. Die Ehrfurcht vor der Natur, ein partnerschaftlich-»sympathisches« Verhältnis des Menschen zur ganzen nicht-menschlichen Schöpfung – das sind nicht bloß erbaulich-religiöse Anmutungen mehr, sondern überlebensnotwendige Maximen einer Menschheit, die in einer maßlos überzogenen Anthropozentrik an die Grenzen der Naturbeherrschung geraten ist und sie streckenweise bereits unheilvoll überschritten hat.[77]

4. Vergleich mit der christlichen Hoffnung auf das Reich Gottes

So sehr Sprache und Intentionen der Hoffnungsphilosophie Blochs mit der jüdisch-christlichen Tradition verwandt sind, so lassen sich die erheblichen Unterschiede zwischen beiden doch keineswegs verdecken oder verharmlosen. Bevor darauf näher eingegangen wird, soll die bekannte Schlußpassage aus Blochs »Prinzip Hoffnung« vorangestellt werden, in der die Differenz zur christlichen Hoffnung sehr klar zur Sprache kommt:

> »Das Ziel insgesamt ist und bleibt noch verdeckt, das Überhaupt des Willens und der Hoffnung noch ungefunden, im Agens des Existierens ist das Licht seiner Washeit, seines Wesens, seines intendierten Grundinhalts selber noch nicht aufgegangen, und doch steht das Nunc stans des treibenden Augenblicks, des mit seinem Inhalt erfüllten Strebens utopisch-deutlich voran. ›Terminus‹, sagt der unruhige Scholastiker Abälard, ›est illa civitas, ubi non praevenit rem desiderium nec desiderio minus est praemium‹, Ziel ist jene Gemeinschaft, wo die Sehnsucht der Sa-

---

[75] AaO. 1518.

[76] J. Habermas, Theorie und Praxis, Frankfurt ⁴1971, 421.

[77] Vgl. A. Schmidt, Der Begriff der Natur in der Lehre von Marx, Frankfurt/Köln ³1978, 211; Global 2000. Der Bericht an den Präsidenten, Frankfurt 1980; P. J. Brenner, Aspekte und Probleme der neueren Utopiediskussion in der Philosophie, in: W. Voßkamp (Hrsg.), aaO. 18.

che nicht zuvorkommt, noch die Erfüllung geringer ist als die Sehnsucht. Das ist Sein wie Hoffnung, ist der schließlich manifestierte Was- und Wesens-Inhalt unseres strebenden Daß-Faktors, ein ›Quid‹ pro ›Quod‹, das heißt ein solches Was und Wesen, daß die Intention darin aufgehoben werden mag. Gerade aber auch das menschliche Vermögen zu solch absolutem Zielbegriff ist das Ungeheure in einem Dasein, wo das Beste noch Stückwerk bleibt, wo jeder Zweck immer wieder Mittel wird, um dem noch gänzlich unsichtigen, ja an und für sich selbst noch unvorhandenen Grundziel, Endziel zu dienen. Marx bezeichnet als sein letztes Anliegen ›die Entwicklung des Reichtums der menschlichen Natur‹; dieser *menschliche* Reichtum wie der von *Natur* insgesamt liegt einzig in der Tendenz-Latenz, worin die Welt sich befindet – vis-à-vis de tout. Mit diesem Blick also gilt: Der Mensch lebt noch überall in der Vorgeschichte, ja alles und jedes steht noch vor Erschaffung der Welt, als einer rechten. Die *wirkliche Genesis ist nicht am Anfang, sondern am Ende,* und sie beginnt erst anzufangen, wenn Gesellschaft und Dasein radikal werden, das heißt sich an der Wurzel fassen. Die Wurzel der Geschichte aber ist der arbeitende, schaffende, die Gegebenheiten umbildende und überholende Mensch. Hat er sich erfaßt und das Seine ohne Entäußerung und Entfremdung in realer Demokratie begründet, so entsteht in der Welt etwas, das allen in die Kindheit scheint und worin noch niemand war: Heimat.«[78]

a) »Reich« contra Schöpfung

Für Bloch enthält die menschliche und naturhafte Wirklichkeit einen »Versprechenscharakter«, einen unabschließbaren Möglichkeitshorizont, der sie in eine bessere, vollkommen versöhnte Zukunft drängen läßt. Aber dieses »Versprechen« beruht nicht auf dem hier und jetzt bereits gegebenen und erscheinenden »Guten«, das in unserer Wirklichkeit – wie partiell auch immer – da ist; ein bereits realisiertes, anfanghaftes »Schon« der Erfüllung als realer Grund der drängenden »Tendenz« und Hoffnung auf das »Noch-Nicht« der vollendeten Erfüllung fällt bei Bloch weg. Das schlechthin Gute und Versöhnte unserer Wirklichkeit ist reine Zukunft, noch völlig unerreichtes Ziel: »Gänzlich unsichtig, ja an und für sich selbst noch unvorhanden«; »noch verdeckt..., noch ungefunden..., noch nicht aufgegangen.« Die »Sache« der Hoffnung ist nur erst in der Sehnsucht nach ihr vorhanden – als etwas Verborgenes (»Latenz«) und in die Zukunft drängendes Potential (»Tendenz«). Diese Theorie hat einen Grund darin, daß Bloch zwar inhaltlich an dem eschatologischen Gehalt des jüdisch-christlichen »Reiches

---

[78] E. Bloch, Das Prinzip Hoffnung, aaO. 1627 f.

Gottes« festhält, aber mit Zarathustra, dem großen Reformer der altpersischen Religion im 7./6. Jh. vor Christus, und mit Marcion, dem einflußreichen christlichen Irrlehrer des 2. Jh.s, die vorhandene »Schöpfung« von diesem künftigen »Reich« radikal abtrennt. Eine seiner Grundaussagen beleuchtet den unüberbrückbaren Gegensatz zwischen »dieser« und der »kommenden Welt« sehr klar: »Ein Prinzip, welches in die so vorhandene Welt hereinführt (= Gott als Schöpfer) kann nicht auch das Prinzip sein..., welches aus so vorhandener Welt auch leitend herausführt.«[79] Der »Deus creator« (der zu seiner Schöpfung sagt, daß sie »gut« sei) und der »Deus spes« (= der »Gott Hoffnung«) stehen sich absolut unversöhnlich gegenüber; deswegen kann auch nur ein Exodus »aus dem riesigen Ägypten, dem Machwerk der gewordenen Welt selber« (ebd.) zum Heil führen.

Die Frage stellt sich nun allerdings, auf welchem realen Grund die mögliche Erfüllung des »Versprechens« beruht, das in »Potenzen« und »Tendenzen« von Natur und Mensch liegt. Diese dürfen ja nach Bloch weder als eine der Welt immanente, anfanghafte *Verwirklichung* gelungenen Lebens verstanden werden noch als eine Art »realsymbolischer« *Vorwegnahme* des kommenden Reiches. Die »Spuren« solcher Versöhnung, die Bloch dennoch in den Latenzen und Tendenzen entdeckt, dürften zwar gewisse Vor-zeichen sein, in denen etwas von der vollendeten Entfaltung natur- und sozialgeschichtlicher Entwicklungslinien aufleuchtet, die das Reich der Freiheit im Raum der realen Demokratie einmal bringen soll; aber der ontologische Status dieser »Spuren« bleibt dennoch unklar: Was »sind« sie, wenn sie weder realisierte Möglichkeiten des gegebenen Daseins noch reale Antizipationen der erhofften Versöhnung sein sollen? Wie wird in ihnen die schlechte Gegenwart »dieser« Welt mit der guten Zukunft des »Reiches« vermittelt? Gibt es überhaupt eine Vermittlung zwischen diesen beiden Größen?

Bei aller Offenheit der Geschichte (gerade für Bloch gehört es zum Wesen der Hoffnung, daß sie auch enttäuscht werden kann!) scheint schließlich doch vor allem der menschlichen *Hoffnung* als »Prinzip« (»Deus spes«) eine solche quasi-»vermittelnde«Kraft zuzukommen, in der sie aus sich heraus den totalen »Exodus« aus der bestehenden Welt vollziehen und die neue Welt schaffen kann. Es ist die Kraft des »homo absconditus«, des noch nicht herausgebrachten wahren Menschenwesens. Aber auch damit ist unsere Frage immer noch nicht beantwortet: Wie kann es zur zukünftigen

---

[79] E. Bloch, Atheismus im Christentum, aaO. 61; vgl. dazu bes. R. Schaeffler, Was dürfen wir hoffen?, aaO. 112 ff.

Realisierung der (in Mensch und Natur) angelegten guten Möglichkeiten kommen, wenn ihr nichts an vergangener und gegenwärtiger *Realität* zugrundeliegt? Warum und wie kann die *Zukunft* der Geschichte den entscheidenden Schritt zum »Reich« hin tun, der keiner Vergangenheit und Gegenwart je gelungen ist?

b) Reich ohne Gott

Die eben gestellten Fragen können auch im Christentum nicht einfach mit dem Hinweis auf Gott beantwortet werden, als ob ein »Deus ex machina« die Geschichte irgendwann »von oben und von außen« zum Heil führen würde. Die Vermittlung von innergeschichtlicher und transzendenter Vollendung ist viel komplizierter (vgl. den 3. Teil). Hier sei nur die Frage gestellt, ob eine Hoffnung auf die jüdisch-christlichen *Inhalte* des Reiches Gottes sinnvoll begründet werden kann, wenn Gott als handelndes *Subjekt* dabei völlig ausfällt. Manchmal hat man zwar den Eindruck bei Bloch, daß das ständige, innerweltlich unabschließbare Übersteigen der Hoffnung über *alles* Bestehende hinaus auf das erhoffte »Reich« hin einen so absoluten, *alle* nur möglichen innerweltlichen Vollendungszustände relativierenden Charakter hat (nach Art eines »eschatologischen Vorbehalts«), so daß diese Hoffnung zu einem quasi-göttlichen »Prinzip« wird, das bei ihm die Rolle eines in der Religion subjekthaft gedachten Gottes übernimmt. Anderseits jedoch wird von Bloch jede übergeschichtliche Transzendenz der Geschichte und ihrer Vollendung als mythologisch abgelehnt. Ein unendliches Transzendieren der Hoffnung – ja; aber eine endgültige Transzendenz (im Sinn eines bleibenden Aufgehobenseins der Geschichte im »ewigen Leben« Gottes) – nein. Blochs Ablehnung der »Wunsch- und Willensbilder der Religionen«[80] (wie Seelenwanderung und Auferstehung) ist eindeutig, obwohl er sich den darin angezielten Hoffnungsgehalten keineswegs verschließen möchte.

Diese schwebende Offenheit Blochs erschwert das Verstehen seiner Hoffnungsphilosophie, besonders auch in ihren Aussagen über den individuellen *Tod*. Während der junge Bloch im »Geist der Utopie« (1923) noch die Theorie der Seelenwanderung vertritt, kommt der späte Bloch im »Prinzip Hoffnung« (1959) zur Überzeugung, daß der verborgene Wesenskern des Menschen »exterritorial« zum Tod (= außerhalb des »Todesbereichs«) liegt, weil er eben im Prozeß der Menschwerdung noch gar nicht hervorgebracht und deswegen

---

[80] E. Bloch, Tübinger Einleitung in die Philosophie II, Frankfurt 1964, 174.

auch nicht dem Vergehen im Tod ausgeliefert ist: »Der Kern des Existierens hat sich noch nicht in den Prozeß gegeben, wird infolgedessen auch von der Vergänglichkeit nicht betroffen; er hat dem Tod gegenüber den Schutzkreis des Noch-Nicht-Lebendigen um sich.«[81] Ob damit der von uns erlittene Tod als härteste »Gegen-Utopie« wirklich ernstgenommen wird, läßt sich füglich bezweifeln. Betrifft er doch das jetzt existierende und sterben-müssende Subjekt so sehr in seiner Ganzheit, daß ihm dabei die Aussicht auf eine zukünftig-allgemeine, ihm persönlich jedoch noch verschlossene Teilhabe an einer dem Tod entnommenen »wahren« menschlichen Subjektivität nicht viel hilft. Um dem Tod seinen »Stachel« gegenüber *aller* Hoffnung zu nehmen, wertet Bloch das gegenwärtige Subjektsein des Menschen ab: Es ist eben noch nicht der wahre, unverborgene Kern des Menschseins und braucht deswegen auch nicht auf so etwas wie »Unsterblichkeit« zu hoffen. Da umgekehrt dieser wahre Kern noch nicht hervorgebracht ist, kann über dessen (zukünftige) Weise, den Tod zu überwinden, noch nichts Präziseres gesagt werden als dies: »Die Utopie des Non omnis confundar liefert und gibt der Negation Tod ... nur die Macht, die Schalen um den Subjekt-Inhalt aufzuknacken, der, wenn er nennenswert heraus wäre, ... keine Erscheinungs-Schale mehr wäre. Wo immer Existieren seinem Kern nahekommt, beginnt Dauer, keine erstarrte, sondern eine, die Novum ohne Vergänglichkeit, ohne Korrumpierbarkeit enthält.«[82]

Wie diese den Tod und die Vergänglichkeit besiegende »Dauer« zustandekommen, *wie* also die Utopie zur Realisierung gelangen kann, bleibt offen. Auf keinen Fall jedoch geschieht dies nach Bloch durch ein Subjekt, das in der Kraft seiner unendlichen Liebe die Toten auferwecken und *so* die endgültige Versöhnung von Mensch, Geschichte und Natur bewirken kann. Der Abwertung des jetzt lebenden menschlichen Subjekts entspricht die Absetzung des göttlichen Subjekts als des realen Ermöglichungsgrundes von Vollendung. Seine Rolle übernimmt wiederum der »homo absconditus«, der aus sich und der Natur das Noch-Ungewordene, eben den »wahren Menschen« ineins mit dem »neuen Himmel und der neuen Erde« heraustreten läßt.

Hier liegt nun wohl der entscheidende innere Widerspruch einer Hoffnungstheorie, die zwar am jüdisch-christlichen Hoffnungspotential festhalten, ihr tragendes Subjekt aber, den totenerwecken-

---

[81] E. Bloch, Das Prinzip Hoffnung, aaO. 1390; vgl. dazu die Auseinandersetzung von H. Sonnemans mit der Todes-Philosophie E. Blochs, in: Hoffnung ohne Gott?, Freiburg 1973, 107–152.

[82] E. Bloch, Das Prinzip Hoffnung, aaO. 1391.

den Gott als mythologisch verabschieden will: Das ganz »Neue« des endgültig versöhnten Lebens kann nicht aus den *eigenen* (noch so latenten) Möglichkeiten des Alten entspringen, sondern nur von dem ganz »*Anderen*« seiner selbst empfangen werden. Solche empfangende Beziehung allein bewirkt realiter das Aufsprengen des eigenen Möglichkeitshorizontes auf etwas Neues hin, das diesen Namen verdient. »Die Identifizierung der Zukunft mit den eigenen, im Grunde gewordenen Möglichkeiten, ist Begrenzung der Zukunft und Leugnung ihrer Offenheit. Entgegen irdischen Gepflogenheiten, wo man nur einen Toten beerben kann, verhält es sich hier so: Die Bibel läßt sich nicht um Leben beerben, wenn Gott tot ist. Unser Erbteil ist der lebendige Gott.«[83] Und dieser Gott hat in seiner Liebe Mensch und Natur als unaufhebbar »gute« Wirklichkeit erschaffen und diese – in ihrer tiefen, von sich aus unheilbaren Verwundung durch die menschliche Sünde – »neu« geschaffen durch die heilende Teil-gabe an seinem Leben. »Realistisch« ist deswegen nur eine solche Hoffnung auf das »Reich«, die sich der Zukunft *dieser* universal anzueignenden und so die Geschichte vollendenden Liebe entgegenstreckt.

c) Gnaden-lose Arbeit?

Der Ausfall dieser schöpferischen und heilenden Liebe Gottes hat für eine atheistische Hoffnungsweise noch eine sehr charakteristische Folge: Wenn Bloch die Welt als »Laboratorium possibilis salutis« (= Laboratorium des möglichen Heils) versteht, ist der Weg zu diesem Heil notwendig der Weg der »labor«, der »rastlosen Arbeit«.[84] Mensch und Natur sind dazu bestimmt, das Reich der Versöhnung in eigener Anstrengung zu schaffen, also die »riesige Schöpfungsregion« in sich auszuschöpfen. Eine Hoffnung auf *Gnade,* auf eine geschenkte Freiheit und Versöhnung hat hier keinen Raum. Wächst dadurch aber nicht *gegen* die ausdrückliche Intention die Gefahr einer zunehmend »gnadenlosen Arbeit« – gnadenlos gegenüber den arbeitenden Menschen (gerade auch gegenüber denen, die in diesem Laboratorium »draufgehen«) und gegenüber der Natur? Stellt sich die Geschichte dadurch nicht unter einen ungeheuren eschatologischen »Leistungsdruck«, dem sie doch niemals völlig gerecht werden kann? Und mehr noch: Ist das »Reich der Freiheit« in einem schlechthin versöhnten Dasein überhaupt

[83] H. Sonnemans, aaO. 133.
[84] Vgl. dazu Th. Pröpper, aaO. 37 f.

denkbar als Ergebnis eines solchen Leistungsanspruchs? Denn auch wenn diese Vollendung einen qualitativen (gleichsam apokalyptischen) »Sprung« miteinschließt, nämlich das schöpferische Hervortreten des wahren Menschseins, bleibt die Frage immer noch unbeantwortet: Wie soll – auch in der geschichtlichen Phase des dann hervorgebrachten wahren Menschenkerns – der *Übergang* möglich sein von der ständig fortschreitenden und immer auch noch zu vermehrenden Erarbeitung des Guten zu einer endgültig gelungenen, alle Entfremdung aufhebenden Versöhnung von Mensch, Gesellschaft und Natur? Gibt es nicht immer, in jedem möglichen Augenblick der Geschichte noch mehr zu tun? Es scheint, daß Kant hier noch immer recht hat: Dieser Schritt von dem Prozeß einer indefiniten Verbesserungsfähigkeit unserer Erde zu einem endgültigen Versöhnungszustand ist – wenn überhaupt – nur denkbar über den Weg des *Geschenks*; nicht eines Geschenks jedoch, das die Tat unserer Freiheit überflüssig macht oder beiseite schiebt, sondern das unser Tun wirklich befreit zu einem leidenschaftlich-gelassenen Einsatz für die besten Möglichkeiten unserer Erde. Genau dies aber erhoffen wir Christen von der Gnade jenes Gottes, der in der Kraft seines Geistes durch unsere Liebe »das Angesicht der Erde erneuern« will.

V. Die Ewigkeit im Augenblick: Fr. Nietzsches »Zarathustra«

1. Der »Besieger Gottes und des Nichts«

Zunächst ein kurzer Rückblick auf den vorangegangenen Abschnitt: Wir sahen, daß bereits W. Benjamin mit seinem Zeit- und Geschichtsverständnis das Schema einer rein futurisch-teleologischen Sinndeutung der Geschichte sprengt: Gegen den Historismus fordert er die Vernichtung des leeren Zeitkontinuums durch den »gefüllten« Augenblick des Jetzt, ob dieser Augenblick nun als »messianische Stillegung« der Zeit oder als revolutionärer »Stillstand« der Zeit verstanden wird. Allein in solchen Augenblicken kann Geschichte ihren Sinn finden als die »Versöhnung« des geschichtlich Entzweiten.

Mit dieser Konzeption steht Benjamin formal nicht sehr weit entfernt von *Fr. Nietzsche* (1844–1900), der in seinem Kampf gegen den Historismus allerdings inhaltlich zu ganz anderen Sinndeutungen der Geschichte kommt. Seine Geschichtsphilosophie, vor allem im »Zarathustra« (1883/84), möchte bewußt ein nachchristliches und anti-christliches Geschichtsbild entwerfen.[85] Nachdem die grundlegende Erfahrung des »Todes Gottes« die Neuzeit in den metaphysischen Nihilismus geführt hat und weiterhin diesen Nihilismus in allen Bereichen des menschlichen Lebens (Moral, Kultur, Wissenschaft) zur Herrschaft führen wird, hat sich Nietzsche – »als der erste vollkommene Nihilist Europas, der aber den Nihilismus selbst schon in sich gelebt hat, der ihn hinter sich, unter sich, außer sich hat« (Vorwort zu »Wille zur Macht«) – die Aufgabe gestellt, diesen Nihilismus philosophisch zu überwinden. »Zarathustra« ist für ihn der Besieger Gottes *und* des Nichts, und zwar vor allem jenes Nichts, das in der Gestalt des nihilistischen *Historismus* zur bewußtseinsprägenden Macht seiner Zeit geworden ist. Im »Wahrsager« dieses neuzeitlichen Bewußtseins (»alles ist leer, alles ist gleich, alles war!«) sieht Zarathustra seinen eigentlichen Gegner, insofern er sich selbst als »Wahrsager« einer neuen Zeit, eines neuen Bewußtseins, eines neuen Menschen versteht:

Der Wahrsager

»– und ich sahe eine große Traurigkeit über die Menschen kommen. Die Besten wurden ihrer Werke müde.

Eine Lehre erging, ein Glaube lief neben ihr: »alles ist leer, alles ist gleich, alles war!«

Und von allen Hügeln klang es wieder: »alles ist leer, alles ist gleich, alles war!«

Wohl haben wir geerntet: aber warum wurden alle Früchte uns faul und braun? Was fiel vom bösen Monde bei der letzten Nacht hernieder?

---

[85] Wir gehen in diesem Abschnitt nur auf dieses eine Werk F. Nietzsches ein: »Also sprach Zarathustra«; wir zitieren aus Friedrich Nietzsche, Sämtliche Werke. Kritische Studienausgabe (hrsg. v. G. Colli u. M. Montinari) Bd. 4, Berlin 1980. Zur Interpretation vgl. K. Löwith, Weltgeschichte und Heilsgeschehen, Stuttgart 1953; W. Schulz, Philosophie in der veränderten Welt, Pfullingen 1972; H. Schnädelbach, Geschichtsphiolosophie nach Hegel, München 1974; J. Splett, Der Mittler. Philosophische Vorüberlegungen zur christlichen Antwort auf die Herausforderung Friedrich Nietzsches, in: ThPh 50 (1975), 161–182; H. P. Balmer, Freiheit statt Teleologie (Symposion 55), München 1977; E. Biser, Gottsucher oder Antichrist? Nietzsches provokative Kritik des Christentums, Salzburg 1982; ders. (Hrsg.), Besieger Gottes und des Nichts. Nietzsches fortdauernde Provokation, Düsseldorf 1982; M. Lutz-Bachmann (Hrsg.), Über Friedrich Nietzsche, Frankfurt 1985; G. Wohlfahrt, Der Augenblick. Zeit und ästhetische Erfahrung bei Kant, Hegel, Nietzsche und Heidegger mit einem Exkurs zu Proust, Freiburg 1982.

Umsonst war alle Arbeit, Gift ist unser Wein geworden, böser Blick sengte unsre Felder und Herzen gelb.

Trocken wurden wir alle; und fällt Feuer auf uns, so stäuben wir der Asche gleich: – ja das Feuer selber machten wir müde.

Alle Brunnen versiegten uns, auch das Meer wich zurück. Aller Grund will reißen, aber die Tiefe will nicht schlingen!

»Ach, wo ist noch ein Meer, in dem man ertrinken könnte«: so klingt unsre Klage – hinweg über flache Sümpfe.

Wahrlich, zum Sterben wurden wir schon zu müde; nun wachen wir noch und leben fort – in Grabkammern!«[86]

Diese »Trauer der Vergänglichkeit«, diese Leere eines alles relativierenden Zeitstroms will Nietzsche überwinden. Denn dieser Nihilismus zerstört den Menschen, er macht aus ihm die Karikatur des »letzten Menschen«, der »den Pfeil seiner Sehnsucht« nicht mehr »über den Menschen« hinaus wirft, der aus sich »keinen Stern mehr gebären wird«, der nur noch spöttisch »blinzeln«, aber nicht mehr schöpferisch sich selbst und seine Welt entwerfen kann:

Seht! Ich zeige euch den letzten Menschen.

»Was ist Liebe? Was ist Schöpfung? Was ist Sehnsucht? Was ist Stern?« – so fragt der letzte Mensch und blinzelt.

Die Erde ist dann klein geworden, und auf ihr hüpft der letzte Mensch, der alles klein macht. Sein Geschlecht ist unaustilgbar wie der Erdfloh; der letzte Mensch lebt am längsten.

»Wir haben das Glück erfunden« – sagen die letzten Menschen und blinzeln.

Sie haben die Gegenden verlassen, wo es hart war zu leben: denn man braucht Wärme. Man liebt noch den Nachbar und reibt sich an ihm: denn man braucht Wärme.

Krank-werden und Mißtrauen-haben gilt ihnen sündhaft: man geht achtsam einher. Ein Tor, der noch über Steine oder Menschen stolpert!

Ein wenig Gift ab und zu: das macht angenehme Träume. Und viel Gift zuletzt, zu einem angenehmen Sterben.

Man arbeitet noch, denn Arbeit ist eine Unterhaltung. Aber man sorgt, daß die Unterhaltung nicht angreife.

Man wird nicht mehr arm und reich: beides ist zu beschwerlich. Wer will noch regieren? Wer noch gehorchen? Beides ist zu beschwerlich.

Kein Hirt und eine Herde! Jeder will das gleiche, jeder ist gleich: wer anders fühlt, geht freiwillig ins Irrenhaus.

»Ehemals war alle Welt irre« – sagen die Feinsten und blinzeln.

Man ist klug und weiß alles, was geschehen ist: so hat man kein Ende zu spotten. Man zankt sich noch, aber man versöhnt sich bald – sonst verdirbt es den Magen.

Man hat sein Lüstchen für den Tag und sein Lüstchen für die Nacht: aber man ehrt die Gesundheit.

[86] Fr. Nietzsche, Also sprach Zarathustra, 2. Teil, aaO. 172.

»Wir haben das Glück gefunden« – sagen die letzten Menschen und blinzeln. –[87]

Nur wenn der Mensch ein ständiger »Untergang« (dessen, was er
jeweils geworden ist) und »Übergang« (zu dem hin, was an letzten
Möglichkeiten in ihm steckt) ist, kann er seine Bestimmung zum
»Übermenschen« erfüllen. Ohne auf diesen Begriff hier näher einzugehen, wollen wir die Frage zu beantworten suchen: Wie kann
sich der Mensch denn überhaupt – nach dem »Tode Gottes« – diesem Nihilismus eines alles vernichtenden, entwertenden, vergleich-
gültigenden Historismus entwinden? Bei Nietzsche kommt natürlich weder eine »messianische Erlösung« noch eine »kommunistische Revolution« in den Blick. Die »Erlösung«, die Nietzsche als
einzig gültige anerkennt, ist die Erfahrung der *Ewigkeit* in der Zeit.
Jedoch gerade nicht als Präsenz einer transzendenten, göttlichen
Ewigkeit in der menschlichen Geschichte, sondern als »*ewige Wiederkehr des Gleichen*« in der Geschichte. Im Willen zu dieser Ewigkeit sieht Nietzsche die Überwindung des Willens zum Nichts. Wie
soll das geschehen?

2. DIE EWIGE WIEDERKEHR DES GLEICHEN

Nietzsche kommt zu diesem Begriff der Ewigkeit durch die Frage
nach der möglichen Vermittlung von menschlicher Willensfreiheit
und notwendigem Geschick, nach der »Synthese zwischen dem
freien, Geschichte schaffenden Willen und dem universalen Fatum,
der Notwendigkeit alles Seienden«.[88] Solange der Mensch der Notwendigkeit eines ihm vorgegebenen Schicksals, gerade auch einer
ihn bindenden, irreversiblen Vergangenheit ausgeliefert ist, kann
sein freier Wille nicht voll tätig werden. So etwas wäre nur dann
möglich, wenn der freie Wille selbst »die höchste Potenz des Fa-
tums« wäre:

> Die Vergangenen zu erlösen und alles »Es war« umzuschaffen in ein »So
> wollte ich es!« – das hieße mir erst Erlösung!
> Wille – so heißt der Befreier und Freudebringer: also lehrte ich euch
> meine Freunde! Aber nun lernt dies hinzu: der Wille selber ist noch ein
> Gefangener.
> Wollen befreit: aber wie heißt das, was auch den Befreier noch in Ketten
> schlägt?
> »Es war«: also heißt des Willens Zähneknirschen und einsamste Trübsal.

[87] Zarathustras Vorrede nr. 5, aaO. 19 f.
[88] K. Löwith, Weltgeschichte und Heilsgeschehen, aaO. 197.

Ohnmächtig gegen das, was getan ist – ist er allem Vergangenen ein böser Zuschauer.

Nicht zurück kann der Wille wollen; daß er die Zeit nicht brechen kann und der Zeit Begierde, – das ist des Willens einsamste Trübsal.

Wollen befreit: was ersinnt sich das Wollen selber, daß es los seiner Trübsal werde und seines Kerkers spotte?

Ach, ein Narr wird jeder Gefangene! Närrisch erlöst sich auch der gefangene Wille.

Daß die Zeit nicht zurückläuft, das ist sein Ingrimm; »Das, was war« – so heißt der Stein, den er nicht wälzen kann...

Alles »Es war« ist ein Bruchstück, ein Rätsel, ein grauser Zufall – bis der schaffende Wille dazu sagt: »aber so wollte ich es!«

– Bis der schaffende Wille dazu sagt: »aber so will ich es! So werde ich's wollen!«

Aber sprach er schon so? Und wann geschieht dies? Ist der Wille schon abgeschirrt von seiner eigenen Torheit?

Wurde der Wille sich selber schon Erlöser und Freudebringer? Verlernte er den Geist der Rache und alles Zähneknirschen?

Und wer lehrte ihn Versöhnung mit der Zeit, und Höheres, als alle Versöhnung ist?

Höheres als alle Versöhnung muß der Wille wollen, welcher der Wille zur Macht ist –: doch wie geschieht ihm das? Wer lehrte ihn auch noch das Zurückwollen?«[89]

Dieses »Zurückwollen« des Willens, diese freie Bejahung des Vergangenen und Notwendigen durch den schöpferischen, der Zukunft des Übermenschen zugewandten Willen, dieses »Wollen des Müssens« ist nach Nietzsche nur möglich, wenn die Wirklichkeit im ganzen (das »Sein«) eine »ewige Wiederkehr des Gleichen« ist. Denn nur dann, wenn der freie Wille, wie er sich hier und jetzt betätigt, schon einmal als er selbst schöpferisch tätig gewesen ist und jetzt als der »gleiche« »wiederkehrt«, und dies nicht nur einmal, sondern »ewig«, kann der jeweilige freie Wille versöhnt werden mit dem ihm als notwendig Überkommenen. Denn dies ist dann ja immer schon von ihm selbst in der Vergangenheit gewollt und gesetzt worden; der Wille begegnet dann auch im Fatum sich selbst und kann es deswegen frei bejahen, ohne sich dabei aufzugeben; er gehört selbst zu den Ursachen des Notwendigen. Nur wenn der Mensch also die Wirklichkeit im ganzen als eine ewige Wiederkehr des Gleichen ansieht und willentlich anerkennt, wird sein Wille wirklich frei, erlöst von unmenschlichen Fesseln. »Im Wollen des ewig wiederkehrenden Kreislaufs der Zeit und des Seins wird der Wille auch selber aus einer geraden Bewegung ins Endlos-Unendliche zum voraus- wie zurückwollenden Kreis. Diesen doppelten

[89] Zarathustra, 2. Teil, Von der Erlösung, aaO. 179 ff.

Willen, der immer noch will, was er immer schon muß, meint Nietzsches ›amor fati‹. In ihm schließt sich das Ganze der Zeit und des Seins zusammen zu der schon einmal gewesenen Zukunft eines noch immer werdenden Seins.«[90] Das Sein ist ein ewiger Kreislauf: »Alles geht, alles kommt zurück; ewig rollt das Rad des Seins. Alles stirbt, alles blüht wieder auf; ewig läuft das Jahr des Seins. Alles bricht, alles wird neu gefügt; ewig baut sich das gleiche Haus des Seins. Alles scheidet, alles grüßt sich wieder; ewig bleibt sich treu der Ring des Seins«.[91]

3. Mittag/Mitternacht – der gefüllte Augenblick

Zu dieser Metaphysik der ewigen Wiederkehr des Gleichen gibt es für Nietzsche *zwei Zugänge:* Erstens muß der *Wille selbst* sich zu dieser Metaphysik *entschließen,* um als »Wille zur Macht« (was seine höchste Bestimmung ist) wirklich sein zu können. Nur wenn er sich zu diesem Zurückwollen entschließt, wenn er sich dadurch von einem fremden, blinden fatum selbst befreit (indem er dieses als von ihm frei gesetzt bejaht), ist er ein »erlöster«, ein vollendeter Wille zur Macht. Einem solchen Willen (es ist der Wille des »Genesenden«, den dieser als »Wende aller Not«, als »meine Not-wendigkeit« preist[92]) wird dann auch die *Erfahrung* (und das ist der zweite Zugang) der Wirklichkeit als Ewigkeit, als ewiger Wiederkehr des Gleichen zuteil. Es ist die Erfahrung jenes Augenblicks, in dessen gefüllter Gegenwart gleichsam das Vergangene und Zukünftige eingesammelt ineins erlebt werden – als ein gefülltes »nunc stans«; in dem die fortlaufende Zeit zum Stillstand gekommen ist und die gesamte Wirklichkeit in ihrer ewigen Wiederkehr, in ihrem ewigen, runden Kreislauf ineins geschaut wird. Nietzsche nennt diesen Augenblick der restlos erfüllten und vollendeten Gegenwart abwechselnd den »*Mittag*« oder die »*Mitternacht*«. So legt sich Zarathustra neben einen Baum nieder zum Schlafen – »um die Stunde des vollkommenen Mittags«:

»Still! Still! Ward die Welt nicht eben vollkommen? Was geschieht nur doch? ...

Das Wenigste gerade, das Leiseste, Leichteste, einer Eidechse Rascheln, ein Hauch, ein Husch, ein Augen-Blick – wenig macht die Art des besten Glücks – Still!

---

[90] K. Löwith, Von Hegel zu Nietzsche, Stuttgart 1941, 214.
[91] Zarathustra, 3. Teil, Der Genesende, aaO. 272 f.
[92] Zarathustra, aaO. 269.

Was geschah mir! Horch! Flog die Zeit wohl davon? Falle ich nicht? Fiel ich nicht – horch! in den Brunnen der Ewigkeit? Was geschieht mir? Still! Es sticht mich – wehe – ins Herz? Ins Herz! O zerbrich, zerbrich, Herz nach solchem Glücke, nach solchem Stiche!
Wie? Ward die Welt nicht eben vollkommen? Rund und reif?
... O des goldnen runden Balls!
... Wann trinkst du diese wunderliche Seele –
– wann, Brunnen der Ewigkeit! Du heiterer schauerlicher Mittags-Abgrund! Wann trinkst Du meine Seele in Dich zurück?«[93]

Dieser vollkommene »Mittag« des Glücks, in dem die Zeit in die Ewigkeit hineinverwandelt wird, ist zugleich die Stunde der »Mitternacht«, in der die »Lust« als Wille zur »Ewigkeit« erlebt wird:

Ihr höheren Menschen, was dünket euch? Bin ich ein Wahrsager? Ein Träumender? Trunkener? Ein Traumdeuter? Eine Mitternachts-Glocke?
Ein Tropfen Tau's? Ein Dunst und Duft der Ewigkeit? Hört ihr's nicht? Riecht ihr's nicht? Eben ward meine Welt vollkommen, Mitternacht ist auch Mittag. –
Schmerz ist auch eine Lust, Fluch ist auch ein Segen, Nacht ist auch eine Sonne, – geht davon oder ihr lernt: ein Weiser ist auch ein Narr.
Sagtet ihr jemals Ja zu einer Lust? O, meine Freunde, so sagtet ihr Ja auch zu allem Wehe. Alle Dinge sind verkettet, verfädelt, verliebt, –
– wolltet ihr jemals Ein Mal zweimal, spracht ihr jemals »du gefällst mir, Glück! Husch! Augenblick!« so wolltet ihr Alles zurück!
– Alles von neuem, Alles ewig, Alles verkettet, verfädelt, verliebt, o so liebtet ihr die Welt, –
– ihr Ewigen, liebt sie ewig und allezeit: und auch zum Weh sprecht ihr: vergeh, aber komm zurück! Denn alle Lust will – Ewigkeit![94]

O Mensch! Gib acht!
Was spricht die tiefe Mitternacht?
»Ich schlief, ich schlief –,
»Aus tiefem Traum bin ich erwacht: –
»Die Welt ist tief,
»Und tiefer als der Tag gedacht.
»Tief ist ihr Weh –,
»Lust – tiefer noch als Herzeleid:
»Weh spricht: Vergeh!
»Doch alle Lust will Ewigkeit –,
»– will tiefe, tiefe Ewigkeit!«[95]

»Mittag« und »Mitternacht« – es sind Symbole für »Ewigkeit« und damit zugleich für die unbedingte *Bejahung* des Seins, ja jedes

---

93 Zarathustra, 4. Teil, Mittags, aaO. 342 ff.
94 Zarathustra, 4. Teil, Das Nachtwandler-Lied nr. 10, aaO. 402.
95 AaO. nr. 12, 404.

Seienden, auch des Kleinsten und Unscheinbarsten, denn darin wird seine Vergänglichkeit, seine entwertende Relativität aufgehoben. Was jetzt im »Augenblick« ist, geht nicht einfach verloren; es war schon unendlich oft da und wird unendlich oft wiederkehren – immer als das Gleiche. Nicht Resignation ist der Grundtenor dieser Geschichtsphilosophie, sondern das vorbehaltlose Ja zur Wirklichkeit im ganzen; um dieses Ja willen wird die Zeit als ein ständig weiterlaufender und alles vernichtender Strom selbst vernichtet.

Darauf zielen letztlich auch die drei »Verwandlungen« des Menschen, die am Anfang des »Zarathustra« stehen. Die erste geschieht durch den Gehorsam des Menschen Gott gegenüber: »du sollst«; hier wird der Geist zum geduldig tragenden »Kamel«. Die zweite Verwandlung vollzieht sich durch die Selbstbefreiung des Menschen von dieser Knechtschaft: »ich will«; hier wird der Geist zum freien Geist des »Löwen«. Die dritte Verwandlung aber bringt ihn erst ans Ziel: Darin verwandelt sich der Löwe in ein »Kind«, das sich mit der von ihm stets neu geschaffenen und wieder zerstörten Welt versöhnt, das in dem Kreislauf des Seins spielt und vorbehaltlos zu ihm ja sagt: »ich bin«. »Unschuld ist das Kind und Vergessen, ein Neubeginn, ein Spiel, ein aus sich rollendes Rad, eine erste Bewegung, ein heiliges Ja-sagen. Ja, zum Spiele des Schaffens, meine Brüder, bedarf es eines heiligen Ja-sagens: *seinen* Willen will nun der Geist, *seine* Welt gewinnt sich der Weltverlorene.«[96]

Als »ewige Wiederkehr des Gleichen« ist die Wirklichkeit selbst ein ewiges Ja zu sich selbst, und diesem Ja paßt sich der Mensch an, indem er zum »Kind« wird, das in diesem ewigen Kreislauf spielt, mit-spielt. Hier ist dann endlich der Widerspruch der Geschichte zwischen Notwendigkeit und Freiheit, zwischen Fatum und Willen, zwischen Sein und Sollen versöhnt. Immer da, wo diese Verwandlung des Menschen zum »Kind« im ewigen Kreislauf des Seins bereits gelungen ist, da hat die Geschichte ihren »Sinn«, ihre Vollendung, ihren »Mittag« und ihre »Mitternacht« gefunden: im »Präsens« des von Ewigkeit erfüllten Augenblicks.

4. APORIEN

Man wird sich der Faszination dieses Entwurfs nur schwer entziehen können. Seine Nähe und zugleich seine radikale Ferne zur christlichen Geschichtstheologie machen den »Zarathustra« wohl auch für Christen so anziehend. »Zarathustra ist auf jeder Seite ein

[96] Zarathustra, 1. Teil, Von den drei Verwandlungen, aaO. 31.

antichristliches Evangelium, im Stil wie im Inhalt... Nietzsches neues Heidentum... ist dem Wesen nach christlich, weil es antichristlich ist.«[97] Das Christliche: die Erfahrung der präsenten Ewigkeit in der Zeit und damit das unbedingte Ja zur Wirklichkeit im ganzen. Das Antichristliche: Diese präsente Ewigkeit ist nicht die sich verströmende Liebe eines transzendent-immanenten Gottes (als des Schöpfers und Erlösers), sondern die ewige Wiederkehr des vom freien Willen des Menschen (als Selbstschöpfer und Selbsterlöser) Gesetzten und immer Gleichen seiner eigenen Welt.

Hier meinen wir nun eine *erste Aporie* zu sehen: Trägt eine solche »Versöhnung« der Geschichte nicht den unaufhebbaren Widerspruch in sich, der stets (s. 4. Teil, III/3 und IV/C 4) mit der Idee der »*Selbsterlösung*« gegeben ist? Kann der Mensch zum befreit spielenden »Kind« werden allein durch eigenen Willensentschluß? Anders gefragt: Wenn Ewigkeit in der Zeit und damit unbedingte Positivität des Zeitlichen *nur* durch den Willen des Menschen möglich sind (der eben zugleich »zurückwill« und »vorauswill« und damit alles Vorgegebene und Zukünftige der Wirklichkeit nur als von ihm selbst geschaffene Wirklichkeit akzeptiert), bleibt dann der Mensch nicht notwendig und »ewig« unter dem Druck seines »Wollens«, unter dem (selbstgesetzten) Zwang des »Willens zur Macht« stehen? Der Wille soll ja die Ewigkeit und absolute Sinnhaftigkeit des Seins schaffen. Diese gibt es aber nur, wenn der Wille von sich selbst und seinem Selbst-Anspruch befreit ist, wenn er sich selbst aufhebt in das vorbehaltlos bejahende Spiel des »ich bin« statt des »ich will«. Wie aber kann der Wille sich durch sich selbst verwandeln in etwas, das jenseits seiner selbst liegt? Muß hier nicht eine »Potenz« des Willens angenommen werden, die ihm zwar zutiefst zueigen ist, die aber doch nicht schlechthin aus ihm selbst stammt? Gemeint ist damit die geschöpfliche Fähigkeit zur *Dankbarkeit,* in der der freie Wille sich als »verdankter« Wille verwandeln *läßt* zu jener Freiheit einer Bejahung, die frei ist von jedem selbstgesetzten »du sollst« bzw. »ich will«. Eine solche *geschenkte* Bejahung der Wirklichkeit, ein solches Sich-einpassen-*Lassen* des Menschen in das *Geschenk* der Wirklichkeit im ganzen (= Schöpfung) kann ihn erst zum »spielenden Kind« verwandeln, kann ihn »erlösen« zu diesem unbedingten Ja zur Wirklichkeit, zu dieser »Versöhnung mit der Zeit«.

Eine *zweite Aporie:* Auch Nietzsche versucht, gerade das »*Vergangene*« zu retten; er will ihm (1) seine Irreversibilität, seine fremde und blinde Notwendigkeit nehmen und zugleich auch (2) seine Zu-

[97] K. Löwith, Weltgeschichte und Heilsgeschehen, aaO. 203.

fälligkeit, seine Vergänglichkeit, seine Relativität. Er tut dies, indem er es (1) als das vom Willen immer schon Gewollte akzeptiert (es ist also frei gesetzte Notwendigkeit) und (2) indem er es als das Immer-gleiche, das Stets-Wiederkehrende aufwertet (es ist also nur so vergänglich, indem es stets im Rad der Geschichte wieder neu auftaucht). Gerade beim letzteren wird man fragen müssen: Wird hier nicht gerade die Individualität, die *Einmaligkeit* des *Geschichtlichen* und damit des Menschen aufgehoben? Wenn das Gleiche immer wiederkommt, was unterscheidet es dann von seinem vorigen und seinem folgenden Dasein? Wird die jeweilige geschichtliche Gestalt nicht doch – gerade durch das Immer-Wiederkehren – gleichgültig? Wird hier nicht das Tiefste der menschlichen Personalität, dieses »Ich« in seiner einmaligen geschichtlichen Konstellation mit seinen intersubjektiven Beziehungen und seiner sozialen Lebenswelt, ja gerade auch mit seinem einmaligen Tod überspielt? Es scheint, daß auf diese Weise die Rettung des »Vergangenen« nicht überzeugend gelingen kann; sie muß zuviel am geschichtlich-konkreten Menschen nivellieren.

Auch hier zeigt sich (wie bei den in Kapitel IV behandelten Entwürfen): Ohne die christliche Hoffnung auf die »Auferstehung von den Toten« als dem absolut nicht-machbaren Geschenk des totenerweckenden Gottes bleibt der geschichtsphilosophische Ausgriff auf eine *universale* Versöhnung der Wirklichkeit in sich widersprüchlich oder mit erheblichen Defiziten belastet. Der atheistische Verzicht auf das Reden von Gott und seiner Gnade müßte folgerichtig die Hoffnung auf umfassendes Heil-werden von Mensch, Geschichte und Natur aufgeben; eine ehrliche Konsequenz, die in unserer Gegenwart auch weithin theoretisch und praktisch gezogen wird. Ob allerdings die an ihre Stelle getretene unersättliche Suche nach dem *Glück* in seinen tausendfältigen Erscheinungsformen die christliche Hoffnung auf das *Heil* so einfach ersetzen kann, ohne die Humanität des Menschen zu verwunden oder gar zu zerstören, scheint sehr fraglich. Zu oft erinnert der Anspruch, das Glück zum Menschenrecht erklären zu wollen, an Zarathustras Lied vom »letzten Menschen« (s. o.): »Was ist Liebe? Was ist Schöpfung? Was ist Sehnsucht? Was ist Stern? – so fragt der letzte Mensch und blinzelt ... Wir haben das Glück gefunden – sagen die letzten Menschen und blinzeln.«

Schluß: Theologie und Praxis der Hoffnung

Der letzte Teil mit seinem Überblick über die verschiedenen geschichtsphilosophischen Entwürfe muß uns Christen sehr nach-
denklich stimmen. Es sind ja nicht bloß singuläre Äußerungen ei-
genwilliger Denker, die hier zur Sprache kamen, sondern viel eher
der reflektierte Ausdruck eines sich immer weiter ausbreitenden allgemeinen Bewußtseins. Und dieses Bewußtsein scheint die Schwelle
zu einer Heilshoffnung nicht mehr überwinden zu können, die alles
von der *gnadenhaften* Einlösung eines großen *Versprechens* erwartet.
Ist daran nur die Mentalität der modernen Leistungsgesellschaft
schuld? Nur die Hybris des neuzeitlich geprägten Menschen, alles,
auch die umfassende Versöhnung der Wirklichkeit (falls sie überhaupt noch in den Blick kommt), selbst herstellen zu wollen und zu
können? Tragen nicht auch die Theologie und die Verkündigung
der Kirche ein gerütteltes Maß an Mitschuld daran, daß das Evangelium Jesu von der Gnade des Reiches Gottes seine Anziehungskraft so sehr verloren hat? Hat sich die Kirche der Neuzeit nicht zu
gern als moralische Lehr- und Zuchtmeisterin der »schwachen«
Menschen gebärdet, denen sie als Weg zum Heil lieber eine Menge
von Geboten und Verboten vortrug als ihnen (gerade auch in ihren
amtlichen Vertretern) das Beispiel einer christlichen »Gelassenheit
des Beschenkten« vorzuleben? Wurde die Eschatologie nicht oft genug deformiert zu einer Sammlung von angsteinflößenden Schrek-
kensvisionen, um die Sünder mit angedrohten ewigen Strafen ein-
zuschüchtern und so zur kirchlichen »Räson« zu bringen? Die Geschichte des eschatologischen Traktats gehörte aus solchen und
ähnlichen Gründen wahrlich nicht immer zu den Ruhmesblättern
der katholischen Theologie.
Das Zweite Vatikanische Konzil mit seiner großen Pastoralkonstitution »Die Kirche in der Welt von heute« hat in dieser Hinsicht
eine deutliche Wende markiert. Die positive Zuwendung zur
»Welt« und ihrer (= unserer) menschenwürdigen Zukunft hat das
Gespräch über die Möglichkeiten des *gemeinsamen* Weges zu einer
versöhnten »Menschheitsfamilie« wieder in Gang gebracht. Der
christlichen Geschichtstheologie ist es seither aufgetragen, dieses
Gespräch – trotz aller enttäuschten Euphorien und aller unausbleib-
lichen Rückschläge – entschieden lebendig zu halten; soll sie doch
bei dieser gemeinsamen Suche nach einer menschenwürdigeren Gestalt der ganzen Schöpfung das Proprium der christlichen Hoffnung zur Geltung bringen: eben den Versuch, die »Gelassenheit des

Beschenkten« mit der »Leidenschaft für das Mögliche« zu verbinden. Daß die »Bewährung« solcher Hoffnung nicht primär oder gar ausschließlich im theoretischen Diskurs mit anderen Hoffnungsweisen geschieht, ist selbstverständlich. Auch die theologische Theorie kann eigentlich nur dem nach-denken, was in der Gemeinschaft der Glaubenden, zumal in ihren besonders »zukunftsträchtigen« Gruppen und Bewegungen, an praktizierter Hoffnung gelebt wird. Hier muß sich die christliche Hoffnung zuallererst »bewähren«, weil dies tatsächlich fast noch die »einzige Bibel« ist, die die Menschen lesen und verstehen können. Wenn die Theologie sich dann an ihre spezielle Aufgabe heranmacht und über die Praxis der Hoffnung nachdenkt, kann sie ihr vielleicht ein wenig zum tieferen Verstehen ihrer selbst, ihrer geschichtlichen Ursprünge und ihrer »geist-gemäßen« Wahrheit verhelfen. Sie wird sie damit zugleich ermutigen, noch wacher auf die vielen Zeichen des Reiches Gottes in unserer Zeit zu achten, deren größere Einheit in der »communio«-Gestalt zu suchen und sich dabei in Zuversicht auf das vollendete Reich jenes Gottes auszustrecken, der einmal »alles in allem sein« wird.

Dies mag manchem – angesichts der gegenwärtig stark grassierenden »Krankheit zum Tod« (S. Kierkegaard), eben der Verzweiflung, der Hoffnungslosigkeit und des Zynismus vieler – zu hoch gegriffen sein. In der Tat, wenn die Hoffnung hauptsächlich auf die natürliche Regenerationsfähigkeit unserer (persönlichen und gesellschaftlichen) Vitalität angewiesen wäre, stände es vermutlich nicht gut um sie. Aber da, wo sie auch heute (oft genug »gegen alle Hoffnung«) den Geist in sich einläßt, der sie mit Jesus Christus »Abba, Vater« beten läßt (Röm 8, 14 ff), kann sie sich auf das Versprechen dieses Gottes ver-lassen; kann sie sich tragen lassen vom Geist dieses schönen Gebetes, das Kardinal Roger Etchegaray formuliert hat und mit dem ich den Traktat beschließen möchte:

»Gepriesen bist Du, Vater,
Du hast mir die Hoffnung ins Herz gesät,
auch wenn ich in den Felsen unten am Meer
weder Spuren noch Weg entdecke.

Gepriesen bist Du, Vater,
Du hast mir Deinen Sohn geschickt;
er wandert mit mir und trägt die ganze Last meiner Sünde.
Er ist auf meinen Wegen der Freundschaft immer dabei,
er begleitet mein Lied der Freiheit.

Gib mir, Herr, Deinen Geist des Lichtes.
Lehr mich weitergehen,
im Schein der Mondsichel wie in der prallen Sonne.

Lehr mich vorwärts schauen
und Gestriges nicht für Zukunft zu erachten.
Lehr mich, täglich Neues mit Dir zu schaffen
und nicht am breitgetretenen Weg
die welken Blumen zu pflücken.
Lehr mich in der Felswand
den kleinen Halt zu finden,
der mir den Weg zum Gipfel öffnet.

Gib mir, Herr, Deinen Geist der Stärke.
Gib meinen müden Armen nach vergeblicher Mühe
neu die jugendliche Frische,
um tausend junge Bäume zu pflanzen für eine neue Welt.
Mein Schweiß soll sich mit Deinem Schweiß von Getsemani
mischen, mein Blut in Dein Blut von Golgota fließen,
um den von Unrecht und Egoismus verdorrten Wald zu bewässern.

Gepriesen bist Du, Vater,
Du führst mich bis ans Ziel,
bis nach Emmaus,
wo beim Mahl aus der gemeinsamen Schüssel
auf einmal das Angesicht des Auferstandenen aufleuchtet,
überströmend von Frieden und Freude.«[98]

[98] R. Etchegaray, Wie der Esel von Jerusalem... Was ein Kardinal sich denkt, Freiburg 1985, 42 f.

Register

2. Schriftstellen

a) Altes Testament

3. Stichworte

Rückblick und Ausblick

**Dogmen-
geschichte
und
katholische
Theologie**

Herausgegeben von

Werner Löser
Karl Lehmann
Matthias Lutz-Bachmann

echter

540 Seiten, gebunden mit Schutzumschlag. DM 48,–

Dogmengeschichtliche Forschung soll dazu beitragen, daß der Sinn der Dogmen möglichst genau erfaßt wird. Die Untersuchung der Vor- und Nachgeschichte einer dogmatischen Entscheidung kann dazu verhelfen.
Die Erforschung der Dogmengeschichte galt bis vor wenigen Jahrzehnten als eine Domäne evangelischer Theologen. Doch mittlerweile hat dieser Forschungsbereich auch in der katholischen Theologie eine große Bedeutung erlangt.
Nach einer Phase dogmengeschichtlicher Forschung legt sich ein Rückblick auf den bisher gegangenen Weg, eine Zwischenbilanz der geleisteten Arbeit und eine Erörterung der mit dem Phänomen Dogmengeschichte gegebenen Grundsatzfragen nahe. Der vorliegende Band enthält Beiträge u. a. von Karl Heinz Neufeld · Bernhard Lohse · Leo Scheffczyk · Charles H. Lohr SJ · Klaus Schatz SJ · Albert Raffelt · Hermann Josef Sieben SJ · † Karl Rahner SJ · Jörg Splett · Walter Kasper · Helmut Riedlinger · Medard Kehl SJ · Karl Lehmann, die im Blick auf dieses Anliegen abgefaßt sind.